John Katzenbach

Américain, John Katzenbach a longtemps été chroniqueur judiciaire pour des quotidiens et des magazines tels que le *Miami Herald* ou le *Miami News*. Cette expérience lui a inspiré de nombreux romans à succès – notamment *L'affaire du lieutenant Scott* (Presses de la Cité, 2001) et *Une histoire de fous* (Presses de la Cité, 2005) – dont plusieurs ont été adaptés par Hollywood comme *Un été pourri* avec Kurt Russell et *Juste Cause*, avec Sean Connery. *L'analyste* (Presses de la Cité, 2003) a reçu le Grand Prix de Littérature Policière en 2004.

John Katzenbach vit aujourd'hui dans le Massachusetts.

L'ANALYSTE

JOHN KATZENBACH

L'ANALYSTE

Traduction de
Jean Charles Provost

PRESSES DE LA CITÉ

Titre original :
The Analyst

Publié avec l'accord de John Hawkins & Associates, Inc., New York.

ISBN 978-2-266-14391-2

PREMIERE PARTIE

Une lettre de menaces

1

L'année où il s'attendait vraiment à mourir pour de bon, le jour de son cinquante-troisième anniversaire, il passa le plus clair de son temps, comme les autres jours, à écouter des gens se plaindre de leur mère. Des mères négligentes, des mères cruelles, des mères sexuellement provocantes. Des mères décédées, mais toujours vivantes dans l'esprit de leurs enfants. Des mères encore vivantes, que leurs enfants avaient envie de tuer. En particulier M. Bishop, ainsi que Mlle Levy, mais aussi le pauvre Roger Zimmerman, qui partageait son appartement de l'Upper West Side – et, apparemment, la totalité de sa vie éveillée et des rêves dont il se souvenait si précisément – avec une femme hypocondriaque, manipulatrice et acariâtre qui semblait n'avoir d'autre objectif que de gâcher tous les efforts que déployait son fils pour conquérir son indépendance... Tous, ce jour-là, passèrent la totalité de leur séance à déverser du vitriol sur les femmes qui les avaient mis au monde.

Il écoutait calmement ces accès de haine meurtrière. Il se contentait de glisser de temps en temps une remarque neutre, sans jamais interrompre le flot de rage qui montait du divan comme un vomissement. Il souhaitait seulement que le patient respire à fond et prenne un peu de distance, pendant un instant, pour découvrir de quoi il s'agissait réellement : de la haine de soi. Grâce à sa formation et à son expérience, il savait que, après avoir déversé leur bile pendant des années dans l'univers singulièrement isolé du cabinet de l'analyste, tous ses patients – y compris le pauvre Roger Zimmerman, désespéré et infirme – finiraient par atteindre à cette conscience d'eux-mêmes.

Mais, à cause de son anniversaire – ce rappel direct de sa propre mortalité –, il se demandait s'il disposait d'assez de temps pour voir chacun d'eux parvenir à cet instant d'acceptation de soi qui est l'eurêka de l'analyste. Son propre père était mort juste après avoir eu cinquante-trois ans, le cœur usé par des années de tabac et de stress, et il savait que ce souvenir était tapi, imperceptible et malveillant, sous sa conscience. C'est alors qu'il fut légèrement distrait. Le déplaisant Roger Zimmerman continuait de geindre – il n'avait pas l'intention de faire autre chose jusqu'aux dernières secondes de sa séance. Il cessa de lui accorder toute l'attention nécessaire en entendant le faible bourdonnement, par trois fois, de la sonnette qu'il avait placée dans la salle d'attente.

C'était le signal habituel de l'arrivée d'un patient. Dès la première séance, chacun de ses clients était invité à signaler sa présence en sonnant deux coups brefs puis un long. Cela lui permettait de ne pas confondre avec le coup de sonnette d'un courtier, d'un releveur de compteurs, d'un voisin ou d'un livreur quelconque se présentant à la porte d'entrée.

Sans modifier sa position, il jeta un coup d'œil à son agenda posé à côté de la pendule sur la petite table, près de la tête du patient et hors de la vue de celui-ci. La case de six heures était vide. La pendule indiquait six heures moins douze. Roger Zimmerman, sur le divan, eut l'air de se tendre.

— Je croyais être toujours le dernier de la journée.

Il ne répondit pas.

— Personne n'est jamais venu après moi, du moins pas que je me souvienne. Pas une seule fois. Est-ce que vous auriez modifié votre planning sans m'en parler ?

Il restait toujours silencieux.

— Je n'aime pas l'idée que quelqu'un vient après moi, fit Zimmerman d'un ton catégorique. Je tiens à être le dernier.

— Pourquoi donc ? demanda-t-il enfin.

— D'une certaine manière, être le dernier, c'est être le premier, répondit Zimmerman d'un ton péremptoire qui suggérait que n'importe quel crétin aurait pu s'en rendre compte.

Il hocha la tête. La remarque de Zimmerman était bizarre mais assez juste. Mais comme il y semblait condamné à jamais, le pauvre homme l'avait exprimée à la fin de sa séance. S'il l'avait formulée au début, cela leur aurait permis d'avoir un dialogue plus constructif pendant cinquante minutes.

— Essayez de reprendre cette idée demain, dit-il. Nous pourrions commencer par là. Je crains que notre temps ne soit écoulé, pour aujourd'hui.

Zimmerman hésita, puis se leva.

— Demain ? Corrigez-moi si je me trompe, mais demain, c'est le dernier jour avant que vous ne preniez ces foutues vacances d'août, comme vous le faites chaque foutue année. Quel bien voulez-vous que ça me fasse ?

Une fois de plus, il s'abstint de répondre, laissant la question flotter dans l'air au-dessus de la tête du patient. Zimmerman renifla bruyamment.

— De toute façon… celui qui attend là, dehors, il est sans doute plus intéressant que moi, hein ? fit-il d'un ton amer.

Il posa les pieds par terre et leva les yeux vers le docteur.

— J'ai horreur des changements, dit-il sèchement. Je n'aime pas ça du tout.

Il le regarda d'un air lourd de sous-entendus et se leva en secouant les épaules. Un grognement lui déforma les traits.

— Normalement, ce doit être toujours pareil. J'entre, je m'allonge, je commence à parler. Je suis le dernier patient de la journée. Voilà comment ça doit se passer. Personne n'aime le changement.

Il soupira, mais cette fois c'était plus pour montrer sa colère que sa résignation.

— Très bien. Alors, à demain. Dernière séance avant que vous ne partiez à Paris, à Cape Cod ou sur Mars, qu'importe, là où vous allez en me laissant tout seul, comme un…

Zimmerman pivota brusquement et traversa la petite pièce d'un pas décidé. Il sortit sans jeter un regard derrière lui.

Il resta un moment dans son fauteuil, à écouter les pas de l'homme en colère disparaître dans le couloir de l'immeuble. Puis il se leva. Le poids de l'âge se faisait sentir. Ce long après-midi sans bouger, derrière le divan, avait raidi ses muscles et ses articulations. Il se dirigea vers l'entrée du cabinet : une seconde porte donnait sur sa petite salle d'attente. A certains égards, cette pièce bizarrement agencée où il avait établi sa pratique, de nombreuses années auparavant, était unique. C'était d'ailleurs la raison pour laquelle il avait loué cet appartement après la fin de son internat. C'était aussi la raison pour laquelle il était encore là, plus d'un quart de siècle plus tard.

Le cabinet avait trois portes. L'une donnait sur le hall d'entrée, dont il avait fait une minuscule salle d'attente ; une autre donnait directement sur le couloir de l'immeuble ; la troisième lui permettait d'accéder à la modeste cuisine, au salon et à la chambre à coucher constituant le reste de l'appartement. Son cabinet était une sorte d'îlot personnel, avec des portails ouverts sur ces autres mondes. Il y pensait souvent comme à un espace intermédiaire, un pont jeté entre des réalités distinctes. Cela lui plaisait : il se disait que le fait que le cabinet soit séparé du monde extérieur contribuait à lui rendre la tâche plus facile.

Il ignorait lequel de ses patients était venu sans rendez-vous. Il était d'ailleurs incapable de se rappeler qu'un seul d'entre eux ait agi ainsi durant toutes ses années de pratique.

Il ne voyait pas du tout quel patient pouvait être suffisamment en crise pour décider d'un changement aussi grave dans les relations entre l'analyste et l'analysé. C'était sur la routine que se fondait son travail, la routine et la répétition, où les mots prononcés dans le sanctuaire artificiel mais absolu du cabinet finissent par paver les chemins de la compréhension. Là-dessus, Zimmerman avait raison. Le changement allait à l'encontre de leurs efforts. Il traversa le cabinet d'un pas vif, impatient, légèrement troublé à l'idée qu'un événement pressant s'était introduit dans une vie qu'il trouvait souvent beaucoup trop calme et tout à fait prévisible.

Il ouvrit la porte de la salle d'attente et regarda devant lui.

La pièce était vide.

Tout d'abord, il fut désorienté. Peut-être avait-il imaginé le coup de sonnette. Mais M. Zimmerman l'avait entendu lui aussi, et lui aussi avait reconnu la séquence indiquant qu'un habitué se trouvait dans la salle d'attente.

— Ohé ? fit-il, sachant que de toute évidence il n'y avait personne pour lui répondre.

Son front se plissa sous l'effet de la surprise, et il remonta les lunettes cerclées de fer qui lui tombaient sur le nez.

— Bizarre, dit-il à voix haute.

C'est alors qu'il remarqua l'enveloppe posée sur la chaise qu'il mettait à la disposition de ses patients. Il expira lentement et secoua la tête. Il se dit que c'était un peu trop mélodramatique, même pour quelqu'un qui était en traitement chez lui.

Il prit l'enveloppe. Il vit son nom, dactylographié.

— C'est très bizarre, répéta-t-il.

Il hésita avant d'ouvrir la lettre. Il la leva devant ses yeux, comme Johnny Carson dans son numéro classique de Carnac le Magnifique, essayant de deviner lequel de ses patients avait pu la déposer là. Mais cela ne ressemblait à aucune des dix ou douze personnes qu'il voyait régulièrement. Ils préféraient tous exprimer de vive voix leurs doléances sur ce qu'ils considéraient comme ses nombreux défauts et insuffisances. Ils le faisaient directement et souvent – cela faisait partie du processus, même si c'était parfois irritant.

Il déchira l'enveloppe et en sortit deux feuilles de papier dactylographiées. Il n'en lut que la première ligne : *Heureux 53e anniversaire, docteur. Bienvenue au premier jour de votre mort.*

Il inspira brusquement. L'air confiné de l'appartement

lui faisait tourner la tête. Il s'appuya au mur pour ne pas tomber.

Le Dr Frederick Starks, un homme qui faisait de l'introspection son métier, vivait seul, hanté par les souvenirs d'autres individus.

Il se dirigea vers le petit bureau antique en érable que sa femme lui avait offert quinze ans plus tôt. Cela faisait trois ans qu'elle était morte, mais, quand il s'asseyait à son bureau, il lui semblait entendre le son de sa voix. Il posa les deux feuilles l'une à côté de l'autre, sur le sous-main. Il se dit que, depuis longtemps, il n'avait jamais eu peur de quoi que ce soit. La dernière chose qui lui avait fait peur, c'était le diagnostic du cancérologue de sa femme. Maintenant, il avait sur la langue ce goût sec et acide, aussi fâcheux que l'accélération de son rythme cardiaque.

Il prit une seconde ou deux pour essayer de calmer ces battements. Il attendit patiemment, jusqu'à ce qu'il sente le rythme redescendre lentement. Il avait, en cet instant précis, une conscience aiguë de sa solitude et il haïssait le sentiment de vulnérabilité qu'elle faisait naître en lui.

L'existence de Ricky Starks – peu de gens savaient combien il préférait ce diminutif, qui lui rappelait le temps du lycée, à « Frederick », qu'il trouvait trop sonore – était fondée sur l'ordre et sur l'habitude. Il était fidèle à une régularité à la limite du rituel, et certainement proche de l'obsession. Placer son existence quotidienne sous le signe de la raison était indispensable pour essayer de comprendre quelque chose à l'agitation et au chaos que ses patients lui décrivaient jour après jour. Physiquement, ce n'était pas un homme très robuste – un peu plus d'un mètre soixante-quinze, un corps qui restait mince, presque maigre grâce à son habitude d'aller marcher d'un bon pas chaque jour, à l'heure du déjeuner, et à son refus acharné de céder à sa passion secrète pour les glaces et les desserts.

Il portait des lunettes, ce qui n'était pas extraordinaire pour un homme de son âge. Mais il était fier de n'avoir besoin que de verres au degré de correction peu élevé. Il était aussi très fier de constater que, même s'il perdait un peu ses cheveux, ils se dressaient encore sur son crâne comme des épis dans un champ de blé. Il avait cessé de fumer et ne buvait que très rarement. Un verre de vin, le soir, parfois, pour trouver plus facilement le sommeil. Cet homme habitué à la solitude ne craignait pas de dîner seul au restaurant ou d'aller seul au cinéma ou au théâtre. Il considérait que son état général, physiquement et mentalement, était excellent. La plupart du temps, il se sentait beaucoup plus jeune que ses cinquante-trois ans. Mais il avait une conscience aiguë d'entrer dans l'année que son père n'avait jamais dépassée et, malgré l'absurdité de cette pensée, il s'était toujours dit qu'il ne dépasserait pas cinquante-trois ans, lui non plus, comme si cela eût été injuste ou de mauvais goût. Et pourtant, se dit-il en posant les yeux sur les premiers mots de la lettre, je ne suis pas encore prêt à mourir. Puis il continua à lire, lentement, s'arrêtant à chaque phrase, laissant la peur et l'angoisse l'envahir.

J'existe quelque part dans votre passé. Vous avez ruiné ma vie. Vous ne savez peut-être pas comment, ni pourquoi, ni quand, mais c'est un fait. A cause de vous, chaque seconde de ma vie est sous l'influence du désastre et de la tristesse. Vous avez ruiné ma vie. Et maintenant, j'ai vraiment l'intention de ruiner la vôtre.

Ricky Starks inspira de nouveau à fond. Il vivait dans un monde où abondaient les fausses menaces et les promesses non tenues, mais il sut immédiatement que les mots qu'il avait sous les yeux étaient très différents des divagations qu'il entendait chaque jour.

Au début, je pensais vous tuer, tout simplement, pour égaliser le score. Puis j'ai compris que ce serait trop facile. Vous êtes une cible tellement facile que c'en est pathétique, docteur. Pendant la journée, vous ne fermez pas votre porte. Vous faites la même promenade à pied, du lundi au vendredi. Le week-end, vous êtes merveilleusement prévisible, y compris le dimanche matin quand vous allez chercher votre Times, *avec un bagel à l'oignon et un café – deux sucres, pas de lait – au coffee-shop à la mode situé à deux rues de chez vous. Beaucoup trop facile. Il me suffirait de vous filer et de vous tuer, vous n'auriez pas la moindre chance. Et ce serait trop facile à accomplir pour que cela me procure la satisfaction nécessaire. J'ai décidé qu'il serait préférable que vous vous suicidiez.*

Ricky Starks, mal à l'aise, s'agita dans son fauteuil. Il avait l'impression de sentir la chaleur que dégageaient les mots alignés sous ses yeux, comme un feu qui prend dans un poêle à bois. Elle vint caresser son front et ses joues. Il avait les lèvres sèches. Il y passa la langue, en vain.

Tuez-vous, docteur.

Sautez du haut d'un pont. Brûlez-vous la cervelle avec un revolver. Jetez-vous sous un autobus. Couchez-vous sur les rails du métro. Ouvrez le gaz et soufflez la veilleuse. Trouvez une poutre assez solide pour vous pendre. Vous avez le choix de la méthode.

Mais c'est votre seule chance.

Vu la nature de nos relations, votre suicide sera beaucoup plus judicieux. Et ce sera sûrement un moyen beaucoup plus satisfaisant de payer votre dette à mon égard.

Alors voici le jeu auquel nous allons jouer. Vous avez exactement quinze jours, à compter de demain matin, six heures, pour découvrir qui je suis. Si vous réussissez, vous passerez une de ces minuscules annonces, sur une colonne, qui sont en bas de la une du New York Times. *Vous y inscrirez mon nom. C'est tout : inscrivez mon nom.*

Si vous n'y arrivez pas... eh bien, voilà la partie amusante de l'affaire. Vous verrez que j'ai inscrit sur la feuille jointe à cette lettre les noms de cinquante-deux membres de votre famille. Ils sont classés par ordre d'âge, depuis le bébé de votre petite-nièce, qui a à peine six mois, jusqu'à votre cousin, le spéculateur financier et capitaliste d'exception, qui est aussi sec et ennuyeux que vous. Si vous n'êtes pas capable de passer l'annonce comme décrit plus haut, vous aurez le choix. Vous vous tuez immédiatement ou je détruis un de ces innocents.

Détruire. Quel mot bizarre. Il peut signifier leur ruine financière. Ou leur naufrage social. Ou encore un viol psychologique.

Ce peut aussi être le meurtre. Ça vous obligera à réfléchir. Il pourra être jeune ou vieux. Un homme ou une femme. Riche ou pauvre.

Tout ce que je puis vous promettre, c'est que ce sera le genre de choses dont ils ne se remettront jamais – eux ou leurs proches –, quel que soit le nombre d'années qu'ils passeront en analyse.

Ce qui est certain, c'est que vous vivrez chaque seconde de votre vie, jusqu'à la fin de vos jours, avec l'idée que vous en êtes le seul responsable.

Sauf évidemment si vous faites le bon choix et que vous décidez de vous tuer d'abord, soustrayant ainsi ma cible, quelle qu'elle soit, au sort que je lui réserve.

Vous avez donc le choix : mon nom ou votre notice nécrologique. Dans le même journal, bien entendu.

Pour vous prouver ce que je suis capable de faire et combien je suis organisé, j'ai contacté aujourd'hui une des personnes dont le nom figure sur la liste et lui ai fait parvenir un petit message tout à fait modeste. Je vous invite à consacrer le reste de cette soirée à essayer de découvrir qui a été contacté, et comment. Ainsi vous pourrez vous mettre au travail pour de bon, dès demain matin.

Bien entendu, je ne m'attends pas vraiment à ce que vous deviniez mon identité. Alors, pour vous montrer que je suis beau joueur, j'ai décidé que, de temps en temps, pendant les quinze jours qui viennent, je vous fournirai un ou deux indices. Juste pour rendre les choses plus intéressantes, même si un type intelligent et intuitif comme vous doit se douter que cette lettre elle-même regorge d'indices. Quoi qu'il en soit, voici un avant-goût, en guise de cadeau.

Au temps jadis, la vie était drôle, vraiment,
Mère, père et petit enfant.
Mais toutes les bonnes choses se sont envolées
Quand mon père s'est embarqué.

La poésie n'est pas mon fort.

La haine, oui.

Vous pouvez poser trois questions. De celles auxquelles on répond par oui ou non.

Toujours la même méthode : les petites annonces de la une du New York Times.

Je répondrai, à ma manière, dans les vingt-quatre heures.

Bonne chance.

Vous pouvez aussi trouver un peu de temps pour prendre les dispositions nécessaires pour vos funérailles. La crémation est sans doute préférable à des obsèques sophistiquées. Je sais combien vous détestez les églises.

Je crois que prévenir la police serait une mauvaise idée. Elle se moquerait probablement de vous, et j'imagine que votre vanité aurait du mal à le supporter. Par ailleurs, ça ne pourrait que me mettre encore plus en colère, et vous ne pouvez imaginer, en cet instant précis, comme je peux être instable. Je suis capable de réagir de manière inattendue et d'employer les méthodes les plus cruelles.

Mais il y a une chose dont vous pouvez être absolument certain : ma colère ne connaît pas de limites.

La lettre était signée d'un nom en lettres capitales : RUMPLESTILTSKIN.

Ricky Starks se renversa brutalement en arrière dans son fauteuil, comme si la colère qui émanait de la feuille qu'il avait sous les yeux l'avait frappé au visage avec la violence d'un coup de poing. Il se leva brusquement et se dirigea vers la fenêtre, qu'il ouvrit tout aussi brusquement. Les bruits de la ville explosèrent dans le calme de la petite pièce, portés par une brise inhabituelle en cette fin de juillet et qui annonçait peut-être un orage nocturne. Il inspira, cherchant dans l'air quelque chose qui fût capable de le soulager de la chaleur qui l'avait envahi. Il entendait le hurlement aigu d'une sirène de police à quelques rues de là et la cacophonie permanente de Klaxon qui est le fond sonore ordinaire de Manhattan. Il inspira encore deux ou trois fois avant de refermer la fenêtre, repoussant à l'extérieur tous les bruits de la vie urbaine normale.

Il revint à la lettre.

Je suis dans de sales draps, se dit-il. Jusqu'à quel point ? Il n'en était pas encore sûr.

Il avait conscience d'être gravement menacé, mais la nature de la menace n'était pas encore bien définie. Une partie de lui-même insistait pour qu'il ignore le document posé sur son bureau. Qu'il refuse simplement de jouer à ce qui ne ressemblait pas du tout à un jeu. Il s'ébroua, comme pour aider ses pensées à s'épanouir. Sa formation et son expérience lui soufflaient que la réaction la plus raisonnable consistait à ne pas réagir du tout. Un analyste avait souvent l'occasion de constater que garder le silence, refuser de répondre aux attitudes les plus agressives et les plus monstrueuses d'un patient, est le moyen le plus sensé de découvrir les véritables raisons de ses actes. Il se leva et fit deux fois le tour de la pièce, comme un chien qui renifle une odeur inconnue.

Au second tour, il s'arrêta et contempla de nouveau la page dactylographiée.

Il secoua la tête. Ça ne marchera pas, se dit-il. Un instant, il admira le raffinement de son correspondant. Il se dit qu'il aurait sans doute accueilli une menace directe (« Je vais vous tuer ! ») avec un détachement proche de l'indifférence. Après tout, il avait vécu longtemps, et plutôt bien, et menacer de tuer un homme de son âge ne menait vraiment pas loin. Mais ce n'était pas cela qu'il avait en face de lui. La menace était moins directe. S'il ne réagissait pas, quelqu'un d'autre risquait de souffrir. Un innocent, et très probablement quelqu'un de jeune, car les jeunes sont beaucoup plus vulnérables.

Ricky déglutit avec peine. Je m'en voudrais, se dit-il. Je passerais le restant de mes jours à m'en mordre les doigts.

L'auteur de la lettre avait absolument raison.

Sauf si je me tue.

Il avait un goût amer sur la langue. Le suicide était aux antipodes de tout ce qu'il avait défendu sa vie durant. Il eut le sentiment que celui qui signait Rumplestiltskin le savait.

Il eut soudain l'impression qu'on le mettait à l'épreuve.

Il se remit à arpenter son cabinet en essayant de mesurer la véritable nature de la lettre. Une grosse voix à l'intérieur de son crâne lui demandait de la mépriser, de rejeter le message tout entier, de décider que c'était le fruit de l'exagération, un fantasme sans fondement réel. Mais il en était incapable. Ricky se gronda mentalement. Ce n'est pas parce que quelque chose te dérange que tu peux l'ignorer.

Mais il n'avait pas la moindre idée de la manière dont il devait réagir. Il cessa de faire les cent pas et regagna son fauteuil. Folie, se dit-il. Mais une folie non dénuée d'intelligence, c'est évident, car elle me pousse à sombrer moi-même dans la folie.

— Je devrais appeler la police, dit-il à voix haute.

Il s'arrêta net. Pour dire quoi ? Composer le 911 et raconter à un sergent de garde, lourd et sans imagination, qu'il avait reçu une lettre de menaces ? Entendre le type lui répondre : « Et alors ? » Pour autant qu'il sache, aucune loi n'avait été violée. A moins qu'il ne fût interdit d'inciter quelqu'un à se suicider. De l'extorsion ? Quelle sorte d'homicide ce pourrait être ? L'idée lui traversa l'esprit qu'il pourrait appeler un avocat. Puis il se rendit compte que la situation créée par la lettre de Rumplestiltskin ne relevait pas du droit. On l'interpellait sur le terrain qu'il connaissait. Le jeu auquel on voulait qu'il joue impliquait intuition et psychologie. Il mettait en œuvre des émotions et des peurs. Ricky secoua la tête. Je peux jouer sur ce terrain-là, se dit-il.

— Que sais-tu déjà ? lança-t-il à voix haute dans la pièce vide.

Il s'agit de quelqu'un qui connaît ma routine quotidienne. Il sait comment je reconnais l'arrivée d'un patient. Il sait quand je prends ma pause-déjeuner. Ce que je fais le week-end. Il a été assez futé pour établir une liste de membres de ma famille. Cela exige une certaine ingéniosité. Il connaît ma date de naissance.

Ricky inspira brusquement, à nouveau. On m'a épié.

Quelqu'un m'a observé à mon insu. Mesuré. Quelqu'un a passé beaucoup de temps et d'énergie à mettre sur pied ce petit jeu et il ne me laisse pas beaucoup de temps pour la contre-attaque.

Il avait toujours la langue et les lèvres sèches. Il avait très soif, tout à coup, mais il n'avait pas envie de quitter le sanctuaire de son cabinet pour aller chercher un verre d'eau à la cuisine.

— Qu'ai-je fait pour mériter une telle haine ?

La question lui fit l'effet d'une gifle. Ricky savait qu'il n'était pas avare de cette arrogance commune à tant de médecins – sous prétexte que sa compréhension et sa capacité à accepter l'existence d'autrui lui permettaient de faire le bien dans son petit fragment d'univers. L'idée qu'il avait peut-être créé chez quelqu'un, quelque part, un monstrueux abcès de haine lui était violemment désagréable.

— Qui êtes-vous ? demanda-t-il en regardant la lettre.

Il parcourut mentalement la liste de ses patients, passa les décennies en revue, puis il s'interrompit tout aussi brusquement. Il savait qu'il devrait le faire. Il lui faudrait travailler de manière systématique, avec méthode et obstination, mais il n'y était pas prêt.

Il pensa qu'il serait un piètre enquêteur. Puis il secoua la tête. Ce n'était pas vrai, bien entendu. Depuis des années, il était une sorte de détective. La différence résidait surtout dans la nature des crimes sur lesquels il enquêtait et sur les techniques qu'il employait. Vaguement rassuré par cette pensée, Ricky Starks se rassit derrière son bureau. Il sortit du tiroir supérieur droit un vieux carnet d'adresses à la reliure de cuir si usée qu'il était fermé par un élastique. Pour commencer, nous pouvons trouver le parent que ce type a contacté. Ce doit être un ancien patient. Un patient qui a interrompu son analyse et a sombré dans la dépression. Un patient qui a nourri pendant des années une fixation proche de la psychose. Ricky se disait que, avec un peu de chance, et peut-être un ou deux coups de sonde quand il saurait lequel de ses parents avait été contacté, il serait capable d'identifier cet ancien patient dépité. Il essaya de se convaincre, non sans flatter son amour-propre, que l'auteur de la lettre, ce Rumplestiltskin, était vraiment en train d'appeler à l'aide. Puis, presque aussi subitement, il repoussa cette idée idiote. Le carnet d'adresses à la main, Ricky pensa au personnage de conte de fées dont l'auteur de la lettre avait emprunté le nom. Cruel, se dit-il. Un gnome, un sorcier au cœur noir qui n'a pas trouvé son maître mais à qui la simple malchance fait perdre son pari. Cette pensée ne l'aida pas à se sentir mieux.

Sur le bureau, devant lui, la lettre semblait émettre de la lumière.

Lentement, il hocha la tête. Elle a beaucoup à dire, se répéta-t-il. Confronte les mots tracés sur ces pages avec ce que leur auteur a déjà fait, et tu auras accompli la moitié du travail pour l'identifier.

Il repoussa la lettre sur le côté et ouvrit son carnet d'adresses. Il chercha le numéro de la première des cinquante-deux personnes figurant sur la liste. Avec une légère grimace, il commença à enfoncer les touches du téléphone. Depuis une dizaine d'années, il avait peu de rapports avec sa famille. Aucun de ses membres ne serait très heureux d'entendre le son de sa voix. Surtout étant donné la raison de son appel.

2

Ricky Starks n'était vraiment pas doué pour soutirer des informations à des parents surpris d'entendre sa voix. Il avait l'habitude d'intérioriser tout ce que lui disaient ses patients dans son cabinet et de garder pour lui ses observations et ses intuitions. Mais en composant, les uns après les autres, les numéros de téléphone, il se trouvait sur un terrain peu familier et sûrement peu confortable. Il était incapable de formuler un discours qu'il aurait pu répéter, une salutation simple suivie d'une brève explication de la raison de son appel. Sa voix n'était qu'hésitation et indécision. Il s'entendait bafouiller les formules les plus galvaudées, tandis qu'il essayait d'obtenir une réponse à la plus stupide des questions : est-ce qu'il vous est arrivé quelque chose d'inhabituel ?

Il passa donc sa soirée à donner une série de coups de fil très agaçants. Certains de ses parents étaient désagréablement surpris de l'entendre. D'autres étaient curieux de savoir pourquoi il les appelait après tout ce temps, ou encore ils lui faisaient comprendre qu'il les dérangeait dans leurs tâches du moment. Ou bien ils se montraient grossiers, tout simplement. Chacune de ses prises de contact était quelque peu brutale, et plusieurs l'envoyèrent vivement sur les roses. Il n'était pas rare qu'on lui lance : « Mais qu'est-ce que tu racontes ? » Il répondait alors par un mensonge : un de ses anciens patients s'était débrouillé, il ne savait trop comment, pour mettre la main sur une liste des membres de sa famille et il s'inquiétait de ce qu'il puisse les appeler. Il omettait de mentionner l'hypothèse que quelqu'un puisse avoir à faire face à une menace – ce qui, se disait-il, était sans doute son plus gros mensonge.

Il était presque dix heures du soir. L'heure à laquelle il se couchait d'habitude approchait, et il restait sur sa liste plus de deux douzaines de noms. Il n'avait rien appris jusqu'à présent, dans l'existence de ceux qu'il avait appelés, qui justifiât qu'il poursuive son enquête. Mais, en même temps, il doutait de son talent pour mener un interrogatoire. La singulière imprécision de la lettre de Rumplestiltskin lui faisait craindre d'être passé à côté du lien qu'il cherchait à établir. Il était parfaitement possible que, au cours d'une des brèves conversations qu'il avait eues ce soir-là, celui qui avait été contacté par l'auteur de la lettre lui ait menti. Et puis, à plusieurs reprises, il avait eu la frustration de ne pas recevoir de réponse. Par trois fois, il avait dû laisser sur un répondeur un message laconique et gêné.

Il refusait d'admettre que la lettre qu'on lui avait apportée ce jour-là pût être une simple charade, même s'il eût préféré cela. Il avait le dos raide. Il n'avait pas dîné et il avait faim. Il avait mal à la tête. Il se passa la main dans les cheveux et se frotta les yeux avant de composer le numéro suivant. Outre la tension qui lui martelait les tempes, il commençait à sentir les effets de la fatigue. Il considérait sa migraine comme une légère pénitence pour ce que révélait la manière dont on l'accueillait : il était isolé. Il était devenu un étranger pour la plupart des membres de sa famille.

Je paie le prix de ma négligence, se dit-il en se préparant à appeler le vingt et unième nom de la liste de Rumplestiltskin. Il aurait été ridicule de s'attendre à ce que ses parents lui sautent au cou après toutes ces années de silence, surtout les parents éloignés avec qui il n'avait jamais eu beaucoup en commun. Plus d'un avait marqué une pause après avoir entendu son nom, comme s'ils essayaient de se rappeler qui il était précisément. Ces brefs silences lui donnaient l'impression d'être un vieil ermite descendant de sa montagne, ou un ours qui sort d'hibernation.

Le vingt et unième nom lui sembla vaguement familier. Il se concentra là-dessus, essayant d'associer un visage et un statut aux caractères qui s'alignaient sous ses yeux. Une image se forma lentement dans sa tête. C'était le premier des deux fils de sa sœur aînée, morte dix ans plus tôt. Cela faisait de Ricky un oncle, quoique très abstrait. Il n'avait eu aucun contact avec ses neveux et nièces depuis l'enterrement de sa sœur. Il se creusa la tête pour essayer de se remémorer autre chose qu'une apparence. Est-ce que ce nom sur la liste avait une femme ? Une famille ? Une carrière ? Qui était-il ?

Ricky secoua la tête. C'était l'écran noir. L'homme qu'il devait appeler n'était qu'un nom pioché dans un carnet d'adresses. Il s'en voulait. Il pensa à sa sœur. Elle avait quinze ans de plus que lui. Ils avaient grandi côte à côte mais, à cause de cette différence d'âge, ils avaient vécu dans des sphères totalement différentes. Elle était l'aînée. Lui, c'était l'enfant venu par accident, qui serait toujours le bébé de la famille. Elle était poète. Diplômée, dans les années cinquante, d'une université pour jeunes filles riches, elle avait travaillé dans l'édition avant de faire un beau mariage avec un avocat d'affaires de Boston. Ses deux fils vivaient en Nouvelle-Angleterre.

Ricky regarda le nom sur la feuille posée devant lui. Il y avait une adresse à Deerfield, dans le Massachusetts, code téléphonique : 413. La mémoire lui revint soudain. Le fils était professeur dans le collège privé de cette ville. Quelle matière enseignait-il ? La réponse lui apparut en quelques secondes. L'histoire. L'histoire des Etats-Unis. Ricky ferma les yeux, serrant les paupières autant qu'il pouvait. Une image se forma enfin dans son esprit : un homme assez petit et maigre, en veste de tweed, avec des lunettes à monture d'écaille et des cheveux blond-roux qui s'éclaircissaient prématurément. Sa femme mesurait au moins six centimètres de plus que lui.

Il soupira. Fort de ces quelques informations, il tendit la main vers le téléphone et composa le numéro.

La sonnerie retentit une demi-douzaine de fois, puis quelqu'un décrocha. Une voix très jeune, indiscutablement. Grave, mais impatiente.

— Allô ?

— Allô, fit Ricky, je voudrais parler à Timothy Graham. Je suis son oncle Frederick. Le Dr Frederick Starks.

— Je suis Tim junior.

— Hé, Tim junior ! s'exclama Ricky après une seconde d'hésitation. Je crois bien qu'on ne s'est jamais rencontrés...

— Si, en fait. Une fois. Je me rappelle. A l'enterrement de Mamy. A l'église, vous étiez assis derrière mes parents, au deuxième rang, et vous avez dit à Papa que c'était une bonne chose que ça ne se soit pas prolongé, pour Mamy. Je me souviens très bien de ce que vous avez dit, car ce jour-là, je n'avais pas compris.

— Tu devais avoir…

— Sept ans.

— Et maintenant, tu as…

— Presque dix-sept ans.

— Tu as bonne mémoire, puisqu'on ne s'est vus qu'une fois.

Le jeune homme réfléchit une seconde.

— L'enterrement de Mamy m'a beaucoup marqué.

Au lieu de s'expliquer, il décida de changer de sujet :

— Vous voulez parler à Papa ?

— Oui. Si c'est possible.

— Pourquoi ?

C'était une question inattendue de la part d'un adolescent. Non pas le fait que Timothy junior veuille savoir la raison de son appel – curiosité parfaitement naturelle à son âge –, mais Ricky eut l'impression que le garçon parlait d'un ton vaguement protecteur. Il se dit que la plupart des adolescents auraient simplement braillé à leur père de prendre le téléphone, avant de retourner à leurs activités – télévision, devoirs, jeux vidéo –, les appels des vieux oncles lointains n'étant pas prioritaires dans leur vie de tous les jours.

— En fait, c'est pour une raison un peu bizarre, répondit-il.

— On a eu une journée bizarre, ici aussi, répondit l'adolescent.

Ces mots lui firent dresser l'oreille.

— Comment ça ?

Le gamin éluda la question :

— Je ne suis pas sûr que Papa ait envie d'en parler tout de suite, tant qu'il ne sait pas de quoi il s'agit.

— Eh bien, fit prudemment Ricky, je crois que ce que j'ai à lui dire l'intéressera.

Timothy junior prit le temps d'assimiler ces mots.

— Papa est occupé, pour l'instant, répondit-il enfin. Les flics sont encore là.

Ricky inspira vivement.

— La police ? Il est arrivé quelque chose ?

Ignorant sa question, le garçon préféra en poser une autre :

— Pourquoi vous appelez ? Je veux dire, on n'a pas eu de vos nouvelles depuis…

— Depuis des années. Au moins dix ans. Depuis l'enterrement de ta grand-mère.

— Ouais. C'est bien ce que je pensais. Et pourquoi brusquement aujourd'hui…

Ricky se dit que le garçon avait le droit d'être soupçonneux. Il se lança dans son discours préparé :

— Un de mes anciens patients… Je suis docteur, Tim, tu te rappelles ? Un de mes anciens patients pourrait essayer d'entrer en contact avec un membre de la famille. Et même si nous ne nous sommes pas parlé pendant toutes ces années, je préférais prévenir tout le monde. Voilà pourquoi j'appelle.

— Quel genre de patient ? Vous êtes psy, hein ?

— Psychanalyste.

— Et ce patient, il est dangereux ? Il est dingue ? Ou les deux ?

— Je crois que je préférerais expliquer ça à ton père.

— Je vous l'ai dit, il parle à la police. Je crois qu'ils vont bientôt s'en aller.

— Pourquoi parle-t-il à la police ?

— Cela a à voir avec ma sœur.

— Qu'est-ce qui a à voir avec ta sœur ?

Ricky essaya de se souvenir du nom de la fillette, de

son visage. Mais il se rappelait seulement une petite fille blonde, de quelques années plus jeune que son frère. Il revoyait les deux enfants assis sur le côté durant la réception qui avait suivi les obsèques de sa sœur, mal à l'aise dans leurs vêtements raides, sombres, calmes mais impatients que cette ambiance sinistre se dissipe et que la vie redevienne normale.

— Quelqu'un a suivi… fit le garçon, qui s'interrompit brusquement. Je crois que je vais aller chercher Papa, ajouta-t-il vivement.

Ricky entendit le claquement du combiné qu'il posait sur la table, et des voix étouffées en fond.

Quelques instants plus tard, quelqu'un prit le téléphone. Ricky entendit une voix qui ressemblait à celle de l'adolescent, mais empreinte d'une lassitude beaucoup plus marquée. En même temps, il sentit une urgence, une inquiétude, comme si le propriétaire de la voix était sous pression ou en proie à l'indécision. Ricky se considérait comme un expert en voix, capable d'analyser les inflexions et les tons, le choix des mots et le rythme, comme autant de signaux révélateurs, de fenêtres ouvertes sur ce qui se dissimulait à l'intérieur. Le père de l'adolescent n'y alla pas par quatre chemins :

— Oncle Frederick ? Ton appel est très inattendu, et je suis au milieu d'une véritable petite crise familiale, ici, alors j'espère que c'est vraiment important. Que puis-je faire pour toi ?

— Salut, Tim. Excuse-moi de m'immiscer de cette façon…

— Ça va. Tim junior vient de me dire que tu avais reçu des menaces…

— Si l'on veut. J'ai reçu tout à l'heure une lettre énigmatique, dont l'auteur pourrait être un de mes anciens patients. Oui, en effet, on peut considérer que le ton est menaçant. C'est surtout dirigé contre moi. Mais il suggère aussi qu'il pourrait entrer en contact avec un membre de ma famille. J'ai décidé de donner quelques coups de fil pour prévenir tout le monde et pour essayer de savoir si quelqu'un avait déjà été approché.

Il y eut à l'autre bout du fil un silence mortel, glacial. Un silence qui se prolongea pendant quelques instants.

— Quel genre de patient ? demanda enfin Tim senior, en écho à la question de son fils. Est-ce que le type peut être dangereux ?

— Je ne sais pas exactement de qui il s'agit. La lettre n'est pas signée. Je présume qu'il s'agit d'un de mes anciens patients, mais je n'en suis pas vraiment certain. En fait, ce n'est peut-être pas le cas. A vrai dire, je ne suis sûr de rien.

— Tout ça a l'air bien vague. Infiniment vague.

— Tu as raison. Je suis désolé.

— Tu crois que cette menace est réelle ?

Ricky détecta la dureté dans la voix de son neveu.

— Je ne sais pas. Il est évident que cela m'a suffisamment inquiété pour que je décide de décrocher le téléphone.

— Tu en as parlé à la police ?

— Non. Je me suis dit qu'envoyer une lettre à quelqu'un n'est pas interdit par la loi.

— C'est exactement ce que ces salauds viennent de me dire.

— Pardon ? fit Ricky.

— Les flics. J'ai appelé les flics, et ils sont venus jusqu'ici simplement pour me dire qu'ils ne pouvaient rien faire.

— Pourquoi as-tu appelé la police ?

Timothy Graham ne répondit pas immédiatement. Il semblait reprendre son souffle, mais Ricky eut l'impression que, au lieu de le calmer, cela avait l'effet contraire, comme s'il relâchait un spasme de rage refoulée.

— C'est dégueulasse. Un putain d'obsédé. Un salopard d'obsédé sexuel. Si je lui mets la main dessus, je le tue. Je le tue de mes mains nues. Cet ancien patient, c'est un malade sexuel, Oncle Frederick ?

Ricky était interloqué devant cette explosion d'obscénités. Cela lui semblait déplacé chez ce professeur d'histoire calme, austère et bien élevé, en poste dans un établissement privé, huppé et conservateur. Il attendit un instant, ne sachant quoi répondre.

— Je ne sais pas. Dis-moi ce qui s'est passé et qui te met dans cet état.

Tim senior hésita à nouveau. Il respirait bruyamment – on eût cru le sifflement d'un serpent glissant le long de la ligne du téléphone.

— Le jour de son anniversaire, tu imagines ? Juste le jour de ses quatorze ans. C'est absolument dégueulasse…

Ricky se raidit. La mémoire lui revint, en une sorte d'explosion mentale. Comment n'y avait-il pas pensé ? De tous les membres de sa famille, un seul – par le plus grand des hasards – était né le même jour que lui. La fillette dont il avait eu tant de mal à se souvenir et qu'il n'avait vue qu'une fois, à un enterrement. Il se morigéna : Ça aurait dû être ton premier coup de fil. Mais il s'abstint de le dire à voix haute.

— Que s'est-il passé ? demanda-t-il sans ménagement.

— Quelqu'un a déposé une carte d'anniversaire dans son casier, au vestiaire de l'école. Tu sais, une de ces grandes cartes amusantes et vaguement sentimentales qu'on trouve dans tous les centres commerciaux. Je ne parviens toujours pas à comprendre comment ce fils de pute est entré là et comment il a pu ouvrir le casier sans être vu. Je veux dire, qu'est-ce que foutent les gens de la sécurité ? Incroyable. Bref, quand Mindy est arrivée à l'école, elle a trouvé la carte. Elle s'est dit qu'elle venait d'une de ses amies et elle l'a ouverte. Et tu sais quoi ? La carte était pleine de photos dégueulasses. Des images porno en couleurs, ne laissant rien à l'imagination. Des photos de femmes ligotées par des cordes, des chaînes, des ustensiles de cuir, et pénétrées de toutes les façons imaginables, et par tous les moyens concevables. Du vrai hard, du triple X... Et celui qui a laissé ça avait écrit sur la carte : *Voilà ce que je te ferai dès que je t'attraperai, toute seule.*

Ricky s'agita sur son siège. Rumplestiltskin, pensa-t-il.

— Et la police ? Qu'est-ce qu'elle t'a dit ?

Timothy Graham renifla bruyamment en signe de mépris. Il réservait certainement ça d'habitude à des étudiants paresseux qui devaient être paralysés par la terreur. Mais dans les circonstances présentes, cela exprimait plutôt l'impuissance et la frustration.

— Les flics municipaux, fit-il d'un ton vif, sont des crétins. Des crétins absolus. Ils m'ont expliqué très gentiment qu'ils ne peuvent rien faire tant qu'il n'existe pas de preuves concrètes et crédibles que Mindy est victime de harcèlement. Il leur faut des faits concrets, pour ainsi dire. En d'autres termes, il faut *d'abord* qu'elle se fasse agresser. Crétins ! Ils pensent que la lettre et ce qu'il y avait dedans... ils pensent qu'il s'agit d'une blague. Sans doute des étudiants de troisième ou de quatrième année... Peut-être quelqu'un à qui j'ai donné une mauvaise note au dernier trimestre. Ce n'est pas vraiment impossible, mais...

Le professeur d'histoire s'interrompit un instant.

— ... mais tu ne m'as pas parlé de ton ancien patient ? C'est un criminel sexuel ?

— Non. Pas du tout, fit Ricky après une seconde d'hésitation. Ça n'en a pas l'air du tout. Il est inoffensif, vraiment. Simplement, c'est irritant.

Il se demanda si son neveu savait qu'il mentait. Il en doutait. L'homme était furieux, troublé et indigné, et il semblait incapable de reconnaître avant un moment une entorse à la vérité.

— Je le tuerai, dit Timothy froidement. Mindy a pleuré toute la journée. Elle croit qu'il y a quelqu'un, quelque part, qui veut la violer. Elle n'a que quatorze ans et n'a jamais fait de mal à personne, et elle est d'autant plus impressionnable qu'elle n'a jamais été confrontée à ce genre de saloperie. J'ai l'impression qu'hier encore elle ne connaissait rien d'autre que ses peluches et ses Barbie. Je doute fort qu'elle dorme beaucoup cette nuit, et sans doute pendant quelques jours. Il me reste à espérer que la peur ne l'a pas transformée.

Ricky ne disait rien. Le professeur d'histoire reprit son souffle, puis :

— Est-ce que c'est possible, Oncle Frederick ? C'est toi, le foutu spécialiste. Est-ce qu'on peut avoir sa vie transformée d'un seul coup, comme ça ?

Il ne répondait toujours pas. Mais la question résonnait dans sa tête.

— C'est horrible, tu sais. Tout simplement horrible, éclata Timothy Graham. Tu essaies de protéger tes enfants de ce monde dingue et pourri, et dès que tu baisses ta garde une seconde, blam ! dans la gueule ! Ce n'est peut-être pas le pire exemple de perte d'innocence dont tu as entendu parler, Oncle Frederick, mais toi, ce n'est pas ta petite fille bien-aimée qui n'a jamais fait de mal à une mouche que tu écoutes pleurer toutes les larmes de son corps le jour de ses quatorze ans parce que quelqu'un, quelque part, a décidé de lui faire du mal.

Sur ces mots, le professeur d'histoire raccrocha.

Derrière son bureau, Ricky Starks se renversa en arrière. Il expira lentement, laissant l'air siffler entre ses dents. D'une certaine manière, il était à la fois choqué et intrigué par ce que Rumplestiltskin avait fait. Il passa rapidement en revue ce qu'il savait. Il n'y avait rien de spontané dans le message qu'il avait envoyé à sa petite-nièce. Tout était calculé et très efficace. Il avait de toute évidence passé pas mal de temps à la surveiller. Il possédait certains talents dont Ricky se disait qu'il aurait intérêt à ne pas les oublier. Rumplestiltskin était parvenu à tromper le service de sécurité d'une école privée et il avait la technique, comme un cambrioleur, pour ouvrir un casier de vestiaire sans l'abîmer. Enfin, il était sorti de l'école sans se faire voir et avait pris l'autoroute reliant le Massachusetts occidental à New York pour venir déposer son second message dans la salle d'attente de Ricky. La synchronisation n'était pas difficile. Le trajet n'était pas très long : peut-être quatre heures de route. Mais cela prouvait la préméditation.

Ce n'était pas cela, pourtant, qui inquiétait Ricky. Il s'agita sur son siège.

Les mots que son neveu venait de prononcer résonnaient encore dans le cabinet, ricochaient sur les murs, emplissaient l'espace autour de lui avec une sorte de chaleur : innocence perdue.

Ricky réfléchit à ces deux mots. Parfois, au cours d'une séance, un patient disait quelque chose qui semblait s'apparenter à une étincelle électrique :

moments de compréhension, éclairs d'intelligence, intuitions porteuses de progrès. C'étaient les moments que l'analyste attendait. Ils s'accompagnaient souvent d'un sentiment d'exaltation et de satisfaction, car ils laissaient espérer que la guérison était au bout du chemin.

Mais pas cette fois.

Ricky se sentit envahi par un désespoir incontrôlable. Un désespoir à la limite de la terreur.

Rumplestiltskin s'était attaqué à sa petite-nièce au moment où elle était le plus vulnérable. Il avait choisi un moment qui aurait dû être marqué, dans le grand coffre aux souvenirs, du sceau de la joie et de l'éveil. Son quatorzième anniversaire. Il en avait fait un jour laid et traumatisant. C'était la menace la plus terrible, la plus grande provocation que Ricky puisse imaginer.

Il porta la main à son front, comme s'il se sentait brusquement fiévreux. Il s'étonna de ne pas trouver de sueur. Nous craignons des menaces capables de compromettre notre sécurité, se dit-il. Un homme armé d'un fusil ou d'un couteau. Des violences sexuelles. Ou un conducteur ivre qui fonce à tombeau ouvert sur l'autoroute. Ou encore une maladie insidieuse, comme celle qui a tué ma femme, qui commence par taquiner nos entrailles. Ricky se leva de son fauteuil et se mit à faire nerveusement les cent pas. Nous avons peur d'être tués. Mais avoir sa vie ruinée est bien pire.

Il jeta un coup d'œil à la lettre de Rumplestiltskin. « Ruiner ». Il avait employé le mot et, un peu plus loin, « détruire ».

Son adversaire savait que ce qui nous menace vraiment, et ce qui est le plus difficile à combattre, provient souvent de l'intérieur de nous-mêmes. Le choc et la douleur provoqués par un cauchemar peuvent être bien pis qu'un violent coup de poing. De même que, parfois, ce n'est pas tant le poing qui provoque la douleur que l'émotion qui est derrière. Ricky se tourna vers la petite bibliothèque qui tapissait une des cloisons du cabinet. Il y avait là des rangées de livres bien classés – des manuels de médecine, pour la plupart, et des revues professionnelles. Des centaines de milliers de mots qui disséquaient de manière clinique, glacée, les émotions humaines. En une fraction de seconde, il comprit que toutes ses connaissances ne lui seraient sans doute d'aucune utilité.

Il aurait voulu pouvoir cueillir un manuel sur une de ces étagères, aller à l'index et chercher dans les R l'entrée « Rumplestiltskin », puis se rendre à la page où il aurait pu trouver une description sèche et directe de l'homme qui lui avait écrit cette lettre. La peur l'envahit, car il savait qu'une telle entrée n'existait pas. Et il comprit qu'il serait obligé de tourner le dos aux livres qui avaient jusqu'à cet instant décidé de sa vie. Tout ce qui lui vint en mémoire, à la place, c'était une phrase d'un roman qu'il n'avait pas relu depuis l'université, *1984*, d'Orwell. « Des rats. Ils mirent Winston Smith dans une pièce pleine de rats, parce qu'ils savaient que c'était la seule chose sur cette terre dont il avait vraiment peur. Pas la mort. Ni la torture. Les rats. »

Il parcourut du regard son appartement et son cabinet. Il avait cru jusqu'alors que cet endroit, où il menait depuis des années une existence confortable et heureuse, faisait partie de sa vie. En cet instant, il se demanda si tout cela allait changer et n'allait pas devenir tout à coup sa propre chambre 101. L'endroit où l'on gardait enfermée la chose la plus horrible du monde.

3

Il était tout juste minuit et il se sentait ridicule et plus seul que jamais.

Le cabinet était jonché de chemises de classement en papier kraft et de feuilles de papier, de piles de blocs sténo, de papier ministre, et un vieux magnétophone qui devait déjà être démodé dix ans plus tôt était posé au pied d'un tas de cassettes. Chaque pile représentait la maigre documentation qu'il avait rassemblée au cours des années sur ses patients. Il y avait des notes sur des rêves, des fiches où il avait gribouillé les associations d'idées essentielles pour chacun de ses patients, et celles qui lui étaient passées par la tête au cours du traitement : des mots, des phrases, des souvenirs révélateurs. Si une sculpture avait pu exprimer l'idée que l'analyse relevait autant de l'art moderne que de la médecine, aucune n'y serait mieux parvenue que le désordre qui l'entourait. Il n'y avait pas de formulaire méthodique indiquant la taille de chaque patient, son poids, la couleur de sa peau, sa religion, son lieu de naissance ou son pays d'origine. Il ne disposait pas de documents intelligemment classés par ordre alphabétique où figuraient la tension, la température, le pouls et une analyse d'urine. Pas plus qu'il n'avait de tableaux logiques et aisément accessibles où il aurait retrouvé la liste des patients avec leur nom, leur adresse, ceux de leurs proches parents et le diagnostic formulé pour chacun.

Ricky Starks n'était ni un spécialiste des maladies organiques ni un cardiologue ou un pathologiste qui cherche une explication claire aux maux de ses patients et qui conserve des notes abondantes et détaillées sur le traitement prescrit et les progrès accomplis. Sa spécialité défiait la science dont se préoccupent les autres formes de la médecine. C'est cette particularité qui fait de l'analyste une sorte de marginal dans l'exercice de la médecine et qui fait l'intérêt de cette profession pour la plupart des hommes et des femmes attirés par elle.

Mais Ricky, ce soir-là, au milieu du désordre grandissant, se sentait comme un homme qui émerge d'un abri souterrain après une tornade. Il avait ignoré quel chaos était son existence jusqu'à ce qu'un grave élément perturbateur y fasse irruption et compromette l'équilibre qu'il avait créé tant bien que mal. Essayer de s'y retrouver dans plusieurs décennies de patients et des centaines de thérapies quotidiennes était probablement sans espoir.

Parce qu'il soupçonnait déjà que Rumplestiltskin n'était pas là.

Du moins, pas sous une forme aisément identifiable.

Ricky était absolument certain que si l'auteur de la lettre s'était jamais allongé sur son divan, même pour une seule séance, il l'aurait reconnu. Le ton. Le style d'écriture. Toutes les manifestations évidentes de la colère, de la rage et de la furie. Ces éléments auraient été aussi visibles et indiscutables à ses yeux que des empreintes digitales pour un détective. Des indices éloquents, qui l'auraient alerté.

Il savait ce que cette hypothèse impliquait

d'arrogance. Sous-estimer Rumplestiltskin serait une très mauvaise idée, surtout avant d'en savoir plus sur cet homme. Mais il était sûr qu'aucun des patients qu'il avait suivis dans le cadre d'un traitement classique ne pouvait revenir, amer et furieux, des années plus tard, métamorphosé au point d'être capable de lui dissimuler son identité. Ils pouvaient revenir, portant toujours secrètement les plaies qui les avaient fait venir chez lui la première fois. Ils pouvaient revenir, frustrés et agressifs, car l'analyse n'est pas un antibiotique de l'esprit. Elle ne met pas fin aux infections du désespoir qui mutilent certains individus. Ils pouvaient être en colère, avoir l'impression qu'ils avaient gaspillé des années en paroles et que rien n'avait changé. Toutes ces possibilités existaient, même si Ricky avait rencontré très peu d'échecs de ce genre, en trente ans ou presque de pratique psychanalytique. A sa connaissance, en tout cas. Mais il n'était pas assez vaniteux pour croire que tous les traitements, quelle que soit leur durée, sont couronnés de succès. Il y a évidemment des thérapies qui sont moins victorieuses que d'autres.

Il devait se trouver quelque part des gens qu'il n'avait pas aidés. Ou qu'il n'avait pas assez aidés. Ou qui avaient négligé ce que l'analyse leur avait appris et étaient retournés à leur état antérieur. Infirmes, de nouveau. Retour au désespoir.

Mais Rumplestiltskin présentait un portrait tout à fait différent. Le ton de sa lettre et du message qu'il avait fait parvenir à sa petite-nièce révélait un individu calculateur, agressif, affichant une confiance en soi perverse. Un psychopathe, se dit Ricky, en accolant un terme clinique à quelqu'un qu'il n'avait pas encore identifié. Cela ne voulait pas dire qu'il n'avait pas soigné, peut-être une fois ou deux, dans sa longue carrière, des individus aux tendances psychotiques. Mais il ne connaissait personne qui ait montré une haine aussi profonde et aussi obsessionnelle que Rumplestiltskin. Et pourtant, quelqu'un qu'il avait soigné sans succès était lié à l'auteur de la lettre.

Il devait trouver qui était cet ancien patient, puis remonter à Rumplestiltskin. Parce qu'il sentait que c'était là, après quelques heures de réflexion, que résidait le lien. L'individu qui voulait le pousser au suicide était l'enfant, ou le conjoint, ou l'amant de quelqu'un. La première chose à faire, se dit Ricky avec hargne, était de trouver quel patient avait abandonné son traitement dans des circonstances douteuses. Alors il pourrait remonter la piste.

Il traversa la pièce en désordre et prit la lettre de Rumplestiltskin sur le bureau. *J'existe quelque part dans votre passé*. Ricky fixa les mots avec intensité, puis son regard se posa de nouveau sur les notes éparpillées dans le cabinet.

Très bien. La première chose à faire est de me pencher sur mon histoire professionnelle. Trouver les segments que je peux éliminer.

Il soupira. Est-ce qu'il avait commis une erreur quand il était interne à l'hôpital – une erreur qui revenait le hanter après plus d'un quart de siècle ? Pouvait-il d'ailleurs se rappeler ces premiers patients ? A l'époque où il suivait sa propre formation en analyse, il s'était engagé dans une étude des schizophrènes paranoïaques confiés au service psychiatrie de l'hôpital Bellevue. Sa thèse n'avait pas été un succès scientifique majeur. Mais il avait travaillé sur quelques projets de traitement pour des hommes qui avaient commis des crimes graves. C'était la seule fois où il s'était autant approché de la psychiatrie médico-légale, et ça ne lui avait pas beaucoup plu. Dès la fin de sa thèse, il avait retrouvé le monde beaucoup plus sûr et physiquement moins éprouvant de Freud et de ses disciples.

Ricky eut très soif, tout à coup, comme si la chaleur lui desséchait la gorge.

Il eut soudain conscience qu'il ne connaissait presque rien au crime et aux criminels. Il n'avait aucune compétence particulière en matière de violence. De fait, il ne s'y était jamais beaucoup intéressé. Il n'était même pas sûr d'avoir jamais connu de psychiatres experts devant les tribunaux. Il n'y en avait aucun dans le cercle restreint de ses connaissances et des confrères avec qui il entretenait des relations régulières.

Il parcourut du regard les manuels qui s'alignaient sur les étagères. Le livre de Krafft-Ebing, un traité fondamental de psychopathologie sexuelle, était là. Mais ça se limitait à ça. Et il était presque certain – même en considérant le message pornographique qu'il avait envoyé à sa petite-nièce – que Rumplestiltskin n'était pas un psychopathe sexuel.

— Qui êtes-vous ? demanda-t-il à voix haute.

Il secoua la tête, puis reprit lentement :

— Non. Pour commencer : qu'êtes-vous ?

Quand j'aurai répondu à cette question, je pourrai trouver *qui* vous êtes.

J'en suis capable, se dit-il en essayant de soutenir sa propre confiance en soi. Demain, je me creuserai la cervelle pour dresser une liste de mes anciens patients. J'en ferai plusieurs groupes représentant les étapes de ma vie professionnelle. Puis je commencerai à enquêter. Je retrouverai l'échec qui me permettra d'établir le lien avec ce type, Rumplestiltskin.

Epuisé, pas du tout certain d'avoir beaucoup avancé, Ricky sortit de son cabinet et passa dans sa petite chambre à coucher. C'était une pièce toute simple, presque monacale, avec une table de nuit, une commode, un petit placard et un lit d'une personne. Avant, il y avait eu un lit double, avec un dossier ouvragé, et des tableaux colorés aux murs. Mais, après la mort de sa femme, il s'était débarrassé de leur lit pour en prendre un plus simple et plus étroit. La plupart des beaux bibelots et des objets d'art dont sa femme, jadis, avait décoré la chambre avaient disparu. Il avait distribué ses vêtements à des œuvres de charité et envoyé ses bijoux et objets personnels aux trois nièces de sa belle-sœur. Il gardait sur son bureau une photo de son couple, prise quinze ans plus tôt devant leur maison de campagne de Wellfleet, par une belle et claire matinée d'été. Mais, depuis sa mort, il avait fait disparaître la plupart des souvenirs de sa présence passée. Une mort lente et douloureuse, suivie par trois ans d'effacement progressif.

Ricky se déshabilla, prenant le temps de plier soigneusement son pantalon et de pendre son blazer bleu. La chemise classique qu'il portait ce jour-là atterrit dans le panier de linge sale. Il jeta sa cravate sur la commode. Puis il se laissa tomber sur le bord du lit, en sous-vêtements, en se disant qu'il aurait préféré avoir plus d'énergie. Il gardait dans le tiroir de la table de nuit un tube de somnifères dont il se servait rarement. La date de péremption était depuis longtemps dépassée, mais il se dit qu'ils feraient parfaitement l'affaire pour cette nuit-là. Il avala un comprimé et demi, en espérant que cela le délivrerait au plus vite en le plongeant dans un profond sommeil.

Il resta assis un moment, caressant le drap de coton rêche. Il trouvait étonnamment hypocrite, pour un analyste, d'affronter la nuit en souhaitant que son repos ne soit pas perturbé par des rêves. Les rêves étaient importants, comme autant d'énigmes inconscientes fournissant un reflet de l'âme. Il le savait, bien entendu, et c'étaient en général des exercices bienvenus. Mais ce soir-là, il se sentait accablé et il s'allongea avec un sentiment de vertige, le pouls trop rapide, impatient que le médicament l'enveloppe dans un voile d'obscurité. Totalement épuisé par les conséquences d'une simple lettre de menaces, il se sentait beaucoup plus vieux, en cet instant, qu'il n'aurait dû sous l'effet de ses cinquante-trois ans.

C'était le dernier jour avant son départ en vacances d'été. Sa première patiente arriva, très ponctuelle, à sept heures du matin, et signala sa présence par les trois coups de sonnette habituels dans la salle d'attente. La séance se passa très bien, à ses yeux. Rien de particulièrement excitant, rien non plus de dramatique. Quelques progrès réguliers. La jeune femme qui se trouvait sur le divan était une assistante médicale psychiatrique en troisième année, qui tentait de décrocher son certificat de psychanalyse sans passer par l'école de médecine. Ce n'était ni le plus efficace ni le plus facile pour devenir analyste, et la méthode faisait froncer les sourcils de ses confrères les plus conservateurs (parce que, ainsi, elle se passait du diplôme de médecine traditionnel), mais Ricky avait toujours admiré cette démarche. Elle exigeait une véritable vocation, un dévouement absolu au divan et à ce qu'on pouvait y accomplir. Il devait d'ailleurs avouer qu'on ne l'avait pas appelé depuis des années pour le titre « docteur en médecine » qui figurait sur ses cartes de visite. La thérapie de la jeune femme se concentrait sur ses rapports avec des parents autoritaires qui l'avaient élevée dans une atmosphère privilégiant la réussite mais cruellement dénuée d'affection. C'est pourquoi, lors des séances avec Ricky, elle manifestait souvent son impatience, attendant des résultats qui cadreraient avec ses lectures théoriques et les conférences de l'Institut de psychanalyse du centre-ville. Ricky devait continuellement la retenir et essayer de lui faire entrer dans le crâne que *connaître* les faits, ce n'est pas toujours les *comprendre*.

Quand il remua sur son siège en toussotant (« Je crains que notre temps ne soit épuisé pour aujourd'hui »), la jeune femme, qui était en train d'évoquer un nouveau petit ami au potentiel très discutable, soupira :

— Eh bien, nous verrons s'il est toujours là dans un mois.

La remarque fit sourire Ricky. Sa patiente fit basculer ses jambes du divan.

— Je vous souhaite de bonnes vacances, docteur. Nous nous reverrons en septembre, après le Labor Day.

Elle prit son sac à main et sortit prestement du cabinet.

Le reste de la journée sembla passer dans une routine sans surprise.

Les patients arrivèrent les uns après les autres. Ils n'avaient guère de choses passionnantes à lui révéler. La plupart avaient l'habitude de ses départs en vacances, et Ricky eut souvent l'impression qu'ils préféraient inconsciemment taire des émotions dont l'examen serait différé d'un mois. Bien entendu, ce qu'ils gardaient pour eux était aussi intéressant que ce qu'ils disaient, et avec chaque patient il était attentif à ces trous dans les récits. Il avait une confiance illimitée en sa capacité à se rappeler avec précision les mots et les phrases prononcés en sa présence et qui pourraient rester utilement tapis jusqu'à son retour de vacances.

Dans les intervalles entre les séances, il entreprit de remonter les années de son existence. Il commença à établir une liste de ses patients, griffonnant des noms sur un bloc sténo vierge. Toute la journée, la liste s'allongea. Sa mémoire lui semblait encore assez précise, ce qui était encourageant. La seule décision qu'il dut prendre ce jour-là concernait le déjeuner, à l'heure où il aurait dû sortir pour la promenade quotidienne décrite par Rumplestiltskin. Il fut tenté de briser la routine que l'auteur de la lettre connaissait si bien, comme pour le défier. Puis il pensa qu'il était beaucoup plus courageux au contraire de respecter la routine. Il fallait que la personne qui l'épiait voie que sa lettre ne l'intimidait pas. Il sortit donc à midi, effectua le même trajet que d'habitude, posa les pieds sur les mêmes dalles du trottoir, inspira l'air épais de la ville avec la même régularité que les autres jours. Il n'était pas sûr d'avoir envie que Rumplestiltskin le suive. Mais il découvrit que chacun de ses pas semblait produire un écho, et il dut lutter plus d'une fois contre le désir de se retourner pour savoir s'il était filé. Quand il fut de retour chez lui, il laissa échapper un profond soupir de soulagement.

Les patients de l'après-midi se succédèrent au même rythme que ceux de la matinée.

Quelques-uns ressentaient une certaine amertume à l'idée de son départ en vacances. C'était prévisible. Certains exprimèrent un peu d'angoisse et pas mal d'anxiété. La routine quotidienne des séances de cinquante minutes était importante, et plusieurs patients étaient perturbés par le fait qu'ils ne pourraient s'y raccrocher pendant quelque temps. Ils savaient pourtant, comme lui, que le temps passerait et que, comme tout ce qui était en rapport avec l'analyse, le temps passé loin du divan pouvait alimenter le processus thérapeutique. Chaque instant de la vie quotidienne pouvait être associé aux progrès de la thérapie. C'est ce qui rendait le processus si fascinant pour le patient et le médecin.

A cinq heures moins une, il regarda par la fenêtre. Cette belle journée d'été régnait encore sur le monde extérieur. Le soleil brillait, la température frôlait les trente degrés. La chaleur de la ville se montrait insistante, exigeait d'être reconnue. Il écouta le bourdonnement de la climatisation, et un souvenir lui revint soudain. Il se rappela ses débuts, lorsque seuls une fenêtre ouverte et un vieux ventilateur cliquetant pouvaient le soulager de l'atmosphère brumeuse, abrutissante, de la ville en juillet. On a parfois l'impression, se dit-il, qu'il n'y a plus d'air nulle part.

Il détourna les yeux de la fenêtre en entendant les trois coups de sonnette. Il se leva et se dirigea vers la porte, qu'il ouvrit vivement pour permettre à l'impatient M. Zimmerman d'entrer sans attendre. Car M. Zimmerman n'aimait pas attendre. Il arrivait quelques secondes avant l'heure de la séance, et exigeait qu'on le fasse entrer sur-le-champ. Un jour, par un froid après-midi d'hiver, Ricky l'avait épié, qui faisait les cent pas devant l'immeuble. Il jetait des regards excités à sa montre toutes les vingt secondes, essayant de tuer le temps pour ne pas devoir attendre à l'intérieur. Plus d'une fois, Ricky avait été tenté de le laisser faire le pied de grue pendant quelques minutes : Zimmerman aurait pu comprendre tout à coup pourquoi la ponctualité était si importante. Mais il ne l'avait jamais fait. Ricky continuait à ouvrir la porte du cabinet à cinq heures précises, tous les jours de la semaine, pour que cet homme irrité puisse se ruer dans le cabinet, se laisser tomber sur le divan et s'abandonner à ses sarcasmes et à sa rage contre les avanies qu'on lui avait fait subir pendant la journée. Ricky inspira à fond, ouvrit la porte et afficha son visage le plus impassible – celui qu'il aurait eu pour jouer au poker. Sans que cela déclenche en lui la moindre envie de savoir si Ricky croyait tenir un full ou une paire de valets, Zimmerman avait droit chaque jour au même regard sans expression.

— Bonjour... commença-t-il.

Mais ce n'était pas Roger Zimmerman qui se trouvait dans la salle d'attente.

Ricky se trouva brusquement nez à nez avec une extraordinaire et sculpturale jeune femme.

Elle portait un long imperméable noir serré à la taille, parfaitement déplacé par cette chaude journée d'été, des lunettes noires qu'elle ôta prestement, révélant des yeux verts, vifs et pénétrants. Ricky estima qu'elle devait avoir un tout petit peu moins de trente ans. Une femme dont la beauté était à son apogée et dont l'intelligence était plus aiguisée que ce que son âge pouvait laisser supposer.

— Excusez-moi, fit Ricky d'une voix hésitante, mais...

— Oh ! fit la fille en secouant ses cheveux blonds mi-longs.

Elle eut un geste insouciant.

— Zimmerman ne viendra pas aujourd'hui. Je suis venue à sa place.

— Mais il...

— Il n'aura plus besoin de vous. Il a décidé de mettre fin à son traitement, très précisément à deux heures trente-sept, cet après-midi. Curieusement, il se trouvait à la station de métro de la 92e Rue quand il a pris cette décision, à l'issue d'une conversation extrêmement brève avec Monsieur R. C'est d'ailleurs Monsieur R. qui l'a persuadé qu'il n'avait plus besoin de vos services et qu'il ne désirait plus y faire appel. Et, à notre grande surprise, Zimmerman n'a eu aucun mal à parvenir à la même conclusion.

Sur ces mots, elle passa devant Ricky et pénétra dans son cabinet.

4

— Ainsi, dit la fille d'un ton jovial, voici l'endroit où le mystère s'éclaircit.

Sans un mot, Ricky l'avait suivie dans son cabinet, et il la regardait passer la petite pièce en revue. Son regard s'attarda sur le divan, sur le fauteuil de Ricky, sur son bureau. Elle s'approcha des livres disposés sur les étagères et les examina, hochant la tête en découvrant les gros ouvrages indigestes. Elle passa le doigt sur le dos d'un livre, regarda la poussière sur son doigt et secoua la tête.

— Ils n'ont pas beaucoup servi, murmura-t-elle.

Elle leva les yeux vers lui et ajouta, d'un ton de reproche :

— Comment ? Pas un seul volume de poésie, pas un seul roman ?

Elle se dirigea vers le mur couleur crème où il avait accroché ses diplômes et quelques gravures, ainsi qu'un portrait de taille modeste, dans un cadre de chêne, du Grand Homme en personne. Il tenait son éternel cigare, ses yeux profondément enfoncés vous fixaient d'un air menaçant, et sa barbe blanche recouvrait la mâchoire qui le ferait tellement souffrir durant les dernières années de sa vie. Elle tapota le verre d'un long doigt aux ongles rouge vif.

— C'est fascinant comme toutes les professions semblent avoir une icône que leurs membres peuvent mettre au mur. Si je vais chez un curé, il y a toujours quelque part Jésus sur sa Croix. Un rabbin aurait une étoile de David ou une menora. N'importe quel politicien à deux sous accroche sur son mur un portrait de Lincoln ou de Washington. Il devrait y avoir une loi contre ça. Les médecins adorent avoir à portée de main ces petites maquettes en plastique d'un cœur écorché, d'un genou ou de n'importe quel organe. Pour ce que j'en sais, les informaticiens de la Silicon Valley épinglent la photo de Bill Gates sur le mur du box où ils font leurs dévotions quotidiennes. Un psychanalyste comme vous, Ricky, il lui faut le portrait de saint Sigmund. Ça permet aux gens qui entrent ici de savoir qui a fixé les règles du jeu. Et ça vous donne un peu de la légitimité que n'importe qui pourrait vous contester, je suppose.

Sans un mot, Ricky Starks prit un fauteuil et le poussa devant elle. Puis il contourna le bureau et, d'un geste, invita la fille à s'asseoir.

— Comment ? fit-elle vivement. Je n'ai pas droit au fameux divan ?

— Ce serait prématuré, répondit-il d'un ton glacé.

Il lui fit de nouveau signe de s'asseoir. Elle laissa encore son regard balayer la pièce, comme si elle voulait mémoriser tout ce qui s'y trouvait. Puis elle se laissa tomber sur le fauteuil. Elle s'y enfonça langoureusement tout en sortant un paquet de cigarettes de la poche de son imperméable. Elle en prit une, la coinça entre ses lèvres, alluma un briquet à gaz transparent, mais arrêta la flamme à quelques centimètres du bout de la cigarette.

— Oh, pardon, dit-elle, un sourire se dessinant

lentement sur ses lèvres, je ne suis pas polie. Vous voulez une sèche, Ricky ?

Il secoua la tête. Elle souriait toujours.

— Bien sûr que non. Quand avez-vous arrêté ? Il y a quinze ans ? Vingt ans ? En fait, Ricky, je crois que c'était en 1977, si les informations de Monsieur R. sont correctes. Une époque courageuse pour arrêter de fumer, Ricky. Une époque où beaucoup de gens fumaient sans y penser, car même si les producteurs de tabac disaient le contraire, tout le monde savait parfaitement que c'était mauvais. Que ça vous tuait, vraiment. Alors les gens préféraient ne pas y penser. La politique de l'autruche appliquée à la santé. Enfoncez la tête dans le sable et ignorez l'évidence. Et il se passait tellement de choses, à l'époque. Guerres, émeutes, scandales. J'ai entendu dire que c'était une époque formidable. Mais Ricky, le jeune étudiant en médecine, est parvenu à cesser de fumer alors que c'était une pratique populaire, pas du tout « socialement incorrecte » comme c'est le cas aujourd'hui. Impressionnant.

Elle alluma la cigarette, en tira une longue bouffée et souffla la fumée d'un air langoureux.

— Un cendrier ? demanda-t-elle.

Ricky ouvrit un tiroir et en sortit le cendrier qu'il y dissimulait. Il le posa sur le bord du bureau. La fille y écrasa immédiatement sa cigarette.

— Voilà, dit-elle. Juste un peu d'odeur de fumée âcre pour nous rappeler ce temps-là.

— Pourquoi est-il si important de se rappeler cette époque ? demanda Ricky après un bref silence.

La fille roula des yeux, renversa la tête en arrière et partit d'un long rire retentissant. C'était un son discordant, curieusement déplacé, comme celui d'un éclat de rire dans une église ou d'un clavecin dans un aéroport. Quand elle se tut enfin, elle lui jeta un regard pénétrant.

— Il est important de *tout* se rappeler. Tout ce qui a trait à cette visite, Ricky. N'est-ce pas vrai pour chacun de vos patients ? Vous ne savez pas vraiment ce qu'ils vont dire – ni quand ils vont le dire – qui pourrait vous ouvrir leur monde, n'est-ce pas ? Vous devez donc être tout le temps en alerte. Car vous ne savez jamais précisément quand la porte s'ouvrira pour révéler les secrets. Vous devez toujours être prêt et réceptif. Attentif. Toujours vigilant, pour ne pas manquer le mot ou l'histoire qui peut surgir et vous dire ce que vous voulez savoir. N'est-ce pas une définition acceptable du processus psychanalytique ?

Il hocha la tête.

— Bon, fit-elle brusquement. Pourquoi voudriez-vous que cette visite, aujourd'hui, soit différente de n'importe quelle autre ? Même si, de toute évidence, elle *est* différente.

Il ne répondit pas. De nouveau, il resta immobile pendant quelques secondes. Il se contentait de la regarder fixement, en espérant la mettre mal à l'aise. Mais elle avait un sang-froid étonnant. Le silence, qui pouvait être plus troublant que n'importe quel son, semblait ne pas l'affecter.

— Vous avez l'avantage sur moi, dit-il enfin d'une voix calme. Vous semblez savoir pas mal de choses à mon sujet, y compris une partie de ce qui se passe dans cette pièce, et je ne connais même pas votre nom. Vous me dites que M. Zimmerman a mis fin à son traitement. J'aimerais savoir ce que cela signifie, car M. Zimmerman lui-même ne m'a rien dit à ce sujet, ce qui est très étonnant. Je voudrais aussi savoir quel rapport vous avez avec l'individu que vous appelez

Monsieur R. Il s'agit sans doute de l'homme qui m'a envoyé une lettre de menaces signée Rumplestiltskin. J'aimerais que vous répondiez sur-le-champ à ces questions. Sans quoi je devrai appeler la police.

Elle sourit à nouveau. Pas le moins du monde décontenancée.

— Votre sens pratique prend le dessus ?

— Je veux des réponses.

— N'est-ce pas ce que nous cherchons tous, Ricky ? Tous ceux qui passent cette porte pour entrer dans cette pièce… Ne viennent-ils pas chercher des réponses ?

Il ne dit rien. Il tendit le bras vers le téléphone.

— Vous ne croyez pas que, à sa manière, c'est aussi ce que cherche Monsieur R. ? Des réponses aux questions qui l'ont tourmenté pendant des années. Allons, Ricky, ne croyez-vous pas que la vengeance la plus cruelle commence avec une simple question ?

Ricky était intrigué. Mais son intérêt pour cette remarque était neutralisé par une colère de plus en plus violente devant l'attitude de cette fille arrogante. Il mit la main sur le téléphone. Il était incapable d'imaginer qu'il pût réagir autrement.

— Je vous prie de répondre immédiatement à mes questions. Sans quoi je raconte tout à la police et je la laisse régler le problème.

— On n'a pas l'esprit sportif, Ricky ? On n'a pas envie de jouer le jeu ?

— J'ai du mal à comprendre de quelle sorte de jeu il s'agit, où l'on envoie de la pornographie ignoble assortie de menaces à une fillette impressionnable. Je ne vois pas non plus de quel jeu il s'agit quand on me pousse à me suicider.

— Enfin, Ricky, est-ce qu'il ne s'agit pas du jeu le

plus grandiose ? dit la fille avec un grand sourire. Essayer de dominer la mort ?

Il s'immobilisa, la main toujours suspendue au-dessus du téléphone.

— Vous pouvez gagner, Ricky. Mais pas si vous décrochez ce téléphone pour appeler la police. Dans ce cas, quelqu'un, quelque part, perdra. On vous a fait une promesse et, croyez-moi, on la tiendra. Monsieur R., en tout cas, est un homme de parole. Et si quelqu'un perd, vous perdez, vous aussi. Nous ne sommes qu'au premier jour, Ricky. Renoncer maintenant, ce serait comme déclarer forfait juste après le coup d'envoi, avant même d'avoir essayé de marquer un but.

— Votre nom ? fit-il en ramenant sa main.

— Pour aujourd'hui et pour les besoins du jeu, appelez-moi Virgil. Tout poète a besoin d'un guide.

— C'est un nom masculin.

La prétendue Virgil haussa vaguement les épaules.

— Une de mes amies se fait appeler Rikki. Vous voyez une différence ?

— Non. Et votre lien avec Rumplestiltskin ?

— C'est mon patron. Il est très riche, ce qui lui permet d'engager des gens qui travaillent dans toutes sortes de domaines. Toutes les aides dont il a besoin pour réaliser ses projets. Et pour le moment, son sujet de préoccupation, c'est vous.

— Si vous êtes son employée, j'en déduis que vous connaissez son nom et son adresse. Vous pouvez donc tout simplement me dire qui il est et mettre fin une fois pour toutes à ces sottises.

Virgil secoua la tête.

— Hélas, non, Ricky. Monsieur R. n'est pas assez naïf pour ne pas dissimuler son identité à de simples factotums dans mon genre. Et même si je pouvais vous aider, je n'en ferais rien. Ce ne serait pas très fair-play. Imaginez un peu, si le poète et son guide avaient levé les yeux vers la pancarte qui disait : « Abandonnez tout espoir, vous qui entrez ici ! » et que Virgil avait haussé les épaules : « Non, merde, pas question. Vous n'avez sûrement pas envie d'entrer là-dedans… » Cela aurait fichu le poème en l'air. On ne peut pas écrire une épopée sur quelqu'un qui tourne les talons devant les portes de l'enfer, hein, Ricky ? Non, certainement pas. Il faut franchir la porte.

— Que faites-vous ici, alors ?

— Je vous l'ai dit. Il a pensé que vous pourriez douter de sa sincérité… Encore que cette demoiselle, à Deerfield, avec un père si balourd, si terriblement prévisible et dont on manipule si facilement les émois adolescents, devait être un message assez clair. Mais le doute fait naître l'hésitation et il ne vous reste que deux semaines pour jouer, ce qui est peu. C'est pourquoi il vous a envoyé un guide sérieux pour vous pousser au démarrage. Moi.

— Très bien, dit Ricky. Vous continuez à parler de jeu. Eh bien, pour M. Zimmerman, ce n'est pas un jeu. Il est en analyse depuis presque un an, et nous nous trouvons à une étape cruciale de son traitement. Vous et votre employeur, le mystérieux Monsieur R., vous pouvez me faire marcher, c'est une chose. Mais c'est une chose tout à fait différente que d'impliquer mes patients. Vous franchissez une limite…

La fille qui se faisait appeler Virgil leva la main.

— Essayez d'être un peu moins solennel, Ricky.

Il la fixa d'un regard dur.

Elle l'ignora et ajouta, avec un petit geste :

— Zimmerman a été choisi pour jouer un rôle dans le jeu.

Ricky devait avoir l'air surpris, car elle reprit :

— Pas très exalté au début, m'a-t-on dit, mais avec un enthousiasme bizarre par la suite. N'ayant pas assisté à cette conversation, je ne peux pas vous aider en vous en donnant le détail. Mon rôle était autre. Je vous dirai tout de même qui était impliqué. Une femme d'un certain âge et assez démunie, qui se fait appeler Lu Anne – un joli nom, quoique inhabituel et assez déplacé étant donné la précarité de son statut en ce bas monde. En tout cas, Ricky, je pense qu'il serait sage d'avoir une conversation avec Lu Anne après mon départ, tout à l'heure. Qui sait ce que vous pourrez apprendre ? Je sais que vous allez courir après M. Zimmerman pour lui demander une explication, mais je suis sûre qu'il ne sera pas facile à toucher. Je vous l'ai dit, Monsieur R. est très riche et il a l'habitude d'obtenir ce qu'il veut.

Ricky voulut exiger des précisions. Les mots se formaient déjà entre ses lèvres quand Virgil se leva.

— Est-ce que ça vous ennuie, fit-elle d'une voix rauque, si j'ôte mon imper ?

D'un geste vague, il lui signifia que cela n'avait pas d'importance.

— Je vous en prie.

Elle sourit de nouveau, ouvrit lentement les boutons-pression de l'imperméable et détacha la ceinture. Puis, d'un geste rapide, elle le fit glisser de ses épaules et le laissa tomber sur le sol.

Elle ne portait rien dessous.

Une main sur la hanche, Virgil se cambra vers lui, dans un geste provocant. Elle tourna sur elle-même, lui tourna le dos très vite, puis pivota de nouveau pour lui faire face. Instantanément, Ricky embrassa son corps tout entier – ses yeux luisants de désir photographiant ses seins, son sexe, ses longues jambes… avant de revenir sur ses yeux.

— Vous voyez, Ricky, dit-elle d'une voix douce, vous n'êtes pas si vieux. Vous ne sentez pas votre sang circuler ? Un petit frémissement entre les jambes, peut-être ? Je suis plutôt bien fichue, hein ?

Elle gloussa.

— Vous n'avez pas besoin de répondre. Je connais la réponse. J'ai déjà vu cette réaction chez d'autres hommes.

Elle continuait à capter son regard, comme pour montrer qu'elle était capable de le contrôler.

— Il y a toujours ce moment merveilleux, Ricky, reprit-elle avec un grand sourire, où l'homme voit pour la première fois le corps d'une femme. Un spectacle qui est une aventure en soi. Le regard de l'homme jaillit comme une cascade au-dessus d'une falaise et descend jusqu'au fond. Puis, exactement comme en ce moment, alors que vous devriez regarder entre mes jambes, je vois cette culpabilité dans vos yeux. Comme si l'homme essayait de dire qu'il me considère toujours comme un être humain, en fixant mon visage, alors qu'il pense comme un animal, quels que soient son éducation et son « savoir-vivre ». Est-ce que ce n'est pas ce qui se passe maintenant ?

Ricky ne répondit pas. Il songea soudain qu'il ne s'était pas trouvé en présence d'une femme nue depuis des années. Cette pensée sembla provoquer un bruit sourd qui se propagea dans tout son corps. Chaque mot de Virgil résonnait dans ses oreilles, et il avait très chaud, comme si la canicule extérieure pénétrait brutalement dans son cabinet.

Elle le regardait toujours en souriant. Elle pivota une seconde fois, pour mettre encore ses formes en évidence. Elle prit une pose, puis une autre, comme un modèle qui cherche la position idéale pour l'artiste qui la regarde. A chacun de ses mouvements, la température semblait s'élever d'un degré dans la pièce. Puis elle se pencha lentement et ramassa l'imperméable noir. Elle le tint devant elle pendant un bref instant, comme si elle n'avait pas envie de le remettre. Puis, d'un geste vif, elle glissa les bras dans les manches et referma l'imperméable. Quand son corps nu disparut de sa vue, Ricky eut l'impression d'émerger d'une transe hypnotique. Il se dit qu'un malade sortant d'une anesthésie devait avoir un sentiment comparable. Il ouvrit la bouche, mais Virgil l'arrêta d'un geste.

— Désolée, Ricky, fit-elle d'un ton sec. La séance est terminée pour aujourd'hui. Je vous ai donné des tas d'informations, à vous d'agir maintenant. Ce n'est pas votre fort, hein ? Vous, ce que vous savez faire, c'est écouter. Rien d'autre. Eh bien, ce temps est fini, Ricky. Vous allez devoir sortir dans le monde réel et agir. Sans quoi… ne pensons pas à ce qui se passerait. Quand le guide montre un chemin, il faut le prendre. Ne pas rester à la traîne. L'oisiveté, bla-bla-bla… Le monde appartient à ceux, etc. Je vous ai donné un excellent conseil. Vous feriez mieux de le suivre.

Elle se dirigea à grands pas vers la porte.

— Attendez, dit-il sur une impulsion. Vous reviendrez ?

— Qui sait ? répliqua Virgil avec un petit sourire. De temps en temps, peut-être. Nous verrons comment vous vous comportez.

Puis elle ouvrit la porte d'un coup sec et s'en alla.

Il écouta pendant un moment le claquement de ses talons dans le couloir, puis il bondit, se précipita et ouvrit la porte. Virgil avait disparu, elle n'était déjà plus dans le couloir. Il marqua une pause, puis regagna son cabinet et s'approcha de la fenêtre. Il se colla contre la vitre et regarda à l'extérieur, juste à temps pour voir la fille émerger. Une longue limousine noire se faufila devant l'immeuble. Virgil monta dans la voiture qui se glissa dans la circulation, trop vite pour que Ricky ait le temps d'apercevoir la plaque d'immatriculation ou tout autre détail caractéristique – même s'il avait été assez organisé ou assez malin pour y penser.

Au large des plages de Cape Cod, à Wellfleet, près de sa résidence secondaire, se forment parfois des lames de fond très dangereuses, parfois mortelles. Ces courants résultent de la force répétée de l'océan qui martèle le rivage, qui finit par creuser une sorte de sillon sous la vague, dans les barres qui protègent la plage. Quand l'espace s'ouvre enfin, l'eau trouve soudain un nouveau chemin pour retourner vers le large et se rue à l'intérieur de ce canal sous-marin. Ce qui entraîne, en surface, la lame de fond. Quand on est pris dans le courant, il faut se plier à deux ou trois principes grâce auxquels cette expérience sera dérangeante, peut-être terrifiante, certainement épuisante, mais rien de plus que désagréable. Si l'on n'en tient pas compte, on est presque certain d'y laisser la vie. Comme le courant est étroit, il n'est pas nécessaire de lutter contre lui. Il suffit de nager parallèlement au rivage : au bout de quelques secondes, l'attraction du courant diminue suffisamment pour permettre de nager jusqu'au bord. De fait, les courants sont aussi très courts, en général, de sorte qu'on peut les chevaucher et, quand l'attraction diminue, adapter sa direction en conséquence et nager jusqu'au rivage. Tout cela semblait très simple, Ricky le savait. Quand on en parlait lors d'une soirée ou assis sur le sable chaud au bord de la mer, on pouvait avoir l'impression qu'échapper à une lame de fond n'est pas plus difficile que de se débarrasser, d'une pichenette, d'une puce de mer posée sur sa peau.

La réalité, bien entendu, est beaucoup plus cruelle. Le sentiment d'être irrésistiblement emporté vers le large, loin de la sécurité du rivage, provoque immédiatement la panique. Etre entraîné par une force qui dépasse tout ce qui est connu est terrifiant en soi. La peur et l'océan forment une association mortelle. La terreur et l'épuisement viennent très vite. Chaque été, Ricky lisait dans le *Cape Cod Times* au moins un récit de noyade, où l'infortuné baigneur avait disparu à quelques mètres de la plage.

Il savait qu'il devait lutter de toutes ses forces, car il avait l'impression d'être entraîné par une lame de fond.

Il inspira à fond, luttant contre le sentiment qu'on l'attirait vers quelque chose de sombre et de dangereux. Dès que la limousine avait disparu avec Virgil à son bord, il avait pris son carnet de rendez-vous et cherché le numéro de téléphone de Zimmerman. Il l'avait noté au bas de la première page et s'était empressé de l'oublier, car il n'avait jamais eu l'occasion d'appeler son patient. Il composa très vite le numéro. Personne ne décrocha. Pas de Zimmerman. Pas de maman castratrice. Pas de répondeur ni de messagerie vocale. Rien qu'une sonnerie régulière, frustrante.

Dans ce moment de confusion, il avait décidé qu'il devait parler de vive voix à Zimmerman. Même si Rumplestiltskin l'avait soudoyé d'une manière ou d'une autre pour qu'il mette fin à son traitement, il pourrait peut-être lui arracher quelques indices sur l'identité de son persécuteur. Zimmerman était amer, mais il était incapable de garder un secret, quoi qu'on lui ait ordonné de faire. Ricky reposa brutalement le combiné au milieu d'une énième sonnerie et prit son manteau. Quelques secondes plus tard, il sortait de chez lui.

Bien que ce fût l'heure du dîner, les rues de la ville étaient encore ensoleillées. Quelques embouteillages formés pendant l'heure de pointe bloquaient encore les rues, mais la foule des banlieusards qui encombrait les trottoirs s'était éclaircie. Même si elle se targue de vivre vingt-quatre heures sur vingt-quatre, New York est soumise aux mêmes rythmes que n'importe quelle autre grande ville : l'énergie le matin, la détermination à midi, la faim le soir. Ricky ignora les restaurants bondés, malgré les odeurs engageantes qui semblaient l'inviter quand il passait devant certains d'entre eux. Ce soir-là, son appétit était d'une tout autre nature.

Il fit une chose qu'il n'avait jamais faite. Au lieu d'appeler un taxi, Ricky s'apprêta à traverser Central Park à pied. Il se disait que le temps et l'exercice l'aideraient à mettre de l'ordre dans ses idées et à maîtriser les événements. Mais en dépit de son entraînement et de son pouvoir de concentration tant vanté, il avait du mal à se rappeler ce que Virgil lui avait dit, alors qu'il se souvenait du moindre détail de son corps, de son sourire, de la courbe de ses seins, de la forme de son sexe.

La chaleur du jour se maintint pendant la première partie de la soirée. Au bout de quelques centaines de mètres, il sentit une sueur poisseuse lui couler dans le cou et sous les bras. Il desserra sa cravate et ôta son blazer qu'il jeta sur son épaule, ce qui lui donna une allure désinvolte qui ne correspondait pas du tout à son état d'esprit. Le parc était encore plein de gens faisant de l'exercice. A plusieurs reprises, il dut se jeter de côté pour laisser passer un groupe de joggers. Il vit des gens comme il faut qui promenaient leurs chiens dans les zones prévues à cet effet et il dépassa une demi-douzaine de parties de soft-ball en cours. Les terrains étaient parfois si proches que les *outfields* se chevauchaient. Il remarqua que, très souvent, le joueur de champ droit d'une équipe se trouvait plus ou moins à côté du joueur de champ gauche d'une autre, dans une autre partie. Cet espace partagé semble soumis à une étiquette étonnante qui n'appartient qu'à cette ville, chacun essayant de se concentrer sur sa propre partie et de ne pas empiéter sur celle du voisin. De temps en temps, un coup de batte malheureux projetait une balle sur le terrain attenant, dont les occupants s'écartaient vivement avant de reprendre leur jeu. Ricky se dit que la vie réelle était rarement aussi simple et aussi chorégraphique. En général, chacun a tendance à marcher sur les pieds du voisin.

Il lui fallut encore un quart d'heure, en marchant vite, pour atteindre le pâté d'immeubles où habitait Zimmerman. En arrivant, il était tout à fait en sueur, et il regrettait de ne pas avoir pris ses vieilles tennis ou des chaussures de jogging, plutôt que les mocassins de cuir qui lui semblaient trop petits et menaçaient de lui donner des ampoules. Il sentait la sueur couler sous son maillot de corps et maculer sa coûteuse chemise bleu marine. Ses cheveux trempés lui collaient au front. Il vit son reflet dans une vitrine et hésita. Au lieu du médecin organisé et serein qui accueillait ses patients à la porte du cabinet avec un visage impassible, il vit un homme débraillé, angoissé, prisonnier de son indécision. Il avait l'air tourmenté, échevelé, sans doute aussi un peu terrifié. Il s'accorda quelques instants pour reprendre possession de ses moyens.

Pas une seule fois, dans ses presque trente ans de

pratique, il n'avait modifié les rapports rigides et ritualisés qui s'instauraient entre patient et analyste. Jamais il n'aurait imaginé qu'il se rendrait un jour chez un patient pour prendre de ses nouvelles. Quelle que soit l'ampleur de leur désespoir, c'étaient toujours les patients qui venaient vers lui, avec leur dépression. C'étaient eux qui tendaient la main vers lui. S'ils étaient affolés, accablés, ils l'appelaient et prenaient rendez-vous avec lui, dans son cabinet de consultation. Cela faisait partie du processus menant à la guérison. Même si c'était parfois difficile, même s'ils étaient paralysés par leurs émotions, le simple fait de venir physiquement vers lui était une étape essentielle. On ne sortait que rarement des limites du cabinet de l'analyste. Il semblait peut-être cruel d'élever des barrières artificielles, d'imposer des distances entre le médecin et son patient. Mais c'était grâce à elles que la lumière finissait par jaillir.

Il hésita en arrivant au coin de la rue, à un demi-bloc de chez Zimmerman, un peu surpris de se retrouver là. Il ne lui vint pas à l'esprit que cette hésitation n'était pas différente de celle qui obligeait parfois Zimmerman à arpenter le trottoir devant la porte de son cabinet.

Il fit quelques pas le long du groupe d'immeubles, puis s'arrêta.

Il secoua la tête et déclara dans sa barbe, mais assez fort pour être entendu :

— Non, je ne peux pas faire ça !

Un jeune couple qui passait à quelques mètres de là dut l'entendre, en effet, car l'homme jeta, comme s'il s'était adressé à lui :

— Bien sûr que tu peux, mon vieux. Ce n'est pas si difficile !

La fille pendue à son bras éclata de rire, puis elle fit

mine de le frapper, comme pour le punir d'être à la fois aussi drôle et aussi impoli. Ils le dépassèrent et poursuivirent leur chemin, quoi que leur réservât la suite de la soirée. Ricky resta sur place, oscillant comme un bateau à l'ancre – incapable de se déplacer mais soumis aux forces conjuguées du vent et des courants.

— Qu'est-ce qu'elle a dit ? murmura-t-il.

Zimmerman avait décidé d'interrompre son traitement à deux heures trente-sept exactement, dans une station de métro du quartier.

Cela n'avait aucun sens.

Il regarda derrière lui, par-dessus son épaule. Il y avait une cabine téléphonique au coin de la rue. Il y alla, introduisit un *quarter* dans la fente de l'appareil et composa le numéro de Zimmerman. De nouveau, il laissa sonner une douzaine de fois sans obtenir de réponse.

Mais cette fois, il était soulagé. L'absence de réponse chez Zimmerman semblait le dispenser d'aller frapper à sa porte, bien qu'il fût étonné que la mère de son patient ne décroche pas. D'après son fils, elle gardait le lit la plus grande partie de la journée, faible et impotente – sauf pour déverser sur lui un flot ininterrompu d'injonctions coléreuses et de remarques humiliantes.

Après avoir raccroché, il revint sur ses pas. Il contempla longuement l'immeuble où habitait Zimmerman. Puis il secoua la tête. Tu dois reprendre le contrôle de la situation, se dit-il. La lettre de menaces, la carte envoyée à sa petite-nièce, l'irruption dans son cabinet de cette étonnante femme nue, tout cela avait un peu bouleversé ses repères. Il lui fallait remettre de l'ordre dans les événements et examiner de près le jeu dans lequel on voulait l'entraîner. Mais il n'était pas nécessaire de gâcher presque un an d'analyse avec

Roger Zimmerman, simplement parce qu'il avait peur et qu'il agissait sans réfléchir.

Ces pensées le rassurèrent. Il fit demi-tour, résolu à rentrer chez lui et à préparer ses bagages pour partir en vacances.

C'est alors qu'il vit l'entrée de la station de métro de la 92e Rue. Comme très souvent, c'était une simple volée de marches descendant au sous-sol, surmontée d'un modeste panneau orné de lettres jaunes. Il alla dans cette direction, s'arrêta un instant en haut des marches puis descendit enfin, envahi soudain d'un sentiment de faute et de peur, comme si quelque chose émergeait lentement de la brume, pour s'éclaircir peu à peu. Ses pas résonnaient sur les marches. La lumière électrique vrombissait et se reflétait sur les carreaux qui recouvraient les murs. On entendait un train gémir au loin, au milieu d'un tunnel. Une odeur âcre, ancienne, comme celle qui s'échappe d'un placard fermé depuis des années, le submergea, suivie par une sensation de chaleur retenue, comme si la station tout entière, cuite par la chaleur du jour, commençait à peine à refroidir. Il y avait peu de monde à cette heure-là. Il repéra une employée noire, seule derrière son guichet. Il attendit un instant qu'elle ne soit plus occupée avec des usagers, puis il s'approcha d'elle. Il se pencha vers l'Hygiaphone cerclé de métal argenté.

— S'il vous plaît ?

— Vous voulez de la monnaie ? Vous cherchez votre chemin ? Les plans sont sur le mur, là-bas.

— Non, dit-il en secouant la tête. Je me demandais... Pardonnez-moi si ça a l'air un peu idiot, mais...

— Qu'est-ce que vous voulez, mon vieux ?

— Eh bien, je me demandais... Est-ce qu'il ne s'est

pas passé quelque chose, ici, aujourd'hui ? Cet après-midi…

— Vous feriez mieux de demander aux flics, lui répondit vivement l'employée. Ça s'est passé avant que je prenne mon service.

— Mais que…

— Je n'étais pas là. Je n'ai rien vu.

— Mais que s'est-il passé ?

— Un type s'est jeté sous le train. A moins qu'il ne soit tombé, je ne sais pas. Les flics étaient venus et repartis avant que j'arrive. Ils ont nettoyé et trouvé deux ou trois témoins. C'est tout.

— Quel flics ?

— Les flics de la police des transports. 96e Rue et Broadway. Allez leur demander. Moi, je n'ai aucun détail.

Ricky rebroussa chemin, l'estomac noué, étourdi, au bord de la nausée. Il avait besoin d'air, et il en manquait cruellement à l'intérieur de la station. Une rame arrivait, emplissant les lieux d'un bruit strident, comme si elle criait sa souffrance de devoir s'arrêter. Le vacarme balaya Ricky avec la force d'une volée de coups de poing.

— Ça va, monsieur ? cria l'employée pour se faire entendre au-dessus du raffut. Vous n'avez pas l'air dans votre assiette.

Il hocha la tête et murmura deux mots, qu'elle n'entendit probablement pas.

— Ça va, fit-il contre toute évidence.

Comme un ivrogne qui tente de contrôler sa voiture sur une route en lacets, Ricky se dirigea vers la sortie en titubant.

5

Ricky pénétra dans un univers où tout, absolument tout, lui était étranger.

Les images, les sons et les odeurs du poste de la police des transports, au coin de la 96e Rue et de Broadway, étaient une fenêtre sur la cité par laquelle il ne s'était jamais penché et dont il ne connaissait que très vaguement l'existence. Passé la porte d'entrée, une légère odeur d'urine et de vomi luttait contre les relents plus âcres d'un désinfectant puissant, comme si quelqu'un avait été malade et qu'on avait nettoyé hâtivement et sans beaucoup de soin. L'odeur piquante le fit hésiter, juste assez longtemps pour être submergé par un vacarme bizarre, un mélange de bruits, les uns familiers, les autres surréalistes. Un homme enfermé quelque part hurlait des choses incompréhensibles qui semblaient se répercuter dans l'entrée, sans aucun lien avec ce qui l'entourait. Une femme en colère, un bébé en pleurs dans les bras, devant le gros bureau de bois du sergent de service, déversait des jurons dans un espagnol hystérique. Des policiers passaient devant lui dans un craquement, la chemise bleu clair trempée de sueur, le ceinturon de cuir contrastant étrangement avec les grincements de leurs chaussures noires bien cirées. Un téléphone invisible sonna quelque part, mais personne ne décrocha. Il y avait des allées et venues, des rires et des larmes, tout cela ponctué des obscénités venant soit de policiers mal embouchés, soit des visiteurs occasionnels (dont plusieurs portaient les menottes) que l'on poussait sans ménagement sous la lumière impitoyable des tubes fluorescents de l'aire de réception.

Ricky entra en vacillant, agressé par tout ce qu'il voyait et entendait, indécis sur la conduite à tenir. Un policier en uniforme le frôla en passant derrière lui et s'exclama :

— Poussez-vous, merde !

Cela le fit plonger en avant, comme s'il était lié à une corde.

La femme qui se tenait devant le bureau d'accueil agita le poing vers le sergent de service, lâcha une dernière rafale d'insultes puis, en imprimant une violente secousse à son bébé, tourna les talons, l'air maussade. Elle passa devant Ricky comme s'il avait autant d'importance qu'un cafard. Il se dirigea en trébuchant vers le policier assis derrière le bureau. Quelqu'un, qui s'était tenu plus ou moins au même endroit, avait gravé FU dans le bois, probablement les deux premières lettres de FUCK, mais personne n'avait attaché assez d'importance à cette opinion pour la faire disparaître.

— Excusez-moi... commença Ricky.

— Personne ne s'excuse vraiment, mon gars, l'interrompit le flic. Ce n'est qu'une façon de parler. Personne ne le dit sincèrement. Mais moi, vous voyez, j'écoute tout le monde. Alors, dites-moi... qu'est-ce qui me vaut l'honneur que vous veniez vous excuser ?

— Non, ce n'est pas cela. Ce que je veux dire...

— Personne ne dit jamais ce qu'il veut dire non plus.

C'est une grande leçon qu'on tire de la vie. On avancerait pas mal si plus de gens comprenaient ça.

Le policier avait une petite quarantaine d'années et un sourire désinvolte qui semblait indiquer qu'il avait déjà vu tout ce qui valait la peine d'être vu. C'était un costaud, avec un cou épais de culturiste et des cheveux noirs et brillants adroitement peignés en arrière pour dégager le front. Son bureau était couvert de formulaires et de rapports, apparemment jetés là sans la moindre logique. Le flic en prenait deux ou trois de temps en temps, qu'il réunissait d'un coup de poing brutal sur sa vieille agrafeuse de bureau avant de les jeter dans une corbeille métallique.

— Laissez-moi tout reprendre depuis le début, lâcha Ricky d'un ton brusque.

Le policier sourit de nouveau et secoua la tête.

— Personne n'arrive jamais à reprendre depuis le début. Pas que je sache, en tout cas. Nous disons tous que nous voudrions repartir de zéro, mais ça ne marche pas comme ça, tout simplement. Mais allez-y, tentez le coup. Vous serez peut-être le premier. Eh bien, que puis-je faire pour vous ?

— Il y a eu un accident, cet après-midi, à la station de la 92e Rue. Un homme est tombé…

— Il a sauté, d'après ce que j'ai entendu. Vous êtes un témoin ?

— Non. Mais je crois que je le connais. J'étais son docteur. J'ai besoin d'informations.

— Docteur, hein ? Quelle sorte de docteur ?

— Il était en thérapie chez moi depuis un an.

— Vous êtes psy ?

Ricky acquiesça.

— Un boulot intéressant, dit le policier. Vous vous servez d'un divan ?

— Exact.

— Non, c'est pas vrai ? Il y a encore des gens qui ont des choses à dire ? Moi, dès que je pose la tête en arrière, j'ai besoin de faire une sieste. Je bâille, et je m'éteins comme une lampe. Mais certains déblatèrent vraiment, hein ?

— Oui, quelquefois.

— Super ! Eh bien, voilà au moins un type qui ne parlera plus. Vous feriez mieux de vous adresser à l'inspecteur. Passez la double porte, continuez le couloir, le bureau est sur la gauche. C'est Riggins qui s'occupe de ce type. Ou de ce qu'il en reste après le passage de l'express de la Huitième Avenue, à plus de cent à l'heure... Pour les détails, c'est là qu'il faut aller. Voyez ça avec les inspecteurs.

Il fit un geste en direction de la double porte donnant sur les entrailles du commissariat. Au même moment, Ricky entendit un bruit strident dont la source semblait être tour à tour au-dessous et au-dessus d'eux.

— Ce type va me taper sur les nerfs avant la fin de la soirée, fit le sergent en souriant.

Il se retourna et agrafa une liasse de documents. Le bruit résonna comme un coup de feu.

— S'il ne la ferme pas, je vais avoir besoin d'un psy demain matin. Ce qu'il vous faudrait, doc, c'est un divan portatif.

Il se mit à rire et fit un geste évoquant un avion piquant vers le bureau. Le déplacement d'air agita ses papiers et chassa Ricky dans la bonne direction.

Sur la gauche, il y avait une porte sur laquelle Ricky put lire BUREAU DES INSPECTEURS. Il la franchit et pénétra dans un dédale de bureaux métalliques gris crasseux où des plafonniers dispensaient la même lumière agaçante. Il cligna des yeux, comme si la luminosité le piquait à la manière de l'eau salée. L'inspecteur à chemise blanche et cravate rouge qui se tenait derrière le bureau le plus proche leva les yeux vers lui.

— Je peux vous aider ? demanda-t-il.

— Inspecteur Riggins ?

L'homme secoua la tête.

— Nan, ce n'est pas moi. Elle est dans le fond, là-bas. Elle parle à la dernière personne qui a vu le « sauteur », cet après-midi.

Ricky parcourut la salle du regard et finit par la repérer. Elle portait une chemise bleu pâle, une cravate de soie rayée qui lui pendait autour du cou comme un nœud coulant, un pantalon gris qui semblait se fondre dans le décor et des chaussures de jogging incongrues, blanches avec une bande verticale orange fluo. Ses cheveux blond sale était relevés en une queue-de-cheval qui lui donnait l'air d'avoir un peu plus que ses trente-cinq ans. Elle avait des rides de fatigue au coin des yeux. L'inspecteur parlait avec deux jeunes Noirs vêtus de blue-jeans beaucoup trop amples et de casquettes de base-ball inclinées selon des angles bizarres, comme si elles étaient collées de travers sur leurs crânes. Si Ricky avait été ouvert aux mœurs de son temps, il aurait su que c'était la mode la plus ordinaire. Il trouva simplement leur allure bizarre et légèrement inquiétante. S'il avait croisé ces deux gosses dans la rue, il aurait sans doute eu peur.

— Vous venez au sujet de ce type qui a sauté, tantôt, à la station de la 92e ? fit soudain l'inspecteur qui se trouvait devant lui.

Ricky acquiesça. L'inspecteur décrocha le téléphone et désigna une série de chaises alignées contre un mur.

Une seule chaise était occupée par une femme sale et débraillée, d'âge indéterminé, dont les cheveux gris partaient en tous sens. Ricky eut l'impression qu'elle parlait toute seule. Elle portait un manteau usé jusqu'à la corde qu'elle serrait contre elle, et se balançait légèrement sur son siège, comme si son corps était traversé d'un courant électrique dont elle voulait marquer le rythme. Sans domicile et schizophrène, pensa immédiatement Ricky. Depuis la fin de ses études, il n'avait rencontré aucun cas semblable dans le cadre de son métier, mais il en avait vu des tas sur les trottoirs, accélérant l'allure en les apercevant, comme presque n'importe quel New-Yorkais. Le nombre de sans-abri semblait avoir baissé depuis quelques années, mais Ricky était persuadé qu'on les avait expédiés en des lieux plus discrets à la suite de manœuvres politiques, pour éviter aux touristes enthousiastes et aux nantis de tomber sur eux à tout bout de champ.

— Asseyez-vous à côté de Lu Anne, lui dit l'inspecteur. Je vais prévenir Riggins que quelqu'un veut lui parler.

En entendant le nom de la femme, Ricky se raidit. Il inspira à fond et se dirigea vers la rangée de chaises.

— Je peux m'asseoir ici ? demanda-t-il à la femme en désignant la chaise à côté de la sienne.

Elle leva les yeux vers lui, légèrement étonnée.

— Il veut savoir s'il peut s'asseoir ici. Mais qui suis-je donc ? La reine des chaises ? Qu'est-ce que je dois dire ? Oui ? Non ? Il peut bien s'asseoir où il veut.

Lu Anne avait les ongles cassés et sales. Elle avait les mains couvertes de cicatrices et de cloques, et Ricky vit une plaie qui semblait infectée, la peau gonflée et violet foncé autour d'une épaisse croûte presque rouge. Il se dit que cela devait être douloureux, mais il ne fit aucun commentaire. Lu Anne se frottait les mains comme un cuisinier qui étale du sel sur un plat.

Ricky se laissa tomber sur le siège à côté d'elle. Il remua un peu, comme s'il cherchait la position la plus confortable, puis demanda :

— Alors, Lu Anne, vous étiez sur le quai quand l'homme est tombé sur la voie ?

Lu Anne leva les yeux vers la lumière impitoyable du néon. Elle haussa légèrement les épaules.

— Bon, il veut savoir si j'étais là quand l'homme s'est jeté devant le train. Je pourrais lui dire ce que j'ai vu, tout le sang, et les gens qui hurlaient, comme c'était affreux… Puis la police est venue.

— Vous vivez dans la station de métro ?

— Il veut savoir si j'habite là-bas. Eh bien, parfois, je dirais, parfois j'habite là-bas.

Lu Anne finit par détourner le regard de la lumière. Elle cligna vivement des yeux et agita la tête en tous sens, comme si elle reconnaissait des fantômes partout dans la pièce. Au bout d'un moment, elle se retourna vers Ricky.

— Je vois, dit-elle. Vous étiez là, vous aussi ?

— Non. Je connaissais l'homme qui est mort.

— Oh, comme c'est triste, dit-elle en lui serrant la main. Triste pour vous. J'ai connu des gens qui sont morts. C'était triste pour moi, alors.

— Oui, fit-il. C'est triste.

Il se força à lui adresser un faible sourire. Elle le lui rendit.

— Qu'avez-vous vu, Lu Anne ?

Elle toussota une ou deux fois, comme pour s'éclaircir la gorge.

— Il veut savoir ce que j'ai vu !

Elle regardait Ricky sans s'adresser vraiment à lui.

— Il veut savoir, pour l'homme qui est mort et pour la jolie femme.

— Quelle jolie femme ? s'enquit Ricky en essayant de garder son calme.

— Il ne sait rien de cette très jolie femme.

— Non, c'est vrai. Mais maintenant je m'y intéresse, dit-il en espérant qu'elle continuerait à parler.

Le regard de Lu Anne semblait dériver dans le lointain, comme si elle essayait de faire le point sur quelque chose qui se trouvait au-delà de son champ de vision, comme un mirage. Elle répondit d'un ton désinvolte, cordial :

— Il veut savoir que la jolie femme est venue me voir, juste après que l'homme s'est fichu en l'air ! Et elle me parle très doucement, elle me dit : Lu Anne, vous avez vu ça ? Vous avez vu cet homme sauter sous le train ? Vous avez vu comment il s'est avancé vers le bord dès que le train est entré dans la station ? L'express, hein, il ne s'arrête pas, il ne s'arrête jamais, non, il ne s'arrête jamais, il faut attendre l'omnibus si vous voulez monter dans le train, et comment il vient de sauter ! Horrible, horrible ! Elle me dit : Lu Anne, vous l'avez vu se tuer ? Personne ne l'a poussé, Lu Anne, elle me dit. Personne, vraiment. Vous devez en être absolument sûre, Lu Anne, personne n'a poussé cet homme, vlam ! Il a juste avancé d'un pas, dit la femme. C'est tellement triste. Devait avoir envie de mourir, terrible, pas bien, tellement brusque, vlam ! Il y a aussi un homme avec elle, juste à côté de la très jolie femme, et il dit : Lu Anne, vous devrez dire à la police ce que vous avez vu, il faudra leur dire que vous avez vu l'homme s'avancer, dépasser les autres hommes et les autres dames, et sauter, vlam ! Mort. Et puis la femme si belle me dit : Lu Anne, vous direz à la police que c'est votre devoir de citoyenne de dire que vous avez vu l'homme sauter. Et elle me donne dix dollars. Dix dollars, pour moi toute seule. Mais elle me fait promettre : Lu Anne, vous me promettez d'aller à la police et de leur dire que vous avez vu l'homme sauter une fois pour toutes ? Oui, je lui dis. Je lui promets. Et je suis venue à la police, comme elle m'a dit de le faire, comme je l'ai promis. Est-ce qu'elle vous a donné dix dollars, à vous aussi ?

— Non, dit lentement Ricky, elle ne m'a pas donné dix dollars.

— Oh, c'est dommage, répliqua Lu Anne en secouant la tête. Pas de chance pour vous.

— Oui. C'est dommage. Pas de chance.

Il leva les yeux. L'inspectrice traversait la salle et venait dans leur direction.

Elle avait l'air encore plus épuisée que Ricky ne l'avait cru en l'apercevant un peu plus tôt. L'inspectrice Riggins se déplaçait avec une lenteur qui en disait beaucoup sur ses muscles endoloris, sur sa fatigue et sur son esprit miné par la chaleur et par le temps passé à tenter de rassembler les restes de l'infortuné M. Zimmerman puis à reconstituer les instants qui avaient précédé son saut sur la voie du métro. Ricky était étonné qu'elle parvienne à lui adresser un maigre sourire.

— Bonjour, lui dit-elle. Je crois que vous êtes là pour M. Zimmerman ?

Sans lui donner le temps de répondre, elle se tourna vers Lu Anne.

— Lu Anne, je vais vous faire escorter par un agent en uniforme au refuge de la 102e Rue. Vous pourrez y passer la nuit. Merci d'être venue nous voir. Vous nous avez été très utile. Restez au refuge, d'accord, Lu Anne ? Pour le cas où j'aurais encore besoin de vous interroger.

— Elle veut que je reste au refuge. Elle sait pourtant qu'on déteste ça. C'est plein de crapules et de cinglés capables de vous voler et de vous donner un coup de couteau s'ils savent qu'une jolie femme vous a donné dix dollars.

— Je veillerai à ce que personne ne le sache et vous ne risquerez rien. S'il vous plaît.

— Je vais essayer, inspecteur, fit Lu Anne tout en secouant la tête.

Riggins lui montra les deux flics en uniforme qui attendaient près de la porte.

— Ces deux gars vont vous déposer, OK ?

Lu Anne se leva, sans cesser de secouer la tête.

— Le trajet en voiture vous plaira, Lu Anne. Si vous voulez, je leur demande d'utiliser la sirène et le gyrophare.

Ces mots firent venir un sourire sur les lèvres de Lu Anne. Elle hocha la tête avec un enthousiasme enfantin. L'inspectrice fit signe aux deux flics.

— Les gars, il va falloir réserver à notre témoin le traitement spécial vedettes. Gyrophare et sirène tout du long, OK ?

Les deux flics haussèrent les épaules en souriant. C'était un boulot facile. Rien à redire, tant que Lu Anne ne passait pas assez de temps dans leur voiture pour que son odeur de transpiration, de crasse et d'infection y reste collée après son départ.

Ricky contempla cette femme à l'esprit dérangé qui s'éloignait d'un pas traînant vers la sortie, suivie des deux flics. Elle hochait la tête et s'était remise à parler toute seule. Il vit que l'inspectrice Riggins l'avait suivie des yeux, elle aussi. Elle soupira.

— Elle est loin d'être aussi déglinguée que certains. Et elle reste plus ou moins dans le coin. Derrière la *bodega* de la 97e Rue ou dans la station de métro, comme aujourd'hui, ou en haut, à l'entrée de Riverside Park sur la 96e. Elle est dingue et un peu partie, mais pas du tout méchante comme certains. Je me demande qui elle est vraiment. Vous ne croyez pas, docteur, qu'il y a peut-être quelqu'un, quelque part, qui s'inquiète pour elle ? A Cincinnati, à Minneapolis… Une famille, des amis, des parents qui se demandent ce qu'a bien pu devenir leur tante ou leur cousine excentrique. Elle est peut-être l'héritière d'un magnat du pétrole ou de quelqu'un qui a gagné à la loterie. Ce serait génial, non ? On se demande ce qui a pu lui arriver pour qu'elle finisse comme ça. Avec tous ces produits chimiques dans le cerveau, qui vous font perdre les pédales. Mais ça, c'est votre domaine, pas le mien.

— Je n'aime pas beaucoup prescrire des médicaments, dit Ricky. Contrairement à certains de mes confrères. Une schizophrénie aussi grave que celle de cette femme exige des soins, mais ce que je fais ne serait sans doute pas très utile à Lu Anne.

L'inspectrice Riggins lui fit signe de s'approcher de son bureau, devant lequel on avait disposé une chaise.

— Vous travaillez sur la parole, hein ? Les troubles de la vocalisation ? Des mots, des mots, des mots et, tôt ou tard, quelque chose remontera à la surface ?

— C'est un peu plus compliqué que cela, inspecteur. Mais ce n'est pas inexact.

— Ma sœur a vu un analyste après son divorce. Ça l'a vraiment aidée à mettre de l'ordre dans sa vie. Mais ma cousine Marcie, elle, c'est le genre de femme qui a tout le temps un nuage noir au-dessus de la tête… Elle a consulté pendant trois ans, et elle a fini encore plus cinglée qu'avant de commencer.

— J'en suis désolé. Dans n'importe quel métier, il y a

différents degrés de compétence. Mais… reprit-il tandis qu'ils s'installaient de part et d'autre du bureau.

Riggins le coupa :

— Vous avez dit que vous étiez l'analyste de M. Zimmerman, c'est bien cela ? fit-elle en sortant un carnet et un crayon.

— Oui. Il était en analyse depuis un an. Mais…

— Avez-vous décelé chez lui, ces dernières semaines, des tendances suicidaires aggravées ?

— Non, absolument pas, dit Ricky avec assurance.

L'inspectrice leva les sourcils, en signe de légère surprise.

— Vraiment pas ? Rien de tel ?

— Je viens de vous le dire. En fait…

— Son analyse progressait, alors ?

Ricky hésita.

— Eh bien ? demanda brusquement l'inspectrice. Est-ce qu'il allait mieux ? Il reprenait le contrôle de lui-même ? Il retrouvait sa confiance en soi ? Il se sentait de plus en plus prêt à affronter le monde ? Moins déprimé ? Moins aigri ?

De nouveau, Ricky hésita avant de répondre :

— Je dirais qu'il n'avait pas accompli ce que nous pourrions appeler une percée significative. Il menait toujours une lutte acharnée contre les problèmes qui lui rendaient la vie impossible.

Riggins eut un sourire dénué d'humour. Elle parla d'un ton crispé :

— Ainsi, à l'issue de presque un an de traitement quasiment ininterrompu, cinquante minutes par jour, cinq jours par semaine, disons pendant quarante-huit semaines en tout, on pourrait dire qu'il était toujours déprimé et frustré par la vie qu'il menait ?

Ricky se mordit la lèvre, puis acquiesça.

L'inspectrice écrivit quelques mots sur son carnet. Ricky ne put voir ce qu'elle griffonnait.

— Est-ce que « désespoir » serait un mot trop fort ?

— Oui, dit Ricky avec irritation.

— Même si c'était le premier mot que sa mère – qui vit avec lui – a prononcé ? Et même si ce mot est venu à l'esprit de plusieurs de ses collègues de travail ?

— Oui, insista Ricky.

— Alors, vous ne pensez pas qu'il était suicidaire ?

— Je vous l'ai dit, inspecteur. Il ne présentait aucun des symptômes classiques. Si cela avait été le cas, j'aurais pris des mesures…

— Quel genre de mesures ?

— Nous aurions essayé d'orienter nos séances de manière plus précise. Peut-être un traitement médicamenteux, si j'avais estimé que la menace était sérieuse…

— Je croyais vous avoir entendu dire, tout à l'heure, que vous n'aimiez pas prescrire des pilules ?

— C'est vrai, mais…

— N'allez-vous pas partir en vacances ? Très bientôt ?

— Oui. Demain. En tout cas, c'est ce que j'avais prévu, mais avec ce qui s'est passé…

— Ainsi, dès demain, son… garde-fou thérapeutique allait partir en vacances ?

— Oui, mais je ne vois pas…

— Voilà des mots intéressants dans la bouche d'un psy, fit l'inspectrice en souriant.

— Quels mots ? demanda Ricky, de plus en plus exaspéré.

— « Je ne vois pas »… N'est-ce pas là ce que vous appelez un lapsus ?

— Non.

— Alors vous êtes sûr qu'il ne s'est pas suicidé ?

— Non, c'est que… Je veux seulement…

— Est-il déjà arrivé dans le passé qu'un de vos patients se suicide ?

— Oui. Hélas. Mais dans ce cas-là, les symptômes étaient évidents. Mes efforts n'ont pas été appropriés, vu la gravité de la dépression de cette patiente.

— Cet échec vous poursuit depuis longtemps, docteur ?

— Oui, fit Ricky d'un ton froid.

— Il serait ennuyeux pour vos affaires – et encore plus pour votre réputation – qu'un autre de vos patients décide de s'offrir un tête-à-tête avec l'express de la Huitième Avenue, n'est-ce pas ?

Ricky se redressa, l'air maussade.

— Je n'aime pas du tout vos insinuations, inspectrice.

Riggins sourit et secoua légèrement la tête.

— Eh bien, avançons. Si vous êtes sûr qu'il ne s'est pas suicidé, il n'y a qu'une autre solution : quelqu'un l'a poussé sous ce train. Est-ce que M. Zimmerman a jamais mentionné devant vous quelqu'un qui le haïssait, ou qui lui en voulait, qui aurait pu avoir un motif de l'assassiner ? Il vous parlait tous les jours. Il est probable que, s'il avait été poursuivi par un tueur inconnu, il y ait fait allusion. C'est le cas ?

— Non. Il n'a jamais mentionné quiconque qui corresponde à votre description.

— Il n'a jamais dit : untel ou untel veut ma mort ?

— Non.

— Si c'était le cas, vous vous en souviendriez ?

— Bien sûr.

— D'accord. Alors aucun individu clairement défini n'avait envie de le supprimer. Aucun associé d'affaires ? Une maîtresse répudiée ? Un mari cocu ? Pour quelle raison, selon vous, quelqu'un l'aurait-il poussé sous l'express ? Pour le plaisir ? Une autre raison mystérieuse ?

Ricky hésita. Il savait que c'était le moment de parler à la police de la lettre exigeant qu'il se suicide, de la visite de la femme nue (Virgil !), du jeu auquel on lui demandait de jouer. Il n'avait qu'une chose à faire : leur dire qu'un crime avait été commis, que Zimmerman était victime d'un acte qui n'avait rien à voir avec lui. Ricky était prêt à transmettre toutes ces informations, à les livrer en vrac. Mais il réalisa qu'il avait en face de lui une inspectrice de police que ce travail ennuyait, qu'elle n'y accordait aucune importance, qu'elle souhaitait simplement boucler une journée très désagréable en remplissant un formulaire qui ne prévoyait pas ce genre d'informations.

Alors il décida de garder pour lui ce qu'il savait. C'était dans sa nature de psychanalyste. Il ne partageait pas facilement ses hypothèses ou ses opinions.

— Peut-être, dit-il. Que savez-vous de l'autre femme, celle qui a donné les dix dollars à Lu Anne ?

L'inspectrice fronça les sourcils, comme si la question l'embarrassait.

— Quel rapport ?

— Est-ce que vous ne trouvez pas sa conduite un peu suspecte ? Vous n'avez pas l'impression qu'elle a suggéré à Lu Anne ce qu'elle devait dire ?

— Je ne vois pas ça comme ça, fit l'inspecteur en haussant les épaules. Une femme et l'homme qui l'accompagne constatent qu'une des citoyennes les plus démunies de notre ville pourrait être un témoin capital à propos d'un événement qui vient de se produire. Ils font en sorte que la pauvre femme soit récompensée si elle fait la démarche d'aider la police. Je considère plutôt cela comme une preuve de civisme : c'est en partie grâce à l'intervention de ce couple que Lu Anne est venue nous offrir son aide.

— Vous n'êtes pas parvenue à découvrir de qui il s'agit, n'est-ce pas ? fit Ricky après une seconde de silence.

L'inspectrice secoua la tête.

— Désolée. Ils ont montré Lu Anne à un des premiers policiers présents sur les lieux, puis ils ont disparu après avoir informé l'agent que, de l'endroit où ils se trouvaient, ils n'avaient pu voir ce qui s'était passé. Il ne leur a pas demandé leur nom, parce que ce n'étaient pas des témoins. Pourquoi ces questions ?

Ricky n'était pas sûr d'avoir envie de répondre. Une partie de lui-même lui criait de se décharger de ce qu'il savait. Mais il ignorait jusqu'à quel point ce pouvait être dangereux. Il essayait de calculer, de deviner, d'estimer. Mais il eut soudain le sentiment que tout ce qui se passait autour de lui était nébuleux, impossible à déchiffrer, confus et insaisissable. Il secoua la tête, comme si cela pouvait l'aider à définir ses émotions.

— Je doute vraiment que M. Zimmerman se soit suicidé. Son état n'était certainement pas aussi grave. Je vous prie de bien noter cela dans votre rapport, inspectrice.

Riggins haussa les épaules et sourit avec une lassitude mal dissimulée, qu'accentuait encore le sarcasme de ses propos :

— Je n'y manquerai pas, docteur. Quelle que soit sa valeur, votre opinion sera dûment portée au dossier.

— Y avait-il d'autres témoins, quelqu'un peut-être qui aurait vu Zimmerman s'écarter de la foule massée sur le quai ? Quelqu'un d'autre l'a vu avancer sans qu'on le pousse ?

— Personne d'autre que Lu Anne, docteur. Toutes les autres personnes présentes n'ont vu qu'une partie de ce qui s'est passé. Personne ne peut affirmer qu'il n'a pas été poussé. Mais deux gamins ont bien vu qu'il se tenait debout, isolé, à distance des autres usagers attendant l'omnibus. Les déclarations des témoins oculaires, entre parenthèses, sont typiques de ce genre d'affaires. Les gens ont les yeux fixés devant eux, vers le tunnel d'où le train doit arriver. La plupart des types qui sautent sous les trains se placent à l'arrière de la foule, pas à l'avant. Ils veulent mourir, quelles que soient leurs raisons, pas se donner en spectacle aux autres voyageurs. Quatre-vingt-dix-neuf fois sur cent, ils s'écartent de la foule, vers l'arrière. Précisément à l'endroit où M. Zimmerman avait pris position.

L'inspectrice Riggins sourit avant de poursuivre :

— Je vous parie que je vais trouver un message quelque part dans ses affaires personnelles. Peut-être recevrez-vous une lettre de lui avant la fin de la semaine. Si c'est le cas, faites-m'en une copie que je joindrai à mon rapport, d'accord, docteur ? Mais vous partez en vacances, et vous ne la recevrez peut-être pas avant votre départ. En tout cas, ça nous serait utile.

Ricky eut envie de répondre, mais il contrôla sa colère.

— Pouvez-vous me donner votre carte, inspectrice ? Pour le cas où j'aurais besoin de vous contacter, fit-il d'un ton aussi détaché que possible.

— Bien sûr. Appelez-moi quand vous voulez.

Elle prononça ces mots d'un ton méprisant qui signifiait exactement le contraire. Elle sortit une carte d'une boîte posée sur son bureau et la lui tendit avec un petit geste. Ricky la mit dans sa poche sans la regarder et se leva. Il traversa rapidement le bureau et tourna la tête avant de passer la porte. Penchée au-dessus d'une vieille machine à écrire, l'inspectrice Riggins commençait à taper son rapport sur la mort évidente, ordinaire et apparemment sans importance de Roger Zimmerman.

6

Ricky Starks claqua derrière lui la porte de son appartement. Le bruit résonna et se répercuta dans le couloir désert et faiblement éclairé. Il tourna frénétiquement la clé dans la serrure dont il se servait si rarement et ferma la porte à double tour. Il tira sur la poignée pour s'assurer que les différents verrous fonctionnaient correctement. Pas tout à fait certain que cela suffise, il coinça sous la poignée le dossier d'une chaise, en guise de double protection. Il dut se faire violence pour ne pas entasser son bureau, des caisses, des étagères – tout ce qu'il avait sous la main – contre la porte, pour se barricader à l'intérieur. La sueur lui piquait les yeux et, malgré la climatisation – il entendait l'appareil bourdonner sous la fenêtre, hors de son champ de vision –, il sentait la chaleur parcourir son corps par vagues de plus en plus violentes. Un soldat, un policier, un pilote ou un alpiniste – quiconque avait l'habitude d'approcher le danger – les auraient reconnues pour ce qu'elles étaient : des poussées de terreur. Mais Ricky vivait depuis tant d'années loin de tous ces extrêmes qu'il était incapable d'en identifier les symptômes les plus évidents.

Il s'éloigna de la porte et parcourut l'appartement du regard. Un unique plafonnier au-dessus de la porte éclairait faiblement la salle d'attente, perçant à peine l'obscurité et jetant des ombres étranges dans les coins. Ricky entendait la climatisation et, au-delà, les bruits étouffés de la rue, mais à part cela régnait un silence oppressant.

La porte de son cabinet était ouverte. Elle bâillait de manière sinistre. Il eut soudain la certitude qu'en quittant le sanctuaire de l'appartement, en début de soirée, après la visite de Virgil, il l'avait fermée derrière lui, comme d'habitude. Une terrible appréhension l'envahit, suivie du doute. Il contempla la porte ouverte et se concentra pour se remémorer précisément les gestes qu'il avait accomplis en partant.

Il avait mis sa cravate et passé son veston, s'était arrêté un instant pour resserrer le lacet de sa chaussure droite, s'était tâté la hanche pour vérifier la présence de son portefeuille et avait glissé la clé de l'appartement dans sa poche de poitrine, avant de la faire cliqueter pour s'assurer qu'elle était à sa place. Il se revit en train de traverser l'appartement, de franchir la porte, d'attendre l'ascenseur qui descendait du troisième étage, puis de déboucher dans la rue, où l'air était encore brûlant. Tout cela était parfaitement clair. Il était sorti de chez lui comme il l'avait fait des milliers de fois, durant des milliers de jours. C'était au retour que tout avait l'air de guingois, légèrement altéré, comme lorsqu'on contemple son image dans un miroir déformant à la foire, et qu'elle reste distordue en dépit de toutes les contorsions. Il émit un grand cri silencieux : *Est-ce que tu as fermé la porte intérieure ?*

Il se mordit la lèvre, essayant de se rappeler la sensation de la poignée dans sa main, le bruit de la porte se refermant derrière lui. Mais ce souvenir lui échappait. Il se sentit paralysé, bloqué par son impuissance à visualiser un geste aussi simple et routinier. Puis il lui vint une question encore plus terrible, même s'il ne s'en rendait pas encore compte : *Pourquoi ne peux-tu t'en souvenir ?*

Il prit une profonde inspiration et tenta de se rassurer. Tu as dû la laisser ouverte. Par distraction.

Mais il ne fit pas un geste. Il se sentait brusquement vidé de ses forces. Comme s'il venait de se battre. C'était du moins l'idée qu'il s'en faisait, car il songea tout à coup que ça ne lui était jamais arrivé. Pas depuis l'âge adulte, en tout cas, et il ne tenait pas compte de rares bagarres d'adolescents, qui lui semblaient incroyablement loin dans son passé.

L'obscurité qui régnait dans la pièce semblait le narguer. Il tendit l'oreille, s'efforçant de percer les ténèbres.

Il n'y a personne, se dit-il.

Mais il demanda à voix haute, comme pour souligner qu'il se mentait à lui-même :

— Ohé ?

Le son de ce simple mot prononcé dans cet espace réduit eut pour effet de le tendre un peu plus. Il eut le sentiment d'être ridicule. Ce sont les enfants qui ont peur du noir, pensa-t-il, pas les adultes. Surtout s'ils ont passé leur vie, comme moi, à déterrer des secrets et des terreurs cachées.

Il s'avança tout en s'efforçant de recouvrer son sang-froid. Je suis chez moi, se dit-il. Je suis en sécurité.

Il s'empressa pourtant de tendre le bras vers l'interrupteur, hésitant à avancer au-delà de la porte entrebâillée. Il tâtonna, trouva le bouton, qu'il enfonça sur-le-champ.

Rien. La pièce restait plongée dans le noir.

Ricky haleta violemment. Il actionna l'interrupteur

plusieurs fois, comme s'il refusait de croire que la lumière ne venait pas. Il jura à voix haute.

— Nom de Dieu…

Toutefois il n'entra pas. Il laissa à ses yeux le temps de s'accoutumer à l'obscurité, sans cesser de tendre l'oreille, essayant de saisir le bruit révélateur qui lui aurait confirmé qu'il n'était pas seul. Il tenta de se rassurer : quand on vit des choses aussi inquiétantes que ce qu'il avait vécu ce jour-là, l'esprit nous joue naturellement toutes sortes de mauvais tours. Il attendit encore quelques secondes, pour que ses yeux parviennent à distinguer quelques contours dans les ténèbres, et balaya le cabinet plusieurs fois du regard. Puis il entreprit de traverser la petite pièce, cherchant à tâtons son bureau et la lampe qui se dressait dans un coin. Il avait l'impression d'être un aveugle qui marche les mains tendues devant lui, s'efforçant de trouver son chemin dans un lieu où il ne dispose d'aucun repère. Il avait mal calculé les distances : il heurta violemment le bureau et se fit mal au genou, ce qui lui fit lâcher un flot d'obscénités. Plusieurs « Merde ! » et « Nom de Dieu ! » et un seul « Putain ! » : tout un vocabulaire qui lui était étranger. Avant les événements de la veille, il avait rarement prononcé un gros mot.

Il se glissa le long du bureau. Il finit par toucher la lampe et sa main trouva l'interrupteur. Avec un soupir de soulagement, il appuya dessus en s'attendant à voir la lumière arriver.

Celle-ci ne fonctionnait pas non plus.

Ricky s'agrippa au bord du bureau pour garder son équilibre. Il se dit qu'il devait y avoir une panne de courant, la chaleur entraînant une demande accrue d'électricité. Mais il entendait le bourdonnement habituel de la climatisation et il voyait par la fenêtre, derrière le bureau, la rue brillamment éclairée. Il tenta de se convaincre qu'il n'était pas du tout impossible que deux ampoules grillent en même temps. Inhabituel, mais pas impossible.

Une main toujours posée sur le bureau, il se tourna vers la dernière lampe. C'était une lampe sur pied, un objet de style en fonte noire que sa femme avait acheté des années plus tôt pour leur maison de campagne de Wellfleet. Il l'avait installée dans le coin de son bureau, derrière son fauteuil, à la tête du divan. Il s'en servait pour lire et, les jours sombres et pluvieux, pour dissiper la pénombre qui tombait sur la ville et pour que ses patients ne soient pas totalement distraits par le temps. La lampe se trouvait à environ quatre mètres de lui, mais il avait l'impression qu'elle était beaucoup plus loin. Il se représenta la pièce. Il savait qu'il n'avait que quelques pas à faire, qu'il n'y avait rien entre le fauteuil et lui, et que, une fois là, il trouverait facilement la lampe. Il regretta que la lumière de la rue ne pénètre pas plus par les fenêtres : le peu qui y parvenait semblait s'arrêter juste devant la vitre, comme s'il lui était interdit d'entrer dans la pièce. Quatre pas, se dit-il. Ne te cogne pas le genou dans le fauteuil.

Il avança avec précaution, tâtant le vide devant lui, les bras tendus. Il se pencha légèrement en avant, chercha le contact rassurant de son vieux fauteuil de cuir. Il lui fallut plus de temps que d'habitude pour franchir ces quatre mètres. Mais le siège était à sa place. Il toucha le bras, le dossier, et se laissa tomber dans le fauteuil dont le cuir émit un léger craquement de bienvenue. Il toucha la petite table où il posait son agenda et sa pendule. Il glissa la main derrière, en quête de la lampe. L'interrupteur se trouvait juste sous l'ampoule. Il le trouva tout de suite, au prix de légères contorsions. Il le tourna sans hésiter, d'un geste décidé.

Il était toujours dans le noir.

Il actionna l'interrupteur une douzaine de fois. Les déclics résonnèrent dans la pièce silencieuse.

Rien.

Ricky était prostré sur son siège. Il essaya de trouver une explication simple et indiscutable au fait que toutes les lampes de son cabinet refusaient de s'allumer. Sans succès.

Inspirant à fond, il tendit l'oreille vers la nuit, essayant de déchiffrer les sons parasites de la ville. Il avait les nerfs à cran, l'ouïe aiguisée, chacun de ses sens tendu dans un effort pour découvrir s'il était vraiment seul. Une partie de son cerveau lui criait de se ruer vers la porte d'entrée et de s'enfuir dans le couloir, puis de revenir accompagné de quelqu'un. Il lutta contre cette tentation, sachant qu'elle résultait de sa panique. Il fit un effort démesuré pour rester calme.

Il n'entendait aucun bruit, mais cela ne suffit pas à le convaincre qu'un intrus ne se trouvait pas avec lui dans l'appartement. Il tenta d'imaginer où l'on pourrait se dissimuler, dans quel placard, au fond de quel recoin, sous quelle table. Puis il essaya de se concentrer sur ces endroits, comme s'il pouvait les voir depuis son fauteuil, derrière le divan de l'analyse. Mais cet effort était tout aussi inutile ou, en tout cas, peu satisfaisant. Il s'efforça de se rappeler où il pouvait avoir rangé sa lampe de poche ou des bougies. S'il y en avait, elles devaient se trouver sur une étagère dans la cuisine, sans doute à côté des ampoules de réserve. Il resta assis encore une minute, répugnant à quitter ce siège familier. Il ne trouva la volonté de se lever qu'en réalisant que la seule attitude raisonnable était de continuer à chercher la lumière.

Il se dirigea avec précaution vers le centre de la pièce, les mains de nouveau tendues devant lui, comme un aveugle. Il avait fait la moitié du chemin lorsque le téléphone se mit à sonner.

Il eut l'impression que le bruit de la sonnerie lui transperçait le corps.

Il trébucha en se tournant vers le téléphone. Il renversa au passage le pot plein de stylos et de crayons qui se trouvait sur le bureau. Il décrocha juste avant la sixième sonnerie – celle qui aurait déclenché le répondeur.

— Allô ? Allô ?

Il n'y eut aucune réponse.

— Allô ? Il y a quelqu'un ?

Il comprit soudain qu'on avait coupé la communication.

Ricky se tenait dans le noir, le combiné à la main. Il jura silencieusement, puis à voix haute :

— Bon Dieu ! s'écria-t-il. Bon Dieu de bon Dieu de nom de Dieu…

Il raccrocha et posa les deux mains sur le bureau, comme s'il était épuisé et qu'il avait besoin de reprendre son souffle. Il jura de nouveau, mais plus doucement.

Le téléphone recommença à sonner.

La surprise lui fit faire un bond en arrière. Il tendit le bras, tâtonna légèrement, heurta le téléphone contre le bureau et finit par approcher l'écouteur de son oreille.

— Ce n'est pas drôle, dit-il.

— Docteur Ricky, roucoula Virgil de sa voix profonde mais féline. Personne ne vous a dit qu'il s'agissait d'une plaisanterie. En fait, Monsieur R. n'a absolument aucun humour, à ce qu'on m'a dit.

Ricky ravala l'explosion de colère qui menaçait de franchir ses lèvres. Il parvint à garder le silence.

Au bout de quelques secondes, Virgil se mit à rire. Dans le combiné, cela faisait un bruit horrible.

— Vous êtes toujours dans le noir, Ricky, hein ?

— Oui. Vous êtes venue ici, n'est-ce pas ? Vous ou quelqu'un de votre genre s'est introduit ici pendant mon absence et...

— Ricky, fit soudain Virgil d'un ton presque câlin, c'est vous, l'analyste. Quand vous êtes dans l'obscurité et que vous cherchez quelque chose, surtout si c'est simple, que faites-vous ?

Il ne répondit pas. Elle se remit à rire.

— Allons, Ricky. Et vous vous considérez comme un expert en symbolique et en interprétation de toutes sortes de mystères ? Comment répandez-vous la lumière là où il n'y a que ténèbres ? Allons, c'est votre boulot, non ?

Elle ne lui laissa pas le temps de répondre :

— Pour avoir la réponse, il suffit de suivre la piste la plus simple.

— Comment ?

— Ricky, je vois bien que vous allez avoir besoin de mon aide bien au-delà des prochains jours, si vous avez l'intention de faire vraiment un effort pour sauver votre vie. Ou préférez-vous rester assis dans le noir et attendre l'arrivée du jour où vous devrez vous tuer ?

— Je ne comprends pas, dit-il, interloqué.

— Vous n'allez pas tarder à comprendre, conclut-elle sèchement.

Elle raccrocha et il resta seul comme un idiot, le téléphone à la main. Il lui fallut plusieurs secondes pour le reposer sur son socle. L'obscurité semblait le recouvrir, l'envelopper tel un manteau de désespoir. Il se remémora les paroles de Virgil, qui lui semblaient ineptes, codées, incompréhensibles. Il avait envie de hurler qu'il ne comprenait pas un mot de ce qu'elle disait, qu'il était perturbé à la fois par l'obscurité qui l'entourait et par le sentiment que son espace privé avait été envahi, violé. Il grinça des dents de colère, agrippa le bord du bureau avec un grognement de rage. Il avait envie de casser quelque chose.

— Une piste simple... répéta-t-il presque en criant. Il n'y a pas de pistes simples, dans la vie !

Le son de sa propre voix, s'évanouissant dans la pièce, eut pour effet immédiat de le calmer. Il bouillonnait, au bord de l'explosion.

— Simple, simple, dit-il à voix basse...

Puis il eut une idée. Il était surpris qu'elle soit parvenue à se glisser dans son cerveau, malgré la colère qui montait en lui.

— Ce n'est pas possible... dit-il en tendant la main gauche vers la lampe de bureau.

Il toucha la base et trouva le fil électrique qui sortait sur le côté. Il fit glisser ses doigts le long du fil, vers le bas, là où il devait être raccordé à une rallonge qui courait contre le mur, vers la prise de courant. A genoux, il mit quelques secondes à trouver la prise mâle. Elle était débranchée. Il tâtonna encore quelques secondes pour trouver le bout de la rallonge. Il introduisit la prise dans son réceptacle. La lumière se répandit dans la pièce. Il se releva puis se tourna vers la lampe posée derrière le divan. Il vit immédiatement qu'elle aussi avait été débranchée. Il leva les yeux vers le plafonnier. Il devina que l'ampoule, sous l'applique, avait simplement été dévissée.

Sur le bureau, le téléphone sonna pour la troisième fois. Il décrocha.

— Comment êtes-vous entrée ici ?

— Vous croyez que Monsieur R. n'a pas les moyens

de s'offrir les services d'un bon serrurier ? fit Virgil avec une humilité feinte. Ou d'un monte-en-l'air professionnel ? De quelqu'un qui connaisse bien les verrous antiques et périmés qui protègent votre porte d'entrée, Ricky ? Vous n'avez jamais pensé à installer quelque chose de plus moderne ? Un système de verrouillage électrique, avec des cellules et des détecteurs de mouvements à infrarouge ? Un lecteur d'empreintes digitales ou même un de ces logiciels de reconnaissance de la rétine qu'on utilise dans les immeubles secrets du gouvernement ? Vous savez que ce genre de matériel est accessible au grand public maintenant, via des relations parfois peu recommandables. N'avez-vous jamais ressenti le besoin de moderniser un peu les conditions de votre sécurité personnelle ?

— Je n'ai jamais eu besoin de ces sottises, grogna Ricky avec hauteur.

— Jamais d'effraction ? Pas de cambriolage ? Depuis le temps que vous habitez à Manhattan ?

— Non.

— Eh bien, dit Virgil d'un ton suffisant, je pense que personne n'a eu l'idée que vous pourriez avoir quelque chose à voler. Mais ce n'est plus le cas, n'est-ce pas, docteur ? Mon employeur le sait certainement et il semble disposé à prendre toutes sortes de risques.

Ricky ne répondit pas. Il leva brusquement les yeux et regarda fixement par la fenêtre de son cabinet.

— Vous me voyez, dit-il, en proie à une vive agitation. Vous me regardez en ce moment même, n'est-ce pas ? Comment pourriez-vous savoir, sinon, que je suis parvenu à allumer les lampes ?

Virgil éclata de rire.

— Un bon point pour vous, Ricky. Vous faites des progrès, quand il s'agit d'énoncer une évidence.

— Où êtes-vous ?

— Tout près, fit-elle après un instant de silence. Je lis par-dessus votre épaule, Ricky. Je suis dans votre ombre. A quoi vous servirait-il d'avoir un guide pour l'enfer qui n'est pas là quand vous avez besoin de lui ?

Il n'avait rien à répondre à cela.

— Eh bien, reprit Virgil avec cet accent chantant que Ricky commençait à trouver irritant, je vais vous donner une piste, docteur. Monsieur R. a l'esprit sportif. Vu la complexité de l'organisation de sa modeste vengeance, vous croyez qu'il hésiterait à jouer à son jeu selon des règles que vous ne pourriez comprendre ? Qu'avez-vous appris ce soir, Ricky ?

— J'ai appris que vous et votre employeur, vous êtes des malades, des personnages ignobles ! éclata Ricky. Et je ne veux rien avoir à faire avec vous.

Au bout du fil, le rire de Virgil était froid, un peu faux.

— C'est tout ce que vous avez appris ? Et comment êtes-vous arrivé à cette conclusion ? Remarquez, je ne la conteste pas. Mais j'aimerais bien savoir en vertu de quelle théorie psychanalytique ou médicale vous vous autorisez à établir un tel diagnostic, alors que je crois savoir, moi qui n'ai aucune formation, que vous ne nous connaissez pas du tout. Vous et moi, nous ne nous sommes vus qu'une fois. Et vous n'avez toujours pas le moindre indice sur l'identité de Rumplestiltskin, hein ? Mais vous êtes prêt à sauter sur toutes sortes de conclusions. Eh bien, croyez-moi, Ricky, je pense qu'étant donné la précarité de votre situation, former des conclusions prématurées est assez risqué. Je pense que vous devriez essayer de laisser vos préjugés de côté.

— Zimmerman… fit-il en s'abandonnant à la colère. Qu'est-il arrivé à Zimmerman ? Vous étiez là. Est-ce vous qui l'avez poussé du quai ? Est-ce que vous lui avez donné une petite poussée ou l'avez-vous simplement bousculé un peu pour lui faire perdre l'équilibre ? Vous croyez qu'on peut commettre un meurtre impunément ?

Virgil hésita, puis répondit brusquement :

— Oui, Ricky, parfaitement. Je crois que, de nos jours, des gens s'en sortent après avoir commis toutes sortes de crimes, y compris le meurtre. Cela arrive tout le temps. Mais, dans le cas de votre infortuné patient – devrais-je dire de votre « ex-patient » ? –, les preuves démontrent qu'il a sauté. Etes-vous absolument certain du contraire ? Il était profondément perturbé, ce n'est un secret pour personne. Qu'est-ce qui vous fait croire qu'il ne s'est pas supprimé en employant une méthode fabuleusement bon marché et efficace, de surcroît très usitée à New York ? Une méthode que vous devrez peut-être bientôt envisager pour vous-même. Pas si terrible, d'ailleurs, quand on y réfléchit. Un sentiment passager de peur et de doute, une décision, un pas en avant pour sauter du quai, un crissement, un éclair de lumière, et puis l'oubli bienheureux.

— Zimmerman ne s'est pas suicidé. Il ne montrait aucun des symptômes classiques. Il a fallu que vous – ou quelqu'un dans votre genre – le poussiez sous ce train.

— J'admire votre assurance, Ricky. Ce doit être formidable, une vie pleine de certitudes.

— Je vais retourner voir la police.

— Vous pouvez certainement refaire un essai, si vous pensez que ça peut vous faire du bien. Est-ce que vous les avez trouvés particulièrement obligeants ? Etaient-ils si impatients d'entendre votre interprétation de faits auxquels vous n'avez pas vraiment assisté ?

Cette question calma Ricky.

— Très bien, reprit-il après un silence. Alors, quelle est la suite ?

— Il y a un cadeau pour vous. Là-bas, sur le divan. Vous le voyez ?

Ricky leva vivement les yeux. Il vit une enveloppe brune de taille moyenne, à l'endroit précis où ses patients posaient la tête.

— Je la vois, répondit-il.

— Parfait, dit Virgil. J'attends que vous l'ouvriez.

Avant de poser le téléphone sur le bureau, il l'entendit fredonner un air qu'il reconnaissait vaguement, sans pouvoir lui donner un titre. S'il avait regardé plus souvent la télévision, Ricky aurait immédiatement identifié le jingle familier aux spectateurs du jeu *Jeopardy*. Il se leva, traversa rapidement la pièce et s'empara de l'enveloppe. Elle n'était pas très épaisse. Il la déchira et en sortit une feuille de papier.

C'était une feuille de calendrier. Quelqu'un avait tracé un grand X à la date du jour. Le 1er août. Les treize jours suivants étaient laissés en blanc. Le quinzième était cerclé de rouge. La fin du mois avait été noircie.

Ricky avait la bouche sèche. Il regarda dans l'enveloppe. Elle ne contenait rien d'autre.

Il retourna lentement vers son bureau et reprit le téléphone.

— Très bien, dit-il. Ce n'est pas difficile à comprendre.

Virgil parla d'une voix gracieuse, presque douce :

— Un pense-bête, Ricky. Rien d'autre. Quelque chose pour vous aider à vous lancer. Ricky, Ricky, je vous le redemande : qu'avez-vous appris ?

La question l'exaspéra, et il n'était pas loin de laisser éclater sa fureur. Mais il refréna la colère qui montait en lui et décida de contrôler ses émotions.

— J'ai appris qu'il semble n'y avoir aucune limite.
— Bien, Ricky, bien. On avance. Quoi d'autre ?
— J'ai appris à ne pas sous-estimer ce qui se passe.
— Excellent, Ricky. Autre chose ?
— Non. C'est tout pour le moment.
— Tss-tss, fit Virgil comme un professeur qui tance un mauvais élève. Ce n'est pas vrai, Ricky. Ce que vous avez appris, c'est que tout dans ce jeu, y compris sa probable conclusion, se déroule sur un terrain conçu exclusivement en fonction de vous. Je pense que mon employeur, sachant qu'il avait le choix, se montre exceptionnellement généreux. On vous a donné une chance, une toute petite chance, de sauver la vie de quelqu'un et la vôtre en répondant à une simple question : qui est-il ? Et comme il ne veut pas être injuste, il vous a offert une seconde solution, moins excitante bien sûr mais capable de donner un sens aux derniers jours de votre lamentable existence. Peu de gens ont droit à une telle opportunité, Ricky. Mourir en sachant que leur sacrifice a sauvé un être humain d'une horreur inconnue mais absolument réelle. Cela confine à la sainteté, Ricky, et cela vous est offert sans les trois merveilleux miracles que l'Eglise catholique exige d'ordinaire pour cela… bien qu'elle doive en laisser tomber un ou deux, de temps en temps, quand le candidat en vaut la peine. Comment peut-on renoncer à un miracle, quand c'est le critère pour entrer au club ? Ah, voici une question intrigante, dont nous pourrons débattre longuement une autre fois. Pour le moment, Ricky, vous devriez revenir aux indices qu'on vous a donnés et vous mettre en route. Le temps passe. Il ne vous en reste pas beaucoup. Avez-vous jamais mené une analyse avec une date butoir, Ricky ? Parce que c'est de ça qu'il s'agit ici. Je

garde le contact. Souvenez-vous, Virgil n'est jamais très loin.

Elle inspira à fond, puis ajouta :

— Vous avez compris, Ricky ?

Il resta silencieux. Elle répéta, plus sèchement :

— Vous avez compris, Ricky ?

— Oui.

Il raccrocha en sachant, bien entendu, que ce n'était pas vrai.

7

Le fantôme de Zimmerman semblait se moquer de lui.

C'était le lendemain matin, à l'issue d'une nuit agitée. Il n'avait pas beaucoup dormi mais, durant ses rares instants de sommeil, il avait fait des rêves qui paraissaient incroyablement réels : sa femme était assise à ses côtés dans une voiture de sport, un cabriolet rouge vif qu'il ne reconnaissait pas, mais dont il savait qu'il lui appartenait. Ils étaient garés au bord de la mer, dans le sable, sur une plage familière proche de leur maison de vacances de Cape Cod. Dans son rêve, Ricky avait eu l'impression que les eaux gris-vert de l'Atlantique (la couleur que prenait l'Océan avant une tempête) s'approchaient de plus en plus, au point que le courant menaçait d'emporter la voiture. Il se démenait comme un fou pour ouvrir sa portière, mais quand il essayait d'actionner la poignée, il découvrait un Zimmerman grimaçant, couvert de sang, qui bloquait la portière. Il était emprisonné à l'intérieur du véhicule. Celui-ci refusait de démarrer, et Ricky savait que, de toute manière, les roues étaient profondément enfoncées dans le sable. Dans son rêve, sa femme semblait très calme, accueillante, comme si elle lui souhaitait la bienvenue. Il n'avait aucun mal à interpréter tout cela en prenant sa douche, sous une cascade d'eau tiède légèrement désagréable, en parfaite adéquation avec son humeur maussade.

Ricky enfila un pantalon kaki décoloré et râpé, aux ourlets effilochés, présentant tous les signes d'une utilisation prolongée – beaucoup d'adolescents auraient payé cher, dans un magasin spécialisé, pour obtenir ce résultat. Dans son cas, c'était simplement la marque d'un usage intensif pendant ses vacances. Car il ne le portait que pendant les vacances. Il mit une paire de chaussures de pont tout aussi abîmées et passa une vieille chemise bleue à boutons, trop usée pour être portée pendant la semaine. Il se donna un coup de peigne. Il contempla son visage dans la glace et se dit qu'il montrait tous les signes extérieurs de l'homme établi qui s'habille décontracté pour partir en vacances. Il pensa à toutes ces années où, après s'être réveillé, il avait allègrement passé ces vieux vêtements usés et confortables, preuves qu'il quittait pour un mois son personnage soigneusement fabriqué et strict de psychanalyste de l'Upper East Side, à Manhattan, pour devenir un autre homme. Les vacances, pour Ricky, c'était la période de l'année où il pouvait se salir les mains dans le jardin, à Wellfleet, avoir du sable entre les doigts de pied après les longues promenades sur la plage, lire des romans policiers ou des best-sellers, et boire de temps en temps cette mixture infecte qu'on appelait le « cape codder », ce mélange malheureux de jus de canneberge et de vodka. Cette année, le mois d'août ne lui promettait rien de tel, même si, sous l'effet de ce qu'il aurait pu appeler « entêtement » ou « prendre ses désirs pour la réalité », il s'était habillé comme pour le premier jour de ses vacances.

Il secoua la tête et se dirigea en traînant les pieds vers la cuisine. En guise de petit déjeuner, il se prépara une tranche de pain grillé sans beurre et du café noir, dont plusieurs cuillerées de sucre ne parvinrent pas à dissiper l'amertume. Il mastiqua son toast avec une indifférence qui l'étonna. Il n'avait absolument aucun appétit.

Il emporta dans son bureau le café qui refroidissait rapidement et posa la lettre de Rumplestiltskin devant lui. Il jetait de temps en temps un coup d'œil par la fenêtre, comme s'il espérait apercevoir Virgil en train de rôder nue sur le trottoir ou derrière la fenêtre d'un appartement de l'immeuble d'en face. Il savait qu'elle n'était pas loin – il le pensait, en tout cas, à cause de ce qu'elle lui avait dit.

Ricky frissonna. Il contemplait les mots inscrits sur sa « pièce à conviction ».

Il eut un bref étourdissement, sentit un éclair de chaleur.

— Que se passe-t-il ? fit-il à voix haute.

A cet instant, il eut l'impression que Roger Zimmerman venait d'entrer dans la pièce, aussi exaspérant, aussi maniaque mort que vivant. Comme toujours, il exigeait des réponses à toutes les mauvaises questions.

Ricky composa une fois de plus son numéro de téléphone en espérant que quelqu'un finirait par lui répondre. Il savait qu'il devait parler à quelqu'un de la mort de Zimmerman, sans trop savoir à qui. Inexplicablement, la mère ne donnait aucun signe de vie. Ricky regrettait de ne pas avoir eu le bon sens de demander à l'inspectrice Riggins où elle se trouvait. Peut-être chez un voisin, se dit-il, ou à l'hôpital. Zimmerman avait un frère cadet, en Californie, avec qui il entretenait des rapports espacés. Le frère, qui travaillait dans le cinéma, à Los Angeles, avait refusé de s'occuper de leur mère, difficile et presque invalide, répugnance qui avait suscité les reproches permanents de Zimmerman. Ce dernier s'était toujours délecté de l'horreur de sa propre existence, préférant gémir et pleurnicher plutôt que changer. Ricky se disait que c'était cela précisément qui en faisait un piètre candidat au suicide. Il savait que ce que la police et ses collègues appelaient « désespoir » était le véritable bonheur de Zimmerman. Il se nourrissait de ses propres rancœurs. La tâche de Ricky en tant qu'analyste était de l'aider à trouver le moyen de changer. Il avait attendu en vain le moment tant espéré où Zimmerman aurait compris à quel point il était malade, à voyager sans espoir d'une colère à l'autre. Ce moment où le changement serait possible aurait été dangereux, car l'idée qu'il n'avait pas besoin de vivre comme il le faisait aurait sans doute plongé Zimmerman dans une grave dépression. Découvrir le temps qu'il avait perdu l'aurait blessé. Cette prise de conscience aurait pu engendrer un désespoir réel, celui-là, et peut-être mortel.

Mais il se trouvait à des mois, sans doute à des années, d'un tel moment.

Zimmerman s'était pourtant présenté à sa séance, jour après jour, tout en se disant que l'analyse n'était rien d'autre qu'une occasion de relâcher la pression pendant cinquante minutes – comme le sifflet à vapeur sur le flanc d'une locomotive, qui attend que le chauffeur tire sur le cordon. Les rares progrès qu'il avait faits, il s'en était servi pour alimenter de nouvelles colères.

Il prenait plaisir à se plaindre. Il n'était pas du tout condamné au désespoir.

Ricky secoua la tête. En plus de vingt-cinq ans, trois de ses patients s'étaient suicidés. Deux d'entre eux montraient déjà tous les symptômes d'alerte classiques avant de venir chez lui et ils n'étaient pas en traitement depuis longtemps quand ils avaient mis fin à leurs jours. Dans les deux cas, il s'était senti impuissant, mais il n'avait rien à se reprocher. Il n'aimait pas penser au troisième cas, en revanche, car cette personne était un patient de longue date. Il s'était laissé glisser dans une spirale descendante que Ricky avait été incapable d'interrompre, même en prescrivant des antidépresseurs – ce qu'il ne faisait que très rarement. Il y avait des années qu'il n'avait pas pensé à ce patient et il n'avait pas eu envie d'en parler à l'inspectrice Riggins, même en cachant les détails de l'affaire à cette femme grossière et légèrement inquisitrice.

Il frissonna, comme si la température de la pièce avait baissé subitement. Mais ce patient-là était le suicidaire type, se dit-il. Ce n'était pas le cas de Zimmerman.

L'idée que quelqu'un avait poussé Zimmerman sous le métro pour lui faire passer un message, à lui, était beaucoup plus horrible. Cela lui donna un coup au cœur. Ce genre de pensée, c'était comme une étincelle dans une flaque d'essence.

C'était aussi une idée impossible. Il imagina qu'il retournait dans le bureau trop violemment éclairé et légèrement crasseux de l'inspectrice Riggins pour lui déclarer que des étrangers avaient délibérément assassiné un homme qu'ils ne connaissaient pas – et dont ils ne se souciaient pas le moins du monde – pour le forcer, lui, Ricky, à jouer avec eux à une sorte de jeu de la mort.

C'est pourtant vrai, se dit-il, mais c'est incroyable. Surtout aux yeux d'un flic mal payé et débordé de travail de la police des transports.

Et, au même instant, il comprit qu'« ils » le savaient.

L'homme qui se faisait appeler Rumplestiltskin et cette femme, Virgil, savaient qu'il n'existait aucune preuve tangible capable de les relier à ce crime gratuit, sinon les protestations chevrotantes de Ricky. Même si l'inspectrice Riggins ne l'expulsait pas de son bureau en se fichant de lui (ce qu'elle ferait certainement), quelle raison aurait-elle d'écouter l'histoire à dormir debout d'un médecin dont elle croyait, à juste titre, qu'il préférait trouver à la mort de Zimmerman des explications dignes d'un roman policier plutôt que d'admettre la thèse du suicide, si évidente, mais qui donnait une si piètre image de lui ?

La réponse tenait en un mot : aucune.

La mort de Zimmerman ne servait qu'à hâter celle de Ricky. Et personne ne le saurait, sauf Ricky.

Cette pensée lui donna le tournis.

Ricky se laissa retomber contre le dossier de son siège. Il se trouvait à un moment critique. Dans les heures qui avaient suivi la réception de la lettre, il avait été entraîné par une série d'événements face auxquels il n'avait absolument aucun recul. L'analyse exige de la patience, et il n'en avait pas. Elle exige du temps, et il en avait très peu. Son regard se posa sur le calendrier que Virgil lui avait donné. Les quatorze jours qui restaient semblaient un sursis terriblement bref. Pendant un instant, il pensa à un condamné, dans le couloir de la mort, à qui l'on a dit que le gouverneur venait de signer son ordre d'exécution spécifiant la date, l'heure et le lieu de sa mise à mort. C'était une image affolante, qu'il essaya de chasser en pensant que, même en prison, des hommes luttaient dur pour rester en vie. Ricky inspira avec force. Le plus grand luxe de notre existence, si misérable soit-elle, se dit-il, est de ne pas savoir combien de temps il nous reste à vivre. Le calendrier posé sur son bureau semblait le narguer.

— Ce n'est pas un jeu, lança-t-il soudain. Cela n'a jamais été un jeu.

Il saisit la lettre de Rumplestiltskin et examina la comptine.

— C'est un indice, fit-il à voix haute. Un indice donné par un psychopathe. Tu dois regarder ça de près.

Mère, père et petit enfant…

Il est intéressant, songea-t-il, que l'auteur de la lettre emploie le mot « enfant », sans spécifier si c'est un garçon ou une fille.

Quand mon père s'est embarqué…

Le père est parti. « Embarqué » pouvait être pris au sens propre ou au sens figuré, mais dans tous les cas le père avait quitté la famille. Quelles que soient les raisons de la défection paternelle, Rumplestiltskin devait avoir nourri sa rancune pendant des années. Sa mère délaissée devait l'y avoir aidé. Ricky avait joué un rôle dans la genèse d'un ressentiment qui, des années plus tard, était devenu meurtrier. Mais quel rôle ? C'est ce qu'il devait découvrir.

Rumplestiltskin, décida-t-il, était le fils d'un de ses patients. La question étant : quel genre de patient ?

Un patient malheureux et malchanceux, c'était évident. Peut-être un patient qui avait écourté son traitement. Mais dans quelle catégorie se situait-il : la mère abandonnée, seule avec sa souffrance et ses enfants, ou le père, qui avait quitté sa famille ? Est-ce que Ricky avait échoué dans le traitement de la femme, qui s'était laissée aller ? Est-ce que c'était lui qui avait provoqué la fuite de l'homme loin de sa famille ? Il pensa à ce film japonais, *Rashomon*, où un événement est relaté plusieurs fois, selon des points de vue diamétralement opposés, ce qui aboutit à des interprétations tout à fait disparates. Il avait joué un rôle dans une situation qui était mûre pour que se développe une colère meurtrière, mais lequel ? Il était incapable de le dire. Cela s'était vraisemblablement produit vingt ou vingt-cinq ans plus tôt, car Rumplestiltskin avait dû atteindre l'âge adulte avant d'être capable de concocter les détails complexes de son « jeu ».

Combien de temps faut-il, se demandait Ricky, pour fabriquer un assassin ? Dix ans ? Vingt ans ? Une fraction de seconde ?

Il n'en savait rien. Il se dit qu'il le saurait peut-être bientôt.

Cela lui valut sa première satisfaction depuis l'instant où il avait ouvert la lettre de menaces. Quelque chose venait de le frapper, qui n'était pas tout à fait de la confiance en soi, plutôt le sentiment de savoir ce qu'il faisait. Ce qu'il n'avait pas compris, c'est qu'il était à la dérive, dépassé et déplacé dans le monde réel et crasseux de l'inspectrice Riggins, mais que, dès qu'il se retrouvait dans le monde qu'il connaissait, le monde des émotions et de l'action régies par la psychologie, il se sentait de nouveau à l'aise.

Zimmerman, ce malheureux en quête d'une aide cruciale qui ne venait que trop lentement, s'effaça de son esprit. En même temps, Ricky ne s'aperçut pas de l'autre aspect, qui aurait dû lui glacer le sang : il avait commencé à jouer à un jeu sur un terrain conçu exclusivement pour lui. Exactement comme Rumplestiltskin le lui avait annoncé.

Contrairement au chirurgien, l'analyste ne peut pas consulter le moniteur cardiaque relié à son patient et interpréter un signal lumineux sur un écran pour savoir s'il a réussi ou échoué. Les mesures sont beaucoup plus subjectives. « Guérison », ce mot chargé de toutes sortes d'absolus, n'a rien à voir avec le traitement psychanalytique, même si la profession entretient de nombreux liens avec la médecine.

Ricky s'était remis à la rédaction d'une liste. Il choisit une décennie – de 1975 (début de son internat) à 1985 – et nota les noms de tous les patients qu'il avait eus en analyse durant cette période. En procédant année par année, il constata qu'il était relativement facile de retrouver les patients à long terme, ceux qui s'étaient engagés dans des analyses traditionnelles. Les noms s'imposaient d'eux-mêmes, et il découvrait avec satisfaction qu'il était capable de se souvenir des visages, des voix et des détails importants sur leurs cas respectifs. Il se rappelait même parfois le nom des conjoints et des parents, l'endroit où ses patients travaillaient et celui où ils avaient été élevés, sans parler des diagnostics cliniques et de l'estimation de leurs problèmes. Tout cela était très utile, mais il doutait que quelqu'un ayant suivi un traitement de longue haleine ait pu donner naissance à l'individu qui le menaçait aujourd'hui.

Rumplestiltskin devait être le fils de quelqu'un dont le lien avec Ricky avait été plus ténu. Quelqu'un qui avait brutalement interrompu son traitement. Quelqu'un qui avait cessé de venir à son cabinet après quelques séances seulement.

Il était beaucoup plus difficile de se souvenir de ces patients-là.

Il s'installa à son bureau, un bloc de papier posé devant lui, et laissa sa pensée vagabonder, par associations d'idées. Il parcourut son passé, un mois après l'autre, essayant de visualiser des gens qu'il avait connus un quart de siècle plus tôt. Des noms, des visages, des problèmes lui revenaient lentement en mémoire. Il regretta de n'avoir pas conservé plus de dossiers complets. Mais le peu qu'il avait pu retrouver, les rares notes et documents relatifs à cette période éloignée, venait de patients qui avaient poursuivi leur traitement et laissé (chacun à sa manière, au-delà d'années de logorrhée et de séjour sur le divan) des traces dans sa mémoire.

Il devait trouver la personne qui était à l'origine d'une cicatrice.

Ricky envisageait le problème avec la seule méthode qu'il connaissait. Il devait avouer qu'elle n'était pas particulièrement efficace, mais il ne voyait pas comment s'y prendre autrement.

Son travail avançait lentement et la matinée s'écoulait en silence. La liste s'allongeait, au petit bonheur la chance. Si quelqu'un était entré par surprise, il l'aurait vu légèrement penché en avant, le stylo à la main, comme un poète en panne d'inspiration et qui cherche une rime impossible avec « ornithorynque ».

Ricky travaillait dur, dans la solitude.

Il était presque midi quand il entendit la sonnette de la porte d'entrée.

Le bruit l'arracha à sa rêverie. Il se redressa brusquement. Il avait le dos endolori et la gorge sèche. La sonnette retentit une deuxième fois. Il était évident que le visiteur ne connaissait pas le code réservé aux patients.

Il se leva, traversa le bureau et la salle d'attente, et s'approcha avec précaution de la porte, qu'il fermait rarement à clé. Le panneau de chêne était percé d'un judas, qu'il ne se rappelait pas avoir utilisé depuis longtemps. Il colla un œil sur la lentille, alors que l'on sonnait pour la troisième fois.

De l'autre côté de la porte se tenait un jeune homme

portant la chemise bleue, tachée de sueur, des employés de Federal Express. Il tenait une enveloppe et un bloc-notes électronique. Il semblait légèrement irrité et prêt à s'en aller. Ricky débloqua la porte. Mais il se contenta de l'entrebâiller, sans ôter la chaîne de sécurité.

— Oui ?

— J'ai une lettre pour le Dr Starks. C'est vous, monsieur ?

— Oui.

— Il me faut votre signature.

Ricky hésita.

— Vous pouvez prouver qui vous êtes ?

— Comment ? fit le jeune homme avec une grimace. Cet uniforme ne vous suffit pas ?

En soupirant, il se contorsionna pour lui montrer le badge muni d'une photo épinglé à sa chemise.

— Vous pouvez lire, d'ici ? Tout ce que je veux, c'est une signature, et je m'en vais.

Ricky ouvrit la porte à contrecœur.

— Où dois-je signer ?

Le coursier lui tendit le bloc-notes et lui montra l'endroit, tout en bas.

— Juste ici.

Ricky signa le document. Le coursier vérifia la signature et passa un crayon électronique devant un code-barres. La machine fit entendre un double bip. Ricky n'avait aucune idée de ce que cela signifiait. Puis le coursier lui tendit la petite enveloppe cartonnée des envois express en 24 heures.

— Je vous souhaite une bonne journée, dit-il, d'un ton qui suggérait qu'il se fichait éperdument de ce qui arriverait à Ricky mais qu'on lui avait appris à être poli et qu'il observait la procédure.

Ricky s'attarda à la porte, les yeux fixés sur

l'étiquette de l'enveloppe. L'adresse de l'expéditeur était celle de la Société psychanalytique de New York. S'il en était membre depuis fort longtemps, il n'avait jamais eu beaucoup de relations avec cette association. C'était une sorte de conseil d'administration des psychanalystes new-yorkais, mais Ricky avait toujours détesté les intrigues politiciennes et le clientélisme inhérents à ce genre d'organisation. Il assistait de temps à autre à une conférence parrainée par la Société et il feuilletait son magazine semestriel pour ne pas perdre de vue ses pairs et leurs opinions. En revanche, il fuyait les réunions et les débats, ainsi que les réceptions de fin d'année.

Il regagna la salle d'attente et referma les portes derrière lui en se demandant ce que la Société lui voulait en ce moment précis. Il savait que la quasi-totalité de ses membres prenaient leurs vacances en août. Comme tant d'autres aspects de l'univers de la psychanalyse, le mois d'été était sacré.

Ricky décolla l'onglet et ouvrit l'enveloppe cartonnée. Elle contenait une enveloppe standard de la taille d'une lettre, portant le sceau en relief de la Société. Son nom était dactylographié sur l'enveloppe. En dessous, sur une seule ligne, on pouvait lire : PAR COURRIER EXPRESS – URGENT.

Il ouvrit l'enveloppe et en sortit deux feuilles de papier. La première portait le logo de la Société. Ricky vit immédiatement qu'elle émanait du président, un médecin de près de dix ans son aîné, qu'il ne connaissait que très vaguement. Il ne se rappelait même pas avoir jamais eu une conversation avec lui. Rien qu'une ou deux poignées de main et des civilités sans intérêt.

Il lut rapidement :

Cher docteur Starks,

Il est malheureusement de mon devoir de vous informer que la Société psychanalytique a reçu une plainte grave, à propos de vos relations avec une de vos anciennes patientes. Vous trouverez ci-joint une copie de la lettre contenant cette plainte.

Au regard des règlements de notre Société et après avoir discuté de la question avec son comité directeur, j'ai décidé de porter l'affaire devant la commission d'éthique médicale de l'Etat. Les agents de cette institution devraient prendre contact avec vous dans un futur proche.

Je vous invite à vous assurer dans les plus brefs délais les services d'un avocat-conseil. Je suis certain que nous parviendrons à tenir les médias à l'écart de cette affaire, tant ces allégations sont de nature à nuire à la réputation de l'ensemble de notre profession.

Ricky regarda à peine la signature et prit le deuxième feuillet. C'était une autre lettre, adressée celle-là au président de la Société psychanalytique avec copies au vice-président, au président de la commission d'éthique, à chacun des six membres de ladite commission, au secrétaire et au trésorier de l'association. En fait, Ricky prit conscience que le moindre médecin lié d'une manière ou d'une autre à la direction de la Société en avait reçu une copie. Voici ce qu'elle disait :

Cher Monsieur, chère Madame,

Il y a plus de six ans, j'ai entamé un traitement psychanalytique avec le Dr Frederick Starks, qui est membre de votre organisation. Au bout de trois mois, au rythme de quatre séances hebdomadaires, il a commencé à me poser des questions qu'on peut qualifier de déplacées. Elles concernaient toujours mes rapports sexuels avec mes partenaires successifs, y compris dans le cadre de mon mariage (qui avait abouti à un divorce). Je me suis dit que ces questions faisaient partie du processus de l'analyse. Mais au fur et à mesure des séances, il a continué à me demander de lui fournir des détails de plus en plus explicites sur ma vie sexuelle. Le ton de ses questions devenait nettement pornographique. Quand j'essayais de changer de sujet, il y revenait invariablement et voulait des descriptions toujours plus précises. Je m'en plaignais, mais il prétendait que ma dépression trouvait sa source dans mon incapacité à m'abandonner pleinement lors des rapports sexuels. C'est un peu après avoir avancé cette hypothèse qu'il m'a violée pour la première fois. Il me disait que tant que je ne me soumettrais pas, je serais incapable de me sentir mieux.

Bientôt il exigea que nous fassions l'amour pendant les séances, condition pour continuer le traitement. Il était insatiable. Au bout de six mois, il me déclara que mon traitement arrivait à son terme et qu'il ne pouvait rien pour moi. Il me dit que j'étais victime d'un tel refoulement qu'il faudrait sans doute me soumettre à un traitement pharmacologique et me faire hospitaliser. Il me pressa de me faire admettre dans un hôpital psychiatrique du Vermont, mais il ne se donna même pas la peine d'appeler le directeur de cet établissement. Le jour de notre dernière séance, il m'a imposé des rapports sexuels anaux.

Il m'a fallu plusieurs années pour me remettre de mes relations avec le Dr Starks. Pendant cette période, j'ai été hospitalisée trois fois, plus de six mois à chaque fois. Je porte les stigmates de deux tentatives de suicide. Seule l'aide constante d'un thérapeute bienveillant m'a permis d'entrer dans un processus de guérison. Cette lettre adressée à votre Société est partie intégrante de ce processus.

Pour le moment, je pense qu'il vaut mieux que je reste anonyme, bien que le Dr Starks sache parfaitement qui je suis. Si vous décidez de donner suite à cette affaire, je vous invite à adresser vos questions à mon avocat et/ou à mon thérapeute.

La lettre n'était pas signée. Mais elle mentionnait le nom d'un avocat suivi d'une adresse dans le centre-ville, ainsi que celui d'un psychiatre d'un faubourg de Boston.

Les mains de Ricky tremblaient. La tête lui tournait, et il dut s'appuyer contre le mur pour ne pas tomber. Il se sentait comme un boxeur qui vient d'être roué de coups – désorienté, endolori, prêt à se laisser tomber dans les cordes quand la cloche le laisserait totalement vaincu, mais toujours debout.

Il n'y avait pas un mot de vrai dans la lettre. A ses yeux, en tout cas.

Il se dit que ça n'avait sans doute pas la moindre importance.

8

Les yeux fixés sur les mensonges qui s'étalaient sur la page posée devant lui, il était en proie à un violent conflit intérieur. Il était démoralisé, désespéré, comme si quelqu'un l'avait vidé de toute sa ténacité, mais qu'elle avait été remplacée sur-le-champ par une rage si étrangère à son véritable caractère qu'il en était presque méconnaissable. Ses mains se mirent à trembler, il rougit, et la sueur lui recouvrit le front. Il sentit la chaleur se répandre dans son cou, sous ses aisselles, et descendre dans sa gorge. Il détourna le regard de la lettre, leva les yeux, regarda autour de lui en quête d'un objet qu'il pourrait briser. Mais il ne vit rien, ce qui ne fit qu'aggraver sa colère.

Ricky arpenta son bureau en long et en large pendant plusieurs minutes. Il avait l'impression que son corps tout entier était pris d'un spasme nerveux. Il finit par se laisser tomber dans son vieux fauteuil à la tête du divan et laissa les craquements familiers du cuir et la sensation de la matière lisse sous ses paumes le calmer un peu.

Il savait, sans l'ombre d'un doute, qui avait forgé la plainte formulée contre lui. L'anonymat de sa prétendue victime en était la preuve. Le plus important, se dit-il, était de savoir pourquoi. Il y avait un dessein caché derrière tout cela, et il devait l'identifier.

Ricky prit le téléphone posé sur le sol près de son fauteuil. Il ne lui fallut que quelques secondes pour obtenir le numéro du bureau du président de la Société psychanalytique. Déclinant l'offre de l'ordinateur de lui passer directement la communication, il composa furieusement le numéro, puis se laissa aller en arrière en attendant la réponse.

Il entendit la voix vaguement familière de son confrère. Mais elle était lointaine, dénuée d'émotion et d'une qualité médiocre : c'était un message enregistré.

« Bonjour. Vous êtes au cabinet du Dr Martin Roth. Je serai absent du 1er au 29 août. En cas d'urgence, veuillez appeler ma messagerie, au 555.17.16. Vous pouvez aussi vous adresser au Dr Albert Michaels, du Columbia Presbyterian Hospital, au 555.24.36, qui me remplace pendant le mois d'août. Si vous estimez qu'il s'agit d'une crise grave, appelez les deux numéros, et le Dr Michaels et moi-même reprendrons contact avec vous. »

Ricky raccrocha et composa le premier des deux numéros d'urgence. Il savait que le second était celui d'un interne en deuxième ou troisième année à l'hôpital. Les internes prenaient le relais des médecins partis en vacances. Ils paraient au plus urgent. Avec eux, les prescriptions de médicaments remplaçaient la parole, fondement de toute analyse.

Il tomba sur un service de messagerie.

— Bonjour, répondit une femme d'une voix lasse. Messagerie du Dr Roth.

— Je dois lui transmettre un message.

— Le docteur est en vacances. En cas d'urgence, vous pouvez appeler le Dr Albert Michaels, au…

— Je connais le numéro, l'interrompit Ricky. Mais ce n'est pas le genre d'urgence, ni le genre de message pour lequel le Dr Michaels est compétent.

La femme marqua un temps d'arrêt, étonnée mais peu embarrassée.

— Je ne sais pas si je peux l'appeler pendant ses vacances pour un message…

— Il sera heureux d'en prendre connaissance, dit Ricky, qui avait du mal à dissimuler son impatience.

— Je ne sais pas… répéta la femme. Nous avons une procédure…

— Tout le monde a des procédures, fit Ricky d'un ton sec. Mais elles servent surtout à empêcher les contacts, au lieu de les favoriser. Les gens à l'esprit mesquin et sans imagination la remplacent par des plannings et des procédures. Ceux qui ont de la personnalité savent qu'ils peuvent ne pas en tenir compte. Etes-vous ce genre de personne, mademoiselle ?

La femme hésita.

— Quel est votre message ? demanda-t-elle brusquement.

— Dites au Dr Roth que le Dr Frederick Starks… Je vous suggère de prendre note de ce que je vais vous dire, car je tiens à ce que vous le lui répétiez à la virgule près.

— Je suis en train d'écrire, fit-elle d'un ton sec.

— … que le Dr Starks a reçu sa lettre et pris connaissance de la plainte qu'elle contenait et qu'il tient à l'informer qu'il n'y a pas un mot de vrai là-dedans. C'est un fantasme total, absolu.

— … pas un seul mot de vrai… OK. Fantasme total, absolu… Ça y est. Vous voulez que je l'appelle pour lui donner ce message ? Il est en vacances.

— Nous sommes tous en vacances, dit Ricky, tout aussi péremptoire. Certains ont simplement des vacances plus intéressantes que les autres. Ce message va assurément donner un peu de piquant aux siennes. Veillez à ce qu'il le reçoive, exactement comme je viens de vous le dire. Sans quoi je vous jure que vous serez à la recherche d'un boulot avant le Labor Day. Vous avez compris ?

— Je comprends, répondit la femme, qui semblait peu intimidée par ses menaces. Mais je vous l'ai dit : nous avons des procédures précises. Je ne crois pas que ceci corresponde à…

— Essayez d'être un peu moins prévisible, fit Ricky. Vous pourrez peut-être garder votre emploi.

Il raccrocha. Il ne se rappelait pas avoir été si grossier et si exigeant, voire menaçant, depuis des années. Ça aussi, c'était contre sa nature. Mais il fallait reconnaître qu'il allait devoir continuer comme cela durant les jours qui suivraient.

Ses yeux se posèrent de nouveau sur la lettre du Dr Roth. Il relut la plainte anonyme. Toujours sous le coup de la colère et de l'indignation, il tenta de mesurer l'impact de ces lettres et de répondre à cette question : pourquoi ? Rumplestiltskin, de toute évidence, visait un effet précis, mais lequel ?

Il se creusa la tête, et un certain nombre de choses lui apparurent.

La plainte en elle-même était beaucoup plus subtile qu'on n'aurait pu le croire. L'auteur de la lettre anonyme prétendait avoir été victime de viols, en prenant soin de dater les faits au-delà d'une période de prescription. Cela excluait toute enquête policière. En revanche, cela entraînerait une enquête de la commission d'éthique médicale de l'Etat. Elle serait lente, inefficace, et il était peu probable qu'elle aboutisse dans les délais imposés par le jeu, alors qu'une plainte en justice aurait sans doute amené une réaction immédiate. Clairement, Rumplestiltskin ne voulait pas l'intervention de la police, sinon de manière indirecte. En formulant la plainte de manière si agressive tout en restant anonyme, l'auteur de la lettre maintenait une certaine distance. A la Société psychanalytique, personne n'aurait envie de donner suite. Ils confieraient l'affaire – comme ils semblaient l'avoir déjà fait – à un autre organisme et s'en laveraient les mains au plus vite pour éviter ce qui pourrait se révéler être une vraie plaie.

Ricky relut les lettres une troisième fois, et il entrevit une réponse.

— Il veut m'isoler, lâcha-t-il à voix haute.

Pendant un moment, il se renversa en arrière. Il contempla le plafond, comme si sa surface blanche lui renvoyait une image significative. Il parlait tout seul. Sa voix résonnait à peine dans la pièce, rendait un son presque caverneux.

— Il ne veut pas qu'on me vienne en aide. Il veut que je joue avec lui, mais sans l'assistance de quiconque. Il fait en sorte que je ne puisse m'adresser à personne dans mon métier.

Il sourit presque en découvrant le caractère diabolique de ce que Rumplestiltskin avait fait. Celui-ci savait que Ricky serait perturbé par les questions sur la mort de Zimmerman. Il savait qu'il serait effrayé par l'invasion de son domicile et de son cabinet alors qu'il s'était mis en quête de la vérité à propos de Zimmerman. Il savait qu'il serait troublé, indécis, sans doute pris de panique et bouleversé par la rafale d'événements. Rumplestiltskin avait prévu tout cela, puis il avait spéculé sur ce que serait le premier mouvement de Ricky : chercher de l'aide. Et dans quelle direction Ricky allait-il aller ? Il voudrait parler – pas agir –, parce que c'était l'essence même de son métier. Il se tournerait vers un autre analyste. Un ami qui pourrait lui servir de chambre d'écho, l'inciter à parler, écouter ce qu'il avait à dire et l'aider à se diriger dans la complexité des événements qui s'étaient succédé en si peu de temps.

Maintenant, se dit Ricky, ce n'est plus possible.

La plainte, avec cette terrible description de la prétendue dernière séance, était parvenue aux membres de la direction de la Société psychanalytique au moment où ils s'apprêtaient à partir en vacances d'été. Il n'avait pas le temps de nier l'accusation avec la force nécessaire, et aucune tribune n'était disponible pour accueillir sa défense. Une calomnie aussi ignoble allait se répandre dans le monde new-yorkais de la psychanalyse comme de vils racontars à une avant-première hollywoodienne. Ricky avait beaucoup de confrères mais très peu d'amis, il le savait. Et aucun de ses collègues n'aurait envie d'être compromis par la fréquentation d'un médecin qui semblait avoir violé le seul tabou majeur de leur profession. On lui reprocherait d'avoir abusé de sa position de thérapeute et d'analyste pour obtenir d'une patiente les faveurs sexuelles les plus basses et les plus sordides, avant de tourner le dos au désastre psychologique qu'il avait lui-même créé. Pour les psychanalystes, c'était l'équivalent de la peste, et il devenait sur-le-champ une source d'infection, une Typhoid Mary des temps modernes. Personne ne ferait un geste pour l'aider, quelle que soit la force de ses arguments, quelle que soit la véhémence de ses dénégations, tant que l'affaire ne serait pas éclaircie. Et cela pouvait durer des mois.

Il y avait aussi un effet secondaire. Les gens qui croyaient connaître Ricky allaient désormais se demander ce qu'ils savaient vraiment de lui, et comment ils le savaient. C'était un mensonge génial, se dit-il, parce que le simple fait pour lui de nier ne ferait qu'accroître les soupçons de ses collègues.

Je suis seul, se dit-il. Absolument seul. Abandonné de tous.

Ricky inspira brusquement, comme si l'air dans son cabinet s'était soudain refroidi. Il réalisa que c'était ce qu'il voulait. Etre seul.

Il examina de nouveau les deux lettres. L'auteur anonyme de la dénonciation mensongère donnait le nom d'un avocat de Manhattan et celui d'un analyste de Boston.

Ricky ne put retenir un frisson. Ces noms ont été mis là à mon intention. Voilà la piste que je suis censé suivre.

Il pensa à l'obscurité terrifiante qui régnait dans son cabinet la nuit précédente. Tout ce qu'il avait eu à faire était de suivre la piste la plus simple et de rebrancher ce qui avait été débranché pour répandre la lumière dans la pièce. Aujourd'hui, ce devait être plus ou moins la même chose. Sauf qu'il ne savait pas où cette piste allait l'entraîner.

Il passa la fin de la journée à examiner dans le moindre détail la première lettre de Rumplestiltskin. Il essaya de disséquer le petit poème, puis prit le temps de coucher par écrit tout ce qui lui était arrivé, accordant le plus d'attention possible à chaque mot prononcé, reconstituant les conversations comme un reporter qui prépare un article en cherchant une perspective générale qui lui échappe. Il s'aperçut qu'il avait beaucoup de mal à se rappeler avec précision ce que cette Virgil lui avait dit, et c'était assez déroutant. Il n'avait aucun mal en revanche à se rappeler la forme de son corps ou l'ironie de ses propos, mais découvrit que sa beauté était comme une enveloppe protectrice sur ses paroles. Cela le tourmentait, car c'était contraire à sa formation et à ses habitudes. Comme tout bon analyste, il médita sur les raisons qui l'empêchaient de se concentrer, alors que c'était si évident que n'importe quel adolescent aurait pu le lui dire.

Il accumulait notes et observations, trouvant refuge dans le monde où il était à l'aise. Mais le lendemain matin, après avoir passé son costume et noué sa cravate, et après avoir pris le temps de barrer d'un grand X un nouveau jour sur le calendrier, il sentit de nouveau la pression du temps peser sur lui. Il devait au moins poser sa première question. Il devait appeler le *Times* pour faire paraître une petite annonce.

Une fois dehors, la chaleur matinale sembla le narguer. Il se mit presque instantanément à transpirer sous son costume. Il était persuadé que quelqu'un le suivait mais, une fois encore, il refusait de se retourner pour regarder derrière lui. Il se dit que, de toute façon, il serait incapable de repérer celui ou celle qui le filait. Au cinéma, le héros n'a jamais le moindre problème pour détecter les forces du mal qui se déploient contre lui. Les méchants portent des chapeaux noirs et ont le regard fuyant. Ricky devait reconnaître que, dans la vie réelle, ce n'était pas du tout la même chose. Tout le monde est soupçonneux. Tout le monde est préoccupé. Cet homme, au coin de la rue, qui livre des produits à l'épicerie. L'homme d'affaires qui avance à grands pas sur ce trottoir. Le clochard dans ce renfoncement, les visages derrière les vitrines de ce restaurant ou dans cette voiture qui passe. Tout le monde aurait pu être en train de le surveiller. Impossible de le savoir. Il était trop habitué au monde si profond du cabinet de l'analyste, où les rôles sont beaucoup plus clairs. Dans la rue, il était incapable de deviner qui pouvait participer au jeu et être là pour l'épier, et qui était simplement un des huit millions d'individus qui venaient de faire irruption dans son univers.

Ricky haussa les épaules. Au coin de la rue, il héla un taxi. Le chauffeur avait un nom étranger imprononçable et il écoutait une station de radio inconnue diffusant de la musique orientale. Une femme chantait une sorte de mélopée d'une voix haut perchée qui tremblait un peu quand le tempo se modifiait. Il y eut un autre morceau. Seul le rythme changea : les gazouillis semblaient être toujours identiques. Ricky ne comprenait pas un traître mot, mais le chauffeur marquait le rythme en frappant des doigts sur son volant. Quand Ricky lui donna l'adresse, il grogna et se lança sans attendre dans le trafic. Ricky se demanda combien de personnes montaient chaque jour dans ce taxi. L'homme qui se trouvait derrière la cloison de Plexiglas n'avait aucun moyen de savoir s'il menait ses passagers vers un événement capital de leur existence ou simplement vers un moment routinier parmi d'autres. Il klaxonna une ou deux fois à des carrefours et conduisit Ricky sans un mot de commentaire, à travers les rues encombrées.

Un grand camion de déménagement blanc bloquait presque toute la rue transversale où se trouvaient les bureaux de l'avocat, de sorte qu'une voiture avait à peine la place de passer. Trois ou quatre costauds entraient et sortaient de ce modeste et très quelconque immeuble de bureaux. Ils portaient des boîtes de carton marron et du mobilier, fauteuils de bureau, divans et autres meubles du même genre qu'ils entassaient dans le camion en empruntant avec précaution une rampe métallique. Un homme en blazer bleu, arborant un badge d'agent de la sécurité, se tenait sur le côté. Il surveillait le travail des déménageurs, observant les passants avec une discrétion éloquente sur la raison de sa présence et une raideur qui ne trompait pas quant à ses intentions. Ricky descendit du taxi, qui fila dès qu'il eut claqué la portière, et se dirigea vers l'homme au blazer.

— Je cherche les bureaux d'un certain M. Merlin. Un avocat…

— Cinquième étage, tout en haut, fit l'homme au blazer sans quitter des yeux le défilé des déménageurs. Vous avez rendez-vous ? Sont pas mal occupés, là-haut, avec le déménagement.

— Il déménage ?

L'homme au blazer fit un geste vague.

— Comme vous voyez. Ça devient une grosse affaire. Beaucoup de fric, d'après ce que j'en ai entendu. Vous pouvez monter, mais ne restez pas dans le chemin.

Par bonheur, il n'y avait pas de musique dans l'ascenseur. Au cinquième étage, Ricky vit immédiatement le bureau de l'avocat. Une porte était bloquée en position ouverte, et deux hommes s'escrimaient à lever un bureau pour le faire passer de biais dans l'encadrement de la porte sous le regard attentif d'une femme d'âge mûr en blue-jean, chaussures de sport et tee-shirt de marque.

— C'est mon bureau, bon Dieu. J'en connais la moindre tache, la moindre griffure. Si j'en trouve une de plus, vous m'en payez un neuf.

Les deux déménageurs firent une pause, l'air maussade. A quelques millimètres près, le bureau passait tout juste. Derrière les deux hommes, dans le couloir, Ricky vit des piles de cartons, des rayonnages vides, des tables, tout ce qu'on associe généralement au déménagement d'une entreprise. De l'intérieur du bureau lui parvint un grand bruit, presque immédiatement suivi de quelques jurons. La femme en jean secoua la tête, agitant sa tignasse auburn avec une irritation évidente. Elle avait l'air d'aimer que les choses soient ordonnées, et le chaos provoqué par le déménagement la mettait dans tous ses états. Ricky se dirigea prestement vers elle.

— Je cherche M. Merlin. Il est ici ?

— Vous êtes un client ? fit la femme en se tournant brusquement vers lui. Aucun rendez-vous n'est prévu aujourd'hui. On déménage.

— Oui, si l'on veut.

— Comment ça, si l'on veut ? fit-elle d'un ton sec.

— Je suis le Dr Frederick Starks, et je crois pouvoir dire que M. Merlin et moi avons à discuter d'une affaire. Est-ce qu'il est ici ?

Pendant un instant, la femme sembla surprise. Puis elle hocha la tête avec un sourire déplaisant.

— Votre nom ne m'est pas inconnu. Mais je ne crois pas que M. Merlin attendait votre visite de sitôt.

— Vraiment ? En fait, j'aurais parié le contraire.

La femme fut distraite par l'arrivée d'un déménageur qui portait une lampe dans une main et une caisse de livres sous l'autre bras.

— Une chose à la fois ! Si vous en prenez trop, vous finirez par casser quelque chose. Posez-en un par terre, vous le reprendrez au prochain tour.

L'air étonné, le déménageur haussa les épaules et posa la lampe à terre, point trop délicatement. La femme se tourna vers Ricky.

— Comme vous voyez, docteur, vous arrivez à un moment critique…

Ricky eut l'impression qu'elle allait le congédier, lorsqu'un homme plus jeune qu'elle (il avait une petite trentaine d'années) entra par le fond du bureau. Il était un peu trop gros et avait le crâne légèrement dégarni, il portait un pantalon kaki repassé, une chemise de sport de marque très chère et des mocassins à glands trop brillants. C'était une apparition très curieuse, car il était à la fois trop bien habillé pour porter des paquets et pas assez pour traiter des affaires. D'après ses vêtements, voyants et coûteux, on devinait que l'apparence, même dans les circonstances les plus informelles, était gouvernée par des règles strictes. Ricky voyait bien que, malgré sa tenue décontractée, l'homme n'était en rien détendu.

— Je m'appelle Merlin, dit l'homme en sortant de sa poche un mouchoir de lin, dont il s'essuya les mains avant de tendre la droite à Ricky. Si vous voulez bien excuser le désordre qui règne dans nos locaux... Nous pourrions nous installer pour parler dans la salle de réunion. La plupart des meubles y sont encore, mais plus pour très longtemps...

L'avocat lui montra une porte.

— Désirez-vous que je prenne des notes, maître Merlin ? demanda la femme.

— Je ne pense pas que ce sera très long, fit-il en secouant la tête.

Il entraîna Ricky dans une pièce où trônaient une longue table en merisier et des chaises. Au fond, sur une table basse, il y avait une machine à café et un pichet avec des verres. L'avocat désigna un siège et s'approcha de la machine. Il haussa les épaules et se tourna vers Ricky.

— Je suis désolé, docteur. Il n'y a plus de café, et le pichet d'eau a l'air vide. Je n'ai donc rien à vous offrir.

— Ça ne fait rien, répondit Ricky. Je ne suis pas venu ici pour boire.

Le mot fit sourire l'avocat.

— Non. Non, bien sûr. Mais je ne vois pas comment je peux vous aider…

— Merlin n'est pas un nom très commun, l'interrompit Ricky. On pourrait se demander si vous n'êtes pas un peu magicien.

L'avocat sourit à nouveau.

— Dans mon métier, docteur Starks, un nom comme le mien est un avantage. Il arrive très souvent que nos clients nous demandent de faire sortir un lapin d'un chapeau haut de forme.

— Vous en êtes capable ?

— Hélas, non, répondit Merlin. Je n'ai pas de baguette magique. Mais je dois dire que j'ai obtenu des succès étonnants en forçant des lapins rétifs et récalcitrants à sortir de leurs cachettes dans toutes sortes de chapeaux. Mais il est vrai que je me repose moins sur des pouvoirs magiques que sur des tonnes de textes juridiques. Peut-être que dans le monde où nous vivons, ça veut dire la même chose. Les procès jouent parfois le même rôle que les malédictions et les sortilèges pour mon célèbre homonyme.

— Et vous déménagez ?

L'avocat sortit de sa poche un petit étui en cuir ouvragé. Il prit une carte de visite qu'il tendit à Ricky par-dessus la table.

— Nos nouveaux quartiers, dit-il d'un ton plaisant. Le succès entraîne le développement. Prendre de nouveaux associés. Pour s'agrandir, il faut de la place.

Ricky regarda la carte. Une adresse du centre-ville y était inscrite.

— Et je dois être le prochain trophée sur votre mur ?

Merlin hocha la tête, avec un sourire agréable.

— Sans doute. C'est très probable, en fait. Je ne devrais pas vous adresser la parole, docteur, surtout en l'absence de votre avocat. Pourquoi ne lui demandez-vous pas de m'appeler ? Nous examinerons ensemble votre assurance contre les négligences professionnelles... Vous êtes assuré, n'est-ce pas, docteur ? Et nous réglerons cette affaire au plus vite, dans l'intérêt de toutes les personnes concernées.

— Je suis assuré, mais je doute que les faits qui me sont reprochés dans la plainte que votre cliente a forgée de toutes pièces soient couverts. Je ne crois pas avoir eu le moindre motif de lire mon contrat depuis des décennies.

— Pas d'assurance ? C'est vraiment dommage... Et « forgée » est un mot dont je pourrais m'offusquer.

— Qui est votre cliente ? demanda brutalement Ricky.

— Je ne suis pas autorisé à divulguer son nom, fit l'avocat en secouant la tête. Elle est convalescente, et...

— Rien de ce qu'elle décrit n'est arrivé, le coupa Ricky. C'est un pur produit de son imagination. Elle a tout inventé. Pas un mot de vrai. Votre véritable client est quelqu'un d'autre, n'est-ce pas ?

— Je peux vous assurer que ma cliente est réelle, répondit l'avocat après un bref silence. Mlle X est une jeune femme très perturbée...

— Pourquoi ne pas l'appeler Mlle R ? R comme Rumplestiltskin. Ne serait-ce pas plus approprié ?

Merlin avait l'air un peu embarrassé.

— Je ne vous suis pas, docteur. X ou R, peu importe. Ce n'est pas vraiment le problème, n'est-ce pas ?

— Exact.

— Le problème, docteur Starks, c'est que vous êtes dans de sales draps. Et, croyez-moi, vous voudrez que le problème disparaisse de votre horizon aussi vite qu'il est humainement possible. Si nous allons jusqu'au procès, il y aura des dégâts. La boîte de Pandore, docteur. Toutes les saloperies vont remonter à la surface. Tout va venir à la connaissance du public. Les accusations comme les démentis, bien que le démenti, si j'en crois mon expérience, n'ait jamais tout à fait le même impact que l'accusation, vous ne croyez pas ? Ce n'est pas le démenti qui marque la mémoire des gens, n'est-ce pas ?

L'avocat secoua la tête.

— Jamais de ma vie je n'ai abusé de la confiance d'une patiente, comme on me le reproche. Je crois que cette personne n'existe même pas. Je n'en ai aucune trace dans mes dossiers.

— Eh bien, docteur, c'est épatant. J'espère que vous avez raison, dit l'avocat dont la voix avait baissé d'une octave, chaque mot étant aussi tranchant qu'une lame de rasoir. Parce que lorsque j'aurai interrogé jusqu'au dernier vos patients de ces dix dernières années, que j'aurai parlé à tous les confrères avec qui vous avez eu la moindre dispute, examiné toutes les facettes de ce que vous croyez être votre vie de saint et analysé tous les instants que vous avez passés derrière ce divan, eh bien… le fait de savoir si ma cliente existe ou pas n'aura aucune importance, parce que vous n'aurez plus ni vie privée ni réputation. Rien du tout.

Ricky décida de ne pas répondre.

Merlin le fixait toujours, sans ciller.

— Est-ce que vous avez des ennemis, docteur ? Des confrères jaloux ? Est-ce que vous pensez que certains de vos patients, durant toutes ces années, ont pu ne pas être satisfaits de leur traitement ? Vous n'avez jamais donné un coup de pied à un chien ? Peut-être oublié de freiner, le jour où un écureuil s'est jeté devant votre voiture, près de votre maison de campagne, là-bas, à Cape Cod ?

Cette fois, il avait un sourire cruel.

— Je sais déjà tout sur cet endroit, dit-il. Une belle fermette sur un terrain magnifique à l'orée d'un bois, avec un jardin, et juste la vue qu'il faut sur l'Océan. Six hectares. Acheté en 1984 à une femme d'un certain âge qui venait de perdre son mari. On dirait que vous avez profité du deuil d'autrui, n'est-ce pas, doc ? Est-ce que vous connaissez au moins la valeur de votre propriété aujourd'hui ? Oui, j'en suis sûr. Ecoutez bien ce que je vais vous dire, docteur Starks : qu'il y ait ou pas le moindre élément de vérité dans l'accusation de ma cliente, ce domaine m'appartiendra avant que l'affaire soit finie. Après quoi je m'occuperai de votre appartement, de votre compte à la Chase, de votre fonds de pension chez Dean Witter – dans lequel vous n'avez pas encore pioché – et même du modeste portefeuille d'actions dont vous avez confié la gestion à cette même firme. Mais je commencerai par votre résidence d'été. Six hectares. Je crois que je pourrai la subdiviser et faire une excellente affaire. Qu'en pensez-vous, doc ?

Ricky sentait que la tête lui tournait.

— Comment savez-vous... commença-t-il, sans conviction.

— Je suis payé pour savoir, l'interrompit Merlin. Si vous ne possédiez rien qui m'intéresse, je m'ennuierais. Mais vous avez quelque chose qui m'intéresse et, faites-moi confiance, docteur, car votre avocat vous le confirmera, le jeu n'en vaut pas la chandelle.

— Mon intégrité la vaut certainement, répliqua Ricky.

Merlin haussa de nouveau les épaules.

— Vous n'y êtes pas du tout, docteur. J'essaie de vous dire comment garder votre intégrité plus ou moins intacte. Mais vous voulez croire, assez sottement, que tout cela a un rapport avec le bien et le mal. Dire la vérité plutôt que mentir. Je trouve cela bizarre, de la part d'un vétéran de la psychanalyse comme vous. Est-ce qu'il vous est souvent donné d'entendre la vérité – je veux dire, la vérité qui apparaît ainsi, merveilleuse, authentique et claire ? Ou bien les vérités sont-elles cachées, dissimulées, recouvertes par toutes sortes de bizarreries psychologiques, fuyantes, insaisissables dès qu'on les a identifiées ? Et elles ne sont jamais noires ou blanches non plus. Plutôt des ombres grises, brunes, voire rouges. N'est-ce pas ce qu'on prêche, dans votre profession ?

Ricky se sentait un peu ridicule. Les paroles de l'avocat le frappaient comme dans un combat de boxe par trop inégal. Il inspira à fond en se disant qu'il avait eu tort de venir et que le plus malin était de s'en aller le plus vite possible. Il s'apprêtait à se lever quand Merlin ajouta :

— L'enfer peut emprunter beaucoup de formes différentes, docteur Starks. Dites-vous simplement que je suis l'une d'elles.

— Vous pouvez me répéter cela ?

Mais Ricky se rappela ce que Virgil lui avait dit la première fois qu'il l'avait vue : qu'elle serait son guide pour l'enfer, et que c'était même l'origine de son nom.

L'avocat eut un sourire.

— A l'époque de la Table ronde, dit-il d'un ton plaisant avec l'assurance de l'homme qui a pris la mesure de l'opposition et considère qu'elle est négligeable, l'enfer était très réel dans l'esprit de toutes sortes d'idiots, y compris chez les gens instruits et raffinés. Ils croyaient vraiment aux démons, aux diables, à la possession par les esprits du mal, tout ce que vous voulez. Ils pouvaient sentir le feu et le soufre qui attendaient les hérétiques et ne trouvaient pas du tout déraisonnable que les êtres qui avaient mal vécu puissent mériter les feux de l'enfer et les tourments éternels. Tout cela est beaucoup plus compliqué, de nos jours, n'est-ce pas, docteur ? Non, nous ne croyons pas que nous allons subir le supplice des tenailles chauffées au rouge et la damnation éternelle dans je ne sais quel gouffre brûlant. Qu'avons-nous à la place ? Les avocats. Et croyez-moi, doc, je suis parfaitement capable de transformer votre existence en quelque chose qui ressemblerait à un de ces tableaux médiévaux gravés par un artiste de cauchemar. Ce que vous cherchez, docteur, c'est la solution de facilité. La solution de facilité. Je vous le répète, vous feriez mieux de vérifier votre police d'assurance.

La porte de la salle de réunion s'ouvrit brutalement. Deux des déménageurs s'avancèrent, hésitèrent avant d'entrer.

— On aimerait débarrasser ce qu'il y a ici, fit l'un d'eux. Il ne reste pratiquement plus que ça.

— Aucun problème, dit Merlin en se levant. Le Dr Starks allait s'en aller.

Ricky se leva à son tour. Il hocha la tête.

— Oui, en effet. Mon avocat peut vous contacter à cette adresse ? demanda-t-il en regardant la carte que Merlin lui avait donnée.

— Oui.

— Parfait. Et vous serez disponible…

— Quand vous voudrez, docteur. Je crois qu'il serait sage de régler cela au plus vite. Vous n'allez tout de même pas gâcher vos précieuses vacances à vous inquiéter en pensant à moi, n'est-ce pas ?

Ricky ne répondit pas. Il remarqua tout de même qu'il n'avait pas parlé à l'avocat de ses projets de vacances. Il se contenta de hocher la tête, puis tourna les talons et sortit du bureau sans se retourner.

Ricky se glissa dans un taxi et demanda au chauffeur de le conduire à l'hôtel Plaza. C'était à peine à une douzaine de blocs. Pour ce que Ricky avait en tête, c'était le choix idéal. En une embardée, le taxi rejoignit le flot de la circulation et traça son chemin comme seuls savent le faire les taxis urbains, accélérant brutalement, déboîtant, freinant, changeant de file, slalomant entre les véhicules, pour n'aller au bout du compte ni plus ni moins vite que s'il avait conduit normalement, à une vitesse régulière et tout droit. Ricky jeta un coup d'œil à la licence du chauffeur. Comme il s'y attendait, l'homme portait un nom étrange, incompréhensible. Il s'enfonça dans son siège. Il savait combien il était difficile, parfois, de trouver un taxi à Manhattan. Est-ce qu'il n'était pas bizarre qu'une voiture se soit trouvée là comme par hasard, dès qu'il avait émergé du bureau de l'avocat ? Comme si on l'avait attendu.

Le chauffeur s'arrêta brusquement devant l'entrée de l'hôtel. Ricky jeta de l'argent par l'ouverture dans la paroi de Plexiglas et descendit du taxi. Ignorant le portier de l'hôtel, il escalada les marches d'un bond et franchit les portes tournantes. Le hall grouillait de clients. Ricky se rua entre les groupes de touristes, contourna des monceaux de bagages et des chasseurs affairés. Il se précipita vers le restaurant. Arrivé au fond, il s'arrêta, feignit d'examiner le menu, puis il prit son élan et emprunta le couloir principal à grands pas, légèrement penché en avant. Il avançait aussi vite que possible sans attirer l'attention, comme quelqu'un qui est en retard pour attraper un train. Il alla droit à la sortie située du côté de Central Park South et se retrouva dans la rue.

Au moment où il sortait, un portier hélait des taxis pour les clients. Ricky passa devant une famille rassemblée sur le trottoir.

— Vous permettez ? dit-il au quinquagénaire vêtu d'une chemise hawaiienne, qu'entouraient trois enfants turbulents âgés de six à dix ans.

Une épouse effacée se tenait à côté de lui, qui jouait les mères poules pour toute sa petite famille.

— Je suis très pressé. Je ne voudrais pas être grossier, mais…

Le père regarda Ricky d'un air éperdu, comme si le voyage de l'Idaho à New York ne pouvait être complet s'ils ne se faisaient pas voler leur taxi. Sans un mot, il fit un geste vers la portière. Ricky sauta dans le taxi et claqua la portière au moment où la femme disait à son mari :

— Qu'est-ce que tu fais, Ralph ? C'est notre…

Au moins ce chauffeur de taxi n'est pas un employé de Rumplestiltskin, se dit Ricky. Il lui donna l'adresse du bureau de Merlin.

Evidemment, le camion de déménagement n'était plus garé devant l'immeuble. Le vigile en blazer bleu avait également disparu.

Ricky se pencha en avant et frappa sur la vitre qui le séparait du chauffeur.

— J'ai changé d'avis. Conduisez-moi à cette adresse, dit-il en lui donnant celle qui figurait sur la carte de l'avocat. Mais vous me laisserez un bloc plus bas, d'accord ? Je ne veux pas m'arrêter devant l'immeuble.

Le chauffeur haussa les épaules et hocha la tête, sans un mot.

Il lui fallut batailler un quart d'heure dans la circulation. L'adresse était proche de Wall Street. Cela puait l'argent.

Comme il le lui avait demandé, le chauffeur s'arrêta à un bloc de sa destination.

— C'est un peu plus haut, dit-il. Vous voulez que j'approche ?

— Non, répliqua Ricky. C'est parfait.

Il paya et quitta l'abri du siège arrière.

Comme il s'y attendait presque, il n'y avait aucune trace du camion de déménagement devant le grand immeuble de bureaux. Il regarda des deux côtés de la rue : aucune trace de l'avocat, de sa firme ou de ses meubles. Il vérifia l'adresse qui figurait sur la carte de visite, s'assura qu'il ne s'était pas trompé, puis jeta un coup d'œil à l'intérieur de l'immeuble. Juste derrière l'entrée, il aperçut un bureau de surveillance. Un gardien en uniforme lisait un livre de poche derrière une batterie de moniteurs vidéo et le tableau électronique l'informant des mouvements des ascenseurs. Ricky entra et s'approcha de l'organigramme fixé au mur. Il le passa rapidement en revue : aucune trace d'un nommé Merlin. Il se dirigea vers le gardien, qui leva les yeux en l'entendant approcher.

— Je peux vous aider ?

— Oui, répondit Ricky. Je suis ennuyé. J'ai la carte de visite d'un avocat, qui mentionne cette adresse, mais je ne le trouve pas sur la liste des locataires. Il devrait emménager ici aujourd'hui.

Le gardien vérifia la carte en fronçant les sourcils, puis secoua la tête.

— C'est la bonne adresse. Mais il n'y a personne de ce nom ici.

— Peut-être des bureaux inoccupés ? Comme je vous le disais, il emménage aujourd'hui.

— Personne n'a prévenu la sécurité. Et il n'y a pas de bureaux inoccupés. Depuis des années.

— C'est bizarre, dit Ricky. Peut-être une erreur de l'imprimeur.

— Peut-être bien, fit le gardien en lui rendant la carte.

Ricky la remit dans sa poche en pensant qu'il venait

de gagner sa première escarmouche contre l'homme qui le traquait. Mais il ignorait quel bénéfice il pouvait en tirer.

Quand il arriva chez lui, Ricky se sentait encore légèrement content de lui. Il ignorait qui était l'homme qu'il avait rencontré. Il se demandait si ce « Merlin » n'était pas Rumplestiltskin en personne. Ce n'est pas impossible, se dit-il. Il était persuadé que l'homme qui se trouvait à l'origine de tout cela avait envie de se trouver face à face avec lui. Il n'était pas vraiment certain d'en connaître la raison, mais ça lui semblait logique. Il était difficile d'imaginer qu'on prenne du plaisir à tourmenter quelqu'un sans se donner la possibilité de voir son œuvre de près.

Mais cette réflexion ne lui permettrait même pas de commencer à tracer le portrait dont il avait besoin, il le savait, avant de découvrir l'identité de l'homme.

— Que sais-tu des psychopathes ? se demanda-t-il à voix haute en montant les marches de l'immeuble de grès brun qui abritait son cabinet et quatre autres appartements.

Pas grand-chose, dut-il admettre in petto. Ce qu'il connaissait, c'était les troubles et les névroses d'individus peu ou prou handicapés. Il connaissait les mensonges dont les bourgeois se servent pour justifier leur comportement. Il se dit qu'il ne savait pas grand-chose d'un individu capable de créer de A à Z un monde de mensonges dans le seul but de provoquer sa mort. Ricky s'aperçut que c'était un territoire inconnu de lui.

La satisfaction qu'il avait ressentie en croyant manœuvrer Rumplestiltskin se dissipa en un instant. Rappelle-toi ce qui est en jeu, se dit-il froidement.

Voyant que le facteur était passé, il ouvrit sa boîte à lettres. Une enveloppe longue et étroite apparut, dont le coin supérieur gauche s'ornait du cachet de la police des transports de la ville de New York. Il l'ouvrit.

Une petite feuille de papier était agrafée à une photocopie.

Cher Monsieur Starks,

Nos recherches nous ont permis de découvrir dans les effets personnels de M. Zimmerman le document ci-joint. Comme vous êtes cité et qu'il semble être question de vos soins, je vous en donne une copie. Je précise incidemment que, pour ce qui nous concerne, le dossier de la mort de M. Zimmerman est clos.

Sincèrement,

Inspectrice J. Riggins

Ricky repoussa la lettre et lut le document photocopié. Il était très court, tapé à la machine. Cela le remplit de terreur.

A tous ceux que cela intéresse,

Je parle, je parle sans cesse, mais je ne vais jamais mieux. Personne ne m'aide. Personne n'écoute mon vrai moi. J'ai pris des dispositions pour ma mère. On les trouvera dans mon bureau, avec mon testament, les papiers pour l'assurance et d'autres documents. Je demande pardon à toutes les personnes concernées, sauf au Dr Starks. Pour les autres : adieu.

Roger Zimmerman

Même la signature était dactylographiée. Ricky contempla le message d'adieu, en proie à des émotions diverses.

9

Il est impossible que le message de Zimmerman soit authentique, songea Ricky.

Il n'en démordait pas : Zimmerman n'avait pas plus de prédisposition au suicide que lui-même. Il ne montrait aucun signe de fantasme suicidaire, aucune inclination à l'autodestruction, aucune propension à exercer sur lui-même la moindre violence. Zimmerman était névrosé, obstiné, et commençait à peine à comprendre à quoi servait l'analyse. C'était un homme qui avait toujours besoin qu'on le pousse à faire ce qu'il devait faire – tout comme, selon Ricky, il avait été poussé sous ce métro. Mais Ricky commençait à avoir du mal à discerner le vrai du faux. Même avec la lettre de l'inspecteur sous les yeux, après sa visite à la station de métro et au commissariat, il parvenait difficilement à admettre la réalité de la mort de son patient. Elle appartenait encore au domaine de l'irréel. Il relut le message d'adieu et réalisa qu'il était la seule personne nommément citée. Il remarqua également que la signature n'était pas manuscrite. La personne qui avait écrit la note avait tapé le nom de Zimmerman à la machine. Ou bien, si c'était lui qui avait écrit la note, Zimmerman avait tapé son nom à la machine.

Ricky sentait que la tête lui tournait.

Toute l'exaltation qu'il avait ressentie le matin en se montrant plus malin que l'avocat s'était dissipée. Un malaise proche de la nausée l'avait remplacée, et il savait que c'était psychosomatique. Dans l'ascenseur, il eut l'impression qu'un poids terrible le paralysait, lui pesait sur les épaules. Les premiers symptômes de l'apitoiement sur son sort faisaient leur apparition, la question « pourquoi moi ? » lui martelant la cervelle au rythme de ses pas. Quand il arriva à son cabinet, il était épuisé.

Il se laissa tomber derrière son bureau et prit la lettre de la Société psychanalytique. Il biffa mentalement le nom de l'avocat, même s'il n'était pas assez idiot pour s'imaginer qu'il n'entendrait plus parler de Merlin – quelle que soit sa véritable identité. Le nom de l'analyste de Boston qui soignait sa prétendue victime était mentionné dans la lettre. Ricky savait que son prochain coup de fil devait être pour lui. Un bref instant, il envisagea de ne pas en tenir compte, de ne pas faire ce que de toute évidence on attendait de lui. Mais il savait que, s'il s'abstenait de protester vigoureusement de son innocence, cela serait considéré comme la réaction d'un coupable. Il devait donc téléphoner, même si c'était parfaitement inutile.

Toujours au bord de la nausée, Ricky composa le numéro de l'analyste. Il fut à peine surpris d'entendre un répondeur se déclencher après la première sonnerie. « Docteur Martin Soloman. Je ne peux vous répondre pour le moment. Veuillez laisser votre nom, votre numéro et la raison de votre appel, et je vous rappellerai dès que possible. » Au moins, se dit Ricky, il n'est pas encore parti en vacances.

— Docteur Soloman, fit-il vivement, tel un acteur

composant sa voix pour qu'elle exprime la colère et l'indignation, ici le Dr Frederick Starks, à Manhattan. Une de vos patientes porte contre moi de graves accusations d'inconduite. Je tiens à vous informer que ces allégations sont totalement fausses. Il s'agit d'un fantasme sans le moindre fondement réel. Je vous remercie.

Il raccrocha. La fermeté de son message lui remonta un peu le moral. Cinq minutes, se dit-il. Dix, au maximum, avant qu'il rappelle.

Sur ce point, il avait raison. Sept minutes plus tard exactement, le téléphone sonna. Il répondit d'une voix forte, assurée :

— Docteur Starks.

Il eut l'impression que l'homme qui était à l'autre bout du fil inspirait à fond avant de répondre :

— Ici Martin Soloman, docteur. J'ai reçu votre petit message et je me suis dit qu'il valait mieux vous rappeler au plus vite.

Ricky s'imposa quelques secondes de silence, puis :

— Qui est cette patiente, docteur, qui m'accuse de m'être conduit de manière aussi répréhensible ?

A son tour, Soloman s'accorda un instant de réflexion. Puis :

— Je ne sais pas si je peux divulguer son nom. Elle m'a promis qu'elle serait disponible le jour où les enquêteurs de la commission d'éthique médicale me contacteraient. Le simple fait de formuler sa plainte à la Société psychanalytique de New York était une étape importante sur la voie de la guérison. Elle doit avancer avec précaution. Mais j'ai du mal à croire, docteur, que vous ne vous rappeliez pas une patiente aussi… récente. Et puis une plainte comme celle-ci, avec les détails qu'elle m'a communiqués durant ces six derniers mois, rend crédible ce qu'elle m'a dit.

— Des détails ? Quel genre de détails ?

— Eh bien, je ne sais pas jusqu'à quel point…

— Ne soyez pas ridicule, le coupa brusquement Ricky. Je ne crois pas une seconde à l'existence de cette personne.

— Je puis vous assurer qu'elle existe vraiment. Et ses souffrances ne sont pas du tout imaginaires, fit le thérapeute, qui employait les mots que Merlin avait prononcés un peu plus tôt. Franchement, docteur, je considère que vos dénégations ne sont pas du tout convaincantes.

— Eh bien, quels détails ?

Soloman hésita encore.

— Eh bien… Elle vous a décrit, physiquement et intimement. Elle a décrit votre cabinet. Elle est capable d'imiter votre voix. Et, je m'en rends compte maintenant, son imitation est extraordinairement fidèle…

— C'est impossible, lâcha Ricky.

— Dites-moi, docteur… fit Soloman après un instant. Avez-vous accroché au mur de votre cabinet, à côté du portrait de Freud, une petite gravure sur bois bleu et jaune représentant un coucher de soleil sur Cape Cod ?

Ricky faillit suffoquer. C'était une des seules œuvres d'art qu'il avait conservées dans l'univers monacal où il vivait désormais. Sa femme le lui avait offert pour leur quinzième anniversaire de mariage. Un des rares objets qui avaient survécu au nettoyage qu'il avait fait après sa mort.

— C'est donc vrai, n'est-ce pas ? reprit Soloman. Ma patiente affirme qu'elle avait l'habitude de se concentrer sur cette peinture, comme si elle essayait de se projeter dans le paysage, pendant que vous abusiez d'elle. Comme dans une tentative de sortir de son propre corps. Il n'est pas rare que des victimes d'abus sexuels procèdent de la sorte : elles veulent se convaincre qu'elles se trouvent ailleurs que dans le monde réel. Il s'agit d'un mécanisme de défense assez fréquent.

Ricky sentit sa gorge se serrer.

— Rien de tel n'est jamais arrivé.

— Ce n'est pas moi que vous devrez convaincre, hein ? fit brusquement Soloman.

— Depuis quand voyez-vous cette patiente ? demanda Ricky après un bref silence.

— Six mois. Nous avons encore beaucoup de chemin à faire.

— Qui vous a recommandé ?

— Je vous demande pardon ?

— Qui vous l'a envoyée ?

— Je ne crois pas me souvenir que…

— Vous voulez me faire croire qu'une femme souffrant d'un tel trauma émotionnel a simplement relevé votre nom dans l'annuaire ?

— Je dois consulter mes notes…

— Votre mémoire devrait vous suffire.

— Je dois tout de même consulter mes notes.

— Vous verrez que personne ne vous a recommandé à elle, grogna Ricky. Elle vous a choisi pour une raison évidente. Alors je repose la question : pourquoi vous, docteur ?

— J'ai une certaine réputation, par ici. J'ai soigné avec succès des victimes de crimes sexuels.

— Qu'entendez-vous par « réputation » ?

— La presse locale a publié plusieurs articles sur mon travail.

Ricky réfléchissait à toute vitesse.

— Vous témoignez souvent en justice ?

— Non, pas très souvent. Mais je sais comment ça se passe.

— Que signifie « pas très souvent » ?

— Oh, deux ou trois fois. Je sais où vous voulez en venir. Oui, il s'agissait d'affaires qui ont fait du bruit.

— Avez-vous déjà été cité comme expert auprès des tribunaux ?

— Eh bien… oui. Dans plusieurs affaires au civil, notamment dans un procès contre un psychiatre accusé d'avoir commis plus ou moins la même chose que vous. J'enseigne à l'école de médecine de l'université du Massachusetts, et je donne des conférences sur divers schémas de rétablissement à la suite d'actes criminels…

— Est-ce que votre nom a été mentionné dans la presse, quelque temps avant que cette patiente prenne contact avec vous ?

— Oui, un dossier dans le *Boston Globe*. Mais je ne vois pas pourquoi…

— Et vous persistez à croire que votre patiente est crédible ?

— Oui, absolument. Elle suit un traitement chez moi depuis six mois. Deux séances par semaine. Elle a été parfaitement cohérente. Rien de ce qu'elle a dit jusqu'à ce jour ne me fait douter d'elle, pas le moins du monde. Vous et moi savons parfaitement, docteur, qu'il est presque impossible de mentir à un thérapeute à son insu, surtout sur une période assez longue.

Quelques jours plus tôt, Ricky aurait admis cette proposition. Il n'en était plus du tout certain.

— Où est-elle, maintenant ?

— Elle est en vacances, jusqu'à la troisième semaine d'août.

— Est-ce que, par hasard, elle vous aurait donné un

numéro de téléphone où la joindre pendant le mois d'août ?

— Non, je ne crois pas. Nous avons simplement pris rendez-vous juste après le Labor Day et nous en sommes restés là.

Ricky se concentra, puis posa une autre question :

— N'a-t-elle pas des yeux verts saisissants, extraordinairement pénétrants ?

— Vous la connaissez, finalement ? fit l'autre d'un ton glacé, après un long silence.

— Non, dit Ricky. J'essayais simplement de deviner.

Puis il raccrocha. Virgil, se dit-il.

Ricky regardait fixement, de l'autre côté de son bureau, le tableau qui jouait un rôle si important dans les souvenirs imaginaires de la fausse patiente du psychanalyste de Boston. Pour lui, cela ne faisait aucun doute : le Dr Soloman existait vraiment, et on l'avait choisi avec soin. Il était aussi persuadé que le célèbre Dr Soloman ne reverrait jamais cette jeune femme si belle et si perturbée qui était venue le consulter. Du moins pas dans le contexte qu'il imaginait. De nombreux thérapeutes sont assez vaniteux pour apprécier l'attention de la presse et la dévotion de leurs patients. Ils se comportent comme s'ils disposaient d'une sorte d'intuition unique et magique pour comprendre le monde et le fonctionnement des gens, formulant des opinions et des révélations avec une insouciante régularité. Ricky soupçonnait Soloman d'être un de ces psychanalystes de débats télévisés qui profitent de leur image d'érudit sans se livrer au véritable travail de fond sur la quête de la vérité. Il est beaucoup plus facile d'écouter quelqu'un brièvement et d'improviser une réponse que de s'asseoir près de lui jour après jour et de traverser les couches du banal et du trivial pour arriver aux profondeurs. Ricky n'avait que mépris pour ceux de ses confrères qui attachaient leur nom à des expertises devant les tribunaux et à des articles de journaux.

Le problème, se dit-il, était que la réputation, la notoriété et l'aura publique de Soloman allaient rendre plus crédibles encore les accusations portées contre lui. En plaçant son nom au bas de la lettre, son auteur lui donnait un poids qui survivrait juste assez longtemps pour l'aider à atteindre l'objectif qu'il s'était fixé.

Qu'est-ce que tu as appris aujourd'hui ? se demanda-t-il.

Beaucoup. Mais il comprenait surtout que la toile d'araignée dans laquelle il était en train de s'empêtrer avait été tissée des mois auparavant.

Il regarda de nouveau la peinture sur bois qui ornait son mur. Ils sont venus ici. Bien avant leur visite de l'autre jour. Ses yeux firent le tour du cabinet. Rien n'était à l'abri. Il n'y avait plus aucune intimité. *Ils sont venus ici, il y a des mois, et je ne le savais pas.*

Comme s'il avait reçu un coup à l'estomac, il fut pris d'un accès de rage. Sa première réaction fut de se lever, de traverser la pièce et d'arracher de la cloison la petite gravure sur bois dont lui avait parlé son confrère de Boston. Il la jeta violemment dans la corbeille à papier près du bureau, brisant le cadre et fracassant le verre. Le bruit résonna dans la petite pièce comme un coup de feu. Il proféra quelques violentes obscénités. Il se retourna et s'agrippa au bord de son bureau, comme pour garder son équilibre.

Sa colère retomba aussi brusquement qu'elle était arrivée, immédiatement suivie d'une nouvelle vague de nausée. Ricky était étourdi. La tête lui tournait, comme quand on se lève trop vite, surtout lorsqu'on a la grippe ou qu'on est enrhumé. Il avait l'impression que son esprit vacillait. Il avait du mal à respirer, comme si quelqu'un lui serrait une corde autour de la cage thoracique. Il lui fallut plusieurs minutes pour retrouver son équilibre. Il se sentait faible, au bord de l'épuisement.

Il continua son examen de la pièce, qui lui semblait différente. Comme si tous les objets qui ornaient son existence avaient brusquement pris une teinte sinistre. Il se dit qu'il ne pourrait plus jamais croire ce qu'il verrait. Il se demanda si Virgil avait décrit autre chose au psy de Boston, et quels autres détails de sa vie privée étaient devenus des pièces à conviction dans le dossier déposé auprès de la commission d'éthique médicale de l'Etat. Il se rappela qu'il avait vu des patients affolés à la suite d'un cambriolage ou d'une agression. Ils lui avaient parlé de cette violation, de la manière dont cela avait perturbé leur existence. Il avait écouté leurs doléances avec sympathie, avec un détachement clinique, mais sans jamais vraiment se rendre compte combien ce sentiment était profond. Il en avait maintenant une idée un peu plus précise.

Lui aussi, il avait l'impression d'avoir été volé.

Une fois de plus, il parcourut la pièce du regard. Il sentit que rien de ce à quoi il tenait n'était en sécurité.

Transformer un mensonge en vérité n'est pas un boulot facile, se dit-il. Cela exige de la préparation.

Ricky passa derrière son bureau. Le voyant rouge du répondeur clignotait. Le compteur de messages affichait le chiffre 4. Ricky enfonça un bouton pour écouter le premier message. Il reconnut immédiatement la voix d'un de ses patients. C'était un homme de près de soixante ans. Journaliste au *New York Times*, on le cantonnait dans un emploi bien rémunéré mais fondamentalement répétitif : il mettait en forme, pour les pages scientifiques du journal, des articles rédigés par des confrères plus jeunes et plus vifs que lui. Il mourait d'envie de mener une vie plus riche, de mettre à l'épreuve sa créativité et son originalité. Mais il avait peur des dérèglements que cette satisfaction pourrait entraîner dans une vie trop bien organisée. Pourtant, ce patient était intelligent et subtil. Sa thérapie progressait de manière significative à mesure qu'il découvrait le lien qui existait entre son éducation rigide dans le Midwest (il était l'enfant de professeurs sévères) et sa peur de l'inconnu. Ricky l'aimait bien, il était persuadé qu'il avait de fortes chances d'aller au bout de son analyse et de découvrir la liberté que cela lui apporterait. Une immense satisfaction pour n'importe quel thérapeute.

« Docteur Starks... commençait l'homme, qui s'identifia, parlant lentement, presque à contrecœur. Pardonnez-moi d'encombrer votre répondeur alors que vous êtes en vacances. Je ne voudrais pas vous déranger, mais j'ai reçu ce matin une lettre très troublante. »

Ricky reprit son souffle. La voix du patient continuait, toujours très lentement.

« Il s'agit de la copie d'une plainte déposée contre vous auprès de la commission d'éthique médicale de l'Etat et de la Société psychanalytique de New York. Je reconnais que le caractère anonyme rend la riposte très difficile. Je précise que la copie de la lettre m'a été envoyée chez moi, pas à mon bureau, sans la moindre indication permettant d'en identifier l'expéditeur. »

Il hésitait de nouveau.

« Je me trouve placé devant un conflit d'intérêts majeur. Il ne fait aucun doute pour moi que cette plainte est un bon sujet d'article. Elle devrait être confiée à quelqu'un de nos pages "New York" et faire l'objet d'une enquête. D'un autre côté, il est évident que cela compromettrait gravement nos relations. Je suis très perturbé par ces accusations, et je suppose que vous les contestez... »

Le patient semblait reprendre son souffle, avant d'ajouter, avec une pointe d'amertume et de colère :

« Tout le monde nie toujours avoir commis des fautes. Je n'ai rien fait, je n'ai rien fait, je n'ai rien fait... Jusqu'au moment où l'on est coincé par les événements et les circonstances au point qu'il est impossible de s'obstiner. Les présidents. Les hommes politiques. Les hommes d'affaires. Les médecins. Les chefs scouts et les entraîneurs des équipes amateurs, pour l'amour de Dieu ! Au bout du compte, ils doivent dire la vérité en espérant que tout le monde comprendra qu'ils étaient obligés de mentir. Comme s'il était normal de mentir jusqu'à ce que l'évidence vous empêche de continuer... »

Il y eut une nouvelle pause, puis on raccrocha. Le message semblait avoir été coupé net, sans que le patient ait eu le temps de demander à Ricky ce qu'il voulait savoir.

Ricky pressa de nouveau la touche « Lecture » du répondeur. Sa main tremblait légèrement. Sur la plage suivante, il n'entendit qu'une femme qui sanglotait. Il reconnut malheureusement sa voix : c'était une de ses patientes de longue date. Elle aussi devait avoir reçu une copie de la lettre. Il passa en avance rapide. Les deux derniers messages émanaient de deux autres patientes. L'une d'elles, une chorégraphe en vue à Broadway, bredouillait avec une colère à peine dissimulée. L'autre, une photographe portraitiste assez célèbre, semblait aussi embarrassée qu'affolée.

Ricky sentit le désespoir l'envahir. Pour la première fois peut-être depuis le début de sa vie professionnelle, il ne savait que dire à ses propres patients. Ceux qui n'avaient pas appelé n'avaient sans doute pas encore ouvert leur courrier.

Une des clés de la psychanalyse réside dans cette étrange relation qui s'instaure entre l'analyste et son patient : celui-ci raconte sa vie privée, dans le moindre détail, à un interlocuteur qui, lui, n'en fait rien et qui ne réagit que très rarement, même à l'information la plus provocante. Dans « Vérité ou Défi », le jeu de société pour enfants, la confiance s'établit selon le principe du risque partagé. Tu me parles, je te parle. Tu me montres ce que tu as, je te montrerai ce que j'ai. La psychanalyse déséquilibre cette relation en la rendant unilatérale. De fait, Ricky savait que la fascination de ses patients pour ce qu'il était, ce qu'il pensait et ressentait, pour ses réactions, jouait un rôle de premier plan dans le processus de transfert qui avait lieu dans son cabinet. Assis, silencieux, derrière les patients allongés les pieds en l'air sur le divan, il en venait à symboliser beaucoup de choses. Mais, surtout, il symbolisait pour chacun d'eux quelque chose de différent, quelque chose de troublant. Et c'est ainsi, en assumant différents rôles pour chacun de ses patients, qu'il pouvait mener chacun d'eux vers la réponse à ses problèmes. Psychologiquement, son silence équivalait à singer la mère d'un patient, le père d'un autre, le patron d'un troisième. Son silence pouvait représenter l'amour et la haine, la colère et la tristesse. Il pouvait représenter un sentiment de perte ou bien le rejet. A certains égards, se disait-il, l'analyste est un caméléon qui change de couleur en fonction de la surface sur laquelle il se pose.

Il ne répondit à aucun des appels de ses patients. Quand le soir vint, ils avaient tous téléphoné. Il se dit que le rédacteur du *Times* avait raison. Nous vivons dans une société qui a totalement perverti l'idée de dénégation. Aujourd'hui, elle évoque d'emblée un mensonge de convenance qu'on se rappellera plus tard et qu'on façonnera, après avoir négocié une vérité acceptable.

Toutes les heures qui s'étaient additionnées pour former des jours, des semaines, puis des mois et des années, avec chacun de ses patients, avaient été anéanties par un seul mensonge élaboré. Il ne savait pas comment leur répondre. Il ne savait même pas s'il devait leur répondre. Le médecin en lui pensait qu'il serait fructueux d'analyser comment chacun réagissait aux accusations. Mais il sentait en même temps que cela ne lui serait d'aucune utilité.

Pour son dîner, ce soir-là, il ouvrit une boîte de soupe au poulet.

En avalant les cuillerées de sa brûlante mixture, il se demanda si ses célèbres pouvoirs médicinaux et fortifiants se répandraient dans son cœur.

Il réalisa qu'il n'avait toujours pas de plan d'action. Un schéma qu'il pourrait suivre. Un diagnostic qui permettrait de définir un traitement. Jusqu'alors, Ricky considérait Rumplestiltskin comme une sorte de cancer qui s'attaquait insidieusement à diverses parties de sa personne. Mais il lui fallait définir une stratégie. Le problème, c'était que cela s'opposait à tout ce qu'on lui avait appris. S'il avait été cancérologue (comme les hommes qui avaient échoué à sauver sa femme) ou dentiste (capable de localiser une dent cariée et de l'arracher), c'est ce qu'il aurait fait. Mais sa formation allait dans un tout autre sens. Même s'il identifie certains symptômes et caractéristiques, l'analyste laisse le patient inventer son traitement, pourvu que ce soit dans le cadre du processus imposé. Dans sa lutte contre Rumplestiltskin et ses menaces, Ricky était handicapé par cela même qui l'avait tant aidé pendant toutes ces années. La passivité, qui était la marque de son métier, lui semblait tout à coup dangereuse.

Ce soir-là, pour la première fois de sa vie, il se dit qu'elle pourrait bien lui être fatale.

10

Le lendemain matin, il barra un nouveau jour sur le calendrier de Rumplestiltskin, et composa la requête suivante :

Je cherche et fouille vite et loin,
Je scrute les vingt dernières années avec soin.
Laquelle sera la bonne ?
J'ai peu de temps avant que l'heure sonne.
Et même si ça semble une vraie corvée,
La mère de R. je dois retrouver.

Ricky s'aperçut qu'il outrepassait les règles de Rumplestiltskin. D'abord en posant deux questions au lieu d'une. Ensuite en ne les formulant pas précisément, comme on le lui avait ordonné, de sorte que la réponse serait oui ou non. Mais il s'était dit que s'il utilisait la même forme de comptine d'école maternelle que son persécuteur, cela inciterait Rumplestiltskin à ne pas tenir compte de la violation des règles et à lui fournir une réponse un peu plus détaillée. Ricky savait qu'il avait besoin d'informations pour trouver l'identité de celui qui l'avait piégé. Beaucoup plus d'informations. Il ne se faisait aucune illusion : Rumplestiltskin ne lui donnerait pas le détail révélateur qui lui indiquerait précisément la direction dans laquelle il fallait chercher ou qui l'aiderait à trouver le nom qu'il pourrait communiquer aux autorités – à condition qu'il sache quelles autorités il fallait contacter. L'homme avait préparé sa vengeance avec beaucoup trop de soin pour que cela arrive si vite. Mais l'analyste est considéré comme le spécialiste de ce qui est oblique, dissimulé. Il devait être expert en la matière. S'il voulait résoudre l'énigme du vrai nom de Rumplestiltskin, cela devrait venir d'une gaffe de ce dernier, quelle que soit la complexité de ses plans.

La femme qui prenait note des annonces sur une colonne à la une du *Times* semblait amusée par son poème.

— Ce n'est pas banal, dit-elle d'un ton léger. D'habitude, on me confie plutôt les vœux pour les cinquante ans de papa ou maman, ou des attrape-couillons pour vendre un nouveau produit. Mais là, c'est différent. C'est pour quelle occasion ?

S'efforçant d'être poli, Ricky répondit par un mensonge crédible :

— Cela fait partie d'une chasse au trésor assez compliquée. Rien d'autre qu'un divertissement estival pour quelques amis qui aiment les énigmes et les charades.

— Oh ! Ça a l'air assez drôle, hein ?

Ricky ne répondit pas, parce qu'il n'y avait pas grand-chose de drôle dans tout cela. L'employée lui relut le poème une dernière fois pour être sûre de l'avoir bien recopié, puis elle demanda les informations dont elle avait besoin pour établir la facture. Elle lui demanda s'il voulait attendre la facture ou payer par carte de crédit. Il opta pour la seconde solution. Quand il lui dicta le numéro de sa carte Visa, il l'entendit frapper sur son clavier.

— Parfait, fit-elle. Votre annonce paraîtra demain. Bonne chance, pour votre chasse au trésor. J'espère que vous gagnerez.

— Moi aussi, fit-il.

Il la remercia et raccrocha. Puis il retourna à ses piles de notes et de dossiers.

Resserre et élimine, se dit-il. Il faut être systématique et attentif.

Ecarte les hommes ou écarte les femmes. Ecarte les vieux, concentre-toi sur les jeunes. Trouve la bonne période. Trouve la bonne relation. Ça te donnera un nom. Un nom mène à un autre.

Ricky avait du mal à respirer. Toute sa vie, il avait essayé d'aider les gens à comprendre les forces émotionnelles à l'origine de ce qui leur arrivait. Le travail de l'analyste consiste à identifier les rancœurs pour être capable de les neutraliser, car il sait que le désir de vengeance est une névrose aussi dangereuse que celles qui menacent chacun d'entre nous. L'analyste veut que le patient trouve le moyen de dépasser ce désir et d'aller au-delà de sa colère. Il n'est pas rare qu'un patient entame une thérapie en exprimant une colère qui exige une réponse spectaculaire. Le traitement est alors conçu pour éliminer cette tentation, afin que le patient puisse vivre sa vie sans être perturbé par le besoin compulsif de prendre sa revanche.

Prendre sa revanche, dans son univers, était une faiblesse. Peut-être même une maladie.

Ricky secoua la tête.

Alors qu'il essayait, tout étourdi, de démêler ce qu'il savait et de trouver la meilleure manière de s'en servir, le téléphone posé sur le bureau se mit à sonner. Ricky sursauta. Il hésita avant de décrocher. C'était peut-être Virgil.

Ce n'était pas elle. C'était la femme des petites annonces du *Times*.

— Docteur Starks ?

— Oui, c'est moi.

— Excusez-moi de vous déranger, mais nous avons un petit problème.

— Un problème ? Quel genre de problème ?

La femme hésita, comme si elle répugnait à répondre. Puis :

— Le numéro de carte Visa que vous m'avez donné… il nous est revenu. Annulé. Est-ce que vous êtes sûr de m'avoir donné les bons chiffres ?

Ricky rougit, bien qu'il fût seul dans la pièce.

— Annulé ? C'est impossible ! dit-il d'un ton indigné.

— J'ai peut-être mal compris le numéro.

Il sortit la carte de son portefeuille et lui relut la suite de chiffres, lentement.

La femme attendit une seconde, puis :

— C'est bien le numéro que j'ai introduit pour accord. Ma demande m'est revenue avec la mention « carte annulée ».

— Je ne comprends pas, dit Ricky, de plus en plus fâché. Je n'ai rien annulé du tout. Et je vérifie mon crédit tous les mois…

— Les compagnies de cartes de crédit font plus d'erreurs qu'on ne l'imagine, fit la femme d'un ton conciliant. Mais vous avez peut-être une autre carte ? Ou peut-être préférez-vous que je vous envoie une facture, que vous paierez par chèque ?

Ricky allait sortir une autre carte de son portefeuille. Il se figea. Sa gorge se serra.

— Je suis désolé pour le dérangement, dit-il lentement en faisant un effort démesuré pour rester calme. Je vais appeler la compagnie qui gère les cartes de crédit. Entre-temps, soyez aimable de m'envoyer une facture, comme vous l'avez proposé.

La femme marmonna quelques mots pour signifier son accord, vérifia son adresse et ajouta :

— Cela arrive tout le temps. Vous n'avez pas perdu votre portefeuille, récemment ? Certains escrocs trouvent le numéro des cartes sur de vieux talons de transaction qu'on a jetés. Ou bien vous faites un achat et l'employé vend le numéro à des truands. Il y a des milliers de façons de pratiquer l'escroquerie à la carte bancaire, docteur. Vous devriez appeler votre compagnie pour qu'elle arrange les choses. Vous n'avez sans doute pas envie de devoir contester des débits dont vous n'êtes pas responsable. De toute façon, ils vous donneront sans doute une nouvelle carte du jour au lendemain.

— J'en suis persuadé, dit Ricky en raccrochant.

Il sortit ses cartes de crédit de son portefeuille, lentement, l'une après l'autre. Elles sont inutiles, se dit-il. Elles ont toutes été annulées. Il ignorait comment, mais il savait par qui.

Il entreprit de donner une série de coups de fil assommants, pour s'entendre confirmer ce qu'il savait déjà. Les employés du service d'information téléphonique des firmes de cartes de crédit étaient tous très aimables, mais ils ne lui furent pas très utiles. Quand il essayait de leur expliquer qu'il n'avait pas donné l'ordre d'annuler ses cartes, on l'informait qu'au contraire c'était bien ce qui s'était passé. C'était en tout cas ce qu'indiquaient leurs ordinateurs, qui ne pouvaient se tromper. A chaque fois, il demanda comment la carte avait été annulée. La réponse était toujours la même : la demande avait été faite sur le site Internet de la banque. Il suffisait de quelques manipulations sur un clavier, lui expliqua-t-on très respectueusement, pour effectuer une démarche aussi banale. Un service que les banques offraient pour faciliter les opérations des clients (même si Ricky, vu les circonstances, pouvait trouver cela discutable). Chacune des compagnies proposa de lui ouvrir de nouveaux comptes.

Il promit de les rappeler plus tard. Puis il prit des ciseaux et coupa en plusieurs morceaux toutes ces cartes désormais inutiles. Il savait que certains de ses patients avaient dû en faire autant, après s'être surendettés.

Ricky ignorait jusqu'à quel point Rumplestiltskin était parvenu à s'introduire dans ses comptes bancaires. Il ne savait pas non plus comment il s'y était pris. Il se dit que l'idée de dette était inhérente au jeu que cet homme avait imaginé. Il croit que je lui dois quelque chose, mais rien qui puisse se régler par chèque ou par carte de crédit.

Une visite à l'agence locale de sa banque, le lendemain, s'imposait. Il appela aussi l'homme qui gérait son modeste portefeuille boursier et laissa un message à une secrétaire, afin que son courtier le rappelle dès que possible. Puis il se carra dans son siège et essaya de comprendre comment Rumplestiltskin avait pu pénétrer ce pan de son existence.

Ricky était nul en informatique. Pour lui, Internet, AOL, Yahoo, eBay, sites Web, *chat rooms* et cyberespace n'étaient que des mots vaguement familiers. Il ignorait tout de leur réalité. Ses patients lui parlaient souvent de leur vie devant leur clavier, ce qui lui avait permis de comprendre plus ou moins ce que pouvait faire l'informatique, et surtout ce que l'informatique leur avait fait, à eux. Il n'avait jamais ressenti le besoin de s'informer personnellement à ce sujet. Ecrire, pour lui, c'était griffonner au stylo dans des carnets de notes. Quand il devait rédiger une lettre, il se servait d'une vieille machine à écrire électrique qu'il avait depuis plus de vingt ans et qu'il gardait au fond d'un placard. Pourtant, d'une certaine manière, il possédait un ordinateur. Sa femme en avait acheté un la première année de sa maladie et l'avait « gonflé » un an avant sa mort. Il savait qu'elle s'en servait pour se joindre à des groupes de discussion sur le cancer et communiquer avec d'autres malades, dans l'univers curieusement détaché d'Internet. Il ne l'avait pas suivie, croyant que c'était une manière de préserver son intimité (mais quelqu'un d'autre aurait pu lui dire qu'il ne s'intéressait pas assez à ce qu'elle faisait). Un peu après sa mort, il avait pris l'appareil sur le bureau, dans le coin de leur chambre où elle s'installait quand elle avait encore la force de se lever, et l'avait rangé dans un carton qu'il avait descendu au sous-sol, dans la cave. Il avait eu l'intention de le jeter ou de le donner à une école ou à une bibliothèque, mais il n'en avait simplement jamais eu l'occasion. Il se dit qu'il pourrait bien en avoir besoin, maintenant.

Car il soupçonnait Rumplestiltskin de savoir s'en servir.

Ricky se leva. Il avait décidé de récupérer dans la cave l'ordinateur de sa femme. Il prit la clé du cadenas au fond d'un tiroir de son bureau.

Il s'assura qu'il fermait bien la porte derrière lui, puis descendit par l'ascenseur. Il n'était pas allé depuis des mois dans les caves de l'immeuble, et l'odeur de moisi et de renfermé lui fit froncer le nez. L'atmosphère était fétide, délétère, l'air semblait vieux et sale, comme brûlé par le cycle quotidien de la chaleur. A peine eut-il fait un pas hors de l'ascenseur qu'il eut la sensation, bien connue des asthmatiques, d'avoir la poitrine serrée. Il se demanda pourquoi le syndic de l'immeuble n'entretenait pas cet endroit. Il actionna l'interrupteur : l'ampoule de cent watts sans abat-jour qui pendait du plafond jeta une vague lueur sur la pièce. Le moindre geste déplaçait des ombres grotesques dans la semi-obscurité humide. Tous les appartements de l'immeuble disposaient d'une remise délimitée par un panneau de grillage fixé sur un cadre de balsa. Le nom du locataire était tracé au pochoir à l'extérieur. C'était là qu'on entassait les chaises cassées et les cartons de vieux papiers, les vélos inutilisés et rouillés, les skis et les malles de voyage, les valises inutiles. La poussière et les toiles d'araignée recouvraient presque tout, et presque tout répondait à la même définition : des objets un peu trop précieux pour qu'on les jette, mais pas assez pour qu'on les garde en permanence à portée de la main. Des choses rassemblées çà et là et qui avaient glissé dans la catégorie « mieux vaut le garder parce qu'on pourrait en avoir besoin un jour ».

Ricky se pencha légèrement en avant, alors qu'il avait largement la place de se tenir debout. C'était plutôt l'atmosphère confinée qui le faisait se courber. Il se dirigea vers son box, la clé à la main.

Le cadenas était déjà ouvert. Il pendait à la poignée de la porte, comme un ornement oublié sur un sapin de Noël.

Il s'approcha et découvrit qu'on l'avait sectionné avec une pince coupante.

Ricky fit un bond en arrière, choqué, comme si un rat avait soudain surgi devant lui.

Son premier réflexe fut de tourner les talons et de s'enfuir. Puis il décida d'aller voir. Il se dirigea lentement vers la porte grillagée, tira le panneau vers lui. Il vit immédiatement que ce qu'il était venu chercher dans la cave – le carton contenant l'ordinateur de sa femme – avait disparu. Il se dirigea vers le fond de la cave. Son corps arrêtait en partie la lumière du plafonnier, au point que seuls quelques rayons de la largeur d'une épée déchiraient l'obscurité. Il regarda autour de lui et constata qu'une autre boîte avait disparu. C'était le grand classeur à dossiers en plastique où il archivait les doubles de ses déclarations d'impôts.

Le reste de son débarras, pour ce qu'il valait, semblait intact.

Presque assommé par un sentiment écrasant de défaite, Ricky revint sur ses pas et se dirigea vers l'ascenseur. Ce n'est qu'en émergeant de la cave, dans l'air pur et la lumière de midi – et surtout loin de la saleté et de la poussière des souvenirs entassés au sous-sol –, qu'il tenta de réfléchir à ce qu'impliquait la disparition de l'ordinateur et des déclarations d'impôts.

Que m'a-t-on pris ?

Il frissonna brusquement. Peut-être tout, se dit-il en réponse à sa propre question.

Quand il pensa aux déclarations d'impôts, son estomac se souleva et un goût acide lui remonta dans la bouche. Pas étonnant que Merlin, l'avocat, en sache autant sur ses revenus. Il connaissait sans doute tout ce qu'il était possible de connaître sur les modestes finances de Ricky. Une déclaration d'impôts, c'est comme une carte routière. Tout y est indiqué, du numéro de sécurité sociale aux dons de charité. Elle met en évidence les chemins les plus fréquentés de la vie de quelqu'un, sans les anecdotes. Comme une carte, elle montre comment passer d'un endroit à un autre, dans la vie d'un individu, où se dressent les barrières de péage et où commencent les routes secondaires. Il ne manque que la couleur et la description.

La disparition de l'ordinateur le terrifiait tout autant. Il ignorait ce qui restait sur le disque dur, mais il savait que c'était important. Il essaya de se rappeler les heures que sa femme avait passées devant l'appareil, tant que la maladie lui laissait la force de taper sur le clavier. Qu'y avait-elle laissé de sa douleur, de ses souvenirs, de ses pensées et de ses voyages électroniques, il n'en savait rien. La seule chose qu'il savait, c'était qu'un bon informaticien pouvait reconstituer toutes sortes de voyages dans la mémoire d'un ordinateur. Rumplestiltskin devait avoir les moyens d'extraire de l'appareil tout ce dont il pouvait avoir besoin.

Dans l'appartement, Ricky s'écroula. Il avait l'impression d'avoir subi un viol, d'avoir été lacéré avec une lame de rasoir chauffée au rouge. Il regarda autour de lui et comprit que tout ce qu'il croyait en sécurité était vulnérable.

Rien n'était secret.

S'il avait été un petit garçon, il aurait éclaté en sanglots sur-le-champ.

Cette nuit-là, ses rêves furent pleins d'images sombres et violentes, comme si on le dépeçait. Dans l'un d'eux, il essayait de se mouvoir dans une pièce faiblement éclairée tout en sachant que, s'il trébuchait, il tomberait dans l'obscurité et sombrerait dans le néant. Mais, tandis qu'il traversait le décor de son rêve, ses mouvements étaient peu coordonnés, maladroits, il essayait de s'agripper à des murs vaporeux avec des gestes d'ivrogne, et ce voyage ne menait apparemment nulle part. Il se réveilla dans le noir absolu de sa chambre, en proie à cette brève panique qui accompagne souvent le passage du sommeil à la veille, le pyjama trempé de sueur, le souffle court et la gorge douloureuse, comme s'il avait hurlé pendant des heures sous l'effet du désespoir. Pendant quelques instants, il ne fut pas sûr d'avoir laissé son cauchemar derrière lui. Ce n'est que lorsqu'il eut allumé la lampe de la table de chevet et qu'il fut capable de parcourir du regard le décor familier de sa propre chambre que son cœur reprit un rythme normal. Ricky laissa retomber sa tête sur l'oreiller, dans un besoin désespéré d'un repos dont il savait parfaitement qu'il n'était pas à sa portée. Il n'avait aucun mal à interpréter ses rêves. Ils étaient aussi mauvais que sa vie éveillée.

L'annonce parut ce matin-là à la une du *Times*, tout en bas de la page, comme Rumplestiltskin l'avait exigé. Il la relut plusieurs fois. Au moins avait-il donné à son persécuteur matière à réflexion. Ricky ne savait pas combien de temps il lui faudrait pour réagir. Il s'attendait à recevoir une réponse rapidement, peut-être même dans le journal du lendemain matin. Entre-temps, il décida qu'il avait intérêt à continuer de travailler sur son puzzle.

Il fut envahi d'un bref mais illusoire accès de fierté en pensant à son annonce, encouragé par le pas en avant qu'il avait fait et par le sentiment d'avoir accru sa détermination. Le désespoir qu'avait provoqué, la veille, la découverte de la disparition de l'ordinateur et de ses déclarations d'impôts était sinon oublié, en tout cas mis de côté. L'annonce lui donnait l'impression, au moins ce jour-là, de n'être pas qu'une victime. Il était à nouveau capable de se concentrer et sa mémoire était plus aiguë, plus fidèle. Tandis que Ricky sondait ses souvenirs et effectuait son périple dans son propre paysage intérieur, la journée s'envola rapidement – aussi rapidement qu'un jour ordinaire avec ses patients.

A la fin de la matinée, il avait dressé deux listes de travail différentes. Sans sortir de la période 1975-1985, il identifia sur la première liste quelque soixante-treize personnes qui avaient été en thérapie chez lui. Les traitements étaient de longueur variable : de sept ans pour un patient profondément déséquilibré à une thérapie éclair de trois mois pour une femme dont le couple traversait une période difficile. Ses patients poursuivaient leur traitement pendant trois à cinq ans en moyenne. Certains, moins que ça. La plupart venaient quatre ou cinq fois par semaine. Il s'agissait d'analyses fondées sur la théorie freudienne traditionnelle, utilisant le divan et autres techniques classiques. Pour quelques-uns, en revanche, il s'agissait de dialogues face à face avec l'analyste, plus proches d'une simple conversation. Il se comportait alors moins en psychanalyste que comme un médecin ordinaire avec ses opinions, ses déclarations et ses conseils – autant de choses qu'un analyste s'efforce à tout prix d'éviter. Il réalisa que, jusqu'au milieu des années quatre-vingt, il s'était détourné de la plupart de ces patients-là pour se consacrer exclusivement à l'expérience en profondeur de la psychanalyse.

Il y avait aussi un certain nombre de patients (vingt-cinq, peut-être, sur la décennie considérée) qui avaient interrompu leur traitement avant la fin. Les raisons d'un tel abandon étaient multiples. Certains n'avaient ni l'argent ni l'assurance santé nécessaires pour payer ses honoraires. D'autres avaient été contraints, à cause de leur travail ou de leurs études, de déménager. Quelques-uns avaient simplement décidé, mécontents, qu'il ne leur venait pas suffisamment en aide, ou pas assez vite, ou bien ils étaient trop en colère contre le monde entier et ce qu'il leur promettait pour poursuivre leur thérapie. Ces gens étaient rares, mais ils existaient.

C'étaient eux qui constituaient la seconde liste. Celle-ci était beaucoup plus difficile à établir.

Ricky songea qu'à première vue c'était de loin la plus prometteuse. Ces patients pouvaient avoir transformé leur mécontentement en une haine obsessionnelle à son égard et transmis leur obsession à quelqu'un.

Il posa les deux listes devant lui sur le bureau en se disant qu'il devait commencer à localiser les patients. Dès qu'il aurait la réponse de Rumplestiltskin, il pourrait éliminer un certain nombre de personnes de chaque liste, puis avancer.

Toute la matinée, il s'était attendu à recevoir le coup de fil de son courtier bancaire. Il était un peu surpris de n'avoir pas eu de nouvelles de cet homme, qui avait toujours géré ses comptes avec une efficacité et un sérieux sans surprise. Il composa le numéro et tomba de nouveau sur la secrétaire.

En reconnaissant sa voix, elle sembla gênée.

— Oh, docteur Starks, fit-elle. M. Williams allait vous appeler. Il y a eu une certaine confusion sur votre compte.

Ricky sentit son estomac se nouer.

— De la confusion ? Comment peut-il y avoir de la confusion avec l'argent ? C'est possible avec les gens, ou les chiens. Pas avec l'argent.

— Je vous mets en communication avec M. Williams.

Il y eut un bref silence, puis la voix presque familière du courtier. Les investissements de Ricky étaient tous des fonds de placement et des obligations ternes et conservateurs. Rien de spectaculaire ni d'agressivement moderne, mais une croissance modeste et régulière. Rien non plus de particulièrement substantiel. Au sein de la profession médicale, les psychanalystes sont particulièrement limités, tant pour les honoraires que pour le nombre de patients. Ils ne sont pas comme le radiologue, qui traite trois patients simultanément dans trois salles d'examen, ni l'anesthésiste, qui passe sans interruption d'une salle d'opération à l'autre. Rares sont les analystes qui s'enrichissent, et Ricky ne faisait pas exception à la règle. Il était propriétaire de la maison de Cape Cod et de l'appartement new-yorkais, et c'était tout. Pas de Mercedes. Pas de hors-bord avec un double Piper. Pas de yacht de vingt mètres mouillant à Long Island. Juste quelques investissements prudents, qui lui garantissaient des revenus suffisants pour sa retraite ou s'il décidait de réduire les revenus que lui procuraient ses patients. Ricky ne parlait jamais à son courtier plus d'une ou deux fois par an. Il s'était toujours dit qu'il était du menu fretin dans l'étang de ce spécialiste.

— Docteur Starks ?

Le conseiller semblait nerveux et parlait rapidement.

— Pardonnez-moi de vous avoir fait attendre, mais nous essayons de régler un problème…

De nouveau, l'estomac de Ricky se contracta.

— Quel genre de problème ?

— Est-ce que vous avez ouvert un compte pour effectuer des transactions avec un de nos services en ligne ? Parce qu'il…

— Non, pas du tout. En fait, je ne sais absolument pas de quoi vous parlez.

— Eh bien, c'est là qu'est le problème. Il apparaît qu'on a effectué depuis votre compte d'importantes transactions au jour le jour.

— Qu'entendez-vous par là ? demanda Ricky.

— Il s'agit d'acheter ou de vendre des actions à très court terme, pour essayer de précéder les fluctuations du marché.

— D'accord. Je crois que je comprends. Mais je n'ai jamais fait cela.

— Est-ce que quelqu'un d'autre a accès à vos comptes ? Votre femme, peut-être…

— Ma femme est morte il y a trois ans, dit Ricky d'un ton froid.

— Oh, oui, bien sûr, fit le courtier très vite. Je me rappelle. Pardonnez-moi. Quelqu'un d'autre, peut-être. Vous avez des enfants ?

— Non. Nous n'avons pas d'enfants. Où est mon argent ? répéta Ricky d'un ton insistant.

— Eh bien… Nous cherchons. Il se pourrait que cette affaire doive être signalée à la police, docteur Starks. En fait, c'est ce que nous pensons. Si quelqu'un est parvenu à accéder illégalement à votre compte…

— Où est l'argent ?

Le courtier hésita.

— Je l'ignore. Nous avons demandé à nos contrôleurs d'examiner votre compte. Tout ce que je peux vous dire, c'est qu'il y a eu une activité importante…

— Comment cela ? Mon argent ne bouge pas, il est en dépôt…

— Eh bien, pas vraiment. Il y a eu littéralement des dizaines, peut-être des centaines d'opérations, des transferts, des ventes, des investissements…

— Où est-il, maintenant, cet argent ?

— Une suite vraiment extraordinaire de transactions financières extrêmement complexes et agressives…

— Vous ne répondez pas à ma question, dit Ricky au bord de l'exaspération. Mon argent. Mon fonds de pension, mon épargne…

— Nous cherchons. J'ai mis là-dessus mes meilleurs collaborateurs. Notre responsable pour les questions de sécurité vous contactera dès qu'ils auront trouvé quelque chose. Quand je vois tous ces mouvements, je ne peux pas croire que personne ici n'ait rien remarqué d'anormal…

— Mais tout mon argent…

— A l'instant où je vous parle, dit le courtier d'une voix lente, il n'y a pas d'argent. Du moins, nous ne le trouvons pas.

— Ce n'est pas possible.

— J'aimerais pouvoir vous dire que vous avez raison, poursuivit l'homme, mais c'est un fait. Ne vous inquiétez pas, docteur Starks. Nos enquêteurs vont remonter la piste de ces mouvements. Nous irons jusqu'au bout de cette affaire. Et vos comptes sont assurés, du moins en partie. Nous finirons par arranger tout cela. Cela prendra simplement un peu de temps, et, comme je vous l'ai dit, il est possible que nous devions prévenir la police ou la Commission des opérations de Bourse, car il semble bien, d'après ce que vous dites, qu'une sorte de vol a eu lieu.

— Combien de temps ?

— C'est l'été, et une partie de notre personnel est en vacances. Pas plus de deux ou trois semaines, je dirais. Au grand maximum.

Ricky raccrocha. Il ne disposait pas de deux ou trois semaines.

A la fin de la journée, il avait appris que tous ses comptes bancaires avaient été dévalisés, vidés de leur contenu par quelqu'un qui avait trouvé le moyen d'y accéder. Tous, sauf un : le petit compte courant qu'il entretenait à l'agence de Wellfleet de la First Cape Bank. Il servait exclusivement aux dépenses d'été. Ricky y gardait à peine dix mille dollars pour payer les factures du marché aux poissons et de l'épicerie, du marchand d'alcools et de la quincaillerie. Il s'en servait aussi pour acheter les outils de jardin, les plantes et les graines. Un petit pécule pour lui faciliter la vie pendant les vacances. Un compte domestique, pour le mois qu'il passait là-bas chaque année.

Il était un peu surpris que Rumplestiltskin ne se soit pas attaqué à ce compte. Il sentait qu'on le manipulait. Comme si l'homme ne lui avait laissé cet argent que pour le taquiner. Ricky se dit tout de même qu'il devait trouver un moyen d'en disposer, avant qu'il ne disparaisse à son tour dans on ne sait quelles limbes financières. Il appela le directeur de la First Cape Bank et l'informa qu'il allait devoir clôturer son compte et qu'il voulait toucher le solde en liquide.

Le directeur lui dit qu'il devrait se présenter à l'agence – ce qui, aux yeux de Ricky, était parfait. Il aurait aimé que les autres banques chargées de gérer ses intérêts aient observé les mêmes règles. Il expliqua au directeur qu'il avait eu des problèmes avec d'autres comptes et qu'il était vital que personne d'autre que lui n'ait accès à cet argent. Le directeur lui proposa de rédiger un chèque de caisse au montant total de son solde. Il le garderait personnellement jusqu'à son arrivée. C'était acceptable.

Le problème étant de savoir comment il irait chercher l'argent.

Il retrouva, oublié dans son bureau, un billet d'avion « open » La Guardia-Hyannis. Il se demanda s'il était toujours valable. Il ouvrit son portefeuille et compta près de trois cents dollars en liquide. Il gardait dans le tiroir de sa table de nuit mille cinq cents dollars en traveller's checks. C'était un anachronisme : à l'époque des retraits instantanés dans des distributeurs automatiques omniprésents, l'idée qu'on puisse garder des traveller's checks pour parer à une urgence était obsolète. Ce n'est pas sans un certain plaisir que Ricky songea que son côté vieux jeu finissait par lui être utile. L'espace d'un instant, il se dit qu'il ferait peut-être bien de généraliser cette idée.

Mais il n'avait pas le temps d'y penser pour le moment.

Il pouvait aller à Cape Cod. Et revenir. Ça lui demanderait au moins vingt-quatre heures. Mais il fut pris d'un soudaine léthargie, comme si ses muscles refusaient d'obéir, comme si les cellules nerveuses qui transmettaient ses ordres à son corps s'étaient brusquement mises en grève. Un engourdissement effrayant qui se moquait de son âge l'envahit. Il se sentait inutile, stupide et recru de fatigue.

Ricky se balança dans son fauteuil, la tête renversée en arrière, les yeux fixés au plafond. Il reconnaissait les signes avant-coureurs d'une dépression, aussi sûrement qu'une mère sait que le rhume n'est pas loin en entendant son enfant éternuer. Il tendit les mains devant lui. Il s'attendait à les voir trembler. Elles étaient encore fermes. Pour combien de temps ? se demanda-t-il.

11

Ricky eut la réponse à sa question dans le *Times* du lendemain matin, mais pas comme il s'y attendait. Son journal lui fut livré à la porte de son appartement comme tous les jours sauf le dimanche (ce jour-là, comme Rumplestiltskin l'avait si bien décrit dans sa lettre, il se rendait à pied dans une boutique du quartier et achetait la volumineuse édition dominicale qu'il emportait au coffee shop le plus proche). Ricky avait eu beaucoup de mal à dormir. Quand il entendit le bruit sourd du journal que le livreur venait de jeter sur son palier, il était déjà en état d'alerte. Quelques secondes plus tard, il l'avait ramassé. Il le déplia sur la table de la cuisine. Ses yeux se posèrent immédiatement sur les petites annonces au bas de la première page. Il ne vit que des vœux d'anniversaire, une accroche pour une agence de rencontres par Internet et un troisième petit encadré, sur une colonne, qui disait : « Occasions spéciales, voir page B-16. »

Ricky jeta le journal à travers la petite cuisine. Il heurta le sol avec le bruit d'un oiseau qui essaie de voler avec une aile brisée. Ricky était furieux, il était sur le point de s'étrangler, crachant presque dans une soudaine explosion de rage. Il s'attendait à trouver un poème, une réponse sibylline et ironique, au bas de la page une, là où il avait placé sa question. Pas de poème, pas de réponse, gronda-t-il en son for intérieur.

— Comment voulez-vous que je tienne votre foutu délai, si vous ne me répondez pas dans les temps ! fit-il quasiment en criant.

Il ne s'adressait à personne en particulier, mais sa voix remplissait tout de même un espace considérable.

En préparant le café, il vit que ses mains tremblaient légèrement. Le café ne fit rien pour le calmer. Il s'efforça de se détendre à l'aide de quelques exercices respiratoires, qui eurent pour effet de ralentir momentanément les battements de son cœur. Il sentait la colère l'envahir, comme si elle était capable d'atteindre chaque organe sous la surface de sa peau et de l'écraser. Son crâne battait déjà. Il avait l'impression d'être prisonnier de cet appartement où il s'était cru chez lui. La sueur lui inondait les aisselles, il avait le front brûlant, la gorge sèche et douloureuse.

Il dut rester des heures assis à sa table, immobile mais bouillonnant intérieurement, presque en transe, incapable de décider de son prochain mouvement. Il savait qu'il devait faire des plans, prendre des décisions, agir dans certaines directions, mais ne pas recevoir la réponse qu'il attendait l'avait paralysé. Il pouvait à peine bouger, comme si les articulations de ses bras et de ses jambes s'étaient brusquement bloquées et qu'elles refusaient d'obéir à ses ordres.

Ricky ignorait combien de temps il était resté ainsi avant de lever légèrement les yeux et de les poser sur le *Times*, qui gisait par terre dans le plus grand désordre, là où il l'avait jeté. Il ne savait pas non plus pendant combien de temps il avait contemplé l'amas de papier avant de remarquer le petit trait rouge vif qui avait l'air de dépasser, sous la pile. Et combien de temps il lui avait fallu, après avoir remarqué cette anomalie (ce n'était pas pour rien, après tout, qu'on avait surnommé le *Times* « la dame en gris »), pour faire le lien avec lui-même. Il fixa cette ligne et se rendit enfin compte qu'il n'y avait habituellement pas de rouge dans le *Times*. Essentiellement du noir et blanc contrasté, sur sept colonnes divisées en deux sections – mise en pages aussi régulière qu'une horloge. Même les photos en couleur du président ou des mannequins présentant la dernière mode parisienne avaient l'air de prendre automatiquement les nuances de gris ternes et tristes des journaux d'autrefois.

Ricky se leva, traversa la pièce et se pencha sur le journal en désordre. Il tendit la main vers la tache de couleur, qu'il tira vers lui.

C'était à la page B-16. La page des nécrologies.

En grands caractères fluorescents rouges, au travers des photos, des articles et autres notices nécrologiques, quelqu'un avait tracé ces mots :

Tu t'es plutôt bien débrouillé
Dans ton voyage vers le passé.
Vingt est une bonne option.
Et ma mère est bien la solution.
Mais son nom sera difficile à trouver,
Sauf si je me décide à t'aider.
Alors je te dis ceci :
Tu l'as connue dans sa jeunesse.
Et dans les jours qui ont suivi
Tu n'auras vu que sa détresse.
Tu as beaucoup promis mais rien donné.
Voilà pourquoi son fils veut la venger.
Le père est parti, la mère est morte.
Voilà pourquoi je veux ta tête.
Agite-toi si tu veux faire en sorte
de mener à son terme ton enquête.

Le poème était suivi d'un grand R rouge. En dessous, à l'encre noire, l'homme avait encadré une annonce nécrologique, avec une grande flèche indiquant le visage du disparu, et ces mots : « Vous serez parfaitement à votre place ici. »

Ricky contempla le poème et le message joint… Cela dura plusieurs minutes, bientôt une heure ou presque, un long moment pendant lequel il assimila chaque mot, tel un gourmet devant un excellent repas français – sauf que Ricky, lui, en trouvait le goût amer. Le matin était bien avancé – un autre jour barré d'un X – quand l'évidence lui sauta aux yeux : Rumplestiltskin avait eu accès à son journal entre son arrivée devant l'immeuble et la livraison sur son palier. Il attrapa le téléphone. Il ne lui fallut que quelques minutes pour trouver le numéro du service de livraison du journal. Au bout de deux sonneries, le système de sélection d'appels se déclencha :

« Nouveaux abonnés, appuyez sur 1. Pour une réclamation en cas de non-distribution de votre journal, appuyez sur 2. Pour la comptabilité, appuyez sur 3. »

Aucune de ces options ne lui semblait correspondre à ce qu'il cherchait, mais il se dit qu'aux réclamations il devait y avoir une réponse humaine. Il enfonça le 2. Il y eut une sonnerie, puis une voix se fit entendre :

— Quelle adresse, s'il vous plaît ? fit-elle d'entrée de jeu.

Ricky hésita, puis donna son adresse.

— Je vois que tous les journaux ont été distribués à cette adresse, dit la voix.

— Oui, dit Ricky, j'ai reçu mon journal. Mais je veux savoir qui me l'a apporté.

— Quelle est la nature du problème, monsieur ? Vous n'avez pas besoin d'une seconde distribution ?

— Non…

— Cette ligne est réservée aux abonnés qui n'ont pas reçu leur journal.

— Je comprends, dit-il, au bord de l'exaspération. Mais il y a eu un problème avec la livraison…

— Ils étaient en retard ?

— Non. Non, ils n'étaient pas en retard…

— Est-ce que notre livreur fait trop de bruit ?

— Non.

— Cette ligne est réservée aux personnes qui ont des plaintes à formuler sur la livraison des journaux.

— Oui. Vous me l'avez déjà dit. Ce n'est pas vraiment cela, en fait, et je comprends…

— Quel est votre problème, monsieur ?

Ricky attendit quelques secondes, cherchant les mots qui lui permettraient de s'expliquer.

— Mon journal était abîmé, dit-il brusquement.

— Vous voulez dire qu'il était déchiré, mouillé ou illisible ?

— Je veux dire que quelqu'un l'a délibérément souillé.

— Il arrive que des exemplaires sortent des presses mal assemblés ou qu'il y ait des problèmes au pliage. C'est ce genre de choses ?

— Non, fit Ricky, qui avait décidé de ne pas rester sur la défensive. Ce que je veux dire, c'est que quelqu'un a écrit des grossièretés dans mon journal.

La femme ne répondit pas tout de suite.

— Eh bien, ça, c'est nouveau, dit-elle lentement.

Au lieu d'une simple voix désincarnée, le ton de cette réponse en faisait presque un être humain.

— Je n'ai jamais entendu cela, reprit-elle. Quel genre de grossièretés ?

Ricky décida de répondre de manière détournée. Il répondit très vite, d'un ton très agressif :

— Est-ce que vous êtes juive, mademoiselle ? Qu'est-ce que vous diriez si quelqu'un dessinait une croix gammée sur votre journal ? Si vous étiez portoricaine, vous aimeriez qu'on écrive « Retourne à San Juan » ? Vous êtes afro-américaine ? Vous connaissez le mot que les Blacks détestent, n'est-ce pas ?

L'employée gardait le silence, comme si elle essayait de comprendre.

— Quelqu'un a dessiné une croix gammée sur votre journal ?

— Quelque chose comme ça, fit Ricky. C'est pour cela que je veux parler à la personne qui s'occupe de la livraison.

— Je crois que devriez vous adresser à mon superviseur…

— Bien sûr. Mais je veux d'abord que vous me donniez le nom et le numéro de téléphone de la personne qui est chargée des livraisons dans mon immeuble.

La femme hésita à nouveau. Ricky l'entendit remuer des papiers puis, à l'arrière-plan, il perçut le cliquetis d'un clavier. Quand elle reprit le téléphone, elle lui lut le nom d'un chef de tournée, d'un chauffeur, puis le numéro de téléphone où l'on pouvait les joindre.

— J'aimerais que vous parliez à mon superviseur, dit-elle après lui avoir transmis ces renseignements.

— Demandez-lui de m'appeler, répliqua Ricky, qui raccrocha.

Quelques secondes plus tard, il avait composé le numéro qu'elle lui avait donné. Une autre femme répondit :

— Service de livraison des journaux.

— M. Ortiz, s'il vous plaît, fit-il, très poliment.

— Ortiz est au dépôt, pour le chargement. C'est à quel sujet ?

— Un problème de livraison.

— Avez-vous appelé le dispatch…

— Oui. Ce sont eux qui m'ont donné ce numéro. Et son nom.

— Quel genre de problème ?

— Je préfère en discuter avec M. Ortiz.

La femme hésita :

— Il est peut-être rentré chez lui…

— Si vous vouliez bien vous en assurer, répondit-il froidement, nous pourrions peut-être nous éviter pas mal de désagréments inutiles.

— Quel genre de désagréments ? demanda la femme, toujours sur la défensive.

Ricky décida de bluffer.

— Je pourrais débarquer avec un ou deux flics, et peut-être un avocat, fit-il du ton que certains emploieraient pour dire « Je suis un homme blanc et riche, et le monde m'appartient ».

La femme réfléchit un instant, puis :

— Ne quittez pas. Je vais chercher Ortiz.

Quelques secondes plus tard, un homme prit le téléphone. Il parlait avec un fort accent hispanique.

— Ortiz. De quoi s'agit-il ?

Ricky n'hésita pas.

— A cinq heures trente environ, ce matin, vous avez déposé un exemplaire du *Times* devant ma porte, comme vous le faites six jours par semaine. La seule différence, c'est que, ce matin, quelqu'un a éprouvé le besoin de placer un message dans ce journal. Je vous appelle à ce sujet.

— Non, je ne suis pas au courant…

— Monsieur Ortiz, vous n'avez violé aucune loi et ce

n'est pas à vous que je m'intéresse. Mais si vous ne coopérez pas, je ferai un esclandre dont vous me direz des nouvelles. En d'autres termes, vous n'avez pas encore de problèmes, mais je vous promets que vous en aurez si vous ne me donnez pas les réponses que j'attends.

Le livreur attendit un instant, le temps d'assimiler la menace de Ricky.

— Je ne savais pas qu'il y avait un problème… Le mec m'avait promis qu'il n'y en aurait pas.

— Je crois qu'il mentait, dit Ricky d'une voix calme. Racontez-moi.

— Je remonte la rue… Nous distribuons les journaux dans six immeubles du bloc, moi et mon neveu Carlos, c'est notre itinéraire. Il y a une grosse vieille limousine noire garée là, au milieu de la rue, moteur qui tourne, comme si elle nous attendait. Un type en descend dès qu'il voit notre camionnette et il demande qui va dans votre immeuble. « Pourquoi ? », je lui dis, et il me répond que ça ne me regarde pas. Puis il me fait un petit sourire et m'explique que c'est très simple : il veut faire une petite surprise à un vieil ami dont c'est l'anniversaire. Il veut lui écrire quelque chose dans son journal.

— Continuez.

— Il me dit de quel appartement il s'agit. Quelle porte. Puis il prend le journal et un stylo, et il écrit directement sur la page. Le journal est posé à plat sur le capot de la limousine, mais je ne vois pas ce qu'il écrit…

— Est-ce qu'il y avait quelqu'un d'autre ?

Ortiz réfléchit avant de répondre.

— Eh bien… il devait y avoir un chauffeur au volant. Ouais, c'est sûr. Les vitres de la limousine étaient toutes opaques… Il y avait peut-être quelqu'un d'autre, je ne sais pas. L'homme a regardé derrière lui, dans la voiture, comme s'il vérifiait qu'il faisait bien, puis il a terminé. Il m'a rendu le journal. Il m'a donné un billet de vingt...

— Combien ?

— C'était peut-être un billet de cent... fit Ortiz d'un ton hésitant.

— Et puis ?

— J'ai fait ce que l'homme m'avait ordonné. J'ai déposé ce journal juste devant la porte qu'il m'avait indiquée.

— Est-ce qu'il a attendu que vous ayez fini ?

— Non. Le mec, la limousine, ils étaient tous partis.

— Vous pouvez le décrire ?

— Un homme blanc, costume sombre. Bleu, peut-être. Cravate. Fringues de luxe, bourré de fric. Il a sorti le billet de cent d'un rouleau, comme ça, comme si c'était un *quarter* pour jeter dans la gamelle d'un clochard.

— A quoi ressemblait-il ?

— Il avait des lunettes teintées. Pas très grand. Des cheveux assez marrants, comme s'ils étaient plantés sur sa tête dans tous les sens...

— Comme une perruque ?

— Ouais. Ouais, c'est ça. Ça pourrait bien être une perruque. Une petite barbe. Mais elle aurait pu être fausse, aussi. Pas très grand, le type. Mais il est clair qu'il mange un peu trop riche. Trente ans, peut-être...

Ortiz hésita.

— Quoi ?

— Je me rappelle, j'ai remarqué que la lumière des lampadaires se reflétait dans ses chaussures. Elles étaient super cirées. Très chères. Ce genre de mocassins avec de petits glands... Comment appelle-t-on cela ?

— Je ne sais pas. Vous pensez que vous pourriez le reconnaître ?

— Sais pas. Peut-être. Sans doute pas. Faisait vraiment sombre dans la rue. Le reflet des lumières, rien d'autre. Peut-être aussi que je m'intéressais moins à lui qu'à son billet de cent.

Ricky trouvait cela logique. Il essaya une autre approche :

— Vous n'avez pas relevé le numéro de la limousine, par hasard ?

— Non, je n'y ai pas pensé, fit le chauffeur après un bref silence. Merde. Ça aurait été futé, hein ?

— Ouais, fit Ricky.

Mais il savait que ce n'était pas nécessaire, parce qu'il connaissait déjà l'homme qui, ce matin-là, attendait dans la rue le camion de livraison pour répondre à l'annonce de Ricky. Il était persuadé qu'il s'agissait de l'avocat qui se faisait appeler Merlin.

Au milieu de la matinée, il reçut un coup de fil du vice-président de la First Cape Bank – celui-là même qui avait préparé un chèque de caisse avec le solde de son compte. Le banquier semblait nerveux, contrarié. En l'écoutant parler, Ricky essaya de lui donner un visage. En pure perte, bien qu'il fût persuadé de l'avoir déjà rencontré.

— Docteur Starks ? Michael Thompson, à la banque. Nous nous sommes parlé, l'autre jour.

— Oui, répondit Ricky. Vous avez des fonds pour moi…

— En effet. Ils sont à l'abri dans un tiroir de mon bureau. Mais ce n'est pas l'objet de mon appel. Nous avons eu des mouvements un peu inhabituels sur votre compte. C'est un événement, si j'ose dire.

— Quel genre de mouvements inhabituels ?

L'homme sembla s'agiter mentalement pendant une ou deux secondes, avant de répondre :

— Eh bien, je n'aime pas spéculer dans le vide, mais il semble que quelqu'un soit parvenu à accéder à votre compte sans autorisation.

— Comment cela, « sans autorisation » ?

De nouveau l'homme hésita.

— Eh bien… Comme vous le savez, depuis quelques années, nous nous sommes mis à la banque électronique, comme tout le monde. Mais nous sommes un établissement modeste, d'intérêt local, et nous aimons l'idée d'être une banque un peu… désuète, à maints égards.

Ricky reconnut le thème des campagnes de publicité de la banque. Il savait aussi que ses administrateurs accepteraient avec empressement d'être absorbés par un conglomérat bancaire, à condition qu'on leur fasse une offre assez intéressante.

— Oui, en effet. Cela a toujours été un de vos plus grands atouts…

— Je vous remercie. Nous aimons penser que nous fournissons un service personnalisé…

— Mais cet accès non autorisé… ?

— Peu après que nous avons clôturé votre compte selon vos instructions, quelqu'un a voulu s'en servir en passant par notre service de banque électronique. Nous avons eu connaissance de ces tentatives, parce que quelqu'un a téléphoné après s'en être fait refuser l'accès.

— Ils ont appelé ?

— Quelqu'un qui s'est fait passer pour vous.

— Que vous ont-ils dit ?

— Ils feignaient de déposer une réclamation. Mais dès qu'ils ont appris que le compte était clôturé, ils ont raccroché. Tout cela était très mystérieux, et un peu embarrassant, car nos archives informatiques montrent qu'ils connaissaient votre mot de passe. Est-ce que vous avez donné votre code à quelqu'un ?

— Non, dit Ricky.

Mais il se sentit tout à coup ridicule. Son mot de passe était 37383, c'est-à-dire la traduction chiffrée de FREUD. C'était si évident qu'il faillit rougir. C'était presque aussi idiot que d'utiliser les chiffres de sa date d'anniversaire.

— En tout cas, je pense que vous avez eu raison de clôturer votre compte.

Ricky réfléchit un instant.

— Est-ce que vos services de sécurité sont capables de remonter soit au numéro de téléphone, soit à l'ordinateur dont on s'est servi pour essayer d'accéder à l'argent ?

Le vice-président de la banque se ménagea un instant de silence, puis :

— Oui, c'est possible. Mais la plupart des escrocs informatiques sont capables de garder une longueur d'avance sur nos enquêteurs. Ils utilisent des ordinateurs volés et des codes téléphoniques piratés afin de dissimuler leur identité. Le FBI remporte parfois quelques succès, mais il dispose du meilleur système de sécurité informatique au monde. Les nôtres sont moins sophistiqués, par conséquent moins efficaces. Et il n'y a pas eu vol, ce qui limite les possibilités de poursuites judiciaires. Légalement, nous sommes tenus de signaler cet incident aux autorités bancaires, mais je crains que ce ne soit qu'un détail supplémentaire dans un dossier qui ne cesse de s'épaissir. Cela dit, je peux demander à notre informaticien de lancer ce programme pour vous. Mais je pense que ça ne nous mènera nulle part. Ces escrocs informatiques sont très malins. En général, les recherches aboutissent à une impasse.

— Voulez-vous essayer, je vous prie, et me rappeler ? Dès que possible. Je suis un peu pressé par le temps.

— Nous allons faire ce que nous pouvons et vous rappeler immédiatement, répondit le banquier avant de raccrocher.

Ricky se carra dans son siège. Un instant, il s'offrit le luxe de croire que la banque allait lui donner un nom et un numéro de téléphone qui lui permettraient de trouver l'identité de son persécuteur. Puis il secoua la tête, doutant que Rumplestiltskin, jusqu'alors si prudent, si attentif, puisse commettre une erreur aussi élémentaire. Il était beaucoup plus probable que sa tentative d'accéder au compte bancaire et le coup de fil révélateur qui avait suivi n'étaient que des indices pour fournir une piste à Ricky, que cette pensée perturbait profondément.

Ricky réalisa pourtant, dans le courant de la journée, qu'il en savait beaucoup plus sur l'homme qui le traquait. Rumplestiltskin avait été étonnamment généreux en laissant son indice dans le poème. Sachant surtout qu'il exigeait que les questions soient conçues pour qu'on y réponde par oui ou par non. Sa réponse avait rétréci la distance qui séparait encore Ricky du moment où il trouverait son nom. Vingt ans, plus ou moins deux ou trois ans, cela lui laissait la période 1978-1983. Et le patient qu'il cherchait était une femme seule, ce qui éliminait un nombre considérable de candidats. Il disposait maintenant d'un cadre dans lequel il pouvait travailler.

Ce qu'il faut faire, se dit-il, c'est reconstituer ces cinq

années de thérapies. Examiner le cas de toutes les patientes de la période considérée. Quelque part dans ce fourre-tout se trouvait une femme dotée de la bonne combinaison de troubles et de névroses, qu'elle aurait transmise ensuite à l'enfant. Trouve la psychose en gestation, se dit Ricky.

Conformément à ses habitudes et à sa formation, Ricky s'assit dans son bureau et s'efforça de se concentrer, éliminant les bruits extérieurs, stimulant sa propre mémoire. Qui étais-je, il y a vingt ans ? se demanda-t-il. Qui avais-je en thérapie ? Il y a un principe, en psychanalyse, qui est un fondement de la thérapie : tout le monde se souvient de tout. On peut ne pas se souvenir du moindre détail avec une précision journalistique ou religieuse, car les perceptions et les réactions peuvent être occultées ou déformées par toutes sortes d'émotions, et des événements qu'on se rappelle clairement peuvent être troubles en réalité, mais quand on est parvenu à faire le tri, tout le monde se souvient de tout. Les blessures et les peurs peuvent se dissimuler profondément sous de multiples couches de stress, mais elles sont présentes et on peut les trouver, quelle que soit la force psychologique de la dénégation. Dans le cadre de son travail, Ricky était un adepte de cette technique qui consiste à peler, à écorcher les souvenirs jusqu'à l'os, à parvenir à la desquamation, jusqu'à atteindre la couche la plus dure, tout au fond.

C'est ainsi qu'il entreprit, dans la solitude de son cabinet, de sonder sa propre mémoire. De temps en temps, il consultait les fragments de notes et les photos légendées qui constituaient ses archives, furieux contre lui-même de n'avoir pas été plus méticuleux. Confronté à un problème remontant à quelques années, n'importe quel médecin se serait contenté d'épousseter un vieux classeur à dossiers et d'en sortir le nom et le diagnostic qu'il cherchait. Sa tâche était considérablement plus difficile, parce que tous ses classeurs étaient enfouis dans sa mémoire. Ricky sentait pourtant qu'il pouvait y arriver. Il fit de son mieux pour se concentrer, un bloc de papier quadrillé sur les genoux, et reconstruire son passé.

Une après l'autre, les images des gens prenaient forme. C'était un peu comme s'il essayait de s'entretenir avec des spectres.

Il écarta les hommes, même s'ils s'imposaient à sa mémoire, pour ne garder que les femmes. Les noms venaient lentement. Assez bizarrement, il était presque plus facile de se souvenir des doléances des patients. Il nota sur son bloc la moindre image qui lui revenait, le moindre détail d'un traitement. C'était encore décousu et incohérent, inefficace et aléatoire, mais c'était au moins un progrès.

Quand il leva les yeux, il vit que la pièce était dans la pénombre. Durant sa rêverie, le jour s'était lentement effacé. Sur les feuilles de papier jaunies étalées devant lui, il avait rassemblé douze souvenirs différents de l'époque en question. Dix-huit femmes au moins avaient été en thérapie avec lui. Le nombre n'était pas excessif, mais il était perturbé à l'idée qu'il y en avait peut-être d'autres, qu'il était incapable de se rappeler. Du groupe de femmes dont il se souvenait, il n'avait retrouvé le nom que de la moitié. Et il y avait les patientes à long terme. Il avait le sentiment angoissant que la mère de Rumplestiltskin était peut-être quelqu'un qu'il n'avait vu que pendant une période très courte.

La mémoire, la chasse aux souvenirs étaient ses maîtresses. Et maintenant, elles semblaient fuyantes et volages…

Il se leva, les genoux et les épaules endoloris, le corps ankylosé pour être resté trop longtemps dans la même position. Il s'étira lentement, se baissa et frotta un genou récalcitrant, comme s'il pouvait le réchauffer et lui redonner quelque vigueur. Il s'aperçut qu'il n'avait pas mangé de la journée, pas une bouchée. Il était affamé, et il savait qu'il n'y avait pas grand-chose dans sa cuisine. Il regarda par la fenêtre la nuit qui s'étendait rapidement sur la ville, songeant qu'il allait devoir sortir acheter à manger. La pensée de quitter son appartement lui fit presque oublier sa faim. Il sentit qu'il avait la gorge sèche.

C'était une réaction bizarre. Il avait rarement eu peur dans sa vie, et rarement connu le doute. Maintenant, le simple fait de sortir de chez lui le faisait hésiter. Mais il s'arma de courage contre les pensées qui pouvaient encore venir et décida d'aller à deux rues de chez lui. Il y avait là un petit bar où il pourrait acheter un sandwich. Il ne savait pas si quelqu'un allait le suivre – il se posait la question en permanence, désormais –, mais il décida de ne pas s'en préoccuper et d'agir. Par ailleurs, se dit-il, il avait fait des progrès.

Il eut l'impression que la chaleur du trottoir lui sautait au visage, comme la flamme d'un réchaud à gaz qu'on vient d'allumer. Il descendit les deux blocs comme un soldat, le regard fixé droit devant lui. L'endroit qu'il cherchait se trouvait au milieu d'un bloc : une demi-douzaine de petites tables en terrasse pour l'été et un intérieur sombre et étroit avec un bar le long d'un mur et dix tables serrées les unes contre les autres. La décoration était constituée d'un mélange bizarre : souvenirs sportifs, affiches de Broadway, photos d'acteurs et d'actrices et même, çà et là, le portrait d'un homme politique. On avait l'impression que l'établissement n'était pas parvenu à se forger une identité pour une clientèle déterminée et qu'il essayait de satisfaire des gens différents en créant une sorte de fatras. Mais sa petite cuisine, comme dans tant d'endroits semblables à Manhattan, préparait des hamburgers et des Reuben sandwichs très acceptables, et proposait même des pâtes de temps en temps. Tout cela à des prix très abordables – argument qui frappa Ricky au moment où il entrait. Il n'avait plus de cartes de crédit et peu de réserves de liquide. Il se promit mentalement de penser à se munir, à l'avenir, de traveller's checks.

L'intérieur baignait dans la pénombre et il dut cligner des yeux pour s'y habituer. Plusieurs personnes se trouvaient au bar, et il y avait quelques tables libres. Alors qu'il hésitait encore, une serveuse entre deux âges remarqua sa présence.

— Vous voulez dîner, mon chou ? fit-elle avec une familiarité déplacée dans un bar qui semblait encourager l'anonymat.

— Oui, en effet, dit-il.

— Seul ?

Le ton de sa voix montrait qu'elle savait qu'il était seul, qu'elle savait aussi qu'il dînait seul tous les soirs, mais qu'une courtoisie provinciale un peu désuète (et déplacée, à New York) exigeait qu'elle lui pose la question.

— Oui, répéta-t-il.

— Vous voulez dîner au bar ou prendre une table ?

— Une table, si c'est possible. Au fond, de préférence.

La serveuse se retourna, repéra une table inoccupée au fond de la salle et hocha la tête.

— Suivez-moi, dit-elle.

Elle lui désigna une chaise et ouvrit un menu qu'elle posa devant lui.

— Je vous sers quelque chose à boire ?

— Un verre de vin. Rouge, s'il vous plaît.

— Tout de suite. Le plat du jour, c'est des *linguine* au saumon. Pas mauvais…

Elle se dirigea vers le bar. Ricky la suivit des yeux. Le menu était énorme, plastifié pour le protéger des taches, beaucoup trop grand au regard de la modestie de son contenu. Il le déplia et le posa verticalement devant lui, puis examina la liste des hamburgers et des entrées, décrits dans un style fleuri censé compenser leur banalité. Au bout d'un moment, il reposa la carte sur la table, s'attendant à voir revenir la serveuse avec son vin. Elle avait disparu, sans doute dans la cuisine.

A sa place, Virgil se dressait devant lui.

Elle avait deux verres de vin rouge à la main. Elle portait un jean décoloré et une chemise de sport violette, et tenait sous son bras un luxueux portfolio de cuir acajou. Elle posa les verres sur la table, prit une chaise et se laissa tomber dessus, juste en face de Ricky. Elle lui prit le menu des mains.

— J'ai déjà commandé un plat du jour pour tous les deux, dit-elle avec un petit sourire engageant. La serveuse a absolument raison : il n'est pas mauvais du tout.

12

La surprise le cloua sur place, mais Ricky n'en laissa rien voir. Il regarda fixement la fille qui se tenait de l'autre côté de la table, avec cet air impassible de joueur de poker que ses patients connaissaient si bien.

— Tout ce que vous avez à dire, c'est que le saumon est frais ?

— Il s'agite faiblement en cherchant son souffle, répondit-elle d'un ton jovial.

— C'est sans doute normal, fit-il d'une voix douce.

La fille but une petite gorgée de vin. Juste de quoi s'humecter les lèvres. Ricky repoussa son verre de côté et essaya d'avaler un peu d'eau.

— On devrait vraiment boire du vin blanc avec les pâtes et le poisson, dit Virgil. Mais encore une fois, nous ne sommes pas dans le genre d'endroit qui se préoccupe des règles, n'est-ce pas ? J'imagine assez mal un sommelier débarquant tout à coup en fronçant les sourcils pour nous reprocher de boire du rouge.

— En effet, j'en doute, répondit Ricky.

Virgil parlait très vite, mais sans la nervosité qui accompagne parfois ce genre d'attitude. Plutôt comme une petite fille excitée parce que c'est le jour de son anniversaire.

— D'un autre côté, boire du vin rouge révèle une sorte de je-m'en-foutisme, vous ne croyez pas, Ricky ? Une sorte de suffisance qui suggère qu'on se fiche des conventions, que nous ferons ce qui nous chante. Vous n'avez pas cette sensation, docteur Starks ? Un peu d'aventure et d'illégalité. Jouer hors des règles. Qu'en pensez-vous ?

— Je pense que les règles changent constamment.

— Les règles de l'étiquette ?

— Est-ce de cela que nous parlons ?

Virgil secoua la tête, et ses cheveux blonds s'agitèrent très joliment. Elle rejeta la tête en arrière et se mit à rire, révélant une gorge profonde et séduisante.

— Non, Ricky, bien sûr que non. Sur ce point, vous avez raison.

L'arrivée de la serveuse avec un panier plein de petits pains et de beurre leur imposa un instant de silence. Pendant cet instant-là, ils eurent l'impression de partager un secret. Dès qu'elle s'en alla, Virgil prit un morceau de pain.

— Je suis affamée !

— C'est de ruiner mon existence qui vous donne de l'appétit ?

Une fois de plus, Virgil se mit à rire.

— On dirait, fit-elle. J'adore ça, vraiment. Comment pourrions-nous appeler ça, doc ? Pourquoi pas le « régime harcèlement »... ça vous plaît ? Nous pourrions gagner une fortune, tous les deux, et nous retirer dans le paradis d'une île exotique.

— J'ai du mal à l'imaginer, dit Ricky d'un ton brusque.

— Vous m'étonnez, répliqua Virgil en beurrant généreusement son petit pain, dans lequel elle mordit en faisant craquer la croûte.

— Que faites-vous ici ? demanda Ricky d'une voix calme, basse, mais qui exprimait toute sa tension. Vous et celui qui vous emploie, vous semblez avoir déjà tout prévu pour me détruire. Pas à pas. Vous êtes venue pour me narguer ? Pour ajouter encore un peu de tourment à son jeu, peut-être ?

— Personne n'a jamais décrit ma compagnie comme un tourment, dit Virgil, feignant la surprise. Je pensais que vous la trouviez… eh bien, sinon agréable, du moins intrigante. Et puis, réfléchissez à votre propre situation, Ricky. Vous entrez ici tout seul, vieux, nerveux, bourré de doutes et d'angoisses. Les rares personnes qui lèvent les yeux vers vous ressentent un bref accès de pitié et replongent vers leur repas, sans prêter la moindre attention au vieil homme que vous êtes devenu. Mais tout change dès que je viens m'asseoir en face de vous. Tout à coup, vous n'êtes plus aussi prévisible, n'est-ce pas ?

Virgil lui fit un grand sourire.

— Ce n'est certainement pas aussi grave, hein ?

Ricky secoua la tête. Il avait l'estomac serré et un goût amer dans la bouche.

— Ma vie… commença-t-il.

— Votre vie a changé. Et cela va continuer. Pendant quelques jours, en tout cas. Et alors… eh bien, voilà le hic, hein ?

— Vous aimez cela, n'est-ce pas ? fit brusquement Ricky. Me voir souffrir. C'est bizarre, parce que je n'aurais pas cru, au premier abord, que vous étiez aussi sadique, et aussi dévouée. Votre Monsieur R., peut-être, mais je ne peux en être sûr, car il reste encore à distance. Qu'il s'approche, et je pourrai deviner. Mais vous, mademoiselle Virgil, je ne pensais pas que vous pourriez être malade à ce point. Je peux me tromper, bien entendu. Et c'est bien de cela qu'il s'agit, non ? Je me trompe quelque part ? Correct ?

Il but une gorgée d'eau. Il espérait qu'elle mordrait à l'hameçon et qu'elle lâcherait une information. Pendant une fraction de seconde, les yeux de Virgil se plissèrent sous l'effet de la colère et il vit ses lèvres se durcir.

Mais elle se ressaisit et agita ce qui restait de son morceau de pain, comme pour repousser ses propos.

— Vous n'avez pas compris quel était mon rôle, Ricky.

— Alors expliquez-moi encore.

— Tout le monde a besoin d'un guide pour le conduire en enfer. Je vous l'ai déjà dit.

Il hocha la tête.

— Oui, je me souviens.

— Quelqu'un qui vous conduise le long des rivages de l'enfer, hérissés de récifs et de hauts-fonds.

— Et vous êtes ce quelqu'un, je sais. Vous me l'avez dit.

— Eh bien, êtes-vous déjà en enfer, Ricky ?

Il haussa les épaules, afin de l'énerver. Sans succès.

Elle sourit.

— Peut-être en train de frapper à la porte de l'enfer, alors ?

Il secoua la tête, mais elle feignit de n'avoir rien vu.

— Vous êtes orgueilleux, docteur Ricky. Ça vous fait mal de perdre le contrôle de votre vie, hein ? Beaucoup trop orgueilleux. Et nous savons tous ce qui vient juste après l'orgueil. Ce vin n'est pas mauvais du tout, vous savez. Vous devriez y goûter.

Il lui prit le verre de la main, le porta à ses lèvres, mais au lieu de boire il reprit :

— Etes-vous heureuse, Virgil ? Est-ce que vos activités criminelles vous procurent du bonheur ?

— Qu'est-ce qui vous fait croire que j'ai commis un crime, docteur ?

— Tout ce que vous avez fait, vous et votre employeur, est criminel. Tout ce que vous avez planifié est criminel.

— Vraiment ? Je croyais que votre spécialité, c'était la névrose dans les classes supérieures et l'angoisse chez les petits-bourgeois. Mais peut-être êtes-vous devenu un expert en matière criminelle, depuis quelques jours…

Ricky marqua un temps d'arrêt. Ce n'était pas sa façon habituelle de jouer au poker. L'analyste distribue les cartes lentement, guette les réactions, essaie de susciter des plongées dans les profondeurs de la mémoire. Mais il avait trop peu de temps. En observant la fille, devant lui, en train de se tortiller sur son siège, il n'était pas certain, pourtant, que cette rencontre se passait exactement comme l'avait imaginé l'insaisissable Monsieur R. Il ressentait une légère satisfaction en se disant qu'il perturbait, même de manière insignifiante, l'ordonnancement des événements.

— Bien sûr, dit-il en pesant ses mots. Vous avez déjà commis un certain nombre de crimes. Y compris, peut-être, le meurtre de Roger Zimmerman…

— La police a déjà conclu au suicide.

— Vous êtes parvenus à maquiller un meurtre en suicide. J'en suis convaincu.

— Ecoutez, si vous avez l'intention d'être aussi obstiné, je n'essaierai pas de vous faire changer d'avis. Mais je pensais que l'ouverture d'esprit était la marque de votre profession.

Ricky ignora ce coup de griffe et poursuivit :

— Vous pratiquez aussi le vol et l'escroquerie…

— Oh, je doute qu'on puisse prouver quoi que ce soit. C'est un peu comme le dicton sur l'arbre qui tombe au milieu de la forêt : s'il n'y a personne pour le voir, est-ce que ça fait du bruit ? Comment peut-on dire, en l'absence de preuves, qu'un crime a eu lieu ? Et si la preuve existe, elle se trouve là-haut, dans le cyberespace, en compagnie de votre argent…

— Sans parler de votre petite diffamation, avec ces lettres bidon à la Société psychanalytique. C'était vous, n'est-ce pas ? Et vous avez eu autant de mal pour faire marcher ce pauvre idiot, à Boston… Est-ce que vous vous êtes déshabillée, aussi, devant lui ?

Virgil balaya de nouveau ses cheveux de son visage et se laissa aller en arrière sur sa chaise.

— Je n'en ai pas eu besoin. C'est un de ces hommes qui se conduisent comme des petits chiens dès que vous leur faites les gros yeux. Ils se couchent sur le dos et exhibent leurs parties en poussant de petits cris pathétiques. N'est-il pas remarquable de voir à quel point un individu peut croire ce qu'il a envie de croire…

— Je dois sauver ma réputation, dit Ricky avec force.

Virgil lui fit un grand sourire.

— Il faut être vivant pour cela, et en ce moment précis, j'ai des doutes.

Ricky ne répondit pas, parce que lui aussi avait des doutes. Il leva les yeux : la serveuse leur apportait leur commande. Elle la posa sur la table et leur demanda s'ils désiraient autre chose. Virgil commanda un second verre de vin, mais Ricky refusa.

— C'est bien, dit Virgil après le départ de la serveuse. Il faut garder l'esprit clair.

Ricky fourragea un peu dans l'assiette qui fumait devant lui.

— Pourquoi aidez-vous cet homme ? fit-il brusquement. Qu'est-il pour vous ? Pourquoi ne renoncez-vous pas à toute cette comédie ? Cessez de jouer comme une idiote et accompagnez-moi à la police. Nous pourrions mettre fin à ce jeu sur-le-champ et je veillerais à ce que vous retrouviez un semblant de vie normale. Pas de poursuites. Je crois que je pourrais y arriver.

Virgil fixait son assiette, jouant du bout de sa fourchette avec le monticule de pâtes et la darne de saumon. Quand elle leva les yeux et croisa son regard, elle avait du mal à dissimuler sa colère.

— Vous veillerez à ce que je retrouve une vie normale ? Vous êtes sorcier ? Et qu'est-ce qui vous fait croire qu'une vie normale, c'est si formidable ?

Ignorant sa question, il insista :

— Si vous n'êtes pas une criminelle, pourquoi aider un criminel ? Si vous n'êtes pas sadique, pourquoi travailler pour un sadique ? Si vous n'êtes pas une psychopathe, pourquoi vous joindre à un psychopathe ? Et si vous n'êtes pas une meurtrière, pourquoi aider quelqu'un à commettre un meurtre ?

Virgil continuait de le fixer. Son extravagance et sa vivacité avaient disparu, pour laisser la place à une dureté soudaine qui fit passer un vent froid au-dessus de leur table.

— Peut-être parce que je suis bien payée, dit-elle lentement. Beaucoup de gens, de nos jours, sont prêts à faire n'importe quoi pour de l'argent. Vous pensez que je suis comme ça ?

— J'ai du mal à le croire, répondit Ricky prudemment, alors qu'il pensait exactement le contraire.

Virgil secoua la tête.

— Alors vous aimeriez écarter l'hypothèse que je suis motivée par l'argent, bien que je ne sois pas sûre que vous en ayez envie. Un autre motif, peut-être ? Quels autres motifs pourrais-je avoir ? Vous devriez être un expert en la matière. Est-ce que le concept

« recherche des motifs » ne définit pas assez bien ce que vous faites ? Est-ce que ça ne fait pas partie de ce petit exercice auquel nous jouons tous ? Allons, Ricky, nous avons eu deux séances tous les deux. Si ce n'est pas l'argent, qu'est-ce qui peut bien me motiver ?

Ricky la regardait sans ciller.

— Je n'en sais pas assez à votre sujet... commença-t-il.

Elle posa ses couverts d'un geste raide, décidé, pour montrer sa désapprobation.

— Vous pouvez faire mieux que ça, Ricky. Pour me faire plaisir. Après tout, je suis ici pour vous guider, à ma façon. Le problème, Ricky, c'est que le mot « guider » a des connotations positives qui sont peut-être déplacées ici. Il se peut que je doive vous guider dans des directions où vous n'avez pas envie d'aller. Mais une chose est sûre : sans moi, vous seriez incapable d'approcher d'une réponse, ce qui vous tuerait, vous ou un de vos proches qui se trouve dans l'ignorance totale de ce qui se passe. Et il est stupide de mourir en aveugle, Ricky. D'une certaine façon, c'est un crime encore pire. Alors, répondez à ma question : quel autre motif puis-je avoir ?

— Vous me haïssez. Vous me haïssez, exactement comme ce type, R. Sauf que je ne sais pas pourquoi.

— La haine est une émotion mal définie, Ricky. Vous croyez que vous la comprenez ?

— J'en entends parler tous les jours, dans mon métier...

Elle secoua la tête.

— Non, non, non. Ce n'est pas vrai. On vous parle de la colère et de la frustration, qui sont des éléments mineurs de la haine. On vous parle des mauvais traitements et de la cruauté, qui jouent un rôle plus important dans la pièce mais qui ne sont tout de même que des acolytes. Mais ce que les gens vous racontent surtout, ce sont leurs doléances. Les doléances ennuyeuses, assommantes, insignifiantes. Ce qui a aussi peu de rapport avec la véritable haine qu'un petit nuage noir avec une tempête. Le petit nuage doit s'unir à beaucoup d'autres et grossir brusquement avant de se décharger.

— Mais vous…

— Je ne vous hais pas, Ricky. Encore que… je pourrais apprendre. Non, essayez autre chose.

Il n'y croyait pas une seconde, mais il eut l'impression de tournoyer en cherchant la réponse. Il inspira à fond.

— L'amour, alors, dit-il brusquement.

— L'amour ? fit Virgil en souriant de nouveau.

— Vous jouez ce rôle parce que vous êtes amoureuse de cet homme, Rumplestiltskin.

— Drôle d'idée. D'autant que je ne le connais pas, je vous l'ai dit. Je ne l'ai jamais vu.

— Oui, je me rappelle que vous m'avez dit ça. Mais je ne vous crois pas.

— L'amour. La haine. L'argent. Ce sont les seuls motifs qui vous viennent à l'esprit ?

— Peut-être la peur aussi, fit Ricky après quelques instants.

Virgil hocha la tête.

— La peur, c'est bon, Ricky. Elle peut entraîner toutes sortes de comportements inhabituels, n'est-ce pas ?

— Oui.

— Ainsi, votre analyse de nos relations suggère que Monsieur R. exerce sur moi une sorte d'ascendant, qu'il me « tient » ? Comme le kidnappeur qui force ses victimes à allonger la monnaie parce qu'ils gardent l'espoir pathétique qu'il leur rendra leur chien, leur enfant, l'otage quel qu'il soit… Est-ce que j'ai l'air de quelqu'un qui agit contre sa volonté ?

— Non, répondit Ricky.

— D'accord. Vous savez, Ricky, je pense que vous n'êtes pas capable de saisir les occasions quand elles se présentent. C'est la deuxième fois que je m'assieds en face de vous et, au lieu d'essayer de vous aider vous-même, vous me suppliez de vous secourir alors que vous n'avez rien fait pour mériter mon aide. J'aurais dû le prévoir. Mais je croyais en vous. Vraiment, je vous assure. Beaucoup moins, maintenant, je dois dire...

Elle agita la main au-dessus de la table, rejetant sa réponse sans lui laisser le temps de la formuler.

— Revenons à nos moutons... Vous avez reçu la réponse à vos questions, dans le journal, ce matin ?

— Oui, fit Ricky après un instant de silence.

— Bien. C'est pour ça qu'il m'a envoyée ici, ce soir. Pour m'en assurer. Il s'est dit qu'il ne serait pas juste que vous ne receviez pas les réponses que vous attendez. Cela m'a surprise, bien sûr. Monsieur R. a décidé de vous aider à vous approcher de lui. Plus près que ne le recommande la prudence, à mon avis. Choisissez vos prochaines questions très soigneusement, Ricky, si vous voulez gagner. Il me semble qu'il vous a donné une belle occasion. Mais le temps passe.

— Je sais.

— Ah bon ? Je crois que vous ne saisissez pas. Pas encore. Mais puisque nous parlions de motivations... Monsieur R. vous envoie quelque chose qui vous aidera à prendre le rythme de vos recherches.

Virgil se pencha pour prendre le petit portfolio de cuir qu'elle avait posé par terre. Elle l'ouvrit lentement et en sortit une enveloppe kraft semblable à celles que Ricky avait déjà vues. Elle la lui tendit, par-dessus la table.

— Ouvrez-la. Il n'y a rien d'autre là-dedans que des motivations.

Il détacha le rabat et ouvrit l'enveloppe. Elle contenait une demi-douzaine de photos noir et blanc de vingt centimètres sur vingt-cinq. Il les sortit pour les examiner. Il y avait trois sujets différents, chacun figurant sur deux photos. Les deux premières montraient une jeune fille de seize ou dix-sept ans, vêtue d'un blue-jean et d'un tee-shirt taché de sueur. Elle portait une ceinture de cuir de charpentier et maniait un gros marteau. Sans doute travaillait-elle sur un chantier de construction. Sur les deux photos suivantes, il vit une autre adolescente, un peu plus jeune que la première : une fillette d'une douzaine d'années qui pagayait au milieu d'un lac, assise à la proue d'un canoë, dans un paysage forestier. Le premier instantané avait un peu de grain ; le second, apparemment pris de très loin au téléobjectif, était un gros plan, assez rapproché pour que l'on discerne l'appareil dentaire de la fillette, qui souriait, toute à son effort. Les deux dernières photos représentaient un garçon aux cheveux assez longs et au sourire insouciant. Il semblait héler un marchand ambulant, apparemment dans une rue de Paris.

Chacune de ces six photos semblait avoir été prise à l'insu de son sujet : le photographe les avait faites sans se faire repérer.

Ricky les examina attentivement, puis leva les yeux vers Virgil. Elle ne souriait plus.

— Vous reconnaissez quelqu'un ? demanda-t-elle froidement.

Il secoua la tête.

— Vous vivez dans une tour d'ivoire, Ricky. Ça rend les choses tellement plus simples. Regardez mieux. Vous savez qui sont ces jeunes gens ?

— Non. Pas du tout.

— Ce sont des membres de votre famille. Ces

enfants se trouvent sur la liste que Monsieur R. vous a envoyée au début du jeu.

Ricky regarda à nouveau les photos.

— Paris, en France. Un chantier de Habitat for Humanity, au Honduras. Le lac Winnipesaukee, dans le New Hampshire. Ces gosses sont en vacances d'été. Comme vous.

Il hocha la tête.

— Vous voyez combien vous êtes vulnérable ? Vous croyez qu'il était difficile de prendre ces photos ? Et si on remplaçait l'appareil photo par une puissante carabine ou un pistolet ? Comme ce serait simple de faire disparaître un de ces enfants de l'univers paisible dont ils goûtent les bienfaits ? Pensez-vous que l'un d'eux se doute à quel point la mort peut être proche ? Est-ce que vous imaginez que l'un d'eux a la moindre idée que sa vie pourrait s'interrompre brutalement, dans le sang et les cris, dans quelques jours ?

Virgil lui montra les photos.

— Regardez-les attentivement, Ricky.

Elle attendit, le temps qu'il les enregistre mentalement. Puis elle se pencha au-dessus de la table, comme pour les lui reprendre des mains.

— Je pense qu'il suffit que vous gardiez leur portrait dans votre mémoire, Ricky. Gardez leurs sourires dans votre tête. Essayez de vous représenter tous les sourires qu'ils pourront donner dans le futur, s'ils atteignent l'âge adulte. Quelle existence ils pourraient mener. Quel genre de personnes ils pourraient devenir. Allez-vous voler l'avenir de l'un d'eux, ou de quelqu'un qui leur ressemble, simplement en vous accrochant obstinément aux quelques minables années qui vous restent à vivre ?

Virgil marqua un temps d'arrêt puis, rapide comme un serpent, elle lui arracha les photos des mains.

— Je les reprends, dit-elle en les rangeant dans le portfolio.

Elle s'écarta de la table et jeta un billet de cent dollars sur son assiette encore à moitié pleine.

— Vous m'avez coupé l'appétit. Mais je sais que votre situation financière s'est détériorée. C'est pourquoi je vous invite à dîner.

Elle se tourna vers la serveuse, qui rôdait près de la table voisine.

— Avez-vous du gâteau au chocolat ?

— Nous avons un cheese-cake au chocolat.

Virgil hocha la tête.

— Mon ami en prendra un morceau, fit-elle. Son existence vient brusquement de prendre un tour assez amer, et il a besoin de douceurs pour l'aider à passer les jours qui viennent.

Elle fit demi-tour et sortit du restaurant, laissant Ricky seul. Quand il prit son verre d'eau, il constata que sa main tremblait légèrement, au point de faire s'entrechoquer les glaçons.

Il rentra chez lui à pied dans la pénombre qui s'étendait sur la ville, avec un sentiment de solitude presque absolue. Il lui semblait que le monde autour de lui, tissu de relations entre les individus, n'était qu'un reproche incarné, un tourment presque permanent constitué de personnes rencontrant d'autres personnes dans le commerce de leur existence. En descendant la rue pour rentrer chez lui, il avait l'impression d'être invisible. Curieusement, il était presque transparent. Piéton ou automobiliste, pas un seul être ne semblait avoir envie de l'enregistrer dans sa mémoire visuelle. Son visage, son allure, son être tout entier ne signifiaient rien, pour personne. Sauf pour l'homme qui le traquait. Sa mort, par ailleurs, revêtait une importance cruciale pour un de ses parents anonymes. Rumplestiltskin, et par procuration Virgil, l'avocat Merlin et sans doute d'autres individus qu'il ne connaissait pas encore étaient des passerelles entre la vie et la mort. Il sentit un nuage de désespoir planer au-dessus de sa tête. Il se rappela le personnage d'une bande dessinée de son enfance, le fameux Joe Btfsplk, créé par Al Capp, condamné à marcher sous son nuage noir personnel, qui produisait de la pluie et des éclairs où qu'il aille.

Les visages des trois adolescents des photos étaient comme des spectres, vaporeux et immatériels. Il savait qu'il devait leur donner une certaine substance pour qu'ils aient quelque réalité à ses yeux. Il regretta de ne pas connaître leurs noms, car il aurait pu prendre des mesures pour les protéger. Alors qu'il fixait leurs visages dans sa mémoire la plus récente, son pas s'accéléra. Il voyait l'appareil dentaire dans un sourire, les cheveux un peu longs, la transpiration que produit l'effort consenti au service d'autrui. Il voyait ces trois photos aussi clairement que lorsque Virgil les avait jetées devant lui sur la table du restaurant. Son pas s'allongea, ses muscles se tendirent et il commença à se presser. Il entendait ses pas claquer sur le trottoir, comme si le bruit venait de quelqu'un d'autre. Puis il baissa les yeux et vit qu'il courait presque. Quelque chose se relâcha en lui, et il s'abandonna à une sensation qu'il ne reconnaissait pas, mais que les gens qui s'écartaient sur le trottoir pour le laisser passer identifiaient clairement comme une panique caractérisée.

Ricky se mit à courir, haletant. Sa poitrine se soulevait, ses lèvres laissaient échapper un son rauque. Il franchit un bloc, puis un autre, sans s'arrêter aux croisements, provoquant une explosion d'insultes et les coups de Klaxon des taxis, aveugle et sourd à ce qui l'entourait, la tête pleine d'images de mort, et de rien d'autre. Il ne ralentit pas avant d'être en vue de son immeuble. Alors il s'immobilisa, plié en deux, oppressé, les yeux irrités par les gouttes de sueur. Il resta dans cette position, s'efforçant de reprendre son souffle, pendant ce qui lui sembla plusieurs minutes, sans rien ressentir que la chaleur et la douleur de l'effort qu'il venait de produire, sans rien entendre que sa propre respiration difficile.

Quand il leva enfin les yeux, il eut cette pensée : Je ne suis pas seul.

Il avait déjà eu cette sensation à plusieurs reprises, les jours précédents. C'était presque prévisible, même si elle ne reposait que sur une soudaine paranoïa. Il essaya de retrouver le contrôle de lui-même, de ne pas s'abandonner à cette impression, un peu comme l'on résiste à une passion secrète, à un besoin maladif d'avaler un bonbon ou de fumer une cigarette. Il en était incapable.

Il pivota brusquement, essayant de repérer celui ou celle qui le surveillait, tout en sachant que c'était parfaitement inutile. Son regard passa très vite des candidats qui descendaient la rue sans se presser aux fenêtres vides des immeubles du quartier. Il fit plusieurs tours sur lui-même, comme s'il avait pu repérer un mouvement qui lui désignerait l'individu chargé de l'épier, mais en pure perte.

Ricky se retourna et regarda son immeuble. La pensée lui vint soudain que quelqu'un s'était introduit dans son appartement pendant qu'il badinait avec Virgil. Il se rua en avant, puis s'immobilisa. Grâce à un formidable effort de volonté, il parvint à contrôler les émotions qui ricochaient en lui en tous sens – il se somma de rester calme, de se concentrer, d'être attentif à ce qui lui arrivait. Il inspira longuement, profondément, en se disant qu'il était fort probable qu'à chaque fois qu'il sortait de son logement, quelle qu'en soit la raison, Rumplestiltskin ou un de ses sbires y entrait derrière lui. Cette vulnérabilité, à laquelle il ne mettrait pas fin en appelant un serrurier, avait été mise en évidence l'autre jour, quand il avait retrouvé un appartement privé de lumière.

Il avait l'estomac contracté, comme un athlète après une course. Il songea que tout ce qui lui était arrivé avait une double signification. Chaque message de Rumplestiltskin devait être compris à la fois sur un plan symbolique et au sens littéral.

Il n'était plus en sécurité dans son appartement.

Immobile sur le trottoir, devant l'immeuble où il avait passé la plus grande partie de sa vie adulte, Ricky était quasiment paralysé à l'idée qu'il n'était plus nulle part à l'abri des incursions de l'homme qui le traquait.

Pour la première fois, il lui apparut qu'il devait se mettre en quête d'un endroit sûr.

Sans même savoir s'il le trouverait – intérieurement ou extérieurement –, Ricky monta d'un pas lourd les marches qui menaient chez lui.

A son grand étonnement, il ne vit aucun signe de désordre. La porte n'était pas entrebâillée. Les lampes fonctionnaient normalement. La climatisation bourdonnait. Aucun sentiment accablant de terreur, aucune perception extrasensorielle suggérant que quelqu'un avait pénétré chez lui. Il ferma la porte derrière lui et la verrouilla avec un soulagement fugitif. Pourtant, son cœur battait toujours à tout rompre et il sentait le tremblement de sa main, qu'il avait déjà remarqué au restaurant après le départ de Virgil. Il la leva devant ses yeux et la contempla. Elle était trompeusement ferme. Mais il ne pouvait pas s'y fier. Il sentait presque, à l'intérieur de son corps, dans ses muscles et ses tendons, que quelque chose avait craqué et qu'il pouvait perdre le contrôle à tout moment.

L'épuisement livrait à son corps une lutte sans merci. Il haletait, sans comprendre pourquoi, car les exigences de son propre organisme étaient modestes.

— Tu as besoin d'une bonne nuit de sommeil, dit-il à voix haute, reconnaissant le ton qu'il prenait parfois pour s'adresser à ses patients. Il faut te reposer, mettre de l'ordre dans tes pensées, et avancer.

Pour la première fois, il ressentit l'envie de sortir son bloc d'ordonnances et de se prescrire un remède qui l'aiderait à retrouver son calme. Il savait qu'il devait se concentrer et que cela lui était de plus en plus difficile. Un antidépresseur, se dit-il. Un somnifère, qui lui procurerait un peu de repos. Puis, peut-être, une amphétamine pour l'aider à se concentrer le matin, durant les quelques jours qui le séparaient de la date limite fixée par Rumplestiltskin.

Ricky gardait dans son bureau un exemplaire, qu'il utilisait rarement, du guide des médicaments, le *Physician's Desk Reference*. Il alla le chercher, pensant que la pharmacie de nuit, à deux rues de chez lui, lui livrerait ce qu'il lui demanderait. Il n'aurait même pas besoin de sortir.

Il s'installa dans son fauteuil et consulta rapidement l'index du *PDR*. Il ne lui fallut pas longtemps pour choisir ce dont il avait besoin. Il sortit son bloc d'ordonnances et appela la pharmacie. Il donna son numéro d'identification – ce qu'il n'avait pas fait, lui sembla-t-il, depuis des années. Trois produits différents.

— Quel est le nom du patient ? demanda le pharmacien.

— Ils sont pour moi.

Le pharmacien hésita.

— Il est déconseillé de mélanger ces produits, docteur Starks. Vous devez être très prudent pour les dosages.

— Merci de votre sollicitude. Je ferai attention…

— Je voulais simplement que vous sachiez qu'une surdose peut être mortelle.

— Je le sais, dit Ricky. Mais l'excès en tout peut être mortel.

Le pharmacien décida de prendre cela pour une plaisanterie. Il se mit à rire.

— Je suppose, en effet… Mais avec certaines choses au moins part-on avec le sourire. Mon livreur vous apporte la commande dans moins d'une heure. Vous voulez que je la mette sur votre compte ? Vous ne l'avez pas utilisé depuis longtemps.

— Oui, absolument, fit Ricky après avoir réfléchi un instant.

Il sentit une douleur aiguë, comme si le pharmacien lui avait déchiré le cœur, sans le savoir, avec la question la plus innocente. La dernière fois qu'il s'était servi de son compte à la pharmacie, c'était pour sa femme : elle était sur son lit de mort, et la morphine devait servir à atténuer sa douleur. C'était au moins trois ans plus tôt.

Il sauta sur ce souvenir, comme s'il voulait l'écraser mentalement sous son talon. Il inspira à fond, puis :

— Oh, s'il vous plaît… demandez au coursier d'actionner la sonnette exactement comme je vais vous le dire. Trois coups brefs, trois coups longs, trois coups brefs. Je saurai que c'est lui, et je viendrai lui ouvrir.

Le pharmacien sembla réfléchir un instant.

— N'est-ce pas le code pour « SOS », en morse ?

— Exact, répondit Ricky.

Il raccrocha et se carra dans son siège, la tête pleine d'images de sa femme aux derniers jours de sa vie. C'était trop douloureux. Il se tourna légèrement, et ses yeux se posèrent sur le bureau. Il remarqua que la liste de ses parents que Rumplestiltskin lui avait envoyée était placée en évidence au centre du sous-main. Dans un instant de doute vertigineux, Ricky se dit qu'il ne se rappelait pas l'y avoir mise. Il avança lentement la main, tira le papier vers lui, l'esprit soudain envahi par les photos des jeunes gens que Virgil avait jetées sur la table, au bar. Il se mit à étudier les noms inscrits sur la feuille, essayant d'associer les visages aux lettres qui dansaient devant ses yeux, comme des émanations d'air chaud au-dessus du bitume de l'autoroute. Il essaya de s'armer de courage, sachant qu'il devait trouver le lien, que c'était important, que quelqu'un était en danger de mort et ne le savait pas.

Essayant de se concentrer, il baissa les yeux.

Un sentiment de confusion s'empara de lui. Il regarda autour de lui, les yeux balayant l'espace à toute vitesse, d'avant en arrière, tandis que l'angoisse l'envahissait. Il avait la bouche sèche, et la nausée lui retourna l'estomac.

Il prit ses notes, ses blocs et autres bouts de papier sur son bureau, et chercha.

A la seconde même, il sut que ce qu'il cherchait n'était plus là.

La première lettre de Rumplestiltskin, celle qui décrivait les règles du jeu et contenait le premier indice, ne se trouvait plus sur son bureau. La preuve physique des menaces formulées contre lui avait disparu. Il comprit qu'il ne restait rien d'autre que la réalité.

13

Il barra d'un X un autre jour sur le calendrier, puis inscrivit deux numéros de téléphone sur le bloc de papier posé devant lui. Le premier était celui de l'inspectrice Riggins, de la police des transports new-yorkais. Le second était un numéro qu'il n'avait pas appelé depuis des années. Il ignorait s'il fonctionnait toujours, mais il avait décidé d'essayer. C'était celui du Dr William Lewis. Quelque vingt-cinq ans plus tôt, ce dernier avait été son analyste formateur : c'était lui qui avait mené l'analyse de Ricky, à l'époque où il passait son examen final. C'est un des aspects les plus curieux de la psychanalyse : celui qui veut pratiquer doit se soumettre au traitement qu'il infligera plus tard à ses patients. Un cardiologue n'est pas obligé de se faire opérer par un confrère dans le cadre de sa formation.

Chacun de ces numéros représentait une aide d'une nature différente. Il ne savait pas du tout, en fait, si l'un ou l'autre pourrait lui apporter de l'aide, mais il n'était pas sûr de pouvoir respecter la recommandation de Rumplestiltskin de ne parler à personne de ce qui lui arrivait. Il lui fallait parler à quelqu'un. Mais à qui ? La question était insaisissable.

L'inspectrice décrocha à la deuxième sonnerie et s'annonça d'un seul mot :

— Riggins.

— Inspectrice, c'est le Dr Frederick Starks. Vous vous rappelez que nous nous sommes parlé la semaine dernière, à propos de la mort d'un de mes patients...

Il sentit une brève hésitation au bout du fil. Non qu'elle eût du mal à se le rappeler, mais elle était surprise.

— Bien sûr, docteur. Je vous ai envoyé une copie du message que nous avons découvert chez lui l'autre jour. Je pensais qu'ainsi les choses seraient claires, une fois pour toutes. Qu'est-ce qui vous tracasse, maintenant ?

— Je crois que j'aimerais vous parler de certaines circonstances entourant la mort de M. Zimmerman.

— Quel genre de circonstances, docteur ?

— Je préfère ne pas en parler au téléphone.

L'inspectrice eut un rire bref, comme si cela l'amusait.

— Vous m'avez l'air terriblement mélodramatique, docteur. Pas de problème. Vous voulez venir ici ?

— Je suppose qu'il existe un endroit où nous pourrons parler sans être dérangés ?

— Bien sûr. L'horrible petite salle d'interrogatoire où nous arrachons des aveux à toutes sortes de suspects. Plus ou moins ce que vous faites dans votre cabinet, sauf que nous sommes un peu moins civilisés, et beaucoup plus rapides...

Ricky héla un taxi au coin de la rue. Il se fit conduire au coin de Madison Avenue et de la 96e Rue, une dizaine de blocs plus au nord. Il entra dans la première boutique qu'il trouva, un chausseur pour dames, examina les chaussures pendant très précisément une minute et demie, tout en surveillant discrètement, par la vitrine, les feux tricolores. Dès qu'ils changèrent de couleur, il quitta la boutique, traversa la rue et héla un taxi pour partir dans l'autre sens. Il donna l'ordre au chauffeur de descendre tout droit vers Grand Central Station.

Pour un jour d'été, à midi, la gare n'était pas particulièrement bondée. Un flot continu de voyageurs se répandait dans les sous-sols sombres vers les trains de banlieue ou les correspondances avec le métro en faisant l'impossible pour éviter les musiciens et les sans-logis qui traînaient à proximité des entrées sans cesser de marmonner, et en ignorant les grandes publicités lumineuses aux couleurs vives qui semblaient emplir la gare d'une lumière extraterrestre. Ricky suivit la vague des gens qui traversaient la gare des omnibus d'un pas décidé. C'était le genre d'endroit où personne ne voulait avoir l'air indécis. Ces gens résolus arboraient tous la même apparence d'acier trempé des citadins, qui semblait les protéger de leurs concitoyens. Chacun d'eux était une île à lui tout seul, mentalement ancré, ni à la dérive ni flottant, mais se déplaçant au gré d'un courant clairement identifiable. Ricky, en revanche, allait sans but, mais il faisait semblant. Il prit le premier métro en direction du nord, sauta du wagon à l'arrêt suivant, quitta le sous-sol étouffant pour retrouver l'air douteux et surchauffé de la rue et héla le premier taxi qu'il repéra. Il s'assurait qu'il allait vers le sud – c'est-à-dire la direction opposée à celle où il voulait aller. Il demanda au chauffeur de faire le tour du bloc et de redescendre par une rue transversale en se faufilant entre les camions de livraison, tandis que lui-même guettait par la fenêtre pour essayer de repérer un éventuel suiveur.

Il se dit que si Rumplestiltskin, Virgil, Merlin, ou quiconque se trouvant au service de son tourmenteur, était capable de le suivre sans qu'il le repère… eh bien, il était fichu, de toute façon. Ricky s'enfonça dans son siège et garda le silence jusqu'à l'arrivée au poste de la police des transports, à la station de métro au coin de la 96e Rue et de Broadway.

L'inspectrice Riggins se leva quand il entra dans son bureau. Elle semblait nettement moins épuisée que le jour de leur premier entretien. Mais elle avait toujours la même allure : son élégant pantalon noir jurait avec ses baskets, sa chemise d'homme bleu pâle à boutons et sa cravate rouge desserrée. La cravate retombait sur le bord du holster de cuir brun qu'elle portait à l'épaule, avec le petit revolver automatique accroché à gauche de la poitrine. Son apparence semblait à Ricky assez bizarre. L'inspecteur combinait en effet des touches de féminité avec des vêtements d'homme, et son maquillage et son parfum contrastaient singulièrement avec la virilité de son aspect général. Ses cheveux formaient sur ses épaules des vagues langoureuses, mais ses chaussures de jogging évoquaient l'urgence et la disponibilité permanente.

Elle lui serra la main avec vigueur.

— Heureuse de vous voir, doc… même si c'est un peu inattendu.

Elle sembla le jauger rapidement, le mesurant du regard, de haut en bas, comme un tailleur examinant le monsieur mal bâti qui veut se serrer dans un costume élégant et moderne.

— Merci d'avoir accepté… commença-t-il.

— Vous avez une sale tête, doc, l'interrompit-elle. Est-ce que vous ne prenez pas un peu trop au sérieux la petite confrontation de Zimmerman avec le métro ?

Il secoua la tête avec un léger sourire.

— Je ne dors pas beaucoup, admit-il.

— Sans blague ?

Elle lui indiqua une pièce latérale, qui n'était autre que la salle d'interrogatoire dont elle lui avait parlé un peu plus tôt. L'endroit était austère, impitoyable, étroit et sans le moindre ornement. Une table métallique et trois chaises pliantes en fer occupaient le centre de la pièce, et un tube au néon fixé au plafond déversait sa lumière crue. La table était protégée par une surface de linoléum couverte de rayures et de taches d'encre. Ricky pensa à son cabinet – au divan, surtout –, où chaque objet placé dans le champ de vision des patients jouait un rôle dans le processus de la confession. Il se dit que cette pièce aussi désolée qu'un paysage lunaire était un endroit horrible pour soutirer des aveux. Puis il songea que les aveux qui naissaient là étaient horribles, de toute façon.

Riggins dut remarquer le coup d'œil qu'il jeta à la pièce.

— Les budgets municipaux pour la décoration sont en baisse, cette année. Nous avons renoncé à nos Picasso et à nos meubles Roche Bobois. Asseyez-vous, docteur, lui dit-elle en désignant une des chaises métalliques, et racontez-moi ce qui vous tracasse. N'est-ce pas plus ou moins ainsi que vous diriez ? ajouta-t-elle en refrénant un sourire.

— Plus ou moins. Même si je suis incapable de comprendre ce que vous trouvez si amusant.

Riggins hocha la tête. Elle répondit d'une voix nettement moins ironique :

— Excusez-moi. C'est simplement une manière de renverser les rôles, docteur Starks. Nous n'avons pas l'habitude d'entendre de grands professionnels du centre-ville comme vous. La police des transports gère une routine fastidieuse et des crimes peu ragoûtants.

Surtout des agressions. Des gangs de jeunes. Des bagarres entre clochards qui finissent par entraîner des homicides. Et vous, qu'est-ce qui vous inquiète à ce point ? Je vous promets d'essayer de le prendre très au sérieux.

— Ça vous amuse, de me voir…

— Sous pression. Oui, j'avoue que ça m'amuse.

— Vous ne croyez pas à la psychiatrie ?

— Non. J'avais un frère, cliniquement dépressif et schizophrène. Il a fait toutes les boîtes de malades mentaux de la ville, et tous les toubibs qu'il a vus n'ont rien fait d'autre que de baratiner, et ça l'a tué. Personne n'a été fichu de l'aider. J'en ai gardé quelques idées toutes faites. Restons-en là.

— Ma femme est morte d'un cancer des ovaires, il y a quelques années, fit Ricky après un instant de silence. Mais je n'ai éprouvé aucune haine pour les cancérologues qui ont été incapables de lui venir en aide. C'est la maladie que je haïssais.

L'inspectrice Riggins hocha de nouveau la tête.

— Touché, dit-elle.

Ricky ne savait pas par où commencer. Il décida que Zimmerman ferait un point de départ aussi bon qu'un autre.

— J'ai lu le message de suicide. Pour être franc, ça ne ressemble pas à mon patient. Je me demande si vous êtes autorisée à me dire où vous l'avez trouvé.

— Bien sûr, fit l'inspecteur en haussant légèrement les épaules. On l'a trouvé sur son oreiller, dans sa chambre. Plié très proprement, bien en vue. Impossible de ne pas le voir.

— Qui l'a trouvé ?

— C'est moi. Je me suis occupée des témoins, je vous ai parlé, et j'ai bouclé mon rapport. Le lendemain, je suis allée chez Zimmerman et j'ai vu immédiatement le message en entrant dans sa chambre.

— Mais sa mère, elle est infirme…

— Elle était tellement affolée après avoir reçu le premier coup de fil que j'ai dû appeler une ambulance et la faire hospitaliser pour un jour ou deux. Je crois qu'on va la transférer demain ou après-demain dans un centre pour personnes dépendantes de Rockland County. Le frère s'occupe des formalités. Par téléphone, depuis la Californie. Il ne semble pas terriblement traumatisé par les événements, et il ne montre pas beaucoup de compassion à l'égard de sa mère.

— Dites-moi si j'ai bien compris, dit Ricky. La mère est transportée à l'hôpital et, le lendemain, vous trouvez le message…

— Exact.

— Ainsi vous n'avez aucun moyen de savoir quand ce message a été déposé dans la chambre de Zimmerman, c'est bien cela ? L'appartement est resté désert pendant un assez long moment ?

Riggins sourit faiblement.

— Je sais en tout cas que Zimmerman ne l'y a pas mis après trois heures de l'après-midi, parce qu'à ce moment-là il attrapait le train avant qu'il ne ralentisse, ce qui est une idée plutôt idiote.

— Quelqu'un d'autre a pu l'y mettre.

— Bien sûr. Si vous êtes du genre à voir des complots un peu partout. Zimmerman était malheureux, docteur. Il a sauté sous le train. Ce sont des choses qui arrivent.

— Ce message était tapé à la machine, reprit Ricky. Et il ne portait pas de signature manuscrite.

— C'est exact. Sur ce point, en tout cas, vous avez raison.

— On l'a écrit avec un ordinateur, je suppose.

— Oui. Docteur, vous commencez à raisonner comme un flic.

Ricky réfléchit un moment.

— Je crois avoir entendu dire que les machines à écrire peuvent être identifiées, car chacune d'elles frappe la feuille de papier d'une manière différente, caractéristique. Est-ce qu'il en est de même pour les imprimantes d'ordinateur ?

L'inspectrice Riggins secoua la tête.

— Non.

— Je ne connais pas grand-chose à l'informatique. Dans mon métier, je n'en ai jamais eu vraiment besoin.

Il avait les yeux fixés sur l'inspectrice, que ses questions semblaient mettre mal à l'aise.

— Un ordinateur ne garde-t-il pas en mémoire tout ce qu'on a écrit ? poursuivit-il.

— Si, vous avez encore raison. Sur le disque dur, en général. Je vois où vous voulez en venir. Non, je n'ai pas examiné l'ordinateur qui se trouvait dans la chambre de Zimmerman pour m'assurer qu'il s'en était servi pour écrire son message. Je n'ai pas non plus inspecté son ordinateur au bureau. Un homme saute sous le métro et je trouve un message de suicide sur son oreiller, chez lui. C'est assez banal pour ne pas avoir envie de chercher plus loin.

— Cet ordinateur, à son bureau, des tas de gens auraient pu s'en servir, non ?

— J'imagine qu'il avait un mot de passe pour protéger l'accès à ses données. Mais, en gros, la réponse est oui.

Ricky hocha la tête. Il resta un moment silencieux.

Riggins s'agita sur son siège, puis reprit :

— Vous vouliez me parler des « circonstances » de sa mort. De quoi s'agit-il ?

Ricky inspira profondément.

— Un parent d'un de mes anciens patients me menace, ainsi que ma famille, de violences encore indéfinies. A cette fin, quelqu'un a entrepris de perturber systématiquement mon existence. On a créé de toutes pièces des accusations fallacieuses pour porter atteinte à mon intégrité professionnelle. On a forcé électroniquement mes comptes en banque. On a cambriolé mon appartement. On a envahi ma vie privée. Et enfin, on me pousse à me suicider. J'ai des raisons de croire que la mort de Zimmerman joue un rôle dans l'entreprise de harcèlement dont je suis victime depuis une semaine. Je ne crois pas qu'il s'agisse d'un suicide.

Les sourcils de l'inspectrice Riggins s'étaient soulevés.

— Mon Dieu, docteur Starks ! On dirait que vous êtes dans de sales draps. Un ancien patient ?

— Non. Plutôt un de ses enfants. Je ne sais pas encore de qui il s'agit.

— Et vous pensez que cette personne qui vous en veut a convaincu Zimmerman de sauter sous le train ?

— Non. Mais on l'a peut-être poussé.

— Il y avait foule, et personne n'a rien vu de tel. Absolument personne.

— L'absence de témoins oculaires ne prouve pas que ce n'est pas arrivé. Quand un train entre en gare, est-ce que tout le monde ne regarde pas naturellement dans la direction d'où il arrive ? Si Zimmerman se trouvait à l'arrière de la foule, ce qui est probable, est-ce qu'il aurait été difficile de le pousser sur la voie ?

— Eh bien… non, docteur, évidemment. Ce n'aurait pas été difficile. Pas difficile du tout. Il est clair que le scénario que vous décrivez n'a rien d'extraordinaire. Au cours des années, nous avons eu plusieurs meurtres correspondant à ce schéma. Et vous avez raison : quand une rame approche, les voyageurs tournent naturellement la tête dans sa direction, et tout peut arriver au fond de la station sans que personne ne remarque rien. Mais nous avons le témoignage de Lu Anne, qui affirme qu'il a sauté. Et même si elle n'est pas à cent pour cent fiable... son témoignage est là. Nous avons aussi un message de suicide, et un homme déprimé, amer et malheureux, qui entretenait des rapports très difficiles avec sa mère. Il menait une existence que beaucoup de gens verraient comme une source de déceptions...

Ricky secoua la tête.

— C'est vous, maintenant, qui avez l'air de chercher des excuses. C'est plus ou moins ce que vous me reprochiez l'autre jour.

Ces mots semblèrent calmer l'inspectrice Riggins. Elle le fixa longuement.

— Il me semble, docteur, que vous devriez raconter cette histoire à quelqu'un qui serait susceptible de vous aider.

— Et qui voulez-vous que ce soit ? Vous êtes inspectrice de police. Je vous ai parlé de crimes. Ou de ce qui pourrait être des crimes. Est-ce que vous ne devriez pas faire un rapport ?

— Vous voulez porter plainte ?

— Est-ce que je devrais ? fit Ricky en lui jetant un regard aigu. Qu'arriverait-il, alors ?

— Je la transmets à mon supérieur. Il la trouve aberrante, mais il lui fait suivre le cheminement normal dans la bureaucratie administrative. Dans deux ou trois jours, vous recevrez un coup de fil d'un collègue, encore plus sceptique que moi. Vous avez parlé à quelqu'un d'autre de ces événements ?

— Eh bien... à ma banque, et à la Société psychanalytique...

— S'ils estiment qu'il y a activité criminelle, ne sont-ils pas tenus de transmettre l'affaire au FBI ou à la police d'Etat ? Il me semble, à moi, que vous devriez parler à quelqu'un qui s'occupe des extorsions et des fraudes, au NYPD [1]. Et si j'étais à votre place, j'engagerais peut-être un détective privé. Et un foutu bon avocat, parce que vous pourriez bien avoir besoin de l'un et de l'autre.

— Comment dois-je m'y prendre ? Pour contacter le NYPD ?

— Je vais vous donner le nom de quelqu'un et un numéro de téléphone.

— Vous ne pensez pas que vous devriez jeter un coup d'œil là-dessus ? Donner suite à l'affaire Zimmerman ?

L'inspectrice Riggins s'immobilisa. Elle n'avait pris aucune note pendant leur conversation.

— Je pourrais, fit-elle d'un ton prudent. Il faut que je réfléchisse. Il n'est pas facile de rouvrir une affaire classée.

— Mais pas impossible.

— Difficile. Mais pas impossible, non.

— Avec l'autorisation de vos supérieurs...

— Je ne suis pas sûre d'avoir envie d'ouvrir cette porte-là tout de suite. Si j'informe mon patron qu'il y a un problème officiel, ça entraînera toutes sortes de complications bureaucratiques. Je crois que je vais me contenter de fouiner un peu de mon côté. Peut-être.

1. Département de la police de New York.

Ecoutez, docteur : je vais vérifier deux ou trois choses et je vous rappelle. Le moins que je puisse faire, c'est examiner l'ordinateur qui se trouvait dans la chambre de Zimmerman. Je peux peut-être retrouver l'heure à laquelle a été rédigé le message de suicide. Je m'en occupe ce soir ou demain. Ça vous va ?

— Parfait, dit Ricky. Ce soir serait mieux que demain. Je ne dispose pas de beaucoup de temps. Et vous pouvez me donner également le nom et le numéro des gens du NYPD que je dois appeler…

C'était un arrangement raisonnable. L'inspecteur acquiesça. Ricky constatait, non sans une certaine satisfaction, qu'elle avait renoncé à son ton sarcastique quand elle avait pris conscience qu'elle s'était peut-être trompée. Même si elle croyait que c'était peu probable, dans un monde où l'avancement et les augmentations de salaire sont étroitement liés à la conclusion des enquêtes, l'idée qu'elle avait peut-être laissé passer un meurtre en le qualifiant de suicide était susceptible de lui donner quelques cauchemars, comme à n'importe quel fonctionnaire.

— J'attends votre coup de fil, dès que vous pourrez, dit-il.

Ricky se leva, avec l'impression qu'il venait de marquer un point. Ce n'était pas un véritable sentiment de victoire. Plutôt la sensation d'être un peu moins seul au monde.

Il prit un taxi pour le Metropolitan Opera House, au Lincoln Center. L'endroit était désert, à l'exception de quelques touristes et des vigiles. Il savait qu'il trouverait une rangée de téléphones publics près des toilettes. Ces téléphones présentaient l'avantage de lui permettre de donner son coup de fil sans cesser de surveiller quiconque aurait essayé de le suivre à l'intérieur de l'opéra. Il doutait que quelqu'un fût capable de venir assez près pour savoir qui il appelait.

Comme il s'y attendait, le Dr Lewis avait changé de numéro de téléphone. Mais on lui communiqua le nouveau, précédé d'un autre code régional. Il utilisa presque toutes ses pièces de vingt-cinq cents pour avoir la communication. En écoutant les sonneries se succéder, il se dit que le Dr Lewis avait sans doute largement dépassé quatre-vingts ans, et il ignorait s'il pourrait l'aider. Mais Ricky savait que c'était sa seule chance d'avoir un peu de recul par rapport à sa situation et, désespéré comme il était, il ne pouvait pas la laisser passer.

Le téléphone sonna au moins huit fois, puis on décrocha.

— Oui ?

— J'aimerais parler au Dr Lewis, s'il vous plaît.

— C'est moi.

Ricky n'avait pas entendu cette voix depuis des années. Elle provoqua pourtant une émotion qui le surprit. Comme si un torrent de haines, de peurs, d'amour et de frustrations se déversait soudain en lui. Il dut faire un effort pour rester maître de lui.

— Docteur Lewis, c'est le Dr Frederick Starks…

Les deux hommes restèrent silencieux, comme s'ils étaient émus par ces retrouvailles téléphoniques, après tant d'années.

Le Dr Lewis parla le premier :

— Eh bien… que je sois damné… Je suis heureux de vous entendre, Ricky, même après tout ce temps. Je suis abasourdi.

— Pardonnez-moi, docteur, d'être aussi abrupt. Mais je ne savais pas vers qui d'autre me tourner.

De nouveau, il y eut un bref silence. Puis :

— Vous êtes troublé, Ricky ?

— Oui.

— Et l'outil de l'auto-analyse est inopérant ?

— Oui. J'espérais que vous pourriez m'accorder un peu de temps, pour parler.

— J'ai cessé de voir des patients, dit Lewis. La retraite. L'âge. La fatigue. On vieillit, c'est horrible. Toutes sortes de choses disparaissent, tout simplement.

— Pouvez-vous me recevoir ?

Le vieil homme marqua un temps d'arrêt.

— Le ton de votre voix me dit que ce doit être urgent. Est-ce que c'est important ? Vous êtes profondément troublé ?

— Je suis en danger et j'ai peu de temps.

— Bien, bien, bien…

Ricky eut l'impression que le vieil analyste souriait.

— Tout cela m'intrigue vraiment. Et vous pensez que je peux vous aider ?

— Je l'ignore. Mais c'est possible, oui.

Le vieil analyste digéra ces mots, puis reprit :

— Vous parlez comme un analyste. Mais vous devrez venir ici, je le crains. Je n'ai plus de cabinet en ville.

— Où vous trouvez-vous ? demanda Ricky.

— A Rhinebeck, fit le Dr Lewis, qui lui donna une adresse, sur River Road. Un endroit merveilleux pour prendre sa retraite, s'il ne faisait pas si froid en hiver, avec toute cette foutue glace. Mais en cette saison, c'est ravissant. Vous avez un train direct à Pennsylvania Station.

— Si je viens cet après-midi…

— Je vous reçois dès votre arrivée. C'est un des seuls avantages de la retraite. Une absence incontestable d'engagements pressants. Prenez un taxi à la gare. Je vous attends pour dîner.

Il s'installa à une place de coin, le plus loin possible à l'arrière du train, et passa la plus grande partie de l'après-midi à regarder défiler le paysage. Le train se dirigeait droit au nord en longeant l'Hudson, parfois si près du fleuve que Ricky avait l'impression de n'être qu'à quelques mètres de l'eau. Il contemplait cette étendue, fasciné par les différentes nuances de bleu et de vert, presque du noir à proximité de la rive, s'éclaircissant jusqu'à un bleu léger, vif, au centre, là où l'eau est plus profonde. Des voiliers fendaient les flots en soulevant de grandes gerbes d'écume blanche, et çà et là, un porte-conteneurs géant avançait, inélégant, sur le chenal le plus profond. Les Palisades se dressaient au loin, sévères colonnes de roc gris-brun au sommet recouvert de bosquets vert foncé. Il y avait des manoirs au milieu d'immenses pelouses, des maisons si énormes qu'elles évoquaient une richesse inestimable. Ricky aperçut l'école militaire de West Point juchée sur sa colline, surplombant le fleuve. Il se dit que les inébranlables bâtiments étaient aussi gris et aussi raides que des rangées de cadets en uniforme. Le fleuve était immense, aussi lisse qu'un miroir, et il était facile d'imaginer l'explorateur qui lui avait donné son nom, quatre cents ans plus tôt. Il contempla la surface de l'eau pendant un moment, pas très sûr de savoir si le courant descendait vers la ville et, au-delà, vers l'Océan, ou s'il remontait vers le nord, poussé par les marées et la rotation de la Terre. Il était un peu troublé par le fait de ne pouvoir déterminer, en regardant le fleuve, dans quel sens allait le courant.

Peu de voyageurs descendirent à Rhinebeck. Ricky s'attarda quelques instants sur le quai pour les observer, toujours inquiet à l'idée que, en dépit de ses efforts, quelqu'un était peut-être parvenu à le suivre. Il y avait un jeune couple, des collégiens en jean ou en short qui échangeaient des plaisanteries, une maman entre deux âges qui tirait trois enfants derrière elle en s'efforçant de se montrer patiente avec un petit garçon turbulent aux cheveux blonds, deux ou trois hommes d'affaires à l'air préoccupé qui se dirigeaient vers la gare, déjà pendus à leur téléphone portable. Personne ne lui prêta attention, à l'exception du garçon qui lui fit une grimace avant de monter quatre à quatre les marches du grand escalier permettant de quitter le quai. Ricky attendit, avant de se diriger vers la sortie, que le train s'ébranle dans un grondement de métal puis prenne de la vitesse. Persuadé que personne d'autre n'était descendu du train, il monta vers la gare. C'était une vieille bâtisse de brique. Quand il traversa la salle envahie par la fraîcheur qui défiait la chaleur de fin d'après-midi, ses pas résonnèrent sur le sol carrelé. Une simple pancarte ornée d'une flèche rouge, au-dessus d'une large double porte, indiquait : TAXIS. Ricky sortit de la gare. Il n'y avait qu'un taxi en attente, une voiture blanche en assez mauvais état, avec un médaillon sur la portière. L'enseigne sur le toit était éteinte et il y avait une grande éraflure sur l'aile. Le chauffeur semblait prêt à s'en aller, mais, quand il vit Ricky, il s'approcha vivement du trottoir.

— Taxi, monsieur ?

— Oui, s'il vous plaît.

— Eh bien, je suis le dernier. J'allais m'en aller, quand je vous ai vu sortir de la gare. Allez, montez !

Ricky lui donna l'adresse du Dr Lewis.

— Hé, beau quartier ! fit le chauffeur qui démarra en faisant légèrement crisser ses pneus.

Le chemin menant chez le vieil analyste était une route étroite à deux voies qui serpentait à travers la campagne. Des chênes majestueux formaient une voûte ombragée au-dessus du macadam, de sorte que la faible lumière de cette soirée d'été semblait s'écouler lentement sur la terre, comme de la farine à travers un tamis, diffusant de l'ombre de part et d'autre. La campagne défilait, les collines aux pentes douces semblables à la houle sur l'océan, par temps modéré. Il apercevait dans certains champs des groupes de chevaux et, au loin, de grandes et imposantes maisons de campagne. Celles qui se trouvaient en bordure de la route étaient vieilles, souvent couvertes de bardeaux, et de petits écriteaux carrés, placés en évidence, informaient le passant de la date de leur construction – l'une datait de 1788, telle autre de 1807. Il vit des plates-bandes rayées de différentes couleurs, et plusieurs propriétaires en tee-shirt, à califourchon sur leur petit motoculteur, en train de tondre agressivement un impeccable carré d'herbe verte. Tout le quartier évoquait un besoin d'évasion. Ricky se disait que la plupart des habitants considéraient que leur existence principale se déroulait dans les cavernes de Manhattan, où ils se colletaient avec l'argent, le pouvoir ou le prestige, très souvent les trois à la fois. C'étaient des maisons de week-end et des refuges pour l'été. Elles coûtaient fantastiquement cher, mais on y entendait, la nuit, le véritable chant du criquet.

Le chauffeur vit qu'il observait le paysage.

— Pas mal, hein ? Certaines maisons doivent coûter la peau des fesses.

— Je parie qu'il n'y a pas moyen de trouver une table au restaurant, le week-end, fit Ricky.

— Pendant l'été et les fêtes de fin d'année, c'est sûr. Mais il n'y a pas que des citadins, ici. Il y a quand même des gens qui s'enracinent. Juste assez pour empêcher que ça ne devienne une ville fantôme. L'endroit est agréable.

Il ralentit, tourna brusquement à gauche et entra sur une allée privée.

— Le problème, c'est qu'il est un peu trop pratique pour les gens de la ville. Bon, en tout cas, vous êtes arrivé. Voilà, c'est ici.

La maison du Dr Lewis était une de ces anciennes fermes restaurées, une maison typique à un étage, recouverte d'une peinture d'un blanc vif et lumineux. Une plaque était fixée sur un coin, avec une date : 1791. Ce n'était pas la plus grande maison que Ricky ait vue durant son trajet. Il y avait une treille avec de la vigne, des fleurs près de l'entrée et un petit étang plein de poissons au bout du jardin. Un hamac et quelques chaises de jardin à la peinture blanche écaillée étaient disposés sur le côté. Un break Volvo bleu de dix ans était garé devant une ancienne écurie transformée en garage.

Derrière lui, le taxi démarra. Ricky s'arrêta au bord de l'allée de gravier. Il eut le sentiment aigu d'arriver les mains vides. Il n'avait pas de sac, pas le moindre présent, pas même l'inévitable bouteille de vin blanc bon marché qu'on apporte généralement en visite. Il inspira à fond, envahi soudain d'un flot de sentiments contradictoires. Parler de peur ne serait pas tout à fait exact. C'était plutôt la sensation qu'éprouve un enfant qui doit avouer à ses parents qu'il a fait une bêtise. Ricky sourit intérieurement : il savait que l'explosion de sentiments qui lui donnait des pieds de plomb et précipitait son rythme cardiaque était parfaitement normale. Les relations entre analyste et analysé sont profondes, troublantes, et peuvent s'exprimer de maintes façons – elles évoquent notamment les rapports de l'enfant aux prises avec l'autorité. Cela faisait partie, il le savait, du processus de transfert, qui doit mener, au bout du compte, à la compréhension. Bien sûr, se dit-il, peu de médecins exercent une telle influence sur leurs patients. Un orthopédiste ne se rappellera sans doute pas le genou et la hanche qu'il a opérés, tant de clients et tant d'années plus tard. Mais l'analyste est censé se souvenir sinon de tout, en tout cas de l'essentiel, car l'esprit est beaucoup plus complexe que le genou, même si parfois il n'est pas tout à fait aussi utile.

Il avança lentement, balayant l'entrée du regard, enregistrant tout ce qu'il voyait. Il songeait qu'il s'agissait là d'une autre clé de l'analyse : le médecin connaît dans le moindre détail la vie émotionnelle et sexuelle du patient, tandis que celui-ci ne sait pratiquement rien de son analyste. Le mystère imite les mystères essentiels de la vie et de la famille. Et l'entrée dans l'inconnu provoque toujours fascination et angoisse. Le Dr Lewis sait des choses sur moi, se dit-il. Désormais, je saurai quelque chose à son sujet et cela change tout. Cette idée le fit transpirer.

Ricky se trouvait à mi-chemin des marches menant à l'entrée, lorsque la porte s'ouvrit en grand. Il entendit la voix du Dr Lewis avant de le voir :

— C'est assez gênant, j'imagine.

— Vous lisez dans mes pensées, répondit Ricky.

Une blague d'analyste.

Il fut introduit dans un petit bureau, à droite de l'entrée de la vieille maison. Il examina la pièce, enregistra là encore tout ce qu'il voyait, imprima le moindre détail dans sa mémoire. Des livres sur une étagère. Une lampe à pied de chez Tiffany. Un tapis oriental. Comme dans beaucoup de vieilles maisons, l'intérieur était assez sombre, par opposition au blanc lumineux des murs. Il eut l'impression qu'il faisait assez doux, pas étouffant mais frais, comme si les fenêtres avaient été ouvertes la nuit précédente et que la maison avait gardé le souvenir d'une température plus basse. Une légère odeur de lilas lui vint aux narines, et il entendit de lointains bruits de cuisine à l'arrière de la maison.

Le Dr Lewis était un homme mince, aux épaules un peu voûtées et au crâne dégarni. Les mèches de poils agressives qui lui sortaient des oreilles lui donnaient un air nettement original. Ses lunettes étaient posées sur l'extrémité de son nez, et l'on avait l'impression qu'il regardait très rarement à travers. Il avait des taches de vieillesse sur le dos des mains et ses doigts tremblaient très légèrement. Il se déplaçait lentement, en boitant un peu. Il prit place dans une large bergère de cuir rouge rembourrée et fit signe à Ricky de prendre le fauteuil légèrement plus petit qui se trouvait à côté de lui. Ricky s'enfonça dans les coussins.

— Je suis ravi de vous voir, Ricky, même après toutes ces années. Cela fait combien de temps ?

— Sûrement plus de dix ans. Vous avez bonne mine, docteur.

Le Dr Lewis secoua la tête en souriant.

— Il vaudrait peut-être mieux ne pas démarrer avec un mensonge aussi évident. Même si, à mon âge, on préfère les mensonges à la vérité. Les vérités sont toujours fichtrement gênantes. Il me faudrait une hanche toute neuve, une nouvelle vessie, une nouvelle prostate, deux yeux et deux oreilles, et quelques nouvelles dents. Deux pieds tout neufs ne seraient pas un luxe, non plus. Peut-être aurais-je aussi besoin d'un cœur neuf, mais je n'aurai rien de tout ça. J'aurais l'usage d'une voiture neuve dans le garage, et la maison aurait bien besoin de nouvelles tuyauteries. Moi aussi, d'ailleurs… Mais le toit est en bon état. Le mien aussi, fit-il en se tapotant le crâne et en gloussant. Mais je suis sûr que vous ne vous êtes pas donné la peine de me retrouver pour savoir comment j'allais. J'ai oublié aussi bien ma formation que mes bonnes manières. Vous allez dîner avec moi, bien sûr, et vous dormirez ici. Je vous ai fait préparer la chambre d'amis. Cela étant dit, je ferais mieux de me taire puisque nous sommes si forts pour ça, dans notre métier, et vous allez me raconter pourquoi vous êtes venu.

Ricky hésita un instant, incertain de savoir par où commencer. Il contempla le vieil homme enfoncé dans son fauteuil, avec l'impression qu'un fil venait de se briser entre eux. Il sentait que son sang-froid l'abandonnait. Il s'étrangla presque en disant ce qu'il avait à dire, les lèvres tremblantes :

— Je crois que je n'ai plus qu'une semaine à vivre.

Les sourcils du Dr Lewis formèrent un accent circonflexe.

— Vous êtes malade, Ricky ?

— Je crois que je dois me suicider, répondit-il en secouant la tête.

Le vieil analyste se pencha en avant.

— C'est un problème, dit-il.

14

Ricky devait avoir parlé pendant plus d'une heure, sans interruption. Le Dr Lewis, presque immobile dans son fauteuil, le menton dans la main, n'avait pas émis le moindre commentaire ni posé de question. Une ou deux fois, Ricky s'était mis à faire les cent pas autour de la pièce – comme si le mouvement de ses pieds pouvait le faire aller plus vite –, avant de regagner son fauteuil et de continuer son récit. Plusieurs fois, il sentit la sueur sous ses aisselles, bien que la pièce fût agréablement fraîche et que les fenêtres fussent ouvertes sur ce début de soirée dans la vallée de l'Hudson.

Au loin, dans les monts Catskill, à des kilomètres de l'autre côté du fleuve, il entendit comme un bruit de tonnerre – un grondement sourd, semblable à des bruits d'artillerie. Il se rappelait qu'une légende locale prétendait que cela venait des nains et des elfes qui jouaient aux boules dans les vallons. Il raconta au Dr Lewis l'arrivée de la première lettre, le poème et les menaces, l'enjeu de la partie. Il décrivit Virgil et Merlin, et les bureaux inexistants de l'avocat. Il essaya de ne rien oublier, des détournements informatiques de l'argent déposé sur ses comptes bancaires et ses fonds d'épargne jusqu'au message pornographique envoyé à sa lointaine petite-nièce le jour de son anniversaire – le même jour que le sien. Il s'attarda sur Zimmerman, sa thérapie, sa mort, et ses deux visites à l'inspectrice Riggins. Il parla de l'accusation mensongère de viol formulée contre lui et déposée auprès de la commission d'éthique (ce qui le fit légèrement rougir). Il faisait parfois des digressions, comme lorsqu'il parla des incursions dans son cabinet et du sentiment de viol qu'il avait ressenti, ou de sa première intervention dans le *Times* et de la réponse de Rumplestiltskin. Il acheva dans un relatif désordre chronologique en évoquant l'impact des photos des trois jeunes gens que lui avait montrées Virgil. Puis il se tut, enfin. Pour la première fois, il regarda vraiment le vieil analyste qui se tenait la tête, les deux mains sous le menton, pensif, comme s'il cherchait à déterminer le mal qui s'était abattu sur Ricky.

— Très bizarre, dit enfin le Dr Lewis en se laissant aller en arrière avec un long soupir. Je me demande si ce type, votre Rumplestiltskin, n'est pas un philosophe. N'est-ce pas Camus qui déclarait que le seul véritable choix qu'un homme puisse affronter, c'est celui de son propre suicide ? L'ultime question existentielle.

— Il me semble que c'était plutôt Sartre, fit Ricky en haussant les épaules.

— Je suppose que c'est la question essentielle, ici, Ricky. La première question – et la plus importante – que Rumplestiltskin ait posée.

— Pardonnez-moi, mais que…

— Est-ce que vous vous tueriez pour sauver un autre homme, Ricky ?

Ricky était déconcerté par cette question.

— Je ne suis pas sûr, balbutia-t-il. Je ne crois pas l'avoir vraiment envisagé.

Le Dr Lewis remua dans son siège.

— La question n'est pas du tout déplacée, dit-il. Je suis certain que votre persécuteur a longuement réfléchi à ce que pourrait être votre réaction. Quel genre d'homme êtes-vous, Ricky ? Quel genre de médecin ? Car, tout cela étant dit, l'essence du jeu se résume à cela : allez-vous vous suicider ? On dirait qu'il a prouvé que ses menaces n'étaient pas des paroles en l'air... du moins est-il parvenu à vous faire croire qu'il a déjà commis un crime et qu'il ne craint sans doute pas d'en commettre un second. Et ces meurtres, si vous me permettez d'avoir l'air un peu insensible, Ricky, semblent extrêmement faciles à réaliser. Les victimes n'ont aucune importance à ses yeux. Elles ne sont que des outils, qui l'aident à vous atteindre. Et ils ont un avantage supplémentaire : personne, ni le FBI ni un quelconque inspecteur de police – pas même Maigret, Hercule Poirot, Miss Marple ou un personnage de Mickey Spillane ou de Robert Parker, que sais-je –, ne sera capable de les résoudre. Pensez à ça, Ricky, car c'est réellement diabolique et merveilleusement « existentiel ». Un meurtre est commis à Paris, au Guatemala ou à Bar Harbor, dans le Maine. Il est soudain, spontané, quelqu'un est tué sans rime ni raison. Il est simplement exécuté, comme ça. Comme si la victime était frappée par la foudre. Et la personne qui est supposée souffrir directement de ce meurtre se trouve à des centaines, à des milliers de kilomètres de là. Un cauchemar pour n'importe quel service de police, qui devrait vous trouver, trouver l'assassin qui a pris naissance dans votre passé, puis, je ne sais trop comment, faire le lien avec cet événement qui s'est produit dans un pays lointain, avec toute la paperasserie et les problèmes diplomatiques que ça entraînerait. Et cela suppose qu'ils sont capables de retrouver le tueur. Il est sans doute si protégé par de fausses identités et des fausses pistes de toutes sortes que ce serait impossible. La police a assez de mal à trouver des preuves quand elle possède des aveux, de l'ADN et des témoins oculaires directs. Non, Ricky, à mon avis, retrouver l'auteur de ce crime serait bien au-delà des capacités de la police.

— Vous voulez dire…

— Votre choix est assez simple, il me semble. Est-ce que vous pouvez gagner ? Est-ce que vous pouvez découvrir l'identité de ce Rumplestiltskin dans les quelques jours qui vous restent ? Dans la négative, est-ce que vous pouvez vous suicider pour sauver une autre personne ? C'est bien la question la plus intéressante que l'on puisse poser à un médecin. Après tout, notre métier consiste à sauver des vies. Mais nos outils, ce sont les médicaments, la connaissance, parfois le talent à manier le scalpel. Dans le cas présent, c'est peut-être votre vie qui est le remède pour sauver l'autre. Pouvez-vous consentir ce sacrifice ? Si vous refusez, pourrez-vous continuer à vous regarder dans une glace ? En surface, au moins, ce n'est pas si compliqué. La partie difficile est… eh bien, elle est intérieure.

— Vous suggérez… commença Ricky en bafouillant légèrement.

Le vieil analyste s'était rassis dans son fauteuil, de sorte que l'ombre projetée par la lampe posée sur la table semblait lui couper le visage en deux. Le Dr Lewis fit un geste, de sa main aux doigts amaigris par l'âge, semblables à des griffes.

— Je ne suggère rien du tout. Je remarque simplement que faire exactement ce que ce monsieur vous demande de faire constituerait une solution parfaitement viable. Des gens se sacrifient pour que d'autres restent en vie : cela arrive tout le temps. Les soldats sur le champ de bataille. Les pompiers dans les immeubles en flammes. Les policiers dans nos villes. Est-ce que votre vie est assez agréable, assez féconde et assez fructueuse pour que nous supposions qu'elle est plus importante que la vie qui est mise en balance avec elle ?

Ricky s'agita dans son fauteuil, comme si le cuir sur lequel il était assis s'était soudain transformé en bois.

— Je ne peux pas croire…

Le Dr Lewis le regarda, puis haussa les épaules.

— Pardonnez-moi. Bien entendu, vous n'y avez pas réfléchi consciemment. Mais je me demande si votre inconscient ne s'est pas posé ces questions, et si ce n'est pas cela qui vous a incité à venir me voir.

— Je suis venu vous demander votre aide, répliqua Ricky, peut-être un peu trop vivement. J'ai besoin d'aide pour jouer à ce jeu.

— Vraiment ? A un certain niveau, c'est possible. Mais, sur un autre plan, vous êtes peut-être venu chercher autre chose. Une permission ? Une bénédiction ?

— Je dois explorer l'époque où la mère de Rumplestiltskin était ma patiente. J'ai besoin de votre aide, car j'ai fait un blocage sur cette période de mon existence. C'est comme si elle était hors d'atteinte, juste au-delà de ma portée. J'ai besoin que vous m'aidiez à m'orienter. Je sais que je peux identifier la patiente qui est liée à Rumplestiltskin, mais j'ai besoin d'aide. Je crois qu'il s'agit de quelqu'un que je voyais à l'époque où j'étais en traitement chez vous. Je dois vous avoir parlé de cette personne pendant une de nos séances. Ce qu'il me faut, c'est un abat-voix. Quelqu'un sur qui je puisse faire rebondir tous ces vieux souvenirs. Je suis sûr de pouvoir sortir ce nom de mon inconscient.

Le Dr Lewis acquiesça de nouveau.

— Ce n'est pas déraisonnable. Votre façon

d'aborder le problème est intelligente. C'est celle de l'analyste. Le remède est la parole, pas l'action. Est-ce que vous me trouvez cruel, Ricky ? En vieillissant, je suis peut-être devenu irascible et mal embouché. Bien sûr que je vais vous aider. Mais, me semble-t-il, tandis que nous disséquons, il serait sage de considérer aussi le présent, parce qu'il vous faudra chercher des réponses aussi bien dans votre présent que dans votre passé. Voire dans votre avenir. En êtes-vous capable ?

— Je ne sais pas.

Le Dr Lewis eut un sourire déplaisant.

— Voilà bien une réponse d'analyste. Un footballeur, un avocat ou un homme d'affaires moderne dirait : « Mais oui, bon Dieu, je peux ! », alors que nous, les analystes, il faut toujours qu'on se couvre, hein ? Nous ne sommes pas à l'aise avec les certitudes, n'est-ce pas ?

Il reprit son souffle et s'agita pendant un moment.

— Le problème, c'est que ce type qui veut votre tête sur un plateau ne semble pas du tout aussi indécis. Je me trompe ?

— Non, répondit vivement Ricky. Il semble avoir tout parfaitement prévu, tout pensé à l'avance. J'ai l'impression qu'il a anticipé la moindre de mes réactions, comme s'il les avait lui-même planifiées.

— Oui, j'en suis sûr.

Ricky hocha la tête, devant la justesse de cette analyse. Le Dr Lewis continua à poser ses questions.

— Diriez-vous qu'il est malin, psychologiquement ?

— Oui, j'en ai l'impression.

Le Dr Lewis acquiesça.

— C'est l'essence de certains jeux. Le football, peut-être. Les échecs, sûrement.

— Vous voulez dire que…

— Aux échecs, si vous voulez gagner, il faut

anticiper les mouvements de l'adversaire. Un seul mouvement qui ne fait pas partie de ce qu'il a prévu peut amener l'échec et mat et décider de la victoire. A mon avis, c'est ce que vous devriez faire.

— Mais comment puis-je…

Le Dr Lewis se leva.

— C'est ce que nous devrions découvrir autour d'un modeste dîner et durant la fin de la soirée.

Il sourit de nouveau, l'air légèrement ironique.

— Bien entendu, vous ne doutez pas d'un élément décisif.

— Que voulez-vous dire ? demanda Ricky.

— Il me semble assez évident que ce type, Rumplestiltskin, a passé des mois, peut-être des années, à préparer tout ce qui vous arrive maintenant. Sa vengeance tient compte de nombreuses données, et, comme vous l'avez fait remarquer, il a anticipé quasiment chacune de vos réactions.

— Oui. C'est exact.

— Alors je me demande, dit lentement le Dr Lewis, pourquoi il ne vous est pas venu à l'esprit qu'il m'a engagé, peut-être grâce à des menaces ou à des pressions extérieures, pour l'aider à parvenir à ses fins. Peut-être m'a-t-il payé, d'une manière ou d'une autre. Qu'est-ce qui vous faire croire, Ricky, que je suis de votre côté, dans cette affaire ?

Puis, avec un geste circulaire invitant Ricky à le suivre au lieu de lui répondre, le vieil analyste le précéda vers la cuisine, de sa démarche légèrement claudicante.

Deux couverts étaient disposés sur une vieille table à rallonge occupant le centre de la cuisine. Un pichet d'eau glacée et des tranches de pain blanc dans une corbeille d'osier étaient posés au milieu de la table. Le Dr Lewis traversa la cuisine et sortit du four une cocotte contenant un ragoût, qu'il posa sur un dessous-de-plat. Puis il prit une petite salade dans le réfrigérateur. Tout en finissant de dresser la table, il fredonnait doucement. Ricky reconnut des accords de Mozart.

— Asseyez-vous, Ricky. La mixture qui se trouve devant nous, c'est du poulet. Faites comme chez vous.

Ricky hésita. Il se servit un grand verre d'eau, qu'il avala comme un voyageur qui vient de traverser le désert. Cela étancha à peine la soif qui lui était venue d'un seul coup.

— Il a fait ça ? demanda-t-il brusquement.

Il reconnaissait à peine sa propre voix, tant elle était aiguë et perçante.

— Il a fait quoi ?

— Est-ce que Rumplestiltskin vous a approché ? Vous êtes dans le coup ?

Le Dr Lewis s'assit, déplia soigneusement une serviette sur ses genoux, puis se servit généreusement en ragoût et en salade.

— Je vais vous poser une question, Ricky, répondit-il enfin. Si c'était le cas, qu'est-ce que ça changerait ?

— Mais ça changerait tout, bredouilla Ricky. Je dois savoir si je peux vous faire confiance...

Le Dr Lewis hocha la tête.

— Vraiment ? Je crois qu'on fait beaucoup trop de cas de la confiance, dans ce monde. N'empêche, qu'ai-je donc fait, jusqu'ici, pour perdre la confiance que vous m'accordiez au point de venir ici ?

— Rien.

— Alors vous devriez manger. Ce ragoût a été préparé par ma gouvernante, et je vous assure qu'il est fameux… Même s'il n'est pas aussi fameux, je dois en convenir, que celui que ma femme nous préparait, avant sa mort. Vous êtes pâle, Ricky, comme si vous ne vous sentiez pas bien.

— Il faut que je sache. Est-ce que vous travaillez pour Rumplestiltskin ?

Le Dr Lewis secoua la tête. C'était moins une réponse négative à la question de Ricky qu'un commentaire sur la situation.

— Ricky, il me semble que ce qui vous fait défaut, c'est la connaissance. L'information. La compréhension. Dans ce que vous m'avez raconté jusqu'ici, rien de ce que cet homme a fait n'était conçu pour vous égarer. Quand a-t-il menti ? Bon, peut-être cet avocat vous a-t-il donné une fausse adresse, mais ça me semble une tromperie assez simpliste, et nécessaire. En réalité, jusqu'à présent chacun de ses actes était destiné à vous mener à lui. En tout cas, ce pourrait être interprété de la sorte. Il vous fournit des indices. Il vous envoie une séduisante jeune femme pour vous assister. Vous pensez qu'il veut vraiment que vous soyez incapable de l'identifier ?

— Est-ce que vous l'aidez ?

— J'essaie de vous aider, Ricky. Et vous aider, cela peut l'aider aussi. C'est une possibilité. Maintenant, asseyez-vous et mangez. C'est un bon conseil, croyez-moi.

Ricky tira une chaise, mais, à l'idée d'avaler quoi que ce soit, il sentait son estomac se contracter.

— Je dois être sûr que vous êtes de mon côté.

Le vieil analyste haussa les épaules.

— La réponse à cette question ne doit-elle pas apparaître à la fin du match ?

Il fourragea dans son ragoût, puis en avala un énorme morceau.

— Je suis venu chez vous en ami. En ancien patient. C'est vous qui m'avez formé, jadis, pour l'amour de Dieu ! Et maintenant…

Le Dr Lewis agita sa fourchette en l'air, comme le ferait un chef d'orchestre devant des musiciens jouant à contretemps.

— Les gens que vous soignez, vous les considérez comme des amis ?

Ricky s'immobilisa, puis secoua la tête.

— Non. Bien sûr que non. Mais le rôle d'un analyste formateur est différent.

— Vraiment ? N'avez-vous pas un patient ou deux qui se trouvent plus ou moins dans la même situation ?

Les deux hommes restèrent silencieux, tandis que la question restait suspendue au-dessus d'eux. Ricky savait que la réponse devait être « oui », mais il ne voulait pas prononcer le mot à voix haute. Quelques instants plus tard, le Dr Lewis remua la main, comme pour effacer sa question.

— Il faut que je sache, fit Ricky en réponse.

Le Dr Lewis lui jeta un regard impavide absolument exaspérant, qui n'aurait pas déparé à une table de poker. Ricky fulminait intérieurement, car il reconnaissait cet air atone pour ce qu'il était : c'était le regard vide, n'exprimant ni accord ni réprobation, ni choc ni surprise, ni peur ni colère, qu'il adressait à ses propres patients. Un outil de l'analyste, un élément essentiel de son armure. Il se rappelait que le Dr Lewis le regardait ainsi durant sa propre thérapie, près d'un quart de siècle plus tôt, et cela le hérissait de le voir recommencer.

— Non, ce n'est pas vrai, Ricky, fit le vieil homme en secouant la tête. La seule chose que vous avez besoin de savoir, c'est si j'ai l'intention de vous aider. Mes motivations n'ont aucune importance. Peut-être

Rumplestiltskin a-t-il un moyen de pression sur moi. Peut-être pas. Qu'il agite une épée au-dessus de ma tête ou, pourquoi pas, au-dessus de la tête d'un parent à moi n'a rien à voir avec votre situation. La question s'est toujours posée, dans notre métier, n'est-ce pas ? Est-ce que quelqu'un est à l'abri ? Est-ce qu'il existe des relations sans danger ? Est-ce que, très souvent, les gens que nous aimons et respectons ne nous font pas plus souffrir que ceux que nous craignons et haïssons ?

Ricky ne répondit pas. Le docteur le fit à sa place :

— La réponse, que vous êtes incapable de formuler, est : oui. Cela étant dit, mangez un peu. Je crois qu'une longue nuit nous attend.

Les deux médecins finirent leur repas dans un silence presque total. Le ragoût était excellent. Il fut suivi d'une tarte aux pommes maison légèrement parfumée à la cannelle. Il y eut ensuite du café noir servi brûlant, provision d'énergie pour les longues heures de discussion qui allaient suivre. Ricky se dit qu'il n'avait jamais absorbé un repas aussi ordinaire et, à la fois, aussi étrange. Il était à la fois affamé et exaspéré. La nourriture était délicieuse et, quelques secondes plus tard, elle lui semblait froide, crayeuse. Pour la première fois depuis des années, lui revinrent à l'esprit les repas qu'il avait pris seul, les moments volés au chevet de sa femme, lorsque les analgésiques l'expédiaient dans un demi-sommeil, aux derniers jours de son agonie. Le dîner, ce soir-là, avait le même goût.

Le Dr Lewis emporta la vaisselle dans l'évier et l'y laissa telle quelle. Il se servit une seconde tasse de café, puis fit signe à Ricky de regagner le bureau. Ils reprirent leurs sièges respectifs, l'un en face de l'autre.

Ricky lutta contre la colère qu'il éprouvait à l'égard du caractère oblique et fuyant du vieux médecin. Il se dit qu'il devait utiliser sa frustration à son propre bénéfice. C'était plus facile à dire qu'à faire. Il remua dans son fauteuil, avec l'impression d'être un gosse qu'on réprimande pour une faute qu'il n'a pas commise.

Le Dr Lewis le fixait. Ricky se rendit compte que le vieil homme était parfaitement conscient de tout ce qu'il ressentait, aussi clairvoyant qu'un médium de foire.

— Bon. Ricky… par quoi voulez-vous commencer ?

— Le passé. Il y a vingt-trois ans. A l'époque où je suis venu vous voir pour la première fois.

— Je me rappelle que vous débordiez d'idées et d'enthousiasme.

— Je croyais qu'il m'était donné de sauver le monde du désespoir et de la folie. A moi tout seul.

— Et ça s'est passé comme prévu ?

— Non. Vous le savez bien. Ça ne se passe jamais comme prévu.

— Mais vous avez sauvé des gens ?

— Je l'espère. Oui, je crois.

Le Dr Lewis eut un sourire félin.

— Une réponse d'analyste pratiquant, à nouveau. Evasive et fuyante. Avec l'âge… enfin, à mon âge, on découvre d'autres interprétations possibles. Nos veines durcissent, nos opinions font de même. Alors je vais vous poser une question plus précise : qui avez-vous sauvé ?

Ricky hésita, comme s'il mastiquait sa réponse. Il eut envie de réprimer sa première réaction, mais il en fut incapable, les mots coulant entre ses lèvres comme s'ils avaient été trempés dans l'huile.

— Je n'ai pas pu sauver la personne qui comptait le plus pour moi.

— Continuez, je vous en prie, fit le Dr Lewis en hochant la tête.

— Non. Car elle n'a rien à voir avec cette affaire.

Les sourcils du vieil analyste se levèrent légèrement.

— Vraiment ? Je suppose que vous parlez de votre femme.

— Oui. Nous nous sommes rencontrés. Nous sommes tombés amoureux. Nous nous sommes mariés. Pendant des années, nous avons été inséparables. Puis elle est tombée malade. Sa maladie nous a empêchés d'avoir des enfants. Elle est morte. J'ai continué tout seul. Fin de l'histoire. Elle n'a rien à voir avec ce qui se passe aujourd'hui.

— Non, bien sûr, fit le Dr Lewis. Mais vous avez fait connaissance… à quelle époque ?

— Peu avant que nous commencions mon analyse. Nous nous sommes rencontrés à un cocktail. Nous venions tous les deux de finir nos études. Elle en droit, moi en médecine. Nous sommes sortis ensemble au moment où j'étais en thérapie chez vous. Vous vous en souvenez sans doute.

— Oui, en effet. Quel était son métier ?

— Elle était avocate. Je viens de vous le dire. Vous devriez aussi vous en souvenir.

— Ou, je m'en souviens. Mais quel genre d'avocate ? Précisez.

— Quand nous nous sommes rencontrés, elle venait de rejoindre le bureau d'aide juridictionnelle de Manhattan, où elle défendait des petits délinquants. Peu à peu, elle a fait son chemin jusqu'à la chambre criminelle, puis elle en a eu assez de voir tous ses clients se retrouver en prison ou, pis, ne pas y aller. Elle a abandonné, pour se consacrer à une pratique privée, plus modeste et très particulière. Elle s'occupait surtout d'affaires de droit civil. Poursuivre des propriétaires de taudis, rédiger des demandes de révision pour des détenus injustement emprisonnés. C'était une femme libérale et généreuse, qui faisait réellement le bien. Elle aimait répéter qu'elle était une des rares diplômées de l'école de droit de Yale à n'avoir jamais gagné d'argent.

Cette pensée le fit sourire, comme s'il entendait encore sa femme le lui dire. Cette plaisanterie les avait amusés pendant des années.

— Je vois. Quand vous avez commencé votre analyse, c'est-à-dire à l'époque où vous avez rencontré votre femme, quand vous commenciez à sortir avec elle, elle défendait des criminels. Elle a eu affaire à des tas de marginaux enragés. Et il semble aujourd'hui que vous soyez menacé par quelqu'un qui entre dans cette catégorie de criminels… Encore qu'il ait l'air beaucoup plus subtil que ceux qu'elle a dû connaître. Mais vous pensez qu'il est impossible qu'il y ait le moindre lien ?

Ricky s'immobilisa, bouche bée. Cette idée lui donnait le frisson.

— Rumplestiltskin n'a jamais fait allusion…

— C'était simplement une hypothèse, fit le Dr Lewis avec un geste de la main. De quoi alimenter notre réflexion.

Ricky marqua un temps d'arrêt. Il faisait travailler sa mémoire à plein régime. Le silence envahit la pièce. Ricky s'imagina à l'époque où il était jeune. C'était comme si une fissure s'était brusquement ouverte dans un bloc de granit. Il se vit, beaucoup plus jeune, plein d'énergie. A l'époque où le monde s'ouvrait devant lui. Une vie qui montrait peu de ressemblances et peu de liens avec son existence présente. Ce contraste, qu'il avait jusqu'alors nié et ignoré, lui faisait peur, tout à coup.

Le Dr Lewis devait avoir vu cela sur son visage, car il reprit :

— Parlons de l'homme que vous étiez il y a une vingtaine d'années. Oh, pas le Ricky Starks qui envisageait avec impatience sa vie, sa carrière, son mariage. Non, plutôt le Ricky Starks qui était rongé par le doute.

Il aurait voulu répondre sur-le-champ, repousser l'idée d'un geste brusque, mais il n'en fit rien. Il plongea au plus profond de sa mémoire, se rappela son indécision et son anxiété. Il se souvint du jour où il avait franchi pour la première fois la porte du Dr Lewis, dans l'Upper East Side. Il regarda l'homme assis en face de lui, qui l'observait, à l'affût du moindre tressaillement. Il s'étonnait de voir à quel point il avait vieilli et se demanda s'il en était de même pour lui. Fouiller en soi pour retrouver les souffrances mentales qui vous ont poussé à consulter un psychanalyste, il y a tant d'années, c'est provoquer la douleur fantôme que ressent celui qu'on a amputé. La jambe n'est plus là, mais la douleur demeure, émanant du vide chirurgical, à la fois réelle et irréelle. Qui étais-je, à l'époque ? se demanda Ricky.

— Il me semble, répondit-il prudemment, que deux sortes de doutes, d'angoisses et de peurs menaçaient de me paralyser. Les premiers me concernaient, ils m'avaient été légués par une mère trop séduisante, un père sévère et froid trop tôt disparu, et une enfance placée sous le signe de la réussite plutôt que de l'affection. J'étais, de très loin, le plus jeune de la famille, mais, au lieu de me traiter comme le chouchou, on m'a imposé des critères impossibles à atteindre. Tout cela, au moins, était d'une absolue simplicité. Ce sont les symptômes que vous et moi avons examinés pendant le traitement. Mais le trop-plein de ces névroses avait de l'influence sur mes relations avec mes patients.

A l'époque de ma propre thérapie, je voyais des patients dans trois endroits différents. A la clinique de consultation externe du Columbia Presbyterian Hospital. Un bref passage à Bellevue, avec des malades gravement atteints…

— Oui, opina le Dr Lewis. Une étude clinique. Je me rappelle que vous n'aimiez pas particulièrement soigner les malades mentaux…

— C'est exact. Distribuer des antidépresseurs, essayer d'empêcher les gens de se faire du mal ou d'en faire à autrui… dit-il en trouvant après coup sa remarque un peu agressive, mais sans toutefois la relever. Et puis, pendant ces années-là, entre douze et dix-huit patients en thérapie, qui sont devenus mes premières analyses. Ce sont les cas dont je vous parlais, ceux que je suivais en même temps que ma thérapie chez vous.

— Oui. Oui. Je suis d'accord avec tout ça. N'aviez-vous pas un superviseur, un analyste qui mesurait vos progrès avec ces patients ?

— Oui. Le Dr Martin Kaplan. Mais il…

— Il est mort, coupa le Dr Lewis. Je l'ai connu. Une crise cardiaque. Très triste.

Ricky décela dans la voix du docteur une impatience qui l'étonna un peu.

— J'ai du mal à faire le lien entre les noms et les visages, reprit-il.

— Un blocage ?

— Oui. Je suis censé avoir une excellente mémoire, mais je me rends compte que je suis incapable de faire le lien. Je me rappelle un visage, un diagnostic, mais pas le nom du patient. Et vice versa.

— Quelle en est la raison, selon vous ?

— Le stress, répondit Ricky après un temps de réflexion. C'est simple. Vu la tension à laquelle je suis soumis, je suis incapable de me rappeler des choses toutes simples. Ma mémoire est complètement sens dessus dessous.

De nouveau, le vieil analyste acquiesça.

— Vous ne croyez pas que Rumplestiltskin le sait ? Qu'il est peut-être une sorte d'expert en psychologie du stress ? Qu'il est peut-être, à sa manière, beaucoup plus sophistiqué que vous, le médecin ? Est-ce que cela ne vous fournit pas un indice sur ce qu'il est ?

— Un homme qui sait comment les gens réagissent à la pression et à l'angoisse ?

— Bien sûr. Un soldat ? Un policier ? Un avocat ? Un homme d'affaires ?

— Ou un psychologue.

— Exactement. Quelqu'un qui fait le même métier que nous.

— Mais un médecin ne ferait jamais…

— Ne dites jamais le mot « jamais ».

Ricky se laissa aller en arrière, rasséréné.

— Je ne suis pas assez précis. Ecartons les gens que je voyais à Bellevue. Ils étaient beaucoup trop malades pour produire quelqu'un d'aussi mauvais. Il reste donc ma clientèle privée et mes patients à la clinique.

— Eh bien, commençons par la clinique.

Ricky ferma brièvement les yeux, comme si cela pouvait l'aider à visualiser le passé. La clinique de consultation externe du Columbia Presbyterian Hospital occupait un dédale de petits cabinets, au rez-de-chaussée de ce gigantesque hôpital, à proximité de l'entrée des urgences. La majorité des patients venaient de Harlem ou du South Bronx. La plupart étaient pauvres et démunis : des ouvriers à la couleur de peau et aux perspectives d'avenir d'une grande variété, qui considéraient tous la maladie mentale et la névrose comme des phénomènes exotiques et lointains. Ils occupaient le no man's land de la santé mentale, entre la classe moyenne et les sans-logis. Leurs problèmes étaient réels. Il vit l'abus de drogues, les abus sexuels, les violences physiques. Il vit des quantités de mères abandonnées par leur mari, avec des enfants au regard inexpressif et dur, dont la seule ambition était de rejoindre un gang des rues. Ricky savait qu'un nombre important de ces désespérés et de ces déshérités étaient devenus des criminels d'envergure. Des dealers, des maquereaux, des voleurs et des tueurs. Il se souvenait que la cruauté exsudait littéralement, presque comme une odeur, de certains des patients qui venaient à la clinique. C'étaient les mères et les pères qui travaillaient assidûment à fabriquer la prochaine génération de psychopathes criminels des quartiers pauvres. Mais il savait aussi que c'étaient des gens sans pitié, qui dirigeaient leur hargne contre les leurs. S'ils assommaient à coups de poing quelqu'un appartenant à une autre classe sociale que la leur, c'était par hasard, jamais de manière préméditée : le cadre supérieur dont la Mercedes tombe en panne sur l'autoroute qui traverse le Bronx, alors qu'il rentre chez lui, à Darien, après avoir travaillé tard dans son bureau du centre-ville, ou le riche touriste suédois qui prend le mauvais métro, à la mauvaise heure et dans la mauvaise direction.

J'ai vu beaucoup d'horreurs, se dit-il. Mais je leur ai tourné le dos.

— Je ne sais pas… répondit-il enfin. Les gens qui venaient à la clinique étaient tous des déshérités. Des marginaux. J'ai l'impression que la personne que je cherche fait partie des premières patientes que j'ai soignées. Et Rumplestiltskin m'a déjà dit qu'il s'agissait de sa mère. Mais elle s'est présentée sous son nom de jeune fille. « Une demoiselle », il a dit.

— Intéressant, dit le Dr Lewis dont les yeux étincelaient tant il semblait intrigué par les paroles de Ricky. Je vois pourquoi vous allez dans cette direction. Et je crois qu'il est important de limiter le champ des recherches. Eh bien, parmi tous ces patients, combien y avait-il de femmes célibataires ?

Ricky se concentra pour visualiser une série de visages.

— Sept, dit-il.

Le docteur réfléchit un instant.

— Sept. Parfait. Maintenant, le moment est venu de faire un bond en avant, vous ne croyez pas, Ricky ? Le moment où, pour la première fois, vous allez devoir prendre une décision.

— Je crois que je ne vous suis pas.

Le Dr Lewis eut un sourire triste.

— Jusqu'ici, Ricky, il me semble que vous vous êtes contenté de réagir à la situation affreuse dans laquelle vous vous trouvez emprisonné. Tant d'incendies qu'il a fallu circonscrire. Vos finances. Votre réputation professionnelle. Vos patients. Votre famille. De toute cette pagaille, vous n'avez sorti qu'une question à l'intention de votre bourreau, et cela vous a indiqué la direction à prendre : la mère de l'enfant qui, en grandissant, est devenu le psychopathe qui veut vous pousser au suicide. Mais le bond que vous devez faire est le suivant : est-ce qu'on vous a dit la vérité ?

— Je dois le supposer, fit Ricky, la gorge serrée.

— N'est-ce pas risqué ?

— Bien sûr que c'est risqué, rétorqua Ricky, légèrement irrité. Est-ce que j'ai le choix ? Si je pense que

Rumplestiltskin m'entraîne dans une mauvaise direction, je n'ai aucune chance, n'est-ce pas ?

— Est-ce qu'il ne vous est pas venu à l'esprit que vous n'êtes pas censé avoir la moindre chance ?

La remarque était si brutale, si terrifiante, que Ricky sentit la sueur lui couler dans le cou.

— Si c'était le cas, je devrais me suicider.

— Je suppose. Ou bien vous ne faites rien, vous vivez et vous attendez de voir ce qui arrivera à quelqu'un d'autre. Ce n'est peut-être que du bluff, vous savez. Il ne se passera peut-être rien du tout. Votre patient, ce Zimmerman, a peut-être sauté sous le train… à un moment mal choisi pour vous, mais qui arrangeait Rumplestiltskin. Peut-être, peut-être, peut-être… Peut-être que le jeu se résume à ceci : vous n'avez aucune chance. Je pense seulement à voix haute, Ricky.

— Je ne puis admettre cette possibilité, dit Ricky.

— Voilà une réponse intéressante de la part d'un psychanalyste, répliqua vivement le Dr Lewis. Une porte qui ne peut être ouverte… Cela va à l'encontre de tout ce que nous défendons.

— Ce que je veux dire, c'est que je n'ai pas le temps, n'est-ce pas ?

— Le temps est élastique. Peut-être avez-vous le temps. Peut-être pas.

Ricky s'agita, mal à l'aise. Il avait rougi et il se sentait comme l'adolescent qui a des pensées et des sentiments adultes mais que l'on considère toujours comme un enfant.

Le Dr Lewis se frottait le menton, toujours pensif.

— Je crois que votre persécuteur est un psychologue, dit-il presque négligemment, comme s'il s'agissait d'une remarque sur le temps. En tout cas, qu'il exerce une profession proche de la nôtre.

— Je crois que je suis d'accord, dit Ricky. Mais votre raisonnement…

— Le jeu, tel que l'a défini Rumplestiltskin, ressemble à une séance sur le divan. Il doit durer un peu plus de cinquante minutes. Dans n'importe quelle séance d'analyse, on doit démêler l'écheveau d'une série vertigineuse de vérités et de mensonges.

— Je dois travailler avec ce que j'ai.

— La question n'est-elle pas toujours là ? Notre boulot ne consiste-t-il pas, très souvent, à découvrir ce que le patient *ne dit pas* ?

— Oui, c'est vrai.

— Par conséquent…

— Tout ça n'est peut-être que du bluff. Je le saurai dans une semaine. Juste avant de me tuer ou de passer une autre annonce dans le *Times*. L'un ou l'autre.

— C'est une idée intéressante, dit le vieux docteur qui semblait réfléchir. Il pourrait arriver au même résultat et se protéger au point qu'aucun policier, aucune autorité ne pourrait jamais le confondre – simplement en mentant. Personne ne pourrait jamais comprendre ce qui s'est passé, hein ? Et vous, vous seriez mort, ou ruiné. C'est proprement diabolique. Et très habile, aussi, à sa manière.

— Je ne crois pas que cette réflexion m'aide beaucoup. Sept femmes en traitement. L'une d'elles a enfanté un monstre. Laquelle ?

— Rappelez-les-moi, dit le Dr Lewis avec un léger mouvement vers l'extérieur et sur la nuit qui semblait s'être refermée sur eux, comme s'il essayait de sortir des ténèbres la mémoire de Ricky pour l'amener dans la salle bien éclairée.

15

Sept femmes.

Deux des sept femmes qui s'étaient adressées à lui pour se faire soigner, à l'époque, étaient mariées. Trois étaient fiancées ou entretenaient des relations régulières avec un homme, et deux étaient sexuellement à la dérive. Leur âge variait de vingt à trente ans. Toutes étaient des femmes qui avaient fait carrière – genre agents de change, assistantes de direction, avocates ou femmes d'affaires. Le groupe comptait également une rédactrice en chef et un professeur d'université. Ricky se concentra. Il commençait à se rappeler l'éventail des névroses qui avaient amené chacune d'elles à son cabinet. Et dès que les pathologies des patientes prenaient forme dans sa mémoire, il se souvenait aussi des traitements.

Peu à peu, des voix lui revinrent, des mots prononcés dans son cabinet. Des moments précis, des découvertes, des éclairs de compréhension, tout cela remonta à sa conscience, grâce aux questions simples et directes du vieux docteur qui était perché comme un corbeau au bord de son fauteuil. La nuit les enveloppait, rien n'existait à l'exception de la petite pièce et des souvenirs de Ricky Starks. Il ne savait pas très bien combien de temps s'était écoulé, mais il savait qu'il était tard. Il s'interrompit brusquement, presque au milieu d'un souvenir, et fixa l'homme qui se trouvait devant lui. Les yeux du Dr Lewis brillaient toujours d'une énergie prodigieuse, qui venait sans doute du café noir, mais surtout du cortège de souvenirs, voire de quelque chose d'autre – une raison inconnue d'être impatient.

Ricky avait le cou trempé de sueur. Il attribua le phénomène à l'humidité de l'air qui se glissait par les fenêtres ouvertes, promesse d'une averse rafraîchissante mais qui provoquait l'effet inverse.

— Elle n'est pas là, n'est-ce pas, Ricky ? demanda soudain le Dr Lewis.

— Ce sont les femmes qui étaient en traitement, répondit-il.

— Et toutes ont été soignées plus ou moins avec succès, d'après ce que vous dites, et d'après mes souvenirs de vos propos durant nos propres séances. Et je parie qu'elles sont toujours en vie et qu'elles mènent une existence féconde. Un détail, ajouterais-je, que vous pourriez découvrir grâce à une petite enquête.

— Mais que…

— Vous vous souvenez de chacune d'elles avec précision, dans le moindre détail. Et c'est là que ça cloche, n'est-ce pas ? Parce que la femme que vous cherchez dans vos souvenirs ne vous saute pas aux yeux. Vous l'avez rejetée de votre mémoire, et vous l'avez perdue.

Ricky commença à bafouiller une réponse. Puis il s'interrompit, comprenant que le Dr Lewis avait raison.

— Est-ce qu'aucun échec ne vous revient, Ricky ? Car c'est là que vous trouverez le lien avec Rumplestiltskin. Pas dans les réussites.

— Je crois que j'ai aidé toutes ces femmes à régler

les problèmes qu'elles devaient affronter. Je ne me souviens pas d'une seule qui serait partie bouleversée.

— Ah, voilà bien l'expression d'un orgueil démesuré, Ricky. Faites un effort. Qu'est-ce que Monsieur R. vous a dit dans son « indice » ?

Ricky fut quelque peu stupéfait d'entendre le vieil analyste employer l'abréviation dont se servait Virgil. Il essaya de se rappeler s'il avait lui-même prononcé ces mots – Monsieur R. – depuis le début de la soirée, mais il n'en était pas certain. Il aurait dû s'en souvenir, pourtant. L'indécision, l'incertitude, l'absence de conviction soufflaient en lui comme autant de vents contraires. Il se sentait ballotté, la tête lui tournait, il se demandait où était passée sa capacité à se remémorer le moindre détail. Il remua sur son siège en espérant que son inquiétude n'était pas visible sur son visage ni dans son attitude.

— Il m'a dit, répondit-il froidement, que la femme que je cherchais était morte. Et que je lui avais promis quelque chose que je n'ai pas pu lui donner.

— Eh bien, concentrez-vous sur la deuxième partie de la phrase. Y a-t-il une femme que vous auriez refusé de soigner, des femmes qui seraient venues vers vous durant cette période ? Peut-être brièvement, une dizaine de séances, puis qui ont laissé tomber ? Vous vous obstinez à considérer vos premières clientes privées. Peut-être s'agit-il de quelqu'un que vous avez vu à la clinique où vous avez travaillé ?

— Je suis sûr que c'est possible, mais comment pourrais-je…

— Cet autre groupe de patients, pour ce que vous vous en souvenez, ils étaient moins importants, non ? Moins riches ? Moins doués ? Moins cultivés ? Et peut-être ne se sont-ils pas inscrits aussi nettement sur l'écran de radar du jeune Dr Starks.

Ricky s'abstint de répondre : il savait que la remarque du Dr Lewis venait d'un préjugé, mais qu'il avait raison.

— Ne faites-vous pas une promesse implicite, quand un patient franchit la porte de votre cabinet et commence à parler ? Celle de le décharger d'un fardeau ? En tant qu'analyste, est-ce que vous n'exprimez pas une prétention ? Est-ce que vous ne vous engagez pas, par conséquent ? Vous offrez l'espoir d'une amélioration, d'un progrès, vous proposez de le soulager d'un tourment, comme n'importe quel médecin.

— Bien sûr, mais…

— Qui est venu et a cessé de venir ?

— Je ne sais pas…

— Qui avez-vous suivi pendant quinze séances, Ricky ? poursuivit le vieil analyste d'une voix soudain pressante, insistante.

— Quinze ? Pourquoi quinze ?

— Combien de jours Rumplestiltskin vous a-t-il accordés pour découvrir son identité ?

— Quinze.

— Deux semaines, plus un jour. Un laps de temps inhabituel. Je pense que vous auriez dû réfléchir à ce chiffre, parce que le lien est peut-être là. Et qu'exige-t-il de vous ?

— Que je me suicide.

— Eh bien, Ricky, qui vous a consulté pendant quinze séances et puis s'est suicidé ?

Ricky vacilla. Il s'agita. Une douleur aiguë lui vrilla le crâne. J'aurais dû comprendre, se dit-il. J'aurais dû le voir, tellement c'est évident.

— Je ne sais pas, balbutia-t-il à nouveau.

— Vous ne savez pas, répéta le vieil analyste d'un

ton légèrement irrité. Parce que vous ne voulez pas savoir. Ce n'est pas tout à fait la même chose.

Il se leva.

— Il est tard, et je suis déçu. Je vous ai fait préparer la chambre d'amis. En haut de l'escalier, à droite. J'ai encore quelques petites choses à régler avant de me coucher. Demain matin, après avoir un peu réfléchi, vous serez peut-être en mesure de progresser.

— Je crois que j'ai encore besoin d'aide, fit Ricky d'une voix faible.

— Vous en avez eu, de l'aide, répliqua le Dr Lewis.

Il lui montra l'escalier.

La chambre était ordonnée, bien équipée, avec cette propreté de chambre d'hôtel qui suggérait qu'on ne s'en servait pas souvent. Le cabinet de toilette, dans le couloir, lui donna la même impression. Ni l'un ni l'autre ne fournissait beaucoup d'informations sur le Dr Lewis ou sur la vie qu'il menait. Pas de médicaments dans l'armoire à pharmacie de la salle de bains, pas de magazines empilés à la tête du lit, pas de livres en désordre sur une étagère, aucune photo de famille aux murs. Ricky se mit en sous-vêtements et se coucha sans attendre, non sans avoir jeté un coup d'œil à sa montre. Il était nettement plus de minuit. Il était épuisé, il fallait qu'il dorme. Mais il n'était pas à l'aise, son esprit bouillonnait, et le sommeil ne venait pas. Les bruits de la campagne – les grillons, mais aussi le papillon de nuit ou le hanneton qui venait cogner de temps en temps contre la moustiquaire placée devant les fenêtres – lui semblaient deux fois plus forts que le vacarme de la ville. Allongé sur le lit, dans le noir, Ricky parvint peu à peu à faire le tri dans les sons qui lui parvenaient. Il discerna la voix lointaine du

Dr Lewis. Il essaya de se concentrer. Il lui sembla que le vieil analyste était en colère contre quelque chose ou quelqu'un. Il criait presque, maintenant, d'une voix aiguë. Ricky s'efforça d'évacuer tous les autres bruits pour saisir ce qu'il disait, mais sans succès. Puis il perçut le claquement reconnaissable du téléphone qu'on raccroche brutalement. Quelques secondes plus tard, il entendit le vieux docteur monter l'escalier, puis le bruit d'une porte qu'on ouvrait et refermait rapidement.

Il lutta pour garder les yeux ouverts dans le noir. Quinze séances, puis la mort, se dit-il. Qui était-ce ?

Il n'eut pas conscience de sombrer dans le sommeil. Il s'éveilla lorsque les premiers rayons du soleil lui frappèrent le visage. Ce matin d'été aurait dû être parfait, mais Ricky se traînait sous le poids des souvenirs et de la déception. Il s'était imaginé que le vieux médecin serait capable de l'orienter directement vers un nom. Au lieu de quoi, il se sentait plus que jamais à la dérive sur l'océan démonté de sa mémoire. Ce sentiment d'échec était comme une migraine qui battait à ses tempes. Il enfila son pantalon, ses chaussures et sa chemise, attrapa son veston et, après s'être rafraîchi le visage et passé les doigts dans les cheveux pour être à peu près présentable, il se dirigea vers l'escalier qui menait au rez-de-chaussée. Il allait d'un pas décidé en se disant que la seule chose sur laquelle il devait se concentrer, c'était le nom, insaisissable, de la mère de Rumplestiltskin. Il sentait que le Dr Lewis avait raison de faire le lien entre le nombre de jours et celui des séances. Ce qui restait à découvrir, c'était le contexte où cette femme avait vécu. Il se dit qu'il avait repoussé beaucoup trop vite et avec trop de morgue les femmes démunies de la clinique psychiatrique, préférant concentrer son attention sur celles qui étaient devenues ses premières patientes en analyse. Il avait soigné la femme qu'il cherchait au moment précis où lui-même avait à faire des choix dont dépendraient sa carrière, son devenir d'analyste, sa vie sentimentale et son mariage. C'était l'époque où devait se dessiner sa route, et cet échec était survenu dans un monde qu'il voulait rejeter.

C'est la raison pour laquelle le blocage était si important. Il descendit l'escalier avec une énergie renouvelée à l'idée qu'il allait partir à l'assaut de ses souvenirs comme un pilote de bombardier de la Seconde Guerre mondiale. Il lui suffirait de frapper le béton de la mémoire refoulée avec une bombe suffisamment puissante pour le faire voler en éclats. Il était confiant : avec l'aide du Dr Lewis, il pourrait mener cette offensive avec succès.

La chaleur et la lumière de la campagne qui s'infiltraient dans la maison semblèrent dissiper tous ses doutes, toutes les questions qu'il aurait pu se poser sur Lewis. Les aspects les plus gênants de leur conversation de la nuit s'évanouissaient dans la luminosité matinale. Ricky passa la tête par la porte du bureau, en quête de son hôte. Mais la pièce était déserte. Il descendit le couloir central de la vieille maison en direction de la cuisine, d'où lui venait une odeur de café.

Le Dr Lewis n'était pas là.

Ricky appela d'une voix forte mais n'obtint aucune réponse. Un regard sur la cafetière lui apprit que du café frais était au chaud sur la plaque brûlante et qu'on avait sorti une tasse à son intention. Un morceau de papier était posé dessus. Il vit son nom, écrit au crayon. Ricky se versa une tasse de café et déplia le message en avalant une gorgée du breuvage amer et brûlant.

Ricky,

Je dois m'absenter pour régler un problème inattendu. Je ne serai sans doute pas rentré avant votre départ. Si vous voulez trouver cette personne, je crois que vous devriez examiner l'arène que vous avez quittée à cette époque, et non celle où vous êtes entré. Et je me demande, dans le cas où vous gagneriez le jeu, si vous ne perdrez pas. Et dans le cas contraire, si vous ne serez pas le gagnant en perdant. Réfléchissez soigneusement aux différentes possibilités qui s'offrent à vous.

Je vous prie instamment de ne plus me contacter, quels qu'en soient la raison ou le but.

W. Lewis, docteur en médecine

Il fit un bond en arrière, comme s'il avait reçu un coup au visage.

Il eut l'impression que le café lui brûlait la langue et la gorge. Il rougit sous l'effet de la confusion et de la colère. Il relut trois fois le message qu'il avait sous les yeux, mais à chaque fois les mots étaient plus flous, alors que cela aurait dû être le contraire. Finalement, il froissa la feuille de papier et la fourra dans sa poche. Il se dirigea vers l'évier d'un pas décidé. La vaisselle de la veille au soir était lavée et proprement empilée sur le bord du comptoir. Il jeta le café dans l'évier de porcelaine blanche, fit couler de l'eau et regarda le mélange brunâtre disparaître en tournoyant dans la canalisation. Il rinça la tasse et la posa sur la paillasse. Pendant une seconde, il s'agrippa au bord du comptoir pour ne pas tomber. Au même instant, il entendit une voiture qui montait l'allée de gravier.

Il crut que le Dr Lewis était de retour, avec des explications. Il se dirigea vers l'entrée presque en courant. Mais ce qu'il vit le surprit.

C'était le taxi qui l'avait pris la veille à la gare de Rhinebeck. Le chauffeur lui fit un petit signe de la main, arrêta son véhicule et baissa sa vitre.

— Hé, doc, comment va ? Dites, il vaudrait mieux y aller, si vous ne voulez pas rater votre train.

Ricky hésita. Il se tourna à demi vers la maison. Il se disait qu'il devait faire quelque chose, laisser un message, parler à quelqu'un, mais, pour autant qu'il sache, la maison était vide. Un simple coup d'œil à l'ancienne étable le convainquit que la voiture du Dr Lewis n'était pas là.

— Sérieux, doc, nous n'avons pas beaucoup de temps. Le prochain train ne passe qu'en fin d'après-midi. Si vous ratez celui-ci, vous allez devoir attendre toute la journée. Allez, montez, il faut qu'on y aille...

— Pourquoi êtes-vous venu me chercher ? Je ne vous ai pas appelé.

— Eh bien, quelqu'un l'a fait. Sans doute le type qui habite ici. J'ai reçu un message sur mon biper. Il fallait que je vienne ici pour prendre illico presto le Dr Starks et faire en sorte qu'il attrape le train de neuf heures quinze. Je suis donc venu sur les chapeaux de roues. Mais si vous ne montez pas tout de suite, vous allez le rater, votre train, et croyez-moi, il n'y a pas grand-chose à faire dans le coin pour vous occuper toute une journée...

Ricky hésita une seconde, puis il ouvrit la portière et se laissa tomber sur le siège arrière. Il eut un sentiment de culpabilité à l'idée de laisser la maison grande ouverte, puis il pensa : Qu'il aille se faire voir !

— D'accord, fit-il. Allons-y.

Le chauffeur démarra brusquement, ce qui souleva quelques pierres, du gravier et de la poussière.

Quelques minutes plus tard, le taxi arrivait au

carrefour de River Road et de la voie d'accès au pont de Kingston-Rhinecliff. Un policier de l'Etat de New York se tenait au milieu du croisement, pour repousser la circulation sur la route de campagne sinueuse. Le flic portait un chapeau de Smokey the Bear et une chemise grise. Son regard d'acier et son air blasé contredisaient son évidente jeunesse. Il se mit à agiter le bras pour faire avancer le taxi vers la gauche. Le chauffeur baissa sa vitre et s'écria, de l'autre côté de la route :

— Hé, monsieur l'agent ! Je peux passer ? Nous devons attraper le train !

Le policier secoua la tête.

— Pas question. La route est bloquée, à huit cents mètres d'ici. Ça durera jusqu'à ce que les sauveteurs et la dépanneuse aient fini leur boulot. Il faut faire le tour. Si vous foncez, vous aurez votre train.

— Que se passe-t-il ? demanda Ricky à l'arrière du taxi.

Le chauffeur haussa les épaules.

— Hé ! cria-t-il au policier. Qu'est-ce qui se passe ?

— Un vieux bonhomme trop pressé a raté un virage, fit le flic en secouant la tête. Sa voiture s'est pliée contre un arbre. Peut-être qu'il a eu une crise cardiaque et qu'il a perdu conscience.

— Il est mort ? demanda le taxi.

Le policier secoua de nouveau la tête. Il n'en savait rien.

— Les secours sont sur place. Ils font le maximum pour le sauver.

Ricky se redressa brusquement.

— Quelle voiture conduisait-il ?

Penché en avant, il criait par la fenêtre du conducteur.

— Quelle marque de voiture ?

— Une vieille Volvo bleue, dit le policier en faisant signe au taxi de dégager par la gauche.

— Merde, fit le chauffeur en accélérant. Il faut faire le tour. Ça va être serré pour attraper le train.

Ricky se tortillait sur son siège.

— Il faut que je voie cet accident ! dit-il. La voiture…

— Si on s'arrête pour contempler le paysage, on n'aura pas le train.

— Mais cette voiture… le Dr Lewis…

— Vous croyez qu'il s'agit de votre ami ? demanda le chauffeur en s'éloignant du lieu de l'accident, au grand désespoir de Ricky.

— Il a une vieille Volvo bleue…

— Il y en a des centaines, par ici.

— Non, ce n'est pas possible…

— Les flics ne vous laisseront pas approcher. Et même si c'était le cas, qu'est-ce que vous feriez de plus ?

Ricky n'avait rien à répondre à cela. Il se laissa retomber sur son siège, comme s'il avait reçu une gifle. Le chauffeur hocha la tête et fit rugir son moteur.

— Quand vous serez à New York, appelez la police d'Etat à Rhinebeck, ils auront des détails. Appelez les urgences à l'hôpital, ils vous diront ce qu'ils savent. Sauf si vous avez envie d'y aller maintenant, mais je vous le déconseille. Rester là à attendre la sortie des toubibs des urgences, peut-être le croque-mort, pendant que les flics font leur enquête et n'en savent guère plus que vous… Vous ne deviez pas aller quelque part ?

— Oui, fit Ricky, qui n'en était pas sûr du tout.

— Le type, dans la voiture, c'est vraiment un ami proche ?

— Non, fit Ricky. Pas du tout. Je le connaissais, simplement. Je croyais que je le connaissais.

— Eh bien, fit le chauffeur, tout va bien. Je crois que nous serons à l'heure.

Il accéléra de nouveau, franchit un feu orange au moment précis où il passait au rouge et se mit à rire en fonçant en avant. Ricky se renversa sur son siège, non sans avoir jeté un coup d'œil derrière lui, par la vitre arrière, vers cet accident qui restait désespérément hors de sa vue, quelle qu'en soit la victime. Il se concentra pour essayer d'apercevoir les feux clignotants, d'entendre les sirènes, mais c'était trop tard.

Il arriva à la gare une ou deux minutes avant le départ du train. L'urgence l'empêchait de réfléchir à ce qui s'était passé durant sa visite au vieux docteur. Il courut comme un fou, le claquement de ses chaussures résonnant dans la gare déserte, tandis que le train s'arrêtait le long du quai dans le hurlement de ses freins à air comprimé. Il remonta la longueur du train. De rares voyageurs attendaient cette navette qui les conduirait à New York – c'était la matinée d'un jour de semaine. Deux ou trois hommes d'affaires parlant dans leur portable, trois femmes qui semblaient parties pour une journée de shopping, quelques adolescents en blue-jean. C'était tout. La chaleur estivale, de plus en plus forte, exigeait qu'il marche d'un pas plus mesuré, mais cela ne lui ressemblait pas. Il trouva soudain que son sentiment d'urgence était un peu déplacé et qu'il lui paraîtrait normal lorsqu'il aurait regagné la ville.

Le wagon était presque désert, à part quelques voyageurs disséminés çà et là. Il se rendit à l'arrière et se tassa dans un coin. Il tourna la tête vers la vitre et y colla la joue pour regarder défiler le paysage, cette fois encore du côté d'où il pouvait voir l'Hudson.

Ricky avait l'impression d'être une balise détachée de son amarre. Lui qui avait été un repère solide, essentiel, capable d'indiquer les récifs et les courants dangereux, était désormais à la dérive et vulnérable. Il ne savait pas vraiment que penser de sa visite chez le Dr Lewis. Il pensait avoir progressé, mais ignorait en quoi consistaient ces progrès. Il ne se sentait pas plus apte à résoudre l'énigme et à identifier ce qui le liait à son poursuivant qu'avant d'entreprendre ce voyage en amont du fleuve. Puis, à y réfléchir, il réalisa que ce n'était pas vrai. Ce qu'il savait maintenant, c'était qu'il existait un blocage mental entre lui et le souvenir qu'il voulait activer. La patiente, le contexte qu'il cherchait semblaient rester juste hors de sa portée, quelle que soit l'énergie qu'il mettait à les cerner. Il était au moins sûr d'une chose : tout cela n'avait aucun rapport avec ce qu'il était devenu, avec ce que sa vie était devenue.

L'erreur qu'il avait commise, et qui était à l'origine de la fureur de Rumplestiltskin, datait de son incursion initiale dans l'univers de la psychiatrie et de la psychanalyse. Elle avait eu lieu précisément au moment où il avait tourné le dos au travail difficile et ingrat consistant à soigner les malheureux, pour se consacrer, occupation beaucoup plus stimulante sur le plan intellectuel, aux gens riches et intelligents. Les « nantis névrosés », comme un confrère avait un jour baptisé sa clientèle. Les privilégiés angoissés.

Cela le mettait hors de lui. Les jeunes gens commettent des erreurs. C'est inévitable, dans tous les métiers. Il n'était plus jeune, et il n'aurait jamais commis la même erreur, quelle qu'elle soit. Il était furieux à l'idée qu'on lui fasse payer quelque chose qu'il avait fait plus de vingt ans auparavant, une décision qui n'était pas différente des décisions prises par des dizaines de ses confrères dans les mêmes circonstances. Cela lui semblait injuste et excessif. S'il n'avait pas été meurtri par tout ce qui lui arrivait, il aurait peut-être vu que son métier reposait sur l'hypothèse que le temps ne fait qu'exacerber les blessures faites à la psyché. Il les creuse de nouveau. Il ne les guérit jamais.

Par la fenêtre, il voyait le fleuve défiler sous ses yeux. Il ne savait absolument pas ce qu'il allait faire, seulement qu'il voulait retrouver son appartement. Il voulait être dans un endroit sûr, même si ce n'était que provisoire.

Ricky regardait fixement par la fenêtre, comme en transe. Quand le train s'arrêtait en gare, il levait à peine les yeux et remuait un peu sur son siège. Le dernier arrêt avant le terminus était Croton-on-Hudson, à un quart d'heure de Pennsylvania Station. Des dizaines de sièges étaient libres dans le wagon qu'il occupait. Il fut donc surpris quand un passager, venu de l'arrière, se glissa à côté de lui et se laissa tomber sur la banquette avec un bruit sourd.

Ricky se retourna brusquement, stupéfait.

16

Merlin semblait essoufflé et il était un peu rouge, comme un homme qui a dû courir pour ne pas rater son train. Il avait le front légèrement humide sous l'effet de la transpiration. Il sortit un mouchoir de soie de la poche de poitrine de son veston et s'essuya le visage.

— Failli louper le train, dit-il alors que personne ne lui demandait d'explication. Je devrais faire un peu plus d'exercice.

Ricky inspira à fond.

— Qu'est-ce que vous faites là ? fit-il en se disant que dans ces circonstances, c'était une question stupide.

Quand il eut fini de s'éponger, Merlin étala son mouchoir sur son genou et le lissa avant de le replier et de le glisser dans sa poche. Puis il rangea sa serviette en cuir et un petit sac de sport imperméable dans l'espace aménagé à ses pieds.

— Je suis venu vous encourager, docteur Starks, fit-il après s'être éclairci la gorge. Vous encourager.

La surprise que Ricky avait ressentie en le voyant apparaître s'était dissipée. Il changea de position, afin de mieux voir l'homme assis à côté de lui.

— Vous m'avez menti, l'autre jour. Je suis allé à votre nouvelle adresse…

L'avocat eut l'air légèrement étonné.

— Vous êtes allé à mes nouveaux bureaux ?

— Juste après notre conversation. Personne dans l'immeuble n'avait jamais entendu parler de vous. Et il est certain qu'aucun bureau n'était loué au nom de Merlin. Alors, qui êtes-vous, monsieur Merlin ?

— Je suis qui je suis. C'est extrêmement bizarre.

— Oui, fit sèchement Ricky. Extrêmement bizarre.

— Et un peu embarrassant. Pourquoi être allé à mes nouveaux bureaux après notre conversation ? Quelle était votre intention, docteur Starks ?

Le train, en prenant de la vitesse, fit une légère embardée. Les épaules des deux hommes se heurtèrent, provoquant une sorte de brève intimité plutôt désagréable.

— Je ne croyais pas que vous étiez ce que vous prétendiez être, de même que je ne crois rien de ce que vous m'avez dit. J'ai compris très vite que mes soupçons étaient fondés, parce qu'en arrivant à l'adresse qui figurait sur votre carte…

— Je vous ai donné ma carte ? l'interrompit Merlin en secouant la tête, avec un petit sourire. Le jour du déménagement ? Cela explique tout.

— Oui, en effet, dit Ricky avec irritation. Je suis sûr que vous vous en souvenez…

— C'était une journée difficile. Déroutante. Vous savez ce qu'on dit ? La mort, le divorce et les déménagements sont les événements les plus stressants pour le cœur. Pour la psyché aussi, j'imagine.

— Oui, j'ai entendu dire ça.

— Eh bien, mon premier lot de cartes de visite est revenu de chez l'imprimeur avec une faute de frappe. Mes nouveaux bureaux se trouvent une rue plus loin que l'adresse indiquée. L'employé a commis une erreur, et personne ne l'a corrigée. J'ai dû distribuer une douzaine de cartes avant de m'en rendre compte. Ce sont des choses qui arrivent. Je crains que le pauvre type n'ait perdu son boulot, parce que l'imprimeur a dû détruire tout le lot et imprimer de nouvelles cartes…

Merlin mit la main à la poche de sa veste et en sortit un petit porte-cartes en cuir.

— Voici. Celle-là est bonne.

Il tendit une carte à Ricky, qui la fixa d'un air absent, puis fit un grand geste de refus.

— Je ne vous crois pas. Je ne croirai plus rien de ce que vous me direz. Ni maintenant ni jamais. C'est vous, aussi, qui étiez devant chez moi avec le message dans le *Times*, deux jours plus tard. Je sais que c'était vous.

— Devant chez vous ? Bizarre… Quand cela, dites-vous ?

— A cinq heures du matin.

— Remarquable. Comment pouvez-vous en être sûr ?

— Le livreur a décrit vos chaussures à la perfection. Et le reste aussi, assez précisément.

Merlin secoua à nouveau la tête. Il eut ce sourire félin qui avait frappé Ricky lors de leur première rencontre. Il avait le sentiment que l'avocat avait confiance en son talent à être assez fuyant pour ne pas se laisser coincer. Une qualité essentielle pour n'importe quel avocat.

— Docteur Starks, je suppose que je devrais aimer l'idée que mon allure et mes vêtements sont uniques, mais je pense que la vérité est un peu plus banale. Si élégantes soient-elles, mes chaussures sont d'un modèle que l'on trouve dans des dizaines de magasins et ne sont pas rares du tout à Manhattan. Je porte des costumes de confection à rayures bleues très classiques dans cette ville. Très beaux, mais n'importe qui avec cinq cents dollars en poche peut acheter les mêmes. Dans un avenir proche, peut-être, je rejoindrai la clientèle du sur-mesure. J'en ai d'ailleurs bien l'intention. Mais pour le moment, je m'habille toujours au quatrième étage des magasins, comme tous les gens qui vont au rayon « Vêtements pour hommes ». Est-ce que ce livreur de journaux était capable de décrire mon visage ? Et le crâne qui se dégarnit, hélas ! Non ? Il me suffit de vous regarder pour connaître la réponse. Permettez-moi de douter d'une identification qu'on aura faite sans le moindre professionnalisme. Une identification, assurément, qui vous a complètement convaincu. Je crois qu'il s'agit plutôt d'un effet de votre profession, docteur. Vous attachez beaucoup trop d'importance à ce que les gens vous disent. Vous considérez la parole comme un moyen d'accéder à la vérité. Pour moi, elle sert plutôt à masquer les vérités.

L'avocat regarda Ricky avec un demi-sourire.

— Vous avez l'air sous pression, docteur.

— Vous devriez le savoir, monsieur Merlin. Puisque vous en êtes responsables, vous et celui qui vous emploie.

— Je travaille pour une jeune femme dont vous avez abusé, docteur, je vous l'ai déjà dit. Vraiment, c'est ça et rien d'autre qui m'a fait prendre contact avec vous.

— Bien sûr. Vous savez quoi, monsieur Merlin ? fit Ricky dont la voix se durcissait sous l'effet de la colère. Allez vous asseoir plus loin. Ce siège est occupé. Par moi. Je ne veux plus vous parler. Je déteste qu'on me mente comme vous le faites, et je ne vous écouterai plus. Il y a des tas de sièges libres dans ce train… fit Ricky avec un geste furieux vers le wagon quasiment désert. Prenez-en un, n'importe lequel, et fichez-moi la paix. En tout cas, cessez de me mentir.

Merlin ne bougea pas.

— Cela ne serait pas raisonnable, dit-il lentement.

— Peut-être en ai-je assez d'être raisonnable, lui répondit Ricky. Peut-être devrais-je me conduire imprudemment. Maintenant, fichez-moi la paix.

Il ne s'attendait pas à ce que l'avocat obtempère.

— Ah ? Parce que vous vous êtes conduit raisonnablement ? Vous avez engagé un avocat, comme je vous l'ai conseillé ? Vous avez pris des mesures pour vous protéger, vous et vos biens, contre les procès et les menaces ? Vous avez fait des choix rationnels et intelligents ?

— J'ai pris des mesures, répondit Ricky.

Il n'était pas du tout certain que ce fût exact.

De toute évidence, l'avocat ne le croyait pas. Il eut un sourire.

— Eh bien, je suis ravi de l'apprendre. Peut-être alors pouvons-nous envisager un accord. Vous, votre avocat et moi ?

— Vous savez parfaitement, fit Ricky en baissant la voix, en quoi consiste le seul accord possible, n'est-ce pas, monsieur Merlin ? Ou quel que soit votre vrai nom. Alors, je vous en prie, dispensez-moi de vos énigmes et venez-en au fait. Dites-moi pourquoi vous vous trouvez dans ce train, assis à côté de moi.

— Ah, docteur Starks ! Je décèle dans votre voix une nuance de désespoir.

— Savez-vous combien de temps il me reste, monsieur Merlin ?

— Le temps, docteur Starks ? Le temps ? Mais tout le temps que vous voulez…

— Je vous en prie, monsieur Merlin, épargnez-moi vos mensonges ou allez-vous-en. Vous savez de quoi je parle.

Merlin regardait Ricky attentivement, avec son sourire de chat du Cheshire. Mais en dépit du sourire satisfait, on sentait qu'il faisait semblant.

— Eh bien, docteur, tic-tac, tic-tac. Voici la réponse à votre dernière question. Je dirais que vous disposez à peine d'une semaine.

Ricky inspira à fond.

— Voilà au moins une vérité. Enfin. Maintenant, qui êtes-vous ?

— Aucune importance. Rien qu'un personnage secondaire. Quelqu'un qu'on a engagé pour faire un boulot. Et sûrement pas l'homme que vous voudriez que je sois.

— Alors que faites-vous ici ?

— Je vous l'ai dit : je suis venu vous encourager.

— Parfait, dit Ricky d'une voix ferme. Eh bien, allez-y, encouragez-moi.

Merlin sembla réfléchir une seconde.

— J'aimerais citer le début de *Comment soigner et éduquer son enfant*, du Dr Spock. Je crois que c'est de circonstance...

— Je n'ai jamais eu l'occasion de le lire, fit Ricky avec ironie.

— Il dit : « On sait plus qu'on ne croit. »

Ricky attendit, réfléchit et répondit, sarcastique :

— Génial. Epatant ! J'essaierai de m'en souvenir.

— Vous ne le regretterez pas.

Ricky préféra changer de sujet :

— Allez-y, délivrez votre message. C'est pour ça que vous êtes là, non ? Vous êtes le garçon de courses. Alors faites votre boulot. Qu'est-ce que vous avez à me communiquer ?

— L'urgence, docteur. La hâte. La vitesse.

— Comment cela ?

— Grouillez-vous, fit Merlin en souriant, avec une familiarité inhabituelle. Il faut poser votre deuxième question dans le journal de demain. Il faut avancer, docteur. Le temps n'est pas vraiment perdu, mais il avance rapidement.

— Je n'ai pas encore réfléchi à ma deuxième question.

L'avocat grimaça légèrement, comme s'il était mal à l'aise sur son siège ou qu'il sentait les prémices d'un mal de dents.

— C'est bien ce qu'on craignait. D'où la décision de vous pousser un peu du pied.

Merlin se baissa et posa sur ses genoux la serviette de cuir qui se trouvait à ses pieds. Ricky vit qu'elle contenait un micro-ordinateur, plusieurs chemises en papier kraft et un téléphone portable. Il aperçut aussi un petit revolver semi-automatique bleu acier dans son étui de cuir. L'avocat poussa l'arme de côté, sourit en voyant que Ricky avait les yeux fixés dessus, et prit le téléphone. Il l'ouvrit d'une pichenette. L'appareil émit cette lumière électronique verdâtre si caractéristique. Merlin se tourna vers Ricky.

— Il ne vous reste pas une question en suspens, sur ce qui s'est passé ce matin ?

Ricky n'avait pas quitté l'arme des yeux. Il ne répondit pas tout de suite. Puis :

— Que voulez-vous dire ?

— Qu'avez-vous vu, ce matin, sur le chemin de la gare ?

Ricky réfléchit. Il ignorait que Merlin, Virgil ou Rumplestiltskin pouvaient être au courant de sa visite au Dr Lewis. Il comprit brusquement qu'ils devaient le savoir : comment, dans le cas contraire, Merlin se serait-il trouvé dans le même train que lui ?

— Qu'avez-vous vu ? répéta Merlin.

Ricky avait le visage figé, la voix dure.

— Un accident.

L'avocat hocha la tête.

— En êtes-vous certain, docteur ?

— Oui.

— La certitude est une chose si merveilleuse. Un avocat possède un avantage sur… disons, sur un psychanalyste : il opère dans un univers dénué de certitudes. En fait, nous vivons plutôt dans le monde de la persuasion. Mais à bien réfléchir, c'est plus ou moins la même chose pour vous, docteur. Après tout, est-ce que vous n'êtes pas persuadé de certaines choses ?

— Où voulez-vous en venir ?

— Voilà une question, je parie, que vous ne posez jamais à un patient, n'est-ce pas ? fit l'avocat en souriant derechef.

— Vous n'êtes pas mon patient.

— Exact. Ainsi, vous croyez avoir vu un accident. Dont la victime serait… ?

Ricky ignorait ce que Merlin savait du Dr Lewis. Peut-être était-il au courant de tout. Peut-être ne savait-il rien. Il resta silencieux.

Finalement, l'avocat répondit lui-même à sa question :

— … quelqu'un que vous connaissiez et en qui vous aviez confiance, et à qui vous aviez rendu visite dans l'espoir qu'il pourrait vous aider. Voici…

Il composa un numéro sur le portable, qu'il tendit à Ricky.

— Posez votre question. Appuyez sur la touche verte pour lancer l'appel.

Ricky hésita, puis il prit le téléphone, comme l'autre

le lui suggérait. Quelqu'un décrocha, après une seule sonnerie.

— Police de l'Etat, Rhinebeck. Agent Johnson. Que puis-je faire pour vous ?

Ricky ne répondant pas, le policier répéta sa question :

— Police de l'Etat. Allô ?

— Allô, bonjour, je suis le Dr Frederick Starks. Apparemment, il y a eu un accident ce matin, sur River Road. Je me rendais à la gare. Je crains que la victime ne soit un de mes amis. Pouvez-vous me dire ce qui s'est passé ?

— Sur River Road ? fit le policier étonné, mais d'un ton sec. Ce matin ?

— Oui. Un de vos collègues détournait la circulation…

— Aujourd'hui, vous dites ?

— Oui. Il y a moins de deux heures.

— Je suis désolé, docteur, mais nous n'avons aucun rapport faisant état d'un accident ce matin.

Ricky se laissa retomber dans son siège.

— Mais j'ai vu… Une Volvo bleue ! La victime serait le Dr William Lewis. Il habite sur River Road…

— Pas ce matin. En fait, nous n'avons pas eu le moindre rapport d'accident dans le coin depuis des semaines, ce qui est plutôt inhabituel en été. Je suis de service depuis six heures ce matin, et tous les appels demandant l'intervention de la police ou une ambulance seraient passés par moi. Vous êtes sûr d'avoir bien vu ?

Ricky inspira à fond.

— J'ai dû me tromper. Merci, monsieur l'agent.

— A votre disposition, fit le policier avant de raccrocher.

Ricky avait la tête qui tournait.

— Mais j'ai vu…

— Qu'avez-vous vu ? fit Merlin en secouant la tête. Réfléchissez, docteur Starks. Réfléchissez avec soin.

— J'ai vu un policier…

— Vous avez vu sa voiture de service ?

— Non. Il était debout au carrefour et il faisait de grands gestes pour dévier la circulation, et il a dit…

— « Il a dit… » Quelle belle phrase ! Ainsi « il a dit » quelque chose, et vous prenez ça pour argent comptant. Vous avez vu un homme plus ou moins déguisé en flic de l'Etat et vous en avez déduit que c'en était un. Est-ce que vous l'avez vu dévier d'autres véhicules pendant que vous vous trouviez à ce carrefour ?

Ricky était forcé d'admettre que ce n'était pas le cas.

— Non, fit-il en secouant la tête.

— Ainsi, ça aurait pu être n'importe qui, avec un chapeau de policier. Vous avez examiné attentivement son uniforme ?

Ricky se représenta l'image du jeune homme. La seule chose qui lui revenait, c'était les yeux qui le contemplaient sous le chapeau de Smokey the Bear. Il essaya en vain de se rappeler d'autres détails.

— Il avait l'air d'être un policier de l'Etat.

— L'apparence, ça ne veut rien dire. Ni dans votre boulot ni dans le mien, docteur. Maintenant, comment pouvez-vous être sûr qu'il y avait un accident ? Vous avez vu une ambulance ? Une voiture de pompiers ? D'autres policiers, des sauveteurs ? Vous avez entendu des sirènes ? Peut-être le tchoup-tchoup-tchoup d'un hélicoptère ?

— Non.

— Ainsi, vous croyez sur parole quelqu'un qui vous parle d'un accident dont la victime pourrait être l'homme avec qui vous avez passé la soirée, mais vous ne ressentez pas le besoin d'aller vérifier ? Vous vous êtes contenté de foncer pour attraper votre train, parce que vous pensiez devoir rentrer en ville, c'est ça ? Mais qu'est-ce qui était le plus important ?

Ricky ne répondit pas.

— Et pour autant que nous sachions, il n'y avait même pas d'accident au bout de cette route…

— Je n'en sais rien. Peut-être pas. Je n'ai aucun moyen d'en être sûr.

— Non, vous n'avez aucun moyen d'en être sûr. Mais nous pouvons être sûrs d'une chose : vous avez pensé que ce que vous aviez à faire était plus important que de vérifier si quelqu'un avait besoin d'aide. Souvenez-vous de ce que je viens de dire, docteur.

Ricky essaya de pivoter sur son siège pour le regarder dans les yeux.

C'était difficile. Merlin souriait toujours, avec cet air énervant de l'homme qui contrôle parfaitement la situation.

— Peut-être voulez-vous appeler la personne à qui vous avez rendu visite ? demanda-t-il en désignant le portable. Pour vous assurer qu'elle va bien ?

Ricky composa vivement le numéro du Dr Lewis. Le téléphone sonna longuement. Personne ne décrocha.

Surpris, il se rembrunit. Cela n'échappa pas à Merlin, qui reprit la parole sans lui laisser le temps de réagir :

— Comment êtes-vous si sûr que cette maison est vraiment celle du Dr Lewis ? fit Merlin d'un ton légèrement hautain. Qu'avez-vous vu, là-bas, qui fasse le lien entre cet endroit et votre bon docteur ? Y avait-il des photos de famille au mur ? Avez-vous remarqué des signes de l'existence d'autres personnes ? Quels documents, quels objets, ce que nous pourrions appeler le mobilier de la vie, qu'est-ce qui a pu vous convaincre que vous vous trouviez dans la maison du docteur ? Hormis sa présence, bien entendu.

Ricky se concentra, mais rien ne lui revint en mémoire. Le bureau où ils avaient passé la plus grande partie de la soirée n'avait rien de remarquable. Des livres aux murs. Des sièges. Des lampes. Des tapis. Quelques documents sur le bureau, qu'il n'avait pas regardés de près. Mais rien qui fût extraordinaire au point de rester gravé dans sa mémoire. La cuisine était une cuisine comme les autres. Les couloirs ne servaient qu'à relier les pièces entre elles. La chambre d'amis où il avait dormi était remarquablement anodine.

De nouveau, il resta silencieux. Il savait que, aux yeux de l'avocat, cela valait un discours.

Merlin inspira à fond, les sourcils levés, dans l'expectative. Puis il les abaissa, se détendit, et son sourire entendu réapparut. Un souvenir traversa brièvement l'esprit de Ricky. Cela se passait à l'université. Il fixait l'autre étudiant, devant lui, à la table de poker, et il avait la certitude que ses cartes ne lui permettraient pas de battre son adversaire.

— Laissez-moi résumer la situation, docteur. Je pense qu'il est raisonnable de s'accorder un moment, de temps en temps, pour mesurer la situation, compter les points, et puis agir. Il se peut que nous connaissions maintenant un de ces moments. La seule chose dont vous pouvez être sûr, c'est que vous avez passé quelques heures en compagnie d'un médecin que vous connaissez depuis des années. Vous ignorez si la maison est bien la sienne. Et vous ignorez s'il a eu un accident. Vous n'êtes même pas certain que votre ancien analyste soit vivant, n'est-ce pas ?

Ricky ouvrit la bouche pour répondre, puis il renonça.

Merlin continua en baissant légèrement la voix, avec un air de conspirateur :

— Où est le premier mensonge ? Où est le mensonge décisif ? Qu'avez-vous vu ? Toutes ces questions...

Il leva brusquement la main. Puis il secoua la tête, comme s'il essayait de corriger un enfant rétif.

— Ricky, Ricky, Ricky, répondez à cette question : est-ce qu'il y avait un accident de voiture, ce matin ?

— Non.

— Vous en êtes sûr ?

— Je viens de parler à la police de l'Etat. Cet homme m'a dit...

— Comment savez-vous que vous avez parlé au bureau de la police de l'Etat ?

Ricky hésita. Merlin sourit.

— J'ai composé le numéro et vous ai donné mon téléphone. Vous avez appuyé sur « Envoi », n'est-ce pas ? J'aurais pu composer n'importe quel numéro, là où quelqu'un attendait mon appel. Il est peut-être là, le mensonge, Ricky. Peut-être votre ami le Dr Lewis se trouve-t-il à la morgue du comté, attendant qu'un parent ou un ami vienne l'identifier...

— Mais...

— Vous êtes à côté de la plaque, Ricky.

— Parfait, fit Ricky d'une voix sèche. Eh bien, dites-moi où elle est, votre plaque ?

L'avocat plissa légèrement les yeux, comme s'il était vexé par cette brusquerie. Il montra le sac de sport posé à ses pieds.

— Ce n'était peut-être pas du tout un accident, docteur. Et je me promène peut-être avec sa tête au fond de ce sac. Est-ce possible, Ricky ?

Etonné, Ricky eut un mouvement de recul.

— Est-ce possible, Ricky ? répéta l'avocat d'une voix sifflante.

Le regard de Ricky se posa sur le sac. C'était un sac de marin tout simple, dont rien ne laissait deviner le contenu. Il était assez grand pour contenir une tête humaine et assez étanche pour ne pas être imprégné de taches ou laisser voir d'éventuels écoulements. En y pensant, Ricky avait la gorge sèche, et il ne savait pas ce qui le terrifiait le plus : l'idée qu'il y avait peut-être une tête dans le sac posé à ses pieds ou l'idée qu'il ne pouvait pas le savoir.

— C'est possible, murmura-t-il en levant les yeux vers Merlin.

— Il est important que vous compreniez que tout est possible, Ricky. Un accident de voiture peut être mis en scène. Une plainte pour harcèlement sexuel déposée auprès des autorités psychanalytiques. Vos comptes bancaires peuvent être piratés et vidés de leur contenu. Vos parents, vos amis, vos simples connaissances peuvent être assassinés. Vous devez agir, Ricky. Agir !

— Vous ne vous fixez donc aucune limite ? demanda Ricky d'une voix tremblante.

— Non, aucune, fit Merlin en secouant la tête. C'est ce qui rend le jeu si passionnant pour tous ses participants. Le jeu imaginé par mon employeur est conçu de telle sorte que tout peut y tenir un rôle. Il en est de même, si j'ose dire, dans votre profession, n'est-ce pas, docteur Starks ?

Ricky s'agita sur son siège.

— Supposons, dit-il doucement, d'une voix rauque, que je m'en aille immédiatement. Que je vous laisse là, avec ce sac… quel qu'en soit le contenu.

Merlin sourit, une fois de plus. Il se baissa et tourna

légèrement le haut du sac, juste pour montrer les lettres FAS gravées sur le tissu. Ricky contempla ses initiales.

— Vous ne croyez pas que ce sac contient quelque chose, avec la tête, qui fait le lien avec vous, Ricky ? Qu'il a été payé avec une de vos cartes de crédit, juste avant qu'elles ne soient annulées ? Vous ne croyez pas que le chauffeur de taxi qui vous a conduit à la gare, ce matin, se souviendra que vous aviez pour tout bagage un sac de sport bleu ? Et qu'il le dira à l'inspecteur de la Criminelle qui prendra la peine de l'interroger ?

Ricky se passa la langue sur les lèvres.

— Bien entendu, poursuivit Merlin, je peux toujours emporter le sac. Et vous pouvez faire comme si vous ne l'aviez jamais vu.

— Comment…

— Posez votre deuxième question, Ricky. Appelez le *Times*, tout de suite.

— Je ne sais pas ce que je…

— Tout de suite, Ricky. Nous approchons de Penn Station. Quand nous serons dans le tunnel, le téléphone ne fonctionnera pas et cette conversation sera terminée. Choisissez, et vite !

Pour souligner ses mots, Merlin composa un numéro sur le portable.

— Voilà, fit-il, très efficace. Le numéro des petites annonces du *Times*. Posez votre question, Ricky !

Ricky prit le portable et enfonça la touche « Envoi ». Quelques secondes plus tard, il entendit la voix de la femme qui avait pris son appel quelques jours plus tôt.

— Je suis le Dr Starks, dit-il lentement, j'aimerais placer une autre annonce en première page.

Tandis qu'il parlait, son esprit bouillonnait pour formuler sa question.

— Bien sûr, docteur. Comment avance votre chasse au trésor ?

— Je perds, répliqua Ricky. C'est ce que devrait dire l'annonce que je veux passer…

Il marqua un temps d'arrêt, le temps d'inspirer à fond.

— « Il y a vingt ans, on ne s'amusait guère, / A l'hôpital j'ai soigné de pauvres hères. / Je les ai laissés pour avoir plus de pognon. / Est-ce de votre perte la raison ? / Je suis allé soigner d'autres gens, / Ce qui a provoqué la mort de votre maman ? »

L'employée relut le poème après lui.

— C'est bizarre, pour une chasse au trésor.

— C'est un jeu bizarre, répondit Ricky.

Il redonna son adresse pour la facturation et raccrocha.

Merlin hochait la tête.

— Très bien, très bien, dit-il. Très intelligent, vu le stress auquel vous êtes soumis. Vous pouvez montrer beaucoup de sang-froid, docteur Starks. Sans doute beaucoup plus que vous ne le croyez.

— Pourquoi n'appelez-vous pas simplement votre employeur pour l'informer…

Merlin secoua la tête.

— Ne croyez-vous pas que nous sommes aussi coupés de lui que vous l'êtes vous-même ? Vous croyez qu'un homme avec ses capacités n'a pas élevé quelques barrières entre lui et les gens qui exécutent ses ordres ?

Ricky se dit que c'était probablement vrai.

Le train ralentissait. Brusquement, il s'enfonça sous la surface de la terre, laissant derrière lui le soleil de midi, et entra en gare en faisant des embardées. Les lampes intérieures s'allumèrent, enveloppant les deux hommes d'un pâle voile jaunâtre. Dehors, défilaient les formes sombres des voies, des autres trains et des piliers de béton. Ricky avait l'impression de descendre dans un tombeau.

Merlin se leva. Le train s'arrêtait.

— Est-ce que vous lisez parfois le *New York Daily News*, Ricky ? Non, vous n'êtes pas du genre à lire la presse à sensation. Vous vivez dans le monde raffiné et bourgeois du *Times*. Moi, je suis d'une origine beaucoup plus modeste. J'aime bien le *Post* et le *Daily News*. Ils mettent l'accent sur des histoires auxquelles le *Times* n'accorde pas la moindre attention. Ils laissent le *Times* couvrir l'actualité du Kurdistan, pour s'intéresser à ce qui se passe dans le Bronx. Mais je crois qu'aujourd'hui la lecture de ces journaux vous serait bien plus profitable. Est-ce que je me fais comprendre, Ricky ? Lisez le *Post* et le *News*, aujourd'hui, on y parle d'une affaire qui va vous passionner. Disons que c'est absolument essentiel.

Merlin fit un léger signe de la main.

— Voilà un trajet des plus intéressants, vous ne trouvez pas, docteur ? Nous n'avons pas vu passer les kilomètres.

Il désigna le sac de marin.

— C'est pour vous, docteur. Un cadeau. En guise d'encouragement, comme je vous l'ai dit.

Puis il tourna les talons, laissant Ricky seul dans le wagon.

— Attendez ! hurla Ricky. Arrêtez !

Merlin ne s'arrêta pas. Quelques personnes tournèrent la tête vers lui. Ricky s'apprêta à crier de nouveau, mais il se retint. Il ne voulait pas attirer l'attention. Il voulait s'enfoncer dans l'obscurité de la gare, se fondre dans la pénombre. Le sac de marin portant ses initiales lui bloquait le passage, comme un gros iceberg qui se fût soudain dressé sur son chemin.

Il était aussi incapable de le laisser que de le prendre avec lui.

Le cœur et les mains de Ricky frémissaient. Il se pencha, souleva le sac. Le contenu bougea, Ricky sentit que la tête lui tournait. Il leva les yeux, essayant de trouver quelque chose dans le monde auquel se raccrocher, quelque chose de normal, de routinier, d'ordinaire, quelque chose qui le ramènerait à la réalité et l'y ancrerait – quelle que soit cette réalité.

Il ne trouva rien.

Il saisit la longue fermeture éclair au sommet du sac. Il hésita, inspira à fond et l'ouvrit lentement. Il en écarta les pans et regarda à l'intérieur.

Au fond du sac, il y avait un gros cantaloup. Sphérique, de la taille d'une tête humaine.

Ricky se mit à rire. Le soulagement provoqua une réaction incontrôlable, les éclats de rire succédant aux gloussements. Il cessa de transpirer, sa nervosité se dissipa. Le monde qui semblait tournoyer autour de lui se stabilisa.

Il referma le sac et se leva. Le train était vide, désormais, et le quai désert, à l'exception de quelques porteurs et de deux cheminots en veste bleue.

Ricky jeta le sac sur son épaule et remonta le quai vers la sortie. Il commençait à penser à son prochain mouvement. Il était persuadé que Rumplestiltskin lui confirmerait dans quel endroit et quelles conditions il s'était occupé de sa mère. Il espérait ardemment que la clinique avait conservé les dossiers des patients admis une vingtaine d'années plus tôt. Le nom que sa mémoire était incapable de saisir figurait peut-être sur une liste, à l'hôpital.

Ricky se mit en marche. Les claquements de ses talons sur le quai se répercutaient dans la pénombre. Le centre de la gare se trouvait devant lui. D'un pas vif et régulier, il alla vers la zone éclairée. Tandis qu'il marchait pour rejoindre la foule et la lumière avec une détermination presque militaire, son regard se posa sur un porteur. Assis sur son diable en attendant l'arrivée d'un prochain train, l'homme était plongé dans la lecture du *Daily News*. Il déplia son journal au moment précis où Ricky passait devant lui, de sorte qu'il put lire le grand titre de la une. Les lettres capitales géantes semblaient hurler pour attirer l'attention. UN INSPECTEUR DE LA POLICE DES TRANSPORTS DANS LE COMA. LE CHAUFFARD EST EN FUITE.

Et en dessous, le sous-titre : ON RECHERCHE L'EX-MARI, VIOLENTES DISPUTES DANS LE COUPLE.

17

Ricky était assis sur un banc de bois très dur, au centre de Pennsylvania Station. Il avait posé sur ses genoux un exemplaire du *News* et du *Post*, oublieux du flot de voyageurs qui l'entourait, voûté comme un arbre isolé ployant sous la force du vent. Chaque mot qu'il lisait semblait s'enfuir de plus en plus vite, glissant, courant en zigzag dans son imagination, comme une voiture devenue folle, roues bloquées et pneus hurlants, lui impuissant, incapable de l'empêcher de se coucher, fonçant inexorablement vers l'accident.

Pour l'essentiel, les deux articles étaient identiques. Joanne Riggins, trente-quatre ans, inspecteur à la police des transports de New York, avait été victime, la veille au soir, d'un chauffard qui avait pris la fuite. L'accident avait eu lieu à moins de cent mètres de chez elle, alors qu'elle traversait la rue. Elle avait été opérée en urgence et était toujours dans le coma au service réanimation du Brooklyn Medical Center. Les médecins réservaient leur pronostic. Des témoins avaient déclaré aux deux journaux qu'ils avaient vu une Firebird Pontiac rouge s'éloigner en trombe du lieu de l'accident. L'ex-mari de l'inspecteur possédait une voiture de ce modèle. Le véhicule n'avait pas encore été retrouvé, mais la police interrogeait l'ex-mari. Selon le *Post*, il prétendait que sa voiture, si facilement identifiable, lui avait été volée la nuit précédant l'accident. Le *News* avait découvert que l'inspectrice Riggins avait fait prendre contre lui, pendant la procédure de divorce, une ordonnance d'éloignement. Une ordonnance identique avait été demandée par une autre fonctionnaire de police dont le nom n'était pas cité et qui semblait s'être précipitée aux côtés de Riggins quelques secondes après que la jeune femme eut été heurtée par le bolide. Le journal rapportait aussi que l'ex-mari avait plusieurs fois menacé sa femme en public pendant la dernière année de leur vie commune.

C'était l'histoire typique dont raffole la presse à sensation, pleine d'allusions à un triangle amoureux inhabituel, un adultère tumultueux et des passions incontrôlables qui finissaient par déboucher sur la violence.

Ricky savait que, pour l'essentiel, tout cela était faux.

Pas le fond de l'histoire, bien entendu, seulement un détail. Le chauffard n'était pas l'homme que la police était en train d'interroger, bien qu'il fût un suspect merveilleusement providentiel. Ricky savait qu'il faudrait beaucoup de temps aux enquêteurs pour croire aux protestations d'innocence de l'ex-mari et encore plus de temps pour examiner son alibi, quel qu'il soit. Il se dit que cet homme était probablement coupable des pensées et désirs qui avaient mené à l'acte lui-même et que l'individu qui avait organisé l'accident le savait pertinemment.

Ricky déchira et froissa le *News* sous l'effet de la colère, bouchonnant les pages avant de les jeter sur le banc, comme s'il voulait tordre le cou d'un petit animal. Il se demanda s'il devait appeler les policiers qui s'occupaient de l'affaire. Il se demanda s'il devait appeler le supérieur de Riggins, à la police des transports. Il imagina un de ses collègues en train d'écouter son histoire. Il secoua la tête, désespéré. Il n'y avait absolument aucune chance que quelqu'un écoute ce qu'il avait à dire. Pas un mot.

Il leva lentement la tête avec l'impression, une fois de plus, qu'on l'épiait. Qu'on le surveillait. Que ses réactions étaient mesurées, comme si elles étaient l'objet d'une étude clinique. Cette sensation le fit frissonner. Il en avait la chair de poule. Il regarda autour de lui, dans l'immense gare semblable à une caverne. En quelques secondes, des dizaines, des centaines, peut-être des milliers d'individus avaient défilé devant lui. Mais Ricky se sentait totalement seul.

Il se leva. Tel un homme blessé, il entreprit de quitter la gare et se dirigea vers la station de taxis. Un clochard se tenait près de la sortie, qui mendiait un peu de monnaie. Ricky était surpris : d'ordinaire, la police expulsait les démunis des lieux publics. Il s'arrêta et jeta toute la monnaie qui lui restait dans la tasse en polystyrène que l'homme tendait devant lui.

— Tenez, dit Ricky. Je n'en ai pas besoin.

— Merci, monsieur, merci, fit l'homme. Que Dieu vous bénisse.

Ricky le contempla un moment. Il remarqua les plaies aux mains et les cicatrices, en partie dissimulées par une barbe clairsemée, qui lui marquaient le visage. Crasse, saleté, vêtements en loques. Ravagé par la vie dans la rue et la folie. L'homme pouvait avoir n'importe quel âge entre quarante et soixante ans.

— Ça va ? lui demanda Ricky.

— Oui, monsieur, oui, monsieur. Merci. Que Dieu

vous bénisse, vous êtes très généreux. Que Dieu vous bénisse. Une petite pièce ? demanda le clochard en tournant déjà la tête vers une autre personne qui sortait de la gare. Une petite pièce ?

Il avait repris son antienne, presque en psalmodiant. Il ignorait Ricky, qui se tenait toujours devant lui.

— D'où venez-vous ? lui demanda brusquement Ricky.

Le clochard le regarda fixement, soudain méfiant.

— D'ici, fit-il prudemment en montrant son emplacement sur le trottoir. De partout, ajouta-t-il avec un geste vers la rue.

Il fit un grand mouvement circulaire au-dessus de sa tête.

— Où habitez-vous ? lui demanda Ricky.

L'homme mit le doigt à son front. Ricky comprit ce qu'il voulait dire.

— Bon… eh bien, bonne journée, fit-il.

— Oui, monsieur, oui, monsieur, que Dieu vous bénisse, monsieur, poursuivit l'homme en chantonnant. Une petite pièce ?

Ricky s'éloigna. Il se demandait s'il avait signé l'arrêt de mort de ce sans-abri, simplement en lui adressant la parole. Il se dirigea vers la station de taxis tout en s'interrogeant : est-ce que tous les gens avec qui il était en contact seraient visés, comme l'inspectrice et, peut-être, le Dr Lewis ? Comme Zimmerman. La première était grièvement blessée, le deuxième avait disparu, le troisième était mort. Si j'avais un ami, se dit-il, je ne pourrais même pas l'appeler. Si j'avais une maîtresse, je ne pourrais pas aller vers elle. Si j'avais un avocat, je ne pourrais pas prendre rendez-vous. Et si j'avais mal aux dents, je ne pourrais même pas faire soigner mes caries sans mettre en danger la vie de mon dentiste. Tous ceux que j'approche deviennent vulnérables.

Il s'arrêta sur le trottoir et contempla ses mains. Du poison, se dit-il.

Je suis devenu du poison.

Perturbé par cette idée, Ricky dépassa la file de taxis en attente. Il poursuivit son chemin, remonta Park Avenue. Les bruits et le flot incessants de la ville s'écartaient de lui. Il avait l'impression de se déplacer dans un silence absolu, inconscient du monde qui l'entourait, son propre univers se rétrécissant à chaque pas. Il se trouvait à une soixantaine de rues de chez lui. Il parcourut ce long trajet sans même avoir conscience de reprendre son souffle.

Ricky s'enferma dans son appartement et se laissa tomber dans le fauteuil du cabinet. Il y passa le reste de la journée et toute la nuit qui suivit. Il avait peur de sortir, peur de rester sans rien faire, peur de se souvenir, peur de vider son esprit, peur de rester éveillé, peur de s'endormir.

Il avait dû s'assoupir vers le matin. Quand il s'éveilla, la chaleur du jour se répandait déjà devant ses fenêtres. Il avait un torticolis, et toutes ses articulations craquaient à cause de la nuit passée dans le fauteuil. Il se leva avec précaution et passa dans la salle de bains. Il se brossa les dents et s'aspergea le visage. Il se contempla un instant dans le miroir : la tension semblait avoir creusé des sillons et tracé des angles aigus, quel que fût le profil qu'il offrait au monde. Il se dit qu'il n'avait pas été aussi près du désespoir depuis l'agonie de sa femme – ce qui, s'avoua-t-il piteusement, voulait dire qu'il était, émotionnellement, aussi près de la mort qu'on peut l'être.

Les croix occupaient maintenant les deux tiers du tableau tracé sur le calendrier.

Il composa de nouveau le numéro du Dr Lewis à Rhinebeck : il entendit le même message enregistré que précédemment. Il appela les renseignements en se disant qu'il y avait peut-être un nouvel annuaire, sans succès. Il envisagea d'appeler l'hôpital ou la morgue pour essayer de démêler le vrai du faux, mais il n'osa pas. Il n'était pas sûr de vouloir vraiment entendre la réponse qu'on pourrait lui donner.

La seule chose à laquelle il se raccrochait était une remarque que le Dr Lewis avait faite durant leur entretien. Tout ce que faisait Rumplestiltskin, c'était de rapprocher Ricky de lui.

Mais dans quel but – sinon la mort –, Ricky n'en savait rien.

Il ramassa le *Times* posé devant sa porte. Sa question était imprimée au bas de la première page, à côté d'une annonce recherchant des hommes pour des expériences sur l'impuissance. Le couloir était désert et silencieux. L'unique ascenseur craquait. Les autres portes, toutes peintes en noir avec un numéro doré en leur centre, étaient fermées. La plupart des autres locataires devaient être en vacances.

Ricky s'empressa de feuilleter le journal, espérant confusément y trouver la réponse, car, après tout, Merlin avait entendu sa question et l'avait probablement transmise à son patron. Mais il ne trouva aucune trace indiquant que Rumplestiltskin avait manipulé son journal. Cela ne le surprenait pas. Il était peu probable que Rumplestiltskin emploie deux fois la même technique, car cela le rendrait plus vulnérable, voire plus facilement identifiable.

L'idée de devoir attendre la réponse vingt-quatre heures lui était insupportable. Ricky savait qu'il devait progresser, même sans aide. La seule stratégie qu'il trouvait viable consistait à retrouver les dossiers des gens qui étaient venus à la clinique où il avait œuvré si brièvement vingt ans plus tôt. Il savait qu'il avait peu de chances de réussir, mais cela lui donnerait au moins l'impression de ne pas rester passif en attendant l'expiration du délai que Rumplestiltskin lui avait imposé. Il s'habilla rapidement et se dirigea vers la porte de l'appartement. Mais quand il posa la main sur la poignée, il s'immobilisa, pris soudain d'une angoisse, le cœur battant à tout rompre, le sang lui cognant les tempes. Une immense vague de chaleur avait envahi son corps. Il vit que sa main tremblait. Une partie de lui hurlait intérieurement, lui lançait un formidable avertissement pour l'empêcher de sortir, affirmant qu'il ne serait pas en sécurité s'il passait les portes de son appartement. Pendant un bref instant, il céda à cette pensée et recula.

Ricky inspira à fond, essayant de contrôler sa panique croissante.

Il savait ce qui se passait. Il avait vu assez de patients sujets à des crises d'angoisse. Le Xanax, le Prozac, des tas de calmants étaient disponibles, et malgré sa répugnance, il avait dû en prescrire en certaines occasions.

Il se mordit la lèvre. Traiter une pathologie est une chose, la subir en est une autre. Il recula d'un pas et contempla le panneau de bois, imaginant que de l'autre côté, dans le couloir peut-être, dans la rue certainement, toutes sortes d'horreurs l'attendaient. Des démons le guettant sur le trottoir, comme une foule en colère. Un vent noir l'enveloppa et il se dit que, s'il mettait les pieds dehors, il mourrait à coup sûr.

Il eut soudain l'impression que tous les muscles de son corps lui criaient de s'enfuir, de se terrer dans son cabinet, de se cacher.

Il connaissait, théoriquement, la nature de sa panique.

Mais la réalité était beaucoup plus insupportable.

Il lutta contre le désir de reculer. Il sentait ses muscles se tendre, durcir, se plaindre, comme lorsqu'on doit décoller du sol un poids extrêmement lourd, quand la force se mesure à la pesanteur, affrontement instantané dont dépend l'issue de l'effort : on lève le poids et l'on continue, ou bien il retombe et l'on doit renoncer. Ricky savait qu'il vivait un instant semblable. Il lui fallait mobiliser jusqu'au dernier iota des forces qui lui restaient pour venir à bout de sa terreur.

Tel un para sautant dans l'obscurité hostile et inconnue, il se força à ouvrir la porte et à sortir. Le premier pas en avant fut presque douloureux.

Quand il arriva dans la rue, il était déjà trempé de sueur et étourdi par l'effort. Il devait avoir l'air égaré, pâle et échevelé, car un jeune homme se retourna en le croisant et le fixa une seconde avant de poursuivre son chemin d'un pas rapide. Ricky s'avança sur le trottoir en titubant presque comme un ivrogne. Il se dirigea vers le coin de la rue, où il lui serait plus facile de héler un des taxis qui descendaient l'avenue.

Arrivé au coin, il s'arrêta pour s'essuyer le visage, puis s'avança vers le bord du trottoir, la main levée. Au même instant, un taxi jaune se matérialisa devant lui comme par miracle pour décharger une cliente. Ricky tendit la main vers la poignée pour lui tenir la portière et, selon l'habitude en vigueur à New York, embarquer à sa place.

La femme n'était autre que Virgil.

— Merci, Ricky, fit-elle d'un ton presque insouciant.

Elle ajusta les lunettes noires devant ses yeux et sourit en voyant son air consterné.

— J'ai laissé le journal pour que vous le lisiez, ajouta-t-elle.

Sans un mot de plus, elle tourna les talons et s'éloigna à grands pas. Quelques secondes plus tard, elle avait passé le coin de la rue et disparu de sa vue.

— Alors, mon vieux, vous montez ou pas ? fit brusquement le chauffeur.

Ricky, toujours debout sur le trottoir, n'avait pas lâché la portière. Il jeta un coup d'œil à l'intérieur du taxi. Un exemplaire du *Times*, plié, était posé sur le siège. Sans hésiter, il se jeta dans la voiture.

— Où allons-nous ? lui demanda le taxi.

— La femme qui vient de descendre… fit Ricky. Où l'avez-vous prise ?

— Elle est bizarre, non ? Vous la connaissez ?

— Oui. Si l'on peut dire.

— Eh bien, elle m'a hélé à deux rues d'ici. Elle m'a dit de me garer là, juste en haut de la rue. Elle a attendu, le compteur tournait pendant tout ce temps-là, et elle, elle est restée là sans rien faire, juste à regarder par la vitre, un portable collé à l'oreille, mais elle ne parlait à personne, elle se contentait d'écouter. Et puis tout à coup, elle m'a dit : « Allez vous garer là-bas ! » et m'a montré l'endroit où vous vous trouviez. Elle m'a refilé un billet de vingt par la vitre en me disant : « Ce type, là, c'est votre prochain client. Compris ? » Moi, je lui ai répondu : « Tout ce que vous voudrez, madame » et j'ai fait ce qu'elle m'a demandé. Et maintenant vous voilà. C'était une vraie beauté, cette nana. Alors, où allons-nous ?

Ricky réfléchit un instant, puis :

— Elle ne vous a pas donné de destination ?

— Bien sûr, fit le taxi en souriant. Bon Dieu. Mais elle m'a dit que je devais vous demander, de toute façon, pour savoir si vous étiez capable de deviner…

Ricky acquiesça.

— Columbia Presbyterian Hospital. La clinique de consultation externe, au coin de la 152e Rue et de West End.

— Bingo ! fit le chauffeur, qui abaissa le drapeau « Libre » et se lança dans le trafic du milieu de matinée.

Ricky allait s'emparer du journal, toujours posé sur le siège arrière, lorsqu'une idée lui vint. Il se pencha vers la vitre en Plexiglas qui séparait le chauffeur des passagers.

— Hé, fit-il, la femme de tout à l'heure, est-ce qu'elle vous a dit ce que vous deviez faire si je vous donnais une autre adresse ? Un autre endroit que l'hôpital, par exemple ?

— Qu'est-ce que c'est, dites, un jeu ou quoi ? fit le chauffeur en souriant.

— On pourrait appeler ça comme ça, dit Ricky. Mais vous n'aimeriez pas y jouer.

— Oh, ça me dirait bien de jouer à un ou deux jeux avec cette femme, si vous voyez ce que je veux dire.

— Vous croyez ça, dit Ricky. Mais vous n'aimeriez pas ce jeu-ci, faites-moi confiance.

L'homme hocha la tête.

— Oh, je comprends. Il y a des femmes, comme celle-là, elles créent plus de problèmes qu'autre chose. Valent pas le prix d'entrée, si j'ose dire.

— C'est exactement ça, dit Ricky.

— En tout cas, j'étais censé vous conduire à l'hôpital, content ou pas. Elle m'a dit que vous comprendriez à l'arrivée. Elle m'a donné cinquante dollars pour que je vous emmène là-bas.

— Elle ne manque pas d'argent, dit Ricky en se renversant en arrière.

Il était essoufflé, la sueur obscurcissait toujours les coins de ses yeux et trempait sa chemise. Il se renfonça dans son siège et prit le journal.

Ce qu'il cherchait se trouvait à la page A-13, écrit de la même encre rouge, en grandes capitales, en travers d'une publicité pour une marque de sous-vêtements en vente chez Lord & Taylor. Les mots coupaient en deux la silhouette filiforme du mannequin et dissimulaient le soutien-gorge qu'elle mettait en valeur.

Ricky a pris la bonne direction,
Il s'approche de la solution.
Ambition et changement t'ont obscurci l'esprit,
Tu n'écoutas rien de ce qu'elle a dit.
Tu l'as laissée dériver, dans une mer de conflits,
Si seule qu'elle y laissa la vie.
L'enfant qui vit la faute aujourd'hui crie vengeance
Et n'aura de cesse d'avoir tué l'engeance.
Tu la trouveras dans les dossiers hospitaliers,
Mais sera-ce suffisant pour tenir les délais ?

Cette simple poésie, comme avant, semblait ironique, cynique, sous sa forme faussement enfantine. Elle lui fit penser à la torture raffinée de la cour de récréation d'un jardin d'enfants, avec ses railleries et ses insultes chantonnées. Mais il n'y avait rien d'enfantin dans les objectifs que Rumplestiltskin s'était fixés. Ricky déchira la page du *Times*, la plia et la glissa dans la poche de son pantalon. Il jeta le reste du journal sur le sol, dans le taxi. Le chauffeur jurait à voix basse contre la circulation, menant une conversation ininterrompue avec tous les camions, toutes les voitures, et même avec le cycliste ou le piéton qui avait le malheur de croiser son chemin et de lui bloquer la route. Ce qui était intéressant, c'était que personne d'autre que lui n'entendait ses propos. Il ne baissait pas sa vitre pour hurler des obscénités et il n'écrasait pas son Klaxon comme tant de chauffeurs de taxi réagissant hystériquement aux embouteillages. Non, cet homme parlait simplement, donnait des ordres, lançait des défis, manœuvrant les mots comme il manœuvrait son taxi, de sorte que, bizarrement, il devait avoir l'impression d'être connecté (ou du moins en interaction) avec tout ce qui se présentait devant son horizon. Ou devant son pare-chocs, se dit Ricky, selon la manière de voir les choses. Il était très inhabituel, songeait-il, de mener chaque jour des dizaines de conversations, chaque jour que Dieu fait, sans être entendu de quiconque. Puis il se demanda si ce n'était pas le cas de tout le monde.

Le taxi le déposa devant l'énorme ensemble hospitalier. Ricky vit une entrée des urgences, un peu plus bas, avec l'enseigne aux grandes lettres rouges et une ambulance devant la porte. Un frisson lui parcourut l'échine, en dépit de l'oppressante chaleur estivale. Cette réaction était provoquée par le souvenir de ses dernières visites à l'hôpital. Il y accompagnait sa femme, qui luttait toujours contre la maladie qui finirait par la tuer – séances de rayons, de chimiothérapie, et toutes les autres offensives pour remporter l'insidieux combat qui se déroulait à l'intérieur de son corps. Le service de cancérologie se trouvait dans une autre partie de l'établissement, mais cela ne suffit pas à faire disparaître ce sentiment d'impuissance et de terreur qui l'envahissait à nouveau, très proche de ce qu'il avait ressenti dans les rues entourant l'hôpital. Il leva la tête pour contempler les grands immeubles de brique. Il avait vu l'hôpital à trois époques de son existence. D'abord, pendant les six mois où il avait travaillé à la clinique de consultation externe avant de se mettre à son compte. Ensuite, quand l'hôpital s'était ajouté à la longue liste des établissements où sa femme menait sa bataille dérisoire contre la mort. La troisième fois, enfin, pour rechercher le nom de la patiente qu'il avait ignorée ou négligée, et qui menaçait aujourd'hui sa propre vie.

Ricky se dirigea d'un pas lourd vers l'entrée de l'hôpital. Curieusement, il haïssait l'idée de savoir déjà où étaient classés les dossiers médicaux.

Au service des archives, derrière un comptoir, il découvrit un employé bedonnant d'une quarantaine d'années, vêtu d'une chemise imprimée hawaiienne et d'un pantalon kaki dont les taches pouvaient être de l'encre ou des vestiges de son repas. Quand Ricky lui expliqua ce qu'il cherchait, l'homme le toisa avec un étonnement amusé.

— Vous voulez quoi, exactement, dans les dossiers vieux de vingt ans ? fit-il sans dissimuler son incrédulité.

— Je veux les dossiers de tous les patients qui sont venus en consultation externe, en psychiatrie, pendant les six mois où j'ai travaillé ici. Chaque patient recevait un numéro d'ordre et l'on ouvrait un dossier à son nom, même s'il ne venait qu'une fois. Les dossiers contiennent les notes sur les cas.

— Je ne suis pas sûr qu'ils aient été transférés dans l'ordinateur, fit l'employé à contrecœur.

— Je vous fais le pari qu'ils y sont, fit Ricky. Mais nous pouvons vérifier.

— Ça va prendre du temps, docteur. Et j'ai des tas d'autres demandes…

Ricky réfléchit un instant. Il se rappela à quel point il était facile à Virgil et Merlin de faire faire des choses simples à des gens en agitant des billets de banque dans leur direction. Il avait deux cent cinquante dollars dans son portefeuille. Il en posa deux cents sur le comptoir.

— Cela vous aidera peut-être, dit-il. Vous pourriez me mettre en tête de liste.

L'employé regarda autour de lui pour s'assurer que personne ne le regardait et ramassa l'argent.

— Docteur, je suis entièrement à votre disposition, fit-il avec un petit sourire tout en empochant l'argent. Voyons ce que nous pouvons découvrir, dit-il en se mettant à frapper sur le clavier de son ordinateur.

Il leur fallut le reste de la matinée pour dresser une liste crédible de dossiers. Ils pouvaient isoler l'année qui les intéressait, mais ils n'avaient aucun moyen de savoir, à partir d'un numéro de dossier, si le patient était un homme ou une femme. Aucun code ne leur indiquait non plus le nom du médecin traitant. Ricky était resté six mois à la clinique, de mars à début septembre. L'employé pouvait éliminer de la liste tous les dossiers ouverts avant et après cette période. Pour réduire encore la période de recherche, Ricky estima qu'il avait reçu la mère de Rumplestiltskin pendant les trois mois d'été, cette année-là. Dans ce laps de temps, on avait créé deux cent soixante-dix-neuf dossiers, pour autant de nouveaux patients.

— Si vous cherchez quelqu'un en particulier, dit l'employé, il va falloir examiner vous-même chaque dossier. Je peux vous les sortir, mais après ça vous vous débrouillerez tout seul. Ça ne va pas être facile.

— C'est parfait, dit Ricky. Je ne m'attendais pas à ce que ce soit facile.

L'employé lui montra une petite table métallique à l'écart, sur le côté du bureau des archives. Ricky s'installa sur une chaise en bois, tandis que l'employé commençait à lui apporter les dossiers qu'ils avaient sélectionnés. Il lui fallut au moins dix minutes pour sortir les deux cent soixante-dix-neuf dossiers et les empiler par terre près de lui. Il lui donna un bloc de papier jaune et un vieux stylo à bille.

— Essayez de les laisser dans le bon ordre, fit-il en haussant les épaules. Ça m'évitera de devoir les remettre en place un par un. Et prenez soin des documents, je vous prie, remettez-les en place dans le bon dossier. De toute façon, je serais surpris que quelqu'un d'autre demande un jour à consulter ces dossiers. Je ne sais pas pourquoi on les garde si longtemps, ça me dépasse. Mais ce n'est pas moi qui fais le règlement, hein ?

Il regarda Ricky.

— Vous savez qui fait le règlement, vous ?

— Non, fit Ricky en prenant le premier dossier. Non, je ne sais pas. L'administration de l'hôpital, je suppose.

L'employé pouffa, entre le rire et le reniflement de mépris.

— Hé, fit-il en regagnant son poste devant l'ordinateur, c'est vous qui êtes psy. Je croyais que votre boulot consistait à aider les gens à fabriquer leurs propres règles.

Ricky ne répondit pas. Mais il considérait cela comme une définition assez juste de ce qu'il faisait. Le problème, se dit-il, c'est que toutes sortes de gens jouent selon leurs propres règles. A commencer par

Rumplestiltskin. Il ouvrit le premier dossier. C'était comme s'il ouvrait un tiroir plein de souvenirs.

Autour de lui, les heures s'enfuyaient. En lisant ces dossiers, il avait l'impression de se tenir sous une cascade de désespoir. Chacun contenait le nom d'un patient, son adresse, le nom du parent le plus proche et, le cas échéant, les informations sur son assurance. Puis il y avait la feuille de diagnostic, avec des notes dactylographiées résumant l'estimation du cas. Il y avait aussi des suggestions sur le traitement. Sèchement, sans détour, chaque nom était réduit à sa substance psychologique. Les quelques mots imprimés dans ces dossiers étaient impuissants à dissimuler les vérités amères qui avaient amené chacun de ces patients à la clinique : violences sexuelles, crises de rage, passages à tabac, drogue, schizophrénie, paranoïa – une boîte de Pandore de la folie. Le service de consultation externe était un vestige du militantisme des années soixante, un projet généreux conçu pour aider les moins favorisés en leur ouvrant les portes de l'hôpital. « Redistribution » était le mot clé, à l'époque. La réalité avait été remarquablement plus dure et nettement moins utopique. Les pauvres de nos cités souffrent d'un large éventail de maladies, et l'on n'avait pas tardé à comprendre que la clinique n'était qu'une goutte d'eau dans la mer. Ricky était arrivé au moment où il achevait sa formation en psychanalyse. C'était la raison officielle, en tout cas. Au début, quand il avait rejoint l'équipe de la clinique, il était plein de l'idéalisme et de la détermination de la jeunesse. Il se voyait encore y entrer, exprimant son dégoût de l'élitisme de la profession qu'il embrassait, déterminé à mettre les techniques de l'analyse à la disposition des plus démunis. Cet altruisme avait tenu une semaine.

Au cours des cinq premiers jours, Ricky avait vu son bureau mis à sac par un patient en quête de drogue, il avait été agressé par un fou qui entendait des voix et distribuait des coups de poing, et une séance avec une jeune patiente avait été interrompue par un maquereau armé d'un rasoir, qui était parvenu à taillader le visage de son ancienne protégée et le bras d'un gardien, avant d'être maîtrisé. Ricky avait également été contraint d'envoyer une préadolescente aux urgences pour soigner les brûlures de cigarette qu'un anonyme (qu'elle ne voulait pas dénoncer) lui avait faites aux bras et aux jambes. Il se la rappelait parfaitement : elle était portoricaine, avec de beaux yeux très doux, du même noir que ses cheveux, et elle était venue à la clinique en sachant que quelqu'un était malade et qu'avant peu, ce serait son cas aussi. Elle avait compris que la violence entraîne la violence, beaucoup plus clairement que n'importe quelle étude de cas cliniques commandée par le gouvernement. Elle n'était pas assurée et n'avait aucun moyen de le payer. Ricky l'avait donc vue cinq fois – le nombre de séances autorisé par l'Etat – et il avait essayé de lui soutirer des informations, alors qu'elle savait que, en dénonçant celui qui la torturait, elle mettait sa propre vie en danger. Il se rappelait que c'était sans espoir. Et il savait que même si elle survivait, elle était condamnée.

Ricky prit un autre dossier. L'espace d'un instant, il se demanda comment il était parvenu à tenir six mois dans cette clinique. Pendant tout le temps qu'il avait passé là-bas, il s'était senti totalement impuissant. Puis il dut admettre que son impuissance, entre les mains de Rumplestiltskin, n'était pas vraiment différente.

Cette pensée s'entrechoquant avec ses émotions, il plongea dans les deux cent soixante-dix-neuf dossiers qui contenaient ceux des gens qu'il avait connus et soignés si longtemps auparavant.

Au moins deux tiers d'entre eux étaient des femmes. Comme tant de gens mariés à la misère, elles portaient les stigmates de la maladie mentale aussi clairement que les plaies et bosses dues aux violences physiques qu'elles subissaient tous les jours. Il avait tout vu, de la toxicomanie à la schizophrénie. Il se souvint combien son travail lui donnait l'impression d'être inutile. Il s'était empressé de retourner vers cette petite-bourgeoisie à laquelle il appartenait, chez qui l'absence d'amour-propre et les problèmes qui en découlaient pouvaient être sinon guéris, du moins acceptés. Il avait eu le sentiment d'être stupide, à essayer de parler à certaines patientes comme si le dialogue pouvait résoudre leurs angoisses, quand la réalité aurait été mieux servie par un revolver et un peu de cran – un choix que certaines d'entre elles avaient fait, il s'en souvenait, quand elles avaient compris qu'une prison était préférable à une autre.

Ricky ouvrit un autre dossier et reconnut son écriture. Il sortit les notes et essaya de relier le nom qui apparaissait dans le dossier aux mots qu'il avait gribouillés. Mais les visages restaient vaporeux, troubles, comme l'air brûlant au-dessus d'une route par une chaude journée d'été.

— Qui êtes-vous ? demanda-t-il.

Puis, immédiatement, il formula une autre question :

— Qu'êtes-vous devenue ?

A quelques mètres de lui, l'archiviste fit tomber un crayon par terre. Avec un bref juron, il se baissa pour le ramasser.

Ricky observa l'employé pendant un bref instant, alors qu'il se retournait vers l'écran de son ordinateur.

Tout à coup, il eut une révélation. Comme si la manière dont l'homme se penchait en avant, le tic nerveux qui lui faisait taper du crayon sur son bureau, son dos un peu voûté, comme si tout cela parlait une langue que Ricky aurait dû comprendre à la première seconde – en tout cas en voyant la façon dont l'employé avait mis la main sur l'argent qu'il lui avait donné. Mais Ricky n'était qu'un amateur dans ce domaine, ce qui expliquait sans doute pourquoi il n'avait pas compris tout de suite. Il se leva tranquillement et se dirigea vers lui.

— Où est-il ? fit-il à voix basse.

En disant cela, il tendit le bras et agrippa l'épaule de l'homme, qu'il serra de toutes ses forces.

— Aïe ! Quoi ?

L'employé était pris de court. Il tenta de se dégager, mais la pression des doigts sur sa chair et ses os limitait ses mouvements.

— Aaah ! Mais qu'est-ce que vous f... ?

— Où est-il ? répéta Ricky plus distinctement.

— Mais de quoi parlez-vous ? Bon Dieu ! Foutez-moi la paix !

— Quand vous m'aurez dit où il est, fit Ricky.

De la main gauche, il avait empoigné la gorge de l'employé. Il commença à serrer.

— Ils ne vous ont pas dit que j'étais désespéré ? A quel point j'étais sous pression ? Ils ne vous ont pas dit que je pouvais être instable ? Que je pouvais faire n'importe quoi ?

— Non ! S'il vous plaît ! Ouille ! Non, bon Dieu, ils ne m'ont rien dit de tout cela ! Lâchez-moi !

— Où est-il ?

— Ils l'ont pris !

— Je ne vous crois pas.

— Ils l'ont pris, je vous dis !

— Très bien. Qui est venu, exactement ?

— Un homme et une femme. Il y a deux semaines.

— L'homme était bien habillé, un peu d'embonpoint, il se prétend avocat ? La femme, comment était-elle ? Un beau brin de fille ?

— Oui, ce sont eux. Qu'est-ce que c'est que toute cette histoire ?

Quand Ricky le lâcha, il fit un bond en arrière.

— Bon Dieu, fit-il en se frottant la clavicule. Bon Dieu, mais qu'est-ce qui se passe ?

— Combien vous ont-ils payé ?

— Plus que vous. Beaucoup plus. Je ne pensais pas que c'était si important, vous savez. Ce n'est rien d'autre qu'un dossier couvert de poussière que personne n'avait regardé depuis vingt ans. Enfin, quel est le problème ?

— Ils vous ont dit ce qu'ils comptaient en faire ?

— Le type m'a parlé d'un procès, d'une histoire d'héritage. Je ne comprenais pas, d'ailleurs. Les gens qui viennent dans cette clinique, en général, ils n'héritent pas de grand-chose. Mais ce type m'a donné sa carte et m'a promis qu'il me renverrait le dossier quand ils n'en auraient plus besoin. Je ne vois pas pourquoi j'aurais refusé.

— Surtout s'il vous a donné du fric.

L'employé hésita, puis il haussa les épaules.

— Quinze cents. Des billets de cent tout neufs. Il les a pris dans une grosse liasse, comme dans les vieux films de gangsters. Je dois bosser deux semaines pour gagner ça.

La coïncidence n'échappa pas à Ricky. Quinze jours, chacun valant cent dollars. Il jeta un coup d'œil au tas de dossiers. Le désespoir l'envahit quand il pensa aux heures qu'il avait perdues. Il regarda de nouveau l'employé, les yeux plissés.

— Ainsi, le dossier que je cherche n'est plus là ?

— Désolé, doc, mais je ne savais pas que c'était si important. Vous voulez la carte du type ?

— Je l'ai déjà.

Il fixait toujours l'employé qui s'agitait sur son siège, mal à l'aise.

— Alors ils ont pris le dossier et ils vous ont payé. Mais vous n'êtes pas si stupide, hein ?

L'employé sursauta légèrement.

— Comment ça ?

— Vous avez parfaitement compris : vous n'êtes pas si stupide. Et vous n'avez pas travaillé dans un service d'archives pendant toutes ces années sans apprendre à protéger vos arrières, hein ? Alors il peut bien manquer un dossier, dans toutes ces armoires, mais pas avant que vous ayez pris vos précautions.

— Qu'est-ce que vous racontez ?

— Vous ne leur avez pas donné le dossier sans en faire une copie, hein ? Peu importe le fric que ce type vous a donné. Vous vous êtes dit que peut-être – oh, seulement peut-être ! – le prochain qui viendrait demander le dossier pourrait avoir encore plus de fric que l'avocat et la femme, c'est ça ? Peut-être même vous ont-ils dit que quelqu'un d'autre allait venir le réclamer, c'est ça ?

— Oui, ils m'ont peut-être dit ça.

— Et vous vous êtes peut-être dit – mais ce n'est qu'une hypothèse – que vous pourriez vous faire encore quinze cents billets, ou plus, si vous aviez une copie de ce truc, hein ?

L'homme acquiesça.

— Vous allez me payer, vous aussi ?

Ricky secoua la tête.

— Estimez-vous heureux que je n'appelle pas votre chef. Ce sera mon paiement.

L'employé soupira, et réfléchit à ce qu'il venait d'entendre. Il se dit finalement que Ricky était suffisamment furieux et tendu pour mettre à exécution sa menace.

— Il n'y avait pas grand-chose dans le dossier, dit-il lentement. Un formulaire d'admission et deux ou trois pages de notes et d'instructions agrafées à un formulaire de diagnostic. C'est tout ce que j'ai copié.

— Donnez-les-moi, dit Ricky.

L'employé hésita.

— Je ne veux pas avoir d'ennuis, dit-il. Supposons que quelqu'un d'autre soit à la recherche de ces papiers…

— La seule autre personne, c'est moi.

L'employé se pencha et ouvrit un tiroir. Il en sortit une enveloppe, la tendit à Ricky.

— Voilà. Maintenant, laissez-moi tranquille.

Ricky jeta un coup d'œil à l'intérieur et vit les documents qu'il cherchait. Il résista à la tentation de les examiner sur-le-champ. Il valait mieux être seul pour explorer son passé. Il se redressa et glissa l'enveloppe sous sa veste.

— C'est tout ?

Après un instant d'hésitation, l'employé se pencha de nouveau et sortit une autre enveloppe, plus petite que la première, du tiroir de son bureau.

— Voilà. Celle-ci va avec. Mais elle était attachée à l'extérieur du dossier, avec un trombone. Je ne l'ai pas donnée au type. Je ne sais pas pourquoi. J'avais l'impression qu'il l'avait déjà, car il avait l'air de tout savoir sur cette affaire.

— Qu'est-ce que c'est ?

— Un rapport de police et un certificat de décès.

Ricky inspira brusquement, remplissant ses poumons de l'air confiné du sous-sol.

— Qu'est-ce qu'elle a de si important, cette pauvre femme qui est venue à l'hôpital il y a vingt ans ? demanda soudain l'archiviste.

— Quelqu'un a commis une erreur.

L'employé eut l'air d'accepter cette explication.

— Alors quelqu'un va devoir payer ? demanda-t-il.

— J'en ai bien l'impression, répondit Ricky en se dirigeant vers la porte.

18

Quand Ricky sortit de l'hôpital, les mains le démangeaient – surtout le bout des doigts, qu'il avait enfoncés si fort dans la clavicule de l'archiviste. Il était incapable de se rappeler une seule fois dans sa vie où il aurait usé de la force pour obtenir quelque chose. Il vivait dans un monde fondé sur la persuasion et le dialogue. Qu'il ait fait usage de sa force physique pour menacer l'employé, même de manière si modeste, montrait qu'il était en train de franchir une ligne de démarcation. Ricky était un homme de paroles – c'est du moins ce qu'il croyait avant de recevoir la lettre de Rumplestiltskin. Il avait dans sa poche le nom de la femme qu'il avait soignée quand il traversait lui-même une période de transition. Il se demandait s'il venait d'atteindre un autre point de non-retour semblable à celui-là. Et s'il était sur le point de devenir quelqu'un d'autre.

Sans quitter l'enceinte de l'énorme complexe hospitalier, il prit la direction de l'Hudson. Non loin de l'entrée du pavillon Harkness (une annexe de l'établissement, où l'on soignait des gens très riches et très malades), il y avait une petite cour. Les immeubles étaient de grosses bâtisses à plusieurs étages de brique et de pierre, qui évoquaient la solidité et la robustesse, comme pour montrer leur arrogance aux innombrables visages d'organismes pathogènes chétifs et minuscules. De ses années de jeunesse, il se rappelait cette cour comme un endroit tranquille où l'on pouvait s'asseoir sur un banc, à l'abri des bruits de la ville, seul avec le monstre, quel qu'il fût, qui jappait en vous et vous rongeait les entrailles.

Pour la première fois depuis presque deux semaines, il n'avait plus l'impression d'être suivi et épié. Il était certain d'être seul. Il ne s'attendait pas à ce que cela dure.

Il ne lui fallut pas longtemps pour repérer le banc. Quelques secondes plus tard, il était assis, les enveloppes que lui avait données l'archiviste posées sur ses genoux. Aux yeux d'un passant, il aurait eu l'air d'un toubib ou du parent d'un malade, qui prenait l'air à l'extérieur de l'hôpital pour réfléchir ou grignoter un sandwich. Ricky marqua un temps d'arrêt, pas très sûr de ce qu'il allait découvrir sur ces documents, puis il glissa la main dans la grande enveloppe.

La patiente qu'il avait soignée vingt ans plus tôt s'appelait Claire Tyson.

Il regarda fixement ce nom. Il ne lui disait rien du tout.

Aucun visage ne lui revenait en mémoire. Aucune voix ne résonnait dans son oreille, aucun écho d'une phrase prononcée vingt ans plus tôt. Aucun geste, aucune expression, aucun son ne franchit la barrière des années. Les cordes de la mémoire restaient muettes, immobiles. Ce n'était qu'un nom parmi des dizaines d'autres, de la même période.

Cette incapacité à se rappeler quoi que ce soit lui glaça le sang.

Il parcourut rapidement la fiche d'admission. Cette

femme était arrivée à la clinique dans un état proche de la dépression aiguë, prise d'une crise d'angoisse générant une panique. Elle avait été aiguillée par les urgences, où elle s'était présentée pour soigner des contusions et des déchirures musculaires. On avait des preuves de violences exercées par un homme, qui n'était pas le père de ses trois enfants. Le dossier mentionnait leur âge – dix, huit et cinq ans – mais pas leurs prénoms. Elle-même n'avait que vingt-neuf ans. Elle avait donné l'adresse d'un appartement proche de l'hôpital, dont Ricky savait qu'il se trouvait dans un quartier très dangereux. Elle n'avait pas d'assurance maladie. Elle était employée à temps partiel dans une épicerie. Elle n'était pas née à New York. Sur le formulaire d'admission, dans la case « Parents proches », il lut une adresse d'une petite ville du nord de la Floride. Son numéro de Sécurité sociale et un numéro de téléphone étaient les seuls autres renseignements mentionnés sur sa fiche.

La deuxième page était un formulaire de diagnostic. Il reconnut son écriture. Les mots le terrifièrent. Ils étaient secs, brusques, sans fioritures. Absolument dénués de passion et de sympathie.

Mlle Tyson, vingt-neuf ans, se présente comme la mère de trois jeunes enfants se trouvant dans une relation peut-être physiquement difficile avec un homme qui n'est pas leur père. Elle déclare que le père des enfants l'a abandonnée il y a plusieurs années pour aller travailler dans les champs de pétrole du Sud-Ouest. Elle ne possède pas d'assurance santé à jour. Elle ne peut travailler qu'à temps partiel, ne disposant pas de l'argent nécessaire pour confier ses enfants à des gardiens compétents. Elle reçoit l'aide sociale de l'Etat, ainsi qu'une allocation de l'Aide fédérale aux familles avec enfants à charge, des bons d'alimentation et une allocation logement. Elle affirme également qu'elle ne peut pas retourner dans sa Floride natale, car ses relations avec le père des enfants l'ont brouillée avec ses propres parents. Elle prétend, enfin, ne pas disposer de l'argent qui lui permettrait d'effectuer un tel voyage.

Cliniquement, Mlle Tyson s'avère être une femme d'une intelligence supérieure à la moyenne, qui se préoccupe vraiment de ses enfants et de leur bien-être. Elle a un diplôme de fin d'études secondaires et a suivi deux ans d'études universitaires, qu'elle a abandonnées quand elle est tombée enceinte. Il apparaît qu'elle est très nettement sous-alimentée, et elle a développé un tic permanent à la paupière droite. Pendant une conversation, elle évite de croiser le regard de son interlocuteur et ne lève la tête que lorsqu'on l'interroge sur ses enfants, dont elle affirme qu'ils sont très proches. Elle nie entendre des voix, mais avoue être sujette à des crises de larmes spontanées, désespérées et incontrôlables. Elle affirme que ses enfants constituent sa seule raison de vivre, mais elle nie être en proie à des idées de suicide. Elle nie toute dépendance à la drogue. Aucun signe de consommation de narcotiques n'a été décelé. Des tests toxicologiques se justifient néanmoins.

Diagnostic initial : dépression aiguë persistante, trouvant son origine dans la misère. Désordres de la personnalité. Consommation de drogue possible.

Recommandations : traitement en consultation externe, dans la limite des cinq séances autorisées.

Il avait signé en bas de page. Il contempla son paraphe en se demandant s'il avait signé ce jour-là son propre arrêt de mort.

Il y avait un autre document, sur une deuxième feuille. Claire Tyson était revenue le voir à la clinique quatre fois. Mais elle ne s'était pas présentée à la cinquième et dernière séance autorisée. Ainsi, son vieux mentor, le Dr Lewis, s'était trompé sur ce point précis. Mais il lui vint une autre idée. Il déplia la copie du certificat de décès portant le sceau du coroner de la ville et compara la date du décès à celle du début du traitement qui figurait sur la fiche de la clinique.

Quinze jours.

Il se tassa sur son banc. La femme était venue à l'hôpital, on l'avait orientée vers lui, et quinze jours plus tard, elle était morte.

Il avait l'impression que le certificat lui brûlait la main. Il s'empressa de parcourir le document. Claire Tyson s'était pendue dans la salle de bains de son appartement, à l'aide d'une ceinture en cuir d'homme fixée au tuyau d'arrivée d'eau. L'autopsie révéla qu'elle avait reçu des coups peu avant sa mort, et qu'elle était enceinte de trois mois. Un rapport de police joint au certificat de décès disait qu'un certain Rafael Johnson avait été interrogé à propos des coups, mais qu'on l'avait laissé en liberté. Les trois enfants avaient été confiés aux services sociaux compétents.

Et c'était tout, songea Ricky.

Les mots imprimés sur les formulaires étaient loin de décrire l'horreur définitive de la vie et de la mort de Claire Tyson. Le mot « misère » était impuissant à évoquer le monde plein de rats, de crasse et de désespoir où elle avait vécu. Le mot « dépression » traduisait mal le fardeau insupportable qu'elle avait dû porter sur ses épaules. Dans le maelström qui avait tenu captive la jeune Claire Tyson, une seule chose lui avait donné une raison de vivre : ses trois enfants.

L'aîné. Elle avait dû dire à l'aîné de ses enfants qu'elle allait à l'hôpital pour le voir et lui demander de l'aide. Est-ce qu'elle lui avait dit qu'il était sa seule chance ? Qu'il lui avait promis quelque chose de différent de ce qu'elle connaissait ? Qu'est-ce que je lui ai dit qui lui a donné espoir et qu'elle a transmis à ses trois enfants ?

Quoi que ce fût, cela n'avait pas marché, car la jeune femme s'était donné la mort.

Le suicide de Claire Tyson devait avoir été le moment crucial dans la vie de ces trois enfants, se dit Ricky. Surtout de l'aîné. Et cela ne l'avait pas marqué, lui, pas le moins du monde. Quand il avait constaté que la femme ne venait pas à son rendez-vous, Ricky n'avait rien fait. Il ne se rappelait même pas avoir donné un coup de fil pour prendre de ses nouvelles. Non, il avait classé le dossier et tiré un trait sur la femme. Et sur ses enfants.

Et maintenant, l'un d'eux était à ses trousses.

Trouve cet enfant, et tu trouveras Rumplestiltskin.

Il quitta son banc en se disant qu'il avait beaucoup à faire – heureux, bizarrement, que la pression du temps soit si forte. Sans quoi il aurait dû vraiment réfléchir à ce qu'il avait fait, vingt ans plus tôt. Et à ce qu'il n'avait pas fait.

Ricky passa le reste de la journée dans l'enfer bureaucratique de la ville de New York.

Armé seulement d'un nom et d'une adresse vieux de vingt ans, il fut ballotté d'un bureau à l'autre, d'un fonctionnaire à l'autre, à travers les services du ministère de la Protection de l'enfance, où il essayait de découvrir ce qui était arrivé aux trois enfants de Claire Tyson. Le plus frustrant, dans cette offensive contre le monde de l'administration, c'était le fait que tout le monde, dans tous les services auxquels il s'adressait, savait qu'il existait quelque part un dossier sur ces enfants. Au début, il semblait impossible de le retrouver dans l'imbroglio des archives informatiques inadaptées et des pièces pleines de dossiers. Il était évident qu'il allait falloir chercher pendant des heures. Ricky regretta de ne pas être un grand reporter ou un détective privé, le genre d'homme qui a suffisamment de patience pour passer des heures interminables plongé dans des dossiers moisis. Ce n'était pas le cas. Et il n'avait pas le temps, non plus.

Trois personnes en ce bas monde sont liées à moi par ce fil fragile, et cela pourrait me coûter la vie, se dit-il, alors qu'il se présentait devant une énième employée, dans un énième bureau. Cette pensée lui donna un sentiment d'urgence aiguë.

Il se trouvait aux archives du tribunal des mineurs, en présence d'une grande femme d'origine hispanique. Elle avait une imposante chevelure noire de jais qu'elle écarta vivement de son visage, ce qui mit en évidence une paire de lunettes ancienne, à monture métallique.

— Nous n'irons pas loin, avec ça, docteur, dit-elle.

— C'est tout ce que j'ai.

— Si ces trois enfants ont été adoptés, les dossiers sont probablement scellés. Ils ne peuvent être ouverts que sur décision de justice. On peut obtenir un mandat, mais ce n'est pas facile, vous voyez ce que je veux dire ? La plupart des demandes sont faites par des enfants arrivés à l'âge adulte et qui recherchent leurs parents biologiques. Il existe une procédure, que nous devons respecter dans les cas de ce genre. Mais ce que vous demandez, vous, c'est différent.

— Je comprends. Et je n'ai pas beaucoup de temps…

— Tout le monde est tout le temps pressé. Qu'est-ce qui peut être si urgent, vingt ans après ?

— Il s'agit d'une urgence médicale.

— Eh bien, un juge vous écoutera sans doute, si vous avez les documents. Arrangez-vous pour obtenir un mandat. Nous pourrons peut-être faire quelques recherches…

— Une décision de justice va prendre des jours et des jours.

— Exact. Les choses ne vont pas très vite, ici. Sauf si vous connaissez personnellement un juge. Allez le voir et faites-lui signer ça le plus vite possible.

— Le temps est important.

— Tout le monde dit ça. Désolée… Vous savez ce que vous devriez faire ?

— Non, dites-moi.

— Essayez de trouver des informations sur les gens que vous cherchez, avec un de ces moteurs de recherche qu'on trouve dans les ordinateurs. Ça vous aidera peut-être. Je connais des orphelins qui ont fait ça pour connaître leur passé. Ça marche assez bien. Quand vous engagez un détective privé, aujourd'hui, c'est la première chose qu'il fait après avoir empoché votre argent.

— Je ne me sers pas beaucoup des ordinateurs…

— Non ? C'est le monde moderne, docteur. Mon fils, qui a treize ans, trouve des choses… vous seriez étonné. Il a localisé ma cousine Violetta, dont on n'avait pas de nouvelles depuis dix ans. Elle travaillait dans un hôpital à Los Angeles, et il l'a retrouvée. Ça ne lui a pas pris plus de deux ou trois jours. Vous devriez essayer.

— Je vais y penser, fit Ricky.

— Ça vous serait bien utile si vous aviez le numéro de Sécurité sociale ou quelque chose comme ça, dit l'employée.

Elle parlait d'une voix mélodieuse et il était évident que sa conversation avec Ricky constituait une rupture intéressante dans sa routine quotidienne. Même si elle affirmait qu'elle n'avait pas accès à ce qu'il cherchait, elle rechignait à le laisser partir. L'heure de la fermeture approchait, se dit-il, et elle partirait sans doute après en avoir fini avec lui. Elle voulait certainement le garder le plus longtemps possible. Il savait qu'il aurait dû s'en aller, mais il ignorait encore quelle serait sa prochaine étape.

— Quel genre de toubib êtes-vous ? demanda-t-elle soudain.

— Je suis psychanalyste, répondit Ricky, qui constata que sa réponse lui faisait rouler les yeux.

— Vous lisez dans l'esprit des gens, docteur ?

— Non, ça ne marche pas exactement comme ça.

— Non, sans doute pas. Parce que, alors, vous seriez une sorte de sorcier blanc, hein ? fit-elle en gloussant. Mais je parie que vous êtes bon pour deviner ce que les gens vont faire après, non ?

— Un peu. Sans doute pas autant que vous le pensez.

La femme eut un sourire.

— Eh bien, dans ce bas monde, si l'on a un minimum d'informations et que l'on est capable d'enfoncer les bonnes touches, on peut découvrir bien des choses. C'est comme ça que ça marche.

Elle fit un geste de son avant-bras massif vers le clavier et l'écran qui se trouvaient devant elle.

— Je suppose.

Ricky marqua un temps d'arrêt, puis baissa les yeux vers les feuilles de papier qu'il avait obtenues aux archives de l'hôpital. Il y avait sur le rapport de police quelque chose qui pouvait être utile. Les policiers avaient noté le numéro de Sécurité sociale de Rafael Johnson, l'amant violent de la femme qui s'était suicidée.

— Hé, fit-il, si je vous donne un nom et un numéro de Sécurité sociale, est-ce que votre ordinateur peut m'aider à retrouver quelqu'un ?

— Il vit toujours ici ? Il vote ? Il a été arrêté, peut-être ?

— Oui aux trois questions. A deux, en tout cas. Je ne sais pas s'il vote.

— On peut essayer. Comment s'appelle-t-il ?

Ricky lui donna le nom et le numéro qui figuraient sur le rapport de police. Elle jeta un coup d'œil autour d'elle pour s'assurer que personne ne la regardait.

— Je ne suis pas vraiment censée faire ce genre de choses, marmonna-t-elle. Mais vous êtes toubib, tout ça, alors, on verra bien.

Ses ongles teints en rouge cliquetèrent sur le clavier.

L'ordinateur ronronna et produisit quelques petits sifflements électroniques. Ricky vit un texte s'afficher à l'écran. Au même moment, les sourcils épilés de la femme se soulevèrent sous l'effet de la surprise.

— Oh, c'est un mauvais garçon, docteur. Vous êtes sûr que vous avez besoin de lui ?

— Que se passe-t-il ?

— Eh bien, il a écopé d'une peine pour vol… encore un vol, une agression… soupçonné d'appartenir à un réseau de voleurs de voitures, a tiré six ans à Sing Sing pour coups et blessures. Dites donc, il n'est pas vraiment joli, ce dossier…

Elle poursuivit sa lecture et s'exclama :

— Oh !

— Quoi ?

— Il ne pourra pas vous aider, docteur.

— Pourquoi ?

— On dirait que quelqu'un a fini par le rattraper.

— Ce qui veut dire ?

— Il est mort. Il y a juste six mois.

— Mort ?

— C'est ça. Ici, on dit « décédé », et il y a une date. Six mois. Bon débarras, je dirais. Il y a un rapport, avec le dossier. J'ai le nom d'un inspecteur du 41e district, dans le Bronx. Dossier toujours ouvert. On dirait bien que quelqu'un a battu Rafael Johnson à mort. Oh, dégueulasse, vraiment dégueulasse.

— Qu'est-ce que ça dit ?

— On dirait que, après l'avoir battu à mort, quelqu'un l'a pendu à une canalisation. A l'aide de sa propre ceinture. Pas joli à voir. Pas joli du tout.

La femme secoua la tête. Mais elle souriait légèrement. Aucune compassion pour Rafael Johnson, un type qui était sans doute allé trop loin, une fois de trop.

Ricky vacilla. Il n'était pas difficile de deviner qui avait retrouvé Rafael Johnson. Et pourquoi.

Depuis la cabine téléphonique du hall d'entrée, il localisa l'inspecteur de police qui avait rédigé le rapport d'enquête criminelle sur la mort de Rafael Johnson. Il ne savait pas si ce coup de fil lui serait très utile, mais il fallait qu'il le donne. Au téléphone, l'inspecteur était sec et énergique. Quand Ricky s'identifia, il s'étonna des raisons de son appel.

— Il est rare que des toubibs de la ville me téléphonent. D'habitude, ils ne naviguent pas dans les mêmes eaux que le peu regretté Rafael Johnson. Pourquoi vous intéressez-vous à cette affaire, docteur Starks ?

— Il y a une vingtaine d'années, ce Johnson était lié à une de mes anciennes patientes. J'essaie d'entrer en contact avec sa famille et j'espérais que Johnson pourrait m'aider.

— Ça m'aurait étonné, doc, sauf si vous étiez prêt à casquer. Rafi aurait fait n'importe quoi pour n'importe qui si ça pouvait lui rapporter de l'argent.

— Vous le connaissiez ?

— Eh bien... disons qu'il était dans le collimateur d'un certain nombre de flics, dans le coin. C'était un vrai gibier de potence. Je crois que vous auriez beaucoup de mal à trouver quelqu'un, par ici, capable d'en dire du bien. Petit trafic de drogue. Gros bras à louer. Cambriolages, vols, une ou deux agressions sexuelles. Pratiquement toute la gamme des classiques de ces salauds de bons à rien. Et il a fini plus ou moins comme on pouvait s'y attendre, et pour être franc, doc, je ne crois pas que beaucoup de gens aient pleuré à son enterrement.

— Vous savez qui l'a tué ?

— C'est la question à un million de dollars. Pour ce qui est de la réponse, eh bien... Nous avons notre petite idée.

A ces mots, l'esprit de Ricky fit un bond.

— Ah bon ? fit-il, très excité. Vous avez arrêté quelqu'un ?

— Non. Et c'est peu probable qu'on le fasse. Pas dans l'immédiat, en tout cas.

Ricky redescendit sur terre aussi vite que l'espoir l'avait envahi.

— Pourquoi ?

— En général, dans ce genre d'affaires, il n'y a pas des tonnes d'indices médico-légaux à proprement parler. Peut-être un peu de sang, s'il y a eu bagarre. Mais pas cette fois, car il semble que ce vieux Rafi était ligoté quand on l'a tabassé, et celui qui s'est occupé de lui portait des gants. Alors, ce que nous espérons, c'est parvenir à serrer un de ses copains, lui faire sortir un nom, construire un dossier là-dessus, un type mouchardant l'autre, et remonter la piste jusqu'au tueur.

— Oui. Je comprends.

— Mais personne ne mouchardera le type qui, à notre avis, a refroidi Rafael Johnson.

— Pourquoi ?

— Ah, la loyauté des taulards. Le code de Sing Sing. Nous cherchons un type avec qui Rafael a eu des ennuis au moment où ils jouissaient tous les deux de l'hospitalité de l'Etat. Semblerait qu'ils aient eu un vrai conflit en prison. Sans doute quelque chose à voir avec la drogue. Ils ont essayé de se faire la peau l'un l'autre. Des poignards bricolés. Des surins, ils appellent ça. Une mort très déplaisante, à ce qu'on m'a dit. On dirait que ces deux salopards ont emporté leur sale affaire avec eux. C'est peut-être une des plus vieilles histoires du monde. Nous aurons le type qui a allumé Rafi quand nous trouverons quelque chose d'un peu plus sérieux sur un de ses branleurs de copains. L'un d'eux se trahira, tôt ou tard, et nous entrerons en scène. Il faudrait pouvoir les serrer un peu plus à la gorge, vous voyez.

— Vous pensez donc que Johnson a été assassiné par quelqu'un qu'il a connu en prison ?

— Absolument. Un nommé Rogers. Son nom ne

vous dit rien ? Un sale type. Aussi mauvais que Rafael Johnson, sans problème... Même légèrement pire que lui, parce qu'il se balade toujours tandis que Johnson bouffe les pissenlits par la racine, quelque part à Staten Island.

— Comment êtes-vous si sûr que c'est lui qui a fait le coup ?

— Je ne devrais pas vous parler de ça...

— Si vous ne tenez pas à me donner les détails, je ne vous en voudrai pas, dit Ricky.

— Eh bien, c'était un peu inhabituel... Mais je pense qu'il n'y a pas de mal à ce que vous le sachiez, à condition que vous gardiez ça pour vous. Ce Rogers a laissé une carte de visite. Comme s'il voulait que tous les copains de Johnson sachent qui l'avait tabassé à mort. Un petit message pour les gars qui rentreraient chez eux, je dirais. La vieille mentalité des prisons. Bref... Après l'avoir tabassé, après lui avoir mis le visage en purée, brisé les deux jambes et fait de la bouillie de six de ses dix doigts – pas des enfants de chœur, hein ? – et juste avant de le pendre, le type a pris le temps de graver son initiale au milieu de la poitrine de Johnson. Un grand foutu R sanguinolent sculpté dans la chair. Très déplaisant, mais au moins le message est passé.

— La lettre R ?

— C'est ça. On dirait une carte de visite, hein ?

C'était tout à fait cela. Et celui à qui elle était réellement destinée venait de la recevoir.

Ricky s'efforçait de ne pas penser aux dernières minutes de la vie de Rafael Johnson. Il se demandait si l'ex-taulard et petit voyou avait su qui était responsable de sa mort. Chaque coup que Johnson avait donné vingt ans plus tôt à la malheureuse Claire Tyson lui avait été rendu avec intérêts. Ricky n'avait pas envie de s'étendre là-dessus, mais une chose était évidente : l'homme qui se faisait appeler Rumplestiltskin avait préparé sa vengeance avec beaucoup de soin et beaucoup de réflexion. Et elle s'exerçait sur un univers beaucoup plus étendu que Ricky ne l'avait imaginé.

Pour la troisième fois, il composa le numéro des petites annonces du *New York Times* afin de poser sa dernière question. Il appelait du téléphone public, dans le hall du palais de justice, un doigt enfoncé dans l'oreille pour s'isoler du vacarme des gens qui quittaient leur travail. L'employé des petites annonces semblait ennuyé que Ricky ait attendu les dernières minutes avant six heures pour appeler. Il lui répondit sèchement, d'une voix brusque :

— Très bien, docteur. Quel est le texte de l'annonce ?

Ricky réfléchit, puis :

— « L'homme que je cherche, c'est un des trois ? / Jadis orphelin, mais pas un fou, maintenant, / Qui traque ceux qui ont été si méchants ? »

L'employé relut le texte sans faire de commentaire, comme s'il était immunisé contre la curiosité. Il prit rapidement note des informations nécessaires à la facturation et raccrocha très vite. Ricky ignorait ce qu'il avait à faire de si urgent pour que sa question ne provoque aucune réaction, mais il en était très heureux.

Il regagna la rue et s'apprêta à héler un taxi, puis décida, bizarrement, de prendre plutôt le métro. Les rues étaient encombrées par la foule de l'heure de pointe et un flot d'hommes et de femmes s'enfonçait dans les entrailles de Manhattan, vers les trains qui les ramèneraient chez eux. Ricky suivit le mouvement, trouvant paradoxalement un abri au milieu de la foule. Le métro était bondé, il ne restait pas un seul siège libre. Il fit le trajet debout, en se tenant à une barre métallique, pétri et bousculé par la masse humaine au rythme des mouvements du train. C'était presque un luxe, que d'être ainsi enfermé dans un tel anonymat.

Il essaya de ne pas penser au peu de temps qui lui restait. Il se dit que même s'il avait posé la question dans le journal, il devait supposer qu'il connaissait déjà la réponse pour trouver le plus rapidement possible le nom des orphelins de Claire Tyson. Il ne savait pas s'il y parviendrait, mais il pouvait toujours se concentrer là-dessus, une information concrète qu'il pouvait essayer de se procurer, un fait tangible et froid qui existait quelque part dans le monde des documents et des tribunaux. Un monde où il n'était pas très à l'aise, comme il l'avait amplement démontré cet après-midi-là. Mais du moins c'était un monde identifiable, et cela lui redonna un peu d'espoir. Il tortura sa mémoire : sa femme, jadis, avait entretenu des relations amicales avec plusieurs juges, et l'un d'eux pourrait peut-être lui donner l'autorisation d'accéder aux archives du bureau d'adoption. Il sourit en se disant que cela marcherait peut-être et que Rumplestiltskin, pour une fois, n'aurait pas prévu cette manœuvre.

La rame cahotait et ballottait, puis elle finit par ralentir, ce qui l'obligea à resserrer sa prise sur la barre de soutien. Il avait du mal à garder son équilibre. Il heurta violemment un jeune homme aux cheveux longs qui portait un sac à dos et qui sembla ignorer ce soudain télescopage.

La station de métro se trouvait à deux rues de chez lui. Il remonta vers la surface, heureux de retrouver l'air pur. Il s'attarda un instant, inspira l'air brûlant qui montait du trottoir avant de se mettre en marche. Il n'était pas précisément confiant, plutôt porté par le sentiment d'avoir quelque chose à faire. Il devait trouver dans le débarras, à la cave, le vieux carnet d'adresses de sa femme, et il commencerait le soir même à appeler les juges qui l'avaient connue. L'un d'eux accepterait sûrement de l'aider. Cela ne le mènerait pas très loin, mais au moins c'était quelque chose. Il marcha d'un bon pas en se demandant si son enquête l'entraînait dans cette direction parce que Rumplestiltskin l'avait voulu ou parce qu'il avait fait preuve d'intelligence. Bizarrement, il se sentit rassuré à l'idée que Rumplestiltskin avait exercé une vengeance si terrible sur Rafael Johnson, l'homme qui avait battu sa mère. Il se dit qu'il devait y avoir une différence de taille entre la modeste négligence dont il s'était rendu coupable – et qui venait en réalité des carences administratives – et les violences physiques perpétrées par Johnson. Il eut même une pensée optimiste : tout ce qu'il avait subi, lui, sa carrière, ses comptes en banque, ses patients, ce chaos qu'on avait créé dans sa vie, pourrait peut-être s'arrêter là, quand il aurait un nom, qu'il pourrait faire des excuses. Alors il pourrait entreprendre de reconstruire son existence.

Il refusait de s'attarder une seconde sur la nature profonde de la vengeance, parce qu'il n'y connaissait rien. Pas plus qu'il ne réfléchit à la menace qui planait toujours sur les membres de sa famille.

L'esprit occupé par toutes ces pensées (si elles n'étaient pas encore tout à fait positives, elles étaient à peu près normales) et avec l'idée qu'il avait peut-être une chance de gagner la partie, Ricky passa le coin de sa rue. Il s'arrêta brusquement.

Trois voitures de police, gyrophares allumés, se trouvaient devant son immeuble, avec un gros camion des pompiers municipaux et deux camionnettes jaunes de la voirie. Ricky recula d'un pas en trébuchant comme un ivrogne ou comme un homme qui reçoit un coup de poing au visage. Plusieurs policiers se tenaient devant l'entrée, bavardant avec des ouvriers portant des casques de chantier et des salopettes tachées de sueur. Deux pompiers assistaient à la conversation mais, quand il s'approcha, ils s'écartèrent du petit groupe et sautèrent dans leur camion. Celui-ci descendit la rue, le grondement de son moteur se mêlant au hurlement de sa sirène.

Ricky se précipita. Presque inconsciemment, il remarqua que les hommes n'avaient pas l'air d'être en proie à la panique. Quand il arriva au pied de l'immeuble, il était presque à bout de souffle. Un policier en uniforme se tourna vers lui.

— Hé, pas si vite !

— J'habite ici, répondit Ricky d'une voix angoissée. Que se passe-t-il ?

— Vous habitez ici ? fit le flic en dépit du fait que Ricky venait de lui donner la réponse.

— Oui, répéta Ricky. Mais qu'est-ce qui se passe ?

Le flic ne répondit pas directement :

— Oh, monsieur… vous feriez mieux de demander ça au type en civil, là-bas.

Ricky regarda un autre groupe. Il vit l'agent de change qui habitait deux étages au-dessus de lui. Il dirigeait l'association qui regroupait vaguement les copropriétaires de l'immeuble. Il discutait en faisant de grands gestes avec un type du service municipal des travaux publics, coiffé d'un casque jaune. Deux autres personnes se tenaient à côté d'eux. Ricky les reconnut : le gardien de l'immeuble et l'homme chargé de son entretien.

Le fonctionnaire des travaux publics parlait fort. Ricky s'approcha et l'entendit :

— Je me contrefous de ce que vous pensez des préjudices. C'est moi qui décide s'il faut évacuer ou non, et je vous dis qu'il n'est pas question que quelqu'un reste dans cet immeuble !

Furieux, l'agent de change lui tourna le dos et aperçut Ricky. Il lui fit un petit signe de la main et se dirigea vers lui.

— Docteur Starks, dit-il en lui serrant la main. J'espérais que vous étiez déjà parti en vacances.

— Que se passe-t-il ? le coupa Ricky.

— Quel gâchis ! reprit l'agent de change. Un vrai gâchis !

— Quoi ?

— La police ne vous a rien dit ?

— Non. Que se passe-t-il ?

L'agent de change haussa les épaules et soupira.

— Apparemment, il y a eu une défaillance grave du côté des canalisations, au troisième étage. Il semblerait que plusieurs tuyaux aient éclaté en même temps, à cause d'une sorte de surpression. Ils ont explosé comme des bombes. Des tonnes d'eau ont envahi les deux premiers étages, et plus rien ne fonctionne au troisième et au quatrième. L'électricité, le gaz, l'eau, le téléphone… les toilettes. Tout est fichu.

L'agent de change dut voir l'étonnement se dessiner sur le visage de Ricky, car il poursuivit, d'un ton un peu plus compatissant :

— Je suis désolé. Je sais que votre logement est un des plus durement touchés. Je n'y suis pas allé, mais…

— Mon appartement…

— Oui. Et maintenant, cet idiot des travaux publics veut faire évacuer l'immeuble, jusqu'à ce que les ingénieurs et les entrepreneurs aient fini d'inspecter toute la baraque…

— Mais mes affaires…

— Un des gars des travaux publics va vous accompagner là-haut pour que vous preniez ce dont vous avez besoin. Ils prétendent qu'il est dangereux de se promener dans l'immeuble. Est-ce que vous pouvez appeler quelqu'un pour vous dépanner ? Vous avez un endroit où aller ? Je pensais que vous passiez le mois d'août à Cape Cod, comme d'habitude. Je croyais que vous étiez là-bas…

— Mais comment… ?

— Ils n'en savent rien. Apparemment, tout a commencé dans l'appartement qui se trouve au-dessus du vôtre. Et les Wolfson passent tout l'été dans les Adirondacks. Bon Dieu, il faut que j'arrive à les joindre. J'espère qu'ils ont laissé un numéro. Vous connaissez un bon entrepreneur ? Quelqu'un qui pourrait s'occuper des plafonds, des sols et de tout ce qu'il y a entre les deux. Et vous avez intérêt à appeler votre assureur, même s'il ne sera pas très content d'apprendre ce que vous allez lui dire. Il faut que vous le fassiez venir au plus vite pour négocier un accord. Mais il y a déjà deux ou trois types, là-haut, occupés à prendre des photos.

— Je ne comprends toujours pas…

— D'après ce type, on dirait que la plomberie a explosé, tout simplement. Peut-être à cause d'un bouchon. On ne le saura pas avant plusieurs semaines. Peut-être qu'il y a eu une sorte d'accumulation de gaz. En tout cas, ça a suffi pour provoquer l'explosion. Comme l'explosion d'une bombe.

Ricky recula et leva les yeux vers l'appartement qu'il occupait depuis près d'un quart de siècle. C'était un peu comme si on lui annonçait la mort d'un vieil ami, d'un proche, de quelqu'un d'important. Il savait qu'il devait voir ça de ses propres yeux, examiner les lieux, toucher pour croire. Comme le jour où il avait compris, en caressant la joue de sa femme, d'un froid de porcelaine, ce qui était enfin arrivé. Il héla l'employé chargé de l'entretien de l'immeuble.

— Accompagnez-moi là-haut, s'il vous plaît. Montrez-moi.

L'homme hocha la tête, l'air malheureux.

— Ça ne va pas vous plaire. Non, sûrement pas. En plus, vous allez bousiller vos chaussures.

A contrecœur, il tendit à Ricky un casque métallisé couvert d'éraflures.

Quand ils entrèrent dans l'immeuble, de l'eau coulait encore du plafond, gouttait sur les murs du couloir et écaillait la peinture. L'humidité était palpable. L'atmosphère sentait le moisi, comme au cœur d'une forêt tropicale. Il régnait une légère odeur d'excréments. Des flaques d'eau s'étaient formées sur le sol de marbre et rendaient l'entrée glissante. Ricky avait l'impression de se déplacer sur la surface d'un étang gelé. L'employé chargé de l'entretien, qui le précédait de quelques pas, faisait très attention où il mettait les pieds.

— Vous sentez cette odeur ? Il ne faudrait pas attraper je ne sais quelle infection, lança-t-il à Ricky en le regardant par-dessus son épaule.

Ils montèrent lentement l'escalier, évitant autant que possible de marcher dans l'eau. Mais les chaussures de Ricky faisaient déjà un bruit de succion et il sentait l'humidité à travers le cuir. Au premier étage, deux jeunes gens en salopette et bottes de caoutchouc, protégés par des gants chirurgicaux et des masques, se servaient de grandes raclettes pour essayer d'évacuer le plus gros de l'eau croupie. Les raclettes frottaient le sol dans un bruit de vagues. Ils travaillaient lentement, avec des gestes mesurés. Un troisième homme, portant lui aussi un masque et des bottes de caoutchouc, mais vêtu d'un costume brun à bon marché, cravate desserrée, se tenait sur le côté. Il mitraillait le désastre avec un Polaroid. Le flash crépita : Ricky aperçut un énorme renflement au plafond, tel un gigantesque furoncle prêt à éclater et dont le contenu menaçait d'inonder le photographe.

Ils arrivèrent devant la porte de son appartement, qui était grande ouverte.

— Désolé, fit l'agent d'entretien, mais nous avons dû l'ouvrir. Nous cherchions l'origine de l'accident…

Il s'interrompit, comme si les explications étaient inutiles. Puis il ajouta un seul mot, qui se suffisait à lui-même.

— Merde…

Ricky entra, fit un pas et s'arrêta brusquement.

L'eau montait à trois centimètres au-dessus du sol. Un court-circuit avait grillé toutes les ampoules et l'air était plein d'une odeur caractéristique de matière brûlée. Tous les meubles et les tapis étaient imbibés d'eau, la plupart définitivement irrécupérables. De grandes surfaces de plafond étaient bombées, ailleurs il était éventré, et du plâtre d'un blanc neigeux se répandait en tous sens. Des bandes de gypse s'étaient décollées, formant à terre des amas ressemblant à du papier mâché. Une eau brune, délétère, gouttait un peu partout. Dans l'appartement, l'odeur de pourriture qu'il avait remarquée dans le hall d'entrée était beaucoup plus forte, presque au point de l'asphyxier.

Partout, c'était un désastre. Ses affaires étaient

trempées, dispersées. On eût dit qu'un raz-de-marée s'était abattu dans l'appartement. Ricky se dirigea vers son cabinet, prudemment, et s'immobilisa dans l'entrebâillement de la porte. Un gros morceau de plafond était tombé sur le divan. Son bureau était recouvert d'une bande de gypse toute gondolée. Il y avait au moins trois trous au plafond – d'où l'eau coulait toujours – et partout des canalisations, pendant comme des stalactites dans une caverne. Le sol était recouvert d'eau. Ses tableaux, ses diplômes et même le portrait de Freud étaient tombés, et il y avait des morceaux de verre un peu partout.

— On dirait qu'il y a eu un attentat terroriste, hein ? fit l'agent d'entretien.

Comme Ricky allait s'avancer, il l'attrapa par le bras.

— Non, n'entrez pas.

— Mes affaires… commença Ricky.

— Je crains que le sol ne soit pas sûr. Et n'importe lequel de ces tuyaux peut nous tomber dessus sans prévenir. De toute façon, tout ce qui se trouve ici est fichu. Mieux vaut y renoncer. L'endroit est cent fois plus dangereux que vous ne pouvez l'imaginer. Reniflez ça, docteur. Vous sentez ? Il n'y a pas que cette odeur d'égout, et le reste… Je crois que ça sent le gaz, aussi.

Ricky hésita. Il hocha la tête.

— La chambre ?

— La même chose. Tous les vêtements aussi. Et le lit a été écrasé par un gros bloc de plafond.

— Il faut que je voie ça, dit Ricky.

— Ce n'est pas la peine. Aucun cauchemar ne vous a préparé à voir ça. Le mieux que vous ayez à faire, c'est de laisser tomber et de foutre le camp. Les assurances vous rembourseront.

— Mes affaires…

— Ce ne sont que des objets, docteur. Une paire de chaussures, un costume... Tout ça se remplace facilement. Pas la peine de risquer une maladie ou une blessure. Nous devons laisser les experts prendre le relais. Je crains que ce qui reste du plafond ne tienne pas longtemps. Et je ne me fierais pas non plus au plancher. Ils vont devoir vider cet endroit de haut en bas.

C'était exactement ce que se disait Ricky. Vidé, de haut en bas. Il fit demi-tour et suivit l'homme vers la sortie. Un fragment de plafond tomba derrière lui, comme pour donner raison à son guide.

Quand ils furent de retour sur le trottoir, l'agent d'entretien et l'agent de change, suivis par le fonctionnaire des travaux publics, s'approchèrent de lui.

— Moche ? fit l'agent de change. Déjà vu pire que ça ?

Ricky secoua la tête.

— Les types de l'assurance vont arriver, poursuivit l'agent de change. Appelez-moi au bureau dans quelques jours, lui dit-il en lui tendant sa carte de visite. Dans l'immédiat, vous avez un endroit où aller ?

Ricky acquiesça et glissa la carte dans sa poche. Il ne lui restait qu'un endroit inviolé. Mais il n'osait croire qu'il le resterait longtemps.

19

Les dernières heures de la nuit l'enveloppaient comme un costume mal ajusté, trop petit et peu confortable. La joue appuyée contre la vitre, il sentait la fraîcheur d'avant l'aube, comme si elle pouvait couler directement dans son corps, l'obscurité extérieure se mêlant à la grisaille qu'il ressentait en lui. Ricky attendait le matin avec impatience : il espérait que la lumière du jour l'aiderait à vaincre ses idées noires, tout en sachant que cet espoir était vain. Il inspira lentement, le goût de l'air confiné sur sa langue, en essayant de se débarrasser du poids du désespoir qui l'avait envahi. Mais c'était impossible.

Ricky roulait depuis six heures dans le car de la compagnie Bonanza qui reliait de nuit New York à Provincetown. Il écoutait le ronronnement du diesel, dont l'intensité variait au gré des changements de vitesse. Après s'être arrêté à Providence, le car avait rejoint la Route 6 vers le cap et traçait son chemin d'un rythme lent mais déterminé, vers Bourne, Falmouth, Hyannis, Eastham, avec un ultime arrêt à Wellfleet avant de rallier Provincetown, à l'extrémité du cap.

Un tiers des sièges seulement étaient occupés. Les passagers étaient des jeunes, des adolescents ayant à peine l'âge de travailler, qui s'offraient un week-end de liberté à Cape Cod. La météo doit être bonne, se dit Ricky. Ciel dégagé, température douce. Au départ, les jeunes gens avaient été bruyants. Enervés par les premières heures du voyage, ils riaient, jacassaient sans interruption, communiquant comme la jeunesse sait le faire. Ils ignoraient Ricky, qui était assis, seul, au fond du car, séparé d'eux par un gouffre qui allait bien au-delà de la différence d'âge. Mais le ronronnement régulier du moteur avait fait son effet sur tous les passagers – sauf Ricky –, et ils étaient vautrés en tous sens, endormis dans toutes les positions. Ricky regardait les kilomètres défiler sous les roues, le flot de ses pensées s'écoulant aussi vite que l'asphalte de l'autoroute.

Il ne faisait aucun doute, à ses yeux, que ce n'était pas un accident de plomberie qui avait provoqué la destruction de son appartement. Il espérait que rien de tel n'était arrivé à sa maison de campagne.

C'était à peu près tout ce qui lui restait.

Mentalement, il passa en revue ce qu'il allait retrouver. Un modeste inventaire, plus déprimant qu'encourageant : une maison poussiéreuse pleine de souvenirs. Une Honda Accord vieille de dix ans, légèrement cabossée et éraflée, qu'il gardait dans la grange pour l'été, car il n'avait jamais eu besoin d'un véhicule quand il se trouvait à Manhattan. Quelques vêtements aux couleurs passées, des pantalons de treillis, des polos et des sweaters au col usé mangés par les mites. Un chèque de caisse de dix mille dollars qui l'attendait à la banque. Une carrière en ruine. Une vie en lambeaux.

Pour la première fois depuis longtemps, il énonça le choix qui se présentait à lui : un nom ou sa propre nécrologie. Sans quoi un innocent, quelque part, subirait un châtiment que Ricky commençait à peine à imaginer. Ce pouvait être n'importe quoi se situant dans un éventail sinistre allant de la simple ruine à la mort. Il n'avait plus de doutes quant à la sincérité de Rumplestiltskin. Ni sur son pouvoir, ni sur sa détermination.

Je me suis démené, se disait-il, j'ai réfléchi, j'ai tout fait pour trouver la solution de l'énigme qu'on m'a posée, mais le choix n'a jamais changé. Je suis dans la même situation que le jour où la première lettre est arrivée à mon cabinet.

Mais ce n'était pas tout à fait vrai. Il devait reconnaître que sa situation avait singulièrement empiré. Le Dr Frederick Starks qui avait ouvert la lettre dans son cabinet confortable de l'Upper East Side, au milieu d'une existence soigneusement ordonnée, qu'il contrôlait dans le moindre détail, cet homme n'existait plus. C'était un monsieur en costume cravate, impeccable, qui n'avait pas un cheveu de travers. Pendant un moment, il regarda fixement la fenêtre du car : il ne voyait que son propre reflet dans la vitre sombre. L'homme qui le fixait n'avait pas grand-chose en commun avec celui qu'il croyait être jadis. Rumplestiltskin avait voulu l'obliger à jouer. Mais il n'y avait rien de ludique dans ce qui lui était arrivé.

Le car fit une légère embardée et commença à ralentir, ce qui annonçait un arrêt. Ricky regarda sa montre. Il arriverait à Wellfleet plus ou moins à l'aube.

Bon an mal an, la chose la plus merveilleuse, au début des vacances, était peut-être le retour de la routine. Chaque année, son arrivée donnait lieu à un rituel immuable, une suite d'actes simples évoquant les retrouvailles avec un très cher et très vieil ami après une trop longue absence. Après la mort de sa femme, Ricky avait décidé de respecter le rituel de l'arrivée en vacances. Chaque année, le 1er août, il prenait le même vol qui le menait de La Guardia au petit aéroport de Provincetown. Chaque année, il parcourait dans un taxi de la même compagnie les quelque vingt kilomètres de vieille route qui le séparaient de chez lui. L'ouverture de la maison s'effectuait toujours de la même façon. Ouvrir toutes grandes les fenêtres pour laisser entrer l'air frais, plier les vieux draps usés qui protégeaient le mobilier d'osier et de coton, et balayer la poussière qui s'était déposée durant l'hiver sur les comptoirs et les étagères. Jadis, ils avaient fait tout cela à deux. Ces dernières années, il avait continué tout seul. Il se disait à chaque fois, en ramassant le petit paquet de courrier qui l'attendait toujours – surtout des invitations à des vernissages et à des cocktails, qui iraient droit à la poubelle –, que toutes ces corvées maintenaient dans sa vie la présence fantomatique de sa femme. Mais cela ne le dérangeait pas. Bizarrement, cela l'aidait à se sentir moins seul.

Cette année, tout était différent. Il n'avait aucun bagage matériel, mais ce qu'il portait en lui était plus lourd que tout ce qu'il se rappelait avoir apporté, même l'été qui avait suivi la mort de sa femme.

Le car le déposa sans cérémonie sur le parking goudronné du restaurant Au Fier Homard. Il n'y avait jamais mangé, depuis les années qu'il venait au cap – probablement dissuadé par l'enseigne au-dessus de l'entrée, où un homard souriait, un bavoir autour du cou, un couteau et une fourchette entre ses pinces. Deux voitures attendaient l'arrivée du car. Elles démarrèrent en trombe après avoir embarqué deux des compagnons de voyage de Ricky. Le temps était frais et humide, et une légère brume planait au-dessus des collines. La lumière de l'aube donnait au monde qui l'entourait une teinte grise et vaporeuse, comme sur une photo un peu floue. Ricky frissonna, sur le trottoir, en sentant la fraîcheur matinale se glisser sous sa chemise. Il savait exactement où il se trouvait. Il était passé devant cet endroit des centaines de fois. Mais à cette heure et dans ces circonstances, tout lui semblait étranger, légèrement faux – comme un instrument de musique qui jouerait les bonnes notes mais dans un ton décalé. Pendant une ou deux minutes, il se dit qu'il pourrait peut-être appeler un taxi. Puis il se mit à marcher le long de la grande route, péniblement, du pas hésitant du soldat usé par le combat.

Il lui fallut un peu moins d'une heure pour atteindre la route non goudronnée qui menait à sa maison. Le soleil matinal d'août tenait déjà ses promesses de chaleur et de luminosité, et avait déjà fait refluer une partie de la brume des collines environnantes. Là où il était, près de l'entrée de chez lui, il vit trois corbeaux, une vingtaine de mètres plus bas, occupés à déchiqueter la carcasse d'un raton laveur. Celui-ci avait choisi le mauvais moment pour traverser la route, pendant la nuit, ce qui lui valait de leur servir de petit déjeuner. Les corbeaux avaient une façon de se nourrir qui attira l'attention de Ricky. Ils se tenaient près de la carcasse, la tête pivotant d'avant en arrière, puis de gauche à droite, à l'affût de la moindre menace, comme s'ils savaient qu'il était dangereux de rester là, au milieu de la route, et même la faim la plus intolérable ne les ferait pas renoncer une seconde à leur prudence. Dès qu'ils sentaient qu'ils ne risquaient rien, leurs longs becs creusaient et déchiraient cruellement la charogne. Ils échangeaient des coups de bec, comme s'ils répugnaient à partager le festin qu'ils devaient à une BMW ou à un 4 x 4 lancé à grande vitesse. C'était une scène banale, qu'en temps ordinaire Ricky aurait à peine remarquée. Mais ce matin-là, elle le mettait hors de lui, comme si le spectacle de ces oiseaux s'adressait à lui. Charognards, se dit-il, en colère. Se repaître ainsi de la mort ! Soudain il agita les bras, gesticula comme un fou dans leur direction. Les oiseaux ne lui prêtèrent aucune attention, jusqu'au moment où il avança vers eux, l'air menaçant. Il y eut un chœur de cris d'alarme rauques, les oiseaux s'envolèrent, tournèrent un moment au-dessus des arbres, puis revinrent, quelques secondes à peine après que Ricky eut pénétré dans l'allée. Ils sont plus déterminés que moi, pensa-t-il, presque paralysé par la colère. Il tourna le dos à la scène et marcha d'un pas régulier mais mal assuré sous le tunnel formé par les arbres. A chaque pas, ses chaussures soulevaient de petits nuages de poussière.

Sa maison se trouvait à moins de quatre cents mètres de la route, hors de vue des passants et automobilistes.

La plupart des nouvelles maisons de Cape Cod exprimaient l'arrogance due à l'argent. Celle de Ricky était différente. Elle évoquait un soldat à la retraite, grisonnant, légèrement dépenaillé et défraîchi, usé aux entournures, qui porte ses médailles les jours fériés mais préfère passer ses journées à faire la sieste au soleil. La maison avait rempli son devoir pendant des décennies et elle se reposait. Elle n'avait pas l'énergie des maisons modernes, où la détente est presque une exigence.

Ricky traversa la zone ombragée sous les arbres jusqu'à ce que l'allée émerge de cette modeste forêt. Il aperçut la maison, à sa place, au coin d'un champ ouvert. Il était presque étonné de voir qu'elle était encore debout.

Il se tint sur la véranda, soulagé d'avoir trouvé le double de la clé, comme il l'espérait, sous la dalle grise descellée. Il attendit un moment, puis déverrouilla la porte et entra. L'odeur de moisi et de renfermé le soulageait presque. D'un seul coup d'œil, il passa l'intérieur en revue. De la poussière, et le calme.

Quand il eut pris la mesure des tâches qui l'attendaient – nettoyer, passer le balai, préparer la maison pour ses vacances –, Ricky céda à un épuisement qui lui fit presque tourner la tête. Il monta la volée de marches étroites menant à la chambre. Les planchers gauchis et usés par les années craquaient sous son poids. Il ouvrit la fenêtre de sa chambre pour y faire pénétrer l'air chaud du dehors. Il gardait une photo de sa femme dans un tiroir du buffet – curieux emplacement pour ranger son image et son souvenir. Il la prit, puis, en la serrant contre lui comme un enfant son ours en peluche, il se jeta sur le lit double grinçant où il avait dormi seul les trois étés précédents et sombra immédiatement dans un sommeil profond mais agité.

Dès qu'il ouvrit les yeux, au début de l'après-midi, il sentit que le soleil avait déjà fait du chemin. Pendant un instant, il fut désorienté, puis il s'éveilla tout à fait et le monde qui l'entourait cessa d'être flou. Dehors, c'était le paysage familier qu'il aimait tant, mais il avait mal en le regardant, comme si la seule vue qui pouvait le réconforter était hors de sa portée. Contempler le monde qui l'entourait ne lui procurait aucun plaisir. Tout comme la photo de sa femme qu'il serrait toujours entre ses doigts, le monde était distant et, d'une certaine manière, il l'avait perdu.

Ricky alla à la salle de bains et s'aspergea le visage d'eau froide. Le visage qu'il vit dans le miroir lui semblait vieilli. Il s'appuya sur le bord du lavabo et se contempla. Il avait beaucoup à faire, mais peu de temps pour le faire.

Il entreprit d'effectuer les corvées ordinaires du premier jour des vacances. Il alla dans la grange, ôta la housse qui protégeait la vieille Honda et brancha la batterie sur le chargeur qu'il gardait en réserve précisément pour ce jour-là. Dès que la voiture fut en charge, il revint à la maison, débarrassa les meubles des draps qui les recouvraient et donna un rapide coup de balai. Il y avait un vieux plumeau, au fond d'un placard. Il s'en servit pour livrer sur-le-champ la maison à la poussière, que l'on voyait tourbillonner dans les rayons de lumière.

Comme c'était la tradition, il laissa la porte d'entrée ouverte en partant. Si on l'avait suivi (ce qui n'était pas impossible), il ne voulait pas obliger Virgil ou Merlin, ou quiconque au service de Rumplestiltskin, à forcer sa porte. Comme si cela pouvait minimiser, d'une manière ou de l'autre, l'importance de l'effraction. Il ne savait pas s'il supporterait de voir détruire d'autres éléments de son existence. Son appartement new-yorkais, sa carrière, sa réputation, tout ce qui était lié à ce qu'il croyait être et tout ce qu'il avait bâti et qui constituait sa vie, avaient été ruinés de manière systématique. Il se sentit incroyablement fragile, tout à coup, comme si une vitre fêlée, une éraflure sur du bois, une tasse brisée ou une cuiller tordue étaient plus qu'il ne pourrait supporter.

Quand la Honda démarra, il lâcha un long soupir de soulagement. Il pompa avec la pédale du frein : il semblait fonctionner, lui aussi. Il sortit en marche arrière, très prudemment, sans cesser de penser : Voilà donc ce qu'on ressent quand la mort n'est pas loin.

Une réceptionniste aimable lui indiqua la cabine vitrée où se trouvait le bureau du directeur. La First Cape Bank était un petit immeuble à bardeaux, comme la plupart des vieilles maisons de la contrée. Mais l'intérieur était aussi moderne qu'ailleurs, et les bureaux combinaient le vieux et le neuf. Un architecte avait dû se dire que ce serait une bonne idée. Ricky, quant à lui, estimait que le résultat ne ressemblait à rien. Mais il était heureux que l'immeuble fût encore là, et encore ouvert.

Le directeur était un petit homme pansu, et il était évident qu'il avait trop exposé au soleil le sommet de son crâne dégarni. Il donna à Ricky une poignée de main vigoureuse. Puis il recula d'un pas et l'examina, l'air critique.

— Vous allez bien, docteur ? Vous avez été malade ?

— Je vais bien, fit Ricky après un instant d'hésitation. Pourquoi cette question ?

L'air gêné, le directeur agita la main dédaigneusement, comme pour effacer sa question.

— Excusez-moi. Je ne voulais pas être indiscret.

Ricky se dit que la tension qu'il subissait depuis quelques jours devait se voir.

— J'ai attrapé une de ces grippes d'été, vous savez bien... Cela m'a vraiment lessivé.

Le directeur hocha la tête.

— Elles peuvent être violentes. J'espère que vous vous êtes soumis au test pour la maladie de Lyme. Quand quelqu'un n'est pas dans son assiette, par ici, c'est la première chose qui vient à l'esprit.

— Je vais bien, répéta Ricky.

— En fait, nous vous attendions, docteur Starks. Vous verrez que tout est en ordre, je pense, mais je dois vous dire qu'il s'agit de la clôture de compte la plus inhabituelle que j'aie jamais vue.

— Pourquoi donc ?

— Eh bien... D'abord il y a eu cette tentative d'effraction sur votre compte. Voilà déjà quelque chose d'assez bizarre pour un endroit comme ici. Et puis un coursier a déposé aujourd'hui un pli à votre nom, « aux bons soins de la banque ».

— Un pli ?

Le directeur lui tendit une enveloppe provenant d'une société de courrier express. Elle portait le nom de Ricky et celui du directeur lui-même. Elle avait été expédiée à New York. Dans le cadre « Expéditeur » figuraient le numéro d'une boîte postale et un nom : *R.S. Skin*. Ricky la prit, mais ne l'ouvrit pas.

— Merci, dit-il. Et excusez-moi pour ces irrégularités.

Le directeur sortit d'un tiroir une autre enveloppe plus petite.

— Votre chèque de caisse. Pour un montant de dix mille sept cent soixante-douze dollars. Nous regrettons que vous clôturiez ce compte, docteur. J'espère que vous ne déposerez pas cet argent chez un de nos concurrents.

— Non.

Il regarda le chèque.

— Est-ce que vous vendez votre maison ici, docteur ? Si c'est le cas, nous pourrions vous aider pour la transaction...

— Non. Je ne vends pas.

— Mais alors, pourquoi clôturer ce compte ? fit le directeur, l'air surpris. La plupart du temps, quand nos vieux clients clôturent leur compte, c'est parce qu'un changement majeur est intervenu dans leur famille. Un décès, un divorce. Une faillite, parfois. Un événement tragique, parfois très difficile, qui oblige les gens à réinventer leur vie. A repartir de zéro, quelque part. Mais dans ce cas…

Le directeur réfléchissait.

Ricky n'avait pas l'intention de répondre. Il contemplait le chèque.

— Je me demande… si ça ne vous dérange pas, pouvez-vous me donner cet argent en liquide ?

Le directeur roula légèrement les yeux.

— Il n'est peut-être pas prudent de porter une telle somme en liquide, par ici, docteur. Des traveller's checks, peut-être ?

— Non, je vous remercie, vous êtes aimable de vous en inquiéter, mais je préfère du liquide.

Le directeur hocha la tête.

— Je vais vous chercher ça. Je reviens. En billets de cent ?

— Ce serait parfait.

Ricky attendit seul pendant quelques minutes. Décès, divorce, faillite. Maladie, désespoir, dépression, chantage, extorsion. Il se dit que n'importe lequel de ces mots, ou peut-être tous, aurait pu s'appliquer à lui.

Le directeur revint et lui tendit une autre enveloppe contenant l'argent liquide.

— Vous ne vérifiez pas ?

— Non, je vous fais confiance, fit Ricky en glissant l'argent dans sa poche.

— Eh bien, docteur Starks, je vous en prie, si nous pouvons vous être utiles à l'avenir, voici ma carte…

Ricky la prit en murmurant des remerciements. Il se retourna, prêt à partir, puis s'immobilisa soudain et regarda le directeur.

— Pour quelles raisons disiez-vous que les gens clôturent leur compte, en général ?

— Eh bien… souvent, ils ont eu un coup dur. Ils

doivent changer de ville, démarrer une autre carrière. S'inventer une nouvelle vie, pour eux-mêmes et pour leur famille. Je dirais que la grande majorité des clôtures de compte ont la même origine. Un vieux client, un client de toute une vie, meurt. Les enfants qui héritent de ses économies – que nous avons gérées jusque-là – décident de les investir sur des marchés financiers plus agressifs ou à Wall Street. Disons que près de quatre-vingt-dix pour cent des clôtures de compte, chez nous, sont la conséquence d'un décès. Peut-être même plus que cela. C'est pourquoi je m'interrogeais sur vos raisons, docteur. Simplement, ça ne correspond à aucun cas de figure que nous connaissons.

— Très intéressant, dit Ricky. J'ignorais tout cela. Eh bien, soyez assuré que si j'ai besoin des services d'une banque, à l'avenir, je ferai appel à la vôtre.

Cela rassura un peu le directeur.

— Nous serons à votre disposition, fit-il.

Ricky, digérant ce qu'il venait d'entendre, tourna les talons et sortit dans le soir.

Quand Ricky arriva chez lui, la pâle obscurité du début de soirée venait de tomber. En été, la véritable nuit ne tombe pas avant minuit, parfois plus tard encore. Dans les champs proches de la maison, on entendait les stridulations des grillons, et les premières étoiles s'allumaient au-dessus de sa tête. Tout semble si doux, se dit-il. Une nuit où personne ne devrait avoir de soucis.

Il s'attendait presque à ce que Merlin ou Virgil l'attende dans la maison, mais elle était déserte et silencieuse. Il fit de la lumière, puis passa dans la cuisine et se prépara une tasse de café. Il s'installa à la table de bois où il avait pris tant de repas avec sa femme, au cours des années, et ouvrit l'enveloppe sur laquelle son nom était inscrit en lettres d'imprimerie.

Ricky déchira l'enveloppe, dont il tira une simple feuille de papier pliée. Un en-tête donnait à la lettre l'apparence d'une correspondance d'affaires plus ou moins normale. Il se présentait ainsi :

R.S. Skin Détectives privés
Toutes missions strictement confidentielles
BP 66-66
Church Street Station
New York, N.Y. 10008.

Suivait une courte lettre, rédigée dans un style administratif banal et assez sec :

Cher docteur Starks,

S'agissant de votre récente requête auprès de notre maison, nous avons le plaisir de vous informer que nos agents nous confirment que vos doutes étaient fondés. Nous sommes malheureusement incapables pour le moment de vous fournir des détails complémentaires sur les individus en question. Nous croyons savoir que vous disposez de très peu de temps. Par conséquent, sauf instructions particulières de votre part, nous ne serons pas en mesure de vous communiquer d'autres informations. Si les circonstances changent, n'hésitez pas à prendre contact avec notre bureau pour d'autres enquêtes.

Notre facture pour travaux effectués vous sera expédiée sous vingt-quatre heures.

Très sincèrement.

R.S. Skin, président,
R.S. Skin Détectives privés

Ricky relut la lettre trois fois, puis la posa sur la table.

Il se dit que c'était un document vraiment remarquable. Il secoua la tête, presque d'admiration, sinon de désespoir. L'adresse et l'agence de détectives privés étaient évidemment fictives. Mais là n'était pas le coup de génie de la lettre. Le coup de génie, c'était qu'elle semblerait insignifiante à n'importe qui d'autre que Ricky. Tout ce qui pouvait le relier à Rumplestiltskin avait été effacé de sa vie. Les petits poèmes, la première lettre, les indices et les instructions, tout avait été détruit ou lui avait été volé. Et cette lettre disait à Ricky ce qu'il voulait savoir, mais d'une manière telle que n'importe qui d'autre n'y verrait que du feu. Elle mènerait droit dans un mur de briques quiconque aurait la curiosité de s'y intéresser. Une piste qui ne menait strictement nulle part.

Très intelligent, se dit Ricky.

Il savait qui voulait qu'il se tue, il ignorait simplement leurs noms. Il savait pourquoi ils voulaient qu'il se tue. Et il savait que s'il ne faisait pas ce qu'ils attendaient de lui, ils tiendraient précisément la promesse qu'ils lui avaient faite le premier jour. Facture pour travaux effectués.

Il savait que les ravages qu'ils avaient provoqués pendant ces derniers jours se volatiliseraient dès qu'il atteindrait la date butoir. L'accusation mensongère d'abus sexuels qui avait bousillé sa carrière, l'argent, l'appartement, tout ce qu'il avait enduré s'effilocherait immédiatement après sa mort.

Mais le pire était que tout le monde s'en ficherait.

Pendant des années, il s'était isolé, dans son métier et dans sa vie privée. Il était sinon brouillé, en tout cas éloigné, coupé de sa famille. Il n'avait ni vraie famille, ni vrais amis. Une foule de gens en costume sombre, affichant un chagrin simulé et des regrets affectés, viendrait à son enterrement. Ceux-là, c'étaient ses collègues. Ses anciens patients, les gens qu'il avait aidés, seraient là aussi, sur les bancs de l'église. Ils exprimeraient leurs émotions avec modération. Mais le fondement de la psychanalyse veut précisément qu'un traitement couronné de succès aide les patients à se débarrasser de leurs angoisses et de leur dépression. C'était ce qu'il avait souhaité pour eux, des années durant, tout au long des séances quotidiennes. Il serait donc absolument déplacé d'exiger d'eux qu'ils versent des larmes sur sa tombe.

La seule personne qui risquait de se tortiller sur le banc de bois dur de l'église, en proie à une émotion sincère, était l'homme qui aurait provoqué sa mort.

Je suis absolument seul, se dit Ricky.

A quoi servirait-il de prendre la lettre, d'entourer ce nom, R.S., à l'encre rouge et de la laisser à l'intention d'un policier quelconque avec ces mots : « Voici l'homme qui m'a forcé à me tuer » ?

Cet homme n'existait pas. Du moins pas dans un monde où un flic de la police locale de Wellfleet, Massachusetts, serait capable de le trouver, au plus fort de la saison touristique, où l'activité criminelle implique surtout des quinquagénaires un peu éméchés prenant le volant pour rentrer de certaines soirées, des scènes de ménage dans les maisons bourgeoises et des adolescents turbulents essayant de se procurer certaines substances illégales.

Pis encore : qui le croirait ? Quiconque se pencherait sur l'existence de Ricky découvrirait sans peine qu'il avait perdu sa femme, que sa carrière était anéantie par des accusations d'abus sexuels, que sa situation financière était désastreuse et qu'un accident avait détruit son logement. Un terrain propice à une dépression suicidaire.

Qui s'intéresserait à la question trouverait que sa mort était logique. Y compris l'ensemble de ses confrères, à New York. A première vue, son suicide serait un parfait cas d'école. Personne ne s'y arrêterait, personne n'y trouverait à redire.

Ricky sentit monter en lui une violente colère. Tu es une cible tellement visible, se dit-il. Il serra les poings et frappa brutalement la table devant lui.

Il respira à fond.

— Tu veux vivre ? fit-il à haute voix.

La pièce restait silencieuse. Il tendit l'oreille, comme s'il attendait une réponse spectrale.

— Qu'est-ce qui, dans ta vie, vaut encore la peine d'être vécu ?

De nouveau, la seule réponse lui vint du bourdonnement lointain de la nuit d'été.

Il inspira, puis secoua la tête.

— Tu as le choix ?

Seul le silence lui répondit.

Un fait s'imposa soudain à l'esprit de Ricky, avec une précision absolue. Le Dr Frederick Starks devait mourir.

20

Ricky consacra le dernier jour de sa vie à de fiévreux préparatifs.

Au magasin d'accastillage du port, il acheta deux bidons de vingt litres d'essence pour moteur hors-bord – le modèle classique, du même rouge que les camions de pompiers, qu'on cale au fond d'une yole et qu'on relie directement au moteur. Il choisit les moins chers, après avoir grossièrement demandé son aide au jeune vendeur. Le garçon essaya de l'orienter vers un modèle légèrement plus onéreux, muni d'une jauge et d'une soupape de sécurité, mais Ricky refusa d'un ton méprisant. Quand le vendeur lui demanda pourquoi il lui en fallait deux, il s'arrangea pour lui dire qu'un seul ne suffisait pas pour faire ce qu'il avait en tête. Il feignit la mauvaise humeur et l'entêtement et se montra aussi désagréable et arrogant que possible, jusqu'au moment de payer ses deux bidons en liquide.

Dès que ce fut réglé, Ricky s'arrêta, comme s'il se rappelait soudain quelque chose. Il demanda brusquement qu'on lui montre un choix de pistolets lance-fusées de marine. Le garçon lui en proposa une demi-douzaine. Ricky choisit le moins cher, de nouveau, alors même que le vendeur le prévenait contre la portée limitée du pistolet : à peine quinze mètres. D'autres modèles légèrement plus chers lançaient leur projectile nettement plus haut, garantissant ainsi une sécurité accrue. Une fois encore, Ricky se montra méprisant et injurieux. Il expliqua qu'il n'avait l'intention de l'utiliser qu'une seule fois et, comme précédemment, il paya en liquide tout en se plaignant du montant de la facture.

Ricky se dit que l'adolescent devait être ravi de le voir partir.

L'étape suivante fut la succursale locale d'une chaîne de pharmacies. Ricky demanda à parler au pharmacien en chef. Celui-ci émergea du fond du magasin, vêtu d'une veste blanche, l'air légèrement officiel. Ricky se présenta.

— J'ai besoin d'une prescription, dit-il en présentant son numéro d'identification au ministère de la Santé. De l'Elavil. Des cachets de trente milligrammes, pour trente jours. Neuf cents milligrammes.

L'homme secoua la tête, moins pour montrer son refus que pour exprimer sa surprise.

— Il y a longtemps que je n'en ai pas délivré une telle quantité, docteur. Il existe sur le marché des produits beaucoup plus récents que l'Elavil, beaucoup plus efficaces, produisant moins d'effets secondaires et nettement moins dangereux. L'Elavil, c'est presque une antiquité. On ne l'utilise quasiment plus. Bien entendu, j'en ai un peu en stock, en deçà de la date de péremption... Mais vous êtes bien sûr que c'est ce que vous voulez ?

— Absolument, répondit Ricky.

Le pharmacien haussa les épaules, comme pour signifier qu'il avait fait de son mieux pour le dissuader et l'orienter vers un antidépresseur plus efficace.

— Quel nom dois-je inscrire sur l'étiquette ? demanda-t-il.

— Le mien, fit Ricky.

Ricky se rendit ensuite dans une petite papeterie. Ignorant les rangées de cartes de vœux formatées – condoléances, félicitations pour une naissance, anniversaires et anniversaires de mariage – qui encombraient les allées du magasin, il choisit un bloc de papier à lettres ligné bon marché, une douzaine d'enveloppes renforcées et deux stylos à bille. A la caisse, il demanda des timbres. Il lui en fallait onze. La jeune femme qui encaissa ne leva même pas les yeux vers lui.

Il jeta tous ses achats sur le siège arrière de la Honda et prit rapidement la Route 6 en direction de Provincetown. Cette ville, qui se trouve à l'extrémité du cap, entretient des relations très particulières avec les autres stations touristiques de la région. Elle attire une population beaucoup plus jeune et nettement plus « branchée », souvent homosexuelle, aux antipodes des médecins, avocats, écrivains et professeurs plus conservateurs qui fréquentent Wellfleet et Truro. Là, il s'agit essentiellement de se détendre, de boire des cocktails, de parler littérature et politique, d'échanger des rumeurs sur les divorces à venir et les liaisons en cours, et tout y est donc presque toujours indigeste et prévisible. L'été, la vie à Provincetown se déroule en revanche au rythme de la musique et de l'énergie sexuelle. On n'y vient pas pour se détendre et se ressourcer, mais pour faire la fête et rencontrer des gens. Les exigences et l'énergie de la jeunesse y sont souveraines. Ricky avait très peu de chances d'y être repéré, même par hasard, par quelqu'un qui le connaissait. C'était donc l'endroit idéal pour faire quelques courses.

Dans un magasin d'articles de sport, il acheta un petit

sac à dos noir, du genre que les étudiants utilisent pour porter leurs livres. Il acheta également le sac banane le moins cher qu'il put trouver et une paire de chaussures de course de qualité moyenne. Il parla aussi peu que possible avec le vendeur, évitant de croiser son regard, sans se comporter furtivement (ce qui aurait pu attirer l'attention) mais sans hésiter non plus, pour que son passage ne se fasse en rien remarquer.

Il se rendit ensuite dans un drugstore appartenant à une chaîne, où il acheta de la teinture noire instantanée pour cheveux, une paire de lunettes de soleil bon marché et deux béquilles réglables en aluminium. Il ne choisit pas le modèle qui monte sous l'aisselle et qui a les faveurs des athlètes blessés, mais celui dont se servent les utilisateurs à long terme, handicapés par une maladie ou une infirmité, et dont la poignée et la partie en demi-cercle forment un support pour la main et l'avant-bras.

Il s'arrêta une dernière fois avant de quitter Provincetown : à la gare des autocars Bonanza, un petit relais d'étape avec un seul guichet, trois sièges pour les passagers en attente et un parking bitumé assez grand pour accueillir deux ou trois cars. Il attendit à l'extérieur, les lunettes de soleil sur le nez. Dès qu'un car arriva et déversa son troupeau de visiteurs du week-end, il entra dans la gare et acheta très vite ce qu'il était venu chercher.

Dans la Honda, sur le chemin du retour, il se dit qu'il lui restait à peine le temps dont il avait besoin. La lumière du soleil emplissait son pare-brise, la chaleur entrait par les vitres baissées. C'était le moment de l'après-midi où les gens s'apprêtent à quitter la plage, appellent les enfants pour qu'ils sortent de l'eau, rassemblent serviettes, glacières, seaux et pelles de plastique aux couleurs vives, et entreprennent le désagréable retour vers les voitures. C'est un moment de transition avant la routine de la soirée – dîner et film, soirée entre amis, calme lecture d'un roman dans une édition de poche écornée. C'était l'heure à laquelle Ricky, autrefois, s'abandonnait aux délices d'une douche chaude, avant de s'asseoir à côté de sa femme pour bavarder simplement des choses ordinaires de leurs vies respectives.

Pour lui, ce pouvait être une étape particulièrement difficile du traitement d'un patient. Pour elle, l'histoire d'un client qui refusait de s'amender. Des instants qui remplissaient les jours, simples mais fascinants, et constituaient le cadre d'une vie commune paisible. Il se rappela ces moments et s'étonna tout à coup de ne pas y avoir repensé durant les années qui avaient suivi la mort de sa femme. Leur souvenir ne l'attristait pas, comme c'est si souvent le cas quand on se remémore un compagnon disparu, il le réconfortait plutôt. Ricky eut un sourire, car, pour la première fois depuis des mois, il se rappelait le son de sa voix. Pendant un moment, il se demanda si elle avait pensé aux mêmes choses que lui – non pas aux grands et extraordinaires moments de l'existence, mais aux petits instants simples, si proches de la routine, et qu'on oublie si vite – à l'époque où elle se préparait à la mort. Il secoua la tête. Elle avait dû essayer, mais la douleur de la maladie était trop forte. Et quand la morphine parvenait à la calmer, réalisa Ricky avec tristesse, c'était la mémoire qui disparaissait.

Ma mort sera différente, se dit-il.

Très différente.

Il s'arrêta dans une station-service. Il descendit de la Honda, sortit les deux bidons du coffre et les remplit à ras bord d'essence ordinaire. L'adolescent qui servait les clients à la demande le vit faire.

— Hé, monsieur, si c'est pour un moteur hors-bord, il faut laisser la place pour ajouter l'huile. Vous pouvez utiliser un mélange à deux pour cent ou à un pour cent, mais il faut mettre l'huile dans le bidon…

— Ce n'est pas pour un hors-bord, merci, fit Ricky en secouant la tête.

— Ce sont des bidons pour hors-bord, insista le gamin.

— Ouais. Mais je n'ai pas de hors-bord.

Le gosse haussa les épaules. Ricky pensa que c'était sans doute un étudiant de la région, incapable d'imaginer que les bidons puissent servir à autre chose que ce pour quoi ils sont conçus. Et il le plaçait sans doute d'office dans la catégorie que les gens de Cape Cod réservent aux estivants, quelque part entre le léger mépris et la conviction que personne, à New York ou à Boston, n'avait la moindre idée de ce qu'ils faisaient le reste de l'année. Ricky paya, remit les bidons pleins dans le coffre de sa voiture – en sachant que c'était très dangereux – et reprit le chemin de chez lui.

Il posa les deux bidons d'essence dans le salon, puis retourna dans la cuisine. Il avait l'impression d'être déshydraté, tout à coup, comme s'il avait brûlé toute son énergie. Il trouva dans le réfrigérateur une bouteille d'eau minérale, qu'il but à grandes gorgées. Son rythme cardiaque s'était accéléré alors que le nombre d'heures qui lui restait à vivre diminuait. Il s'enjoignit de rester calme.

Après avoir étalé les enveloppes et le bloc de papier sur la table de la cuisine, Ricky saisit un des stylos à bille et rédigea une courte lettre à l'intention du bureau de protection de la nature :

Veuillez accepter la contribution ci-jointe. N'espérez pas plus, car je n'ai pas plus à donner et, à partir de demain, je ne serai plus là pour le donner.

Très sincèrement,

Dr Frederick Starks

Il sortit un billet de cent dollars de sa cachette et le glissa avec la lettre dans une des enveloppes qu'il avait préalablement affranchies.

Ricky écrivit plusieurs messages semblables, qu'il accompagna de la même somme d'argent, dans toutes les enveloppes, sauf une. Il fit des dons à la Société américaine de lutte contre le cancer, au Sierra Club, à l'Association pour la sauvegarde de la Côte, à CARE et au Comité national du parti démocrate. Dans chaque cas, il écrivit simplement sur l'enveloppe le nom de l'organisation concernée.

Quand il eut terminé, il regarda sa montre. C'était presque l'heure de la fermeture au *New York Times*. Il appela le service des petites annonces, comme il l'avait déjà fait trois fois.

Le texte qu'il dicta cette fois-ci était différent. Ni comptine, ni poème, ni question. Deux simples phrases :

— Monsieur R, vous avez gagné. Lisez le *Cape Cod Times*.

Après quoi, Ricky retourna s'asseoir à la table de la cuisine et prit le bloc de papier. Il mâchouilla un moment le bout de son stylo, le temps de rédiger mentalement une dernière lettre. Puis il écrivit rapidement :

A toutes les personnes concernées,

Je fais cela parce que je suis seul et que j'ai en horreur le vide de ma vie. Je ne supporte pas l'idée, simplement, de faire encore du mal à quiconque.

On m'a accusé de méfaits dont je suis innocent. Mais je suis coupable d'avoir commis des erreurs envers les gens que j'aimais et c'est ce qui m'a conduit à prendre cette décision. Si quelqu'un voulait bien poster les diverses contributions que j'ai préparées, j'en serais heureux. Tous les biens restant dans ma succession devront être vendus et tous les fonds seront donnés à ces mêmes associations caritatives. Ce qui reste de ma propriété, ici, à Wellfleet, devra être maintenu en zone protégée.

A mes amis, si j'en ai encore, je demande de me pardonner.

A mes patients, je dis ceci : j'espère que vous comprendrez.

Et vous, Monsieur R., qui avez contribué à m'amener là où je suis, j'espère que vous trouverez assez vite le chemin de l'enfer, car je vous y attendrai.

Il signa sa lettre d'un paraphe et la glissa dans la dernière enveloppe affranchie, qu'il adressa à la police de Wellfleet.

Il prit la teinture pour cheveux et le sac à dos, et monta à la salle de bains du premier étage. Il suivit le mode d'emploi de la teinture. Quelques minutes plus tard, il sortait de la salle de bains avec des cheveux d'un noir de jais. Il jeta un bref coup d'œil à son reflet dans la glace, se trouva légèrement ridicule, puis se sécha. Dans la commode, il choisit quelques vieux vêtements usagés qu'il fourra dans le sac à dos, avec un coupe-vent aux bords effilochés. Il prépara un deuxième ensemble de vêtements de rechange, qu'il plia soigneusement et posa sur le reste. Puis il remit les vêtements qu'il avait portés ce jour-là. Il glissa la photo de sa femme dans une des poches extérieures du sac, ainsi que, dans une autre poche, le dernier message de Rumplestiltskin et les quelques documents en sa possession qui détaillaient ce qui lui était arrivé. Et les documents concernant la mort de sa patiente.

Il emporta à la voiture le sac à dos contenant les vêtements de rechange, les béquilles d'aluminium et le paquet de lettres. Il déposa le tout sur le siège du passager, avec les lunettes de soleil bon marché et les chaussures de jogging. Puis il retourna à l'intérieur et s'installa tranquillement dans la cuisine, pour y passer les quelques heures qui lui restaient. Il était excité, un peu intrigué et, par moments, paralysé par la terreur. Il s'efforçait de ne penser à rien, fredonnant pour lui-même, essayant de se vider l'esprit. Sans succès, bien entendu.

Ricky savait qu'il ne pouvait pas causer la mort d'autrui – même de quelqu'un qu'il ne connaissait pas, à qui il n'était lié que par les hasards du sang ou du mariage. Sur ce point, Rumplestiltskin avait raison depuis le début. Rien dans sa vie, son passé, tous les petits moments qui avaient fait ce qu'il était, celui qu'il était devenu, celui qu'il pourrait encore devenir, n'avait d'importance au regard de cette menace. Il secoua la tête. Monsieur R. me connaît mieux que je ne me connais moi-même. Il m'a épinglé depuis le début.

Il ignorait qui il pouvait sauver, mais ce quelqu'un existait, il le savait.

Penses-y, se dit-il.

Un peu après minuit, il se leva. Il se fit le plaisir d'un dernier tour de la maison, en se rappelant combien il en avait aimé le moindre recoin, le moindre défaut, la moindre fissure du plancher.

Sa main tremblait légèrement quand il monta un

bidon au premier étage et répandit généreusement l'essence sur le plancher. Il inonda la literie.

Le deuxième bidon connut le même sort, mais au rez-de-chaussée.

Dans la cuisine, il éteignit les veilleuses de sa vieille gazinière. Puis il ouvrit tous les robinets. L'odeur caractéristique d'œuf pourri envahit immédiatement la pièce, le réchaud lâchant un sifflement alarmant. L'odeur de gaz se mêla à la puanteur de l'essence qui imprégnait déjà ses vêtements.

Ricky s'empara du pistolet lance-fusées de marine et sortit de la maison. Il démarra la vieille Honda. Il l'éloigna de la maison, l'avant vers le bas de l'allée, et laissa le moteur tourner.

Il se mit en position devant les fenêtres du salon. L'odeur d'essence qui s'était répandue dans la maison se mêlait à celle de ses mains et de ses vêtements. Il se dit que ces odeurs agressives n'étaient pas à leur place, qu'elles juraient avec la chaleur estivale, avec les senteurs mêlées du chèvrefeuille et des fleurs sauvages, avec le léger parfum iodé de l'océan dont était imprégnée la moindre brise traversant doucement les arbres. Ricky inspira à fond, essaya de ne pas réfléchir à ce qu'il était en train de faire, visa soigneusement avec le lance-fusées, ramena le chien en arrière et tira dans la fenêtre du milieu. La fusée décrivit un arc dans la nuit, laissant dans son sillage une traînée de lumière blanche. Elle traversa la fenêtre dans un fracas de verre brisé. Ricky s'attendait vaguement à entendre une explosion. Il y eut un bruit étouffé, suivi immédiatement par un craquement et un rougeoiement. Quelques secondes plus tard, il vit les premières flammes danser sur le plancher et commencer à envahir le salon.

Ricky fit demi-tour et courut vers la Honda. Le temps

qu'il passe la première, l'escalier était la proie des flammes. Alors qu'il descendait l'allée, il entendit une explosion : les flammes avaient atteint le gaz, dans la cuisine.

Il décida de ne pas se retourner. Il accéléra et s'enfonça dans la nuit.

Ricky conduisit prudemment, sans à-coups, vers une plage qu'il connaissait depuis des années. Elle se trouvait à quelques kilomètres, au bout d'une route isolée, à l'écart de toute habitation, sinon une poignée de vieilles résidences secondaires plongées dans l'obscurité, pas très différentes de la sienne. A chaque fois qu'il passait devant une maison qui risquait d'être occupée, il éteignait ses phares. Plusieurs autres plages de Wellfleet auraient pu convenir à ses projets, mais celle-ci était la plus isolée et la moins susceptible d'accueillir des fêtes nocturnes d'adolescents. Il y avait un petit parking à l'entrée, géré en temps normal par une association écologiste du Massachusetts qui consacrait son énergie à la préservation des sites les plus sauvages de l'Etat. Il pouvait accueillir vingt ou vingt-cinq voitures. Le matin, en général, il était plein dès neuf heures et demie, tant la vue était magnifique : une grande étendue sablonneuse plane au pied d'un remblai de terre et de sable jaune d'une quinzaine de mètres de haut, incrustée de plaques de chaume, et sans doute le ressac le plus fort de la région. Cette combinaison lui permettait de recueillir les faveurs des familles émues par la beauté du panorama ainsi que celles des surfeurs, dont le goût du danger était satisfait par les rouleaux et la violence des courants. Un panneau se dressait à l'extrémité du parking : COURANTS VIOLENTS – LAMES DE FOND

DANGEREUSES. BAIGNADE INTERDITE EN L'ABSENCE D'UN SURVEILLANT. SOYEZ VIGILANTS LORSQUE LE TEMPS EST MENAÇANT.

Ricky se gara près du panneau. Il laissa les clés dans la voiture. Il posa les enveloppes contenant ses donations sur le tableau de bord et coinça au centre du volant celle qu'il avait adressée à la police de Wellfleet.

Il prit les béquilles, le sac à dos, les chaussures de jogging et les vêtements de rechange, et s'éloigna de la voiture. Il posa tout cela au sommet du remblai, à quelques mètres d'une barrière marquant le début du sentier qui descendait vers le sable. Il glissa dans la poche de son pantalon la photo de sa femme, qu'il avait récupérée dans le sac à dos. Il entendait le bruit régulier des vagues, et une légère brise de sud-est lui caressait le visage. Il s'en félicitait, car cela signifiait que la marée avait monté pendant les heures qui avaient suivi le crépuscule et que le ressac cognait sur le rivage comme un catcheur en colère.

La pleine lune répandait sur la plage sa lumière pâle. Cela facilita sa descente jusqu'au bord de l'eau, sur le sol glissant du remblai qui le faisait trébucher.

Devant lui, comme il s'y attendait, la vague rugissait comme un ivrogne, explosant en frappant la plage et projetant sur le sable de grands blocs d'écume blanche.

Un souffle de vent lui frappa la poitrine et le fit frissonner. Il hésita, puis inspira à fond. Il ôta ses vêtements jusqu'au dernier, les plia et en fit un tas bien net qu'il posa soigneusement sur le sable, bien au-dessus du niveau de la marée haute, là où la première personne qui monterait sur le remblai, le lendemain matin, le verrait immédiatement. Il prit le flacon de comprimés qu'il avait acheté à la pharmacie et le vida dans sa paume. Il glissa le petit tube de plastique dans le tas de vêtements. Neuf cents milligrammes d'Elavil.

Une dose qui suffirait à faire sombrer n'importe quel individu dans l'inconscience en trois à cinq minutes. L'ultime chose à faire était de poser la photo de sa femme au sommet de la pile et de la caler avec le bout de sa chaussure. Tu as tant fait pour moi quand tu étais en vie, se dit-il. Rends-moi ce dernier service.

Il leva la tête et contempla la surface infinie de l'océan noir, devant lui. Au-dessus, le ciel était parsemé d'étoiles, comme s'il leur revenait de tracer la limite entre les flots et le firmament.

C'est une belle nuit pour mourir, songea-t-il.

Puis, nu comme le soleil qui se lèverait quelques heures plus tard, il se dirigea lentement vers la furie des vagues.

DEUXIEME PARTIE

L'homme qui n'avait jamais existé

21

Deux semaines après la nuit de sa « mort », Ricky était assis sur le bord d'un lit défoncé qui craquait à chacun de ses mouvements. Il écoutait le bruit lointain de la circulation, qui filtrait à travers les murs peu épais de la chambre de motel et se mêlait franchement au son du téléviseur qui, dans la chambre voisine, diffusait un match de base-ball, le son au maximum. Ricky se concentra. Il comprit que les Red Sox étaient à Fenway et que, la saison touchant à sa fin, cela signifiait qu'ils seraient près de la qualification, mais pas encore assez. Il envisagea un instant d'allumer le téléviseur qui se trouvait dans un coin de sa chambre, mais décida de n'en rien faire. Ils vont perdre, se dit-il. Et il ne voulait plus entendre parler de défaite. Même de celle d'une équipe de base-ball éternellement frustrée. Il préféra se tourner vers la fenêtre et contempler l'extérieur plongé dans la nuit. Comme il n'avait pas tiré les stores, il voyait les phares découper l'obscurité, non loin de là, sur la route nationale. Devant l'entrée du motel, une grande enseigne au néon rouge informait les automobilistes de passage qu'on pouvait leur proposer des tarifs à la nuit, à la semaine ou au mois, ainsi que des petites suites avec kitchenette semblables à celle que Ricky occupait. Il se demandait d'ailleurs qui pouvait avoir envie de rester plus d'une nuit dans un endroit pareil. Personne, sauf lui, songea-t-il piteusement.

Il se rendit dans la petite salle de bains et se contempla dans le miroir. La teinture noire dont il s'était servi pour dissimuler ses cheveux clairs se décolorait rapidement, et Ricky retrouvait peu à peu son aspect normal. Cela lui semblait assez ironique : il savait parfaitement que, même s'il avait encore l'occasion de regarder celui qu'il avait été, il ne serait plus jamais cet homme.

Pendant deux semaines, il avait à peine quitté sa chambre. Au début il avait vécu dans une sorte d'état de choc, comme un toxicomane en manque, frissonnant, suant, se tordant de douleur. Puis cette phase initiale s'était dissipée, laissant la place à une violente colère, une fureur aveugle, chauffée à blanc. Il avait arpenté les limites étroites de sa chambre en grinçant des dents, le corps déformé par la rage. A plusieurs reprises, sous l'empire de la frustration, il s'était mis à cogner le mur à coups de poing. Une autre fois, il avait pris un verre dans la salle de bains, l'avait brisé entre ses doigts et s'était coupé la main. Il s'était penché au-dessus des toilettes et, voyant le sang s'écouler dans la cuvette, il avait presque souhaité que tout le sang de son corps s'en échappe, simplement, jusqu'à la dernière goutte. Mais la douleur qui grandissait dans sa paume et ses doigts blessés lui avait rappelé qu'il était toujours vivant et il était passé à une autre phase, où tout ce qui restait de ses peurs et de sa colère disparut peu à peu, comme les vents qui retombent après la tempête. Ce nouvel état lui donnait une impression de fraîcheur, comme le contact d'un métal lisse par un matin d'hiver.

C'était à ce stade qu'il avait commencé à établir des plans.

Le motel était un endroit miteux et délabré, avec une clientèle de chauffeurs routiers et de représentants de commerce, ainsi que des adolescents du coin en quête de quelques heures d'intimité loin des regards inquisiteurs des adultes. Il se trouvait à la périphérie de Durham, dans le New Hampshire. Ricky avait choisi cette ville un peu au hasard, parce qu'elle abritait une université, ce qui lui permettrait d'avoir accès à la presse nationale sans se faire remarquer, et, surtout, parce que l'ambiance estudiantine l'aiderait à se dissimuler plus facilement. Sur ce point, il ne s'était pas trompé.

A la fin de la deuxième semaine après sa « mort », il recommença à sortir. Au début, il n'allait que là où ses pieds pouvaient le porter. Il ne parlait à personne, évitait de croiser les regards, s'en tenait aux rues désertes et aux quartiers calmes, comme s'il s'attendait plus ou moins à être reconnu – ou, pis, à entendre les voix moqueuses de Virgil ou de Merlin retentir derrière lui. Mais son anonymat restait intact et il reprit peu à peu confiance. Il élargit rapidement son horizon. Il trouva une ligne d'autobus qui lui permettait de parcourir la ville en tous sens, descendait du bus un peu au hasard, explorant le monde dans lequel il venait d'arriver.

Lors d'un de ces voyages, il avait découvert un fripier et avait acheté pour trois fois rien un blazer bleu qui lui allait étonnamment bien, ainsi que des pantalons et des chemises classiques d'occasion. Dans une boutique voisine, il avait trouvé une serviette de cuir usagée. Il remplaça ses lunettes par des lentilles de contact achetées dans une succursale d'une chaîne de pharmacies. Tout cela, plus une cravate, lui donnait l'apparence d'un homme presque normal – un individu respectable mais sans intérêt particulier. Il se fondait parfaitement dans l'anonymat et se félicitait de son invisibilité.

Sur la table de la kitchenette, il y avait des exemplaires du *Cape Cod Times* et du *New York Times* des jours qui avaient suivi sa mort. Dans le journal de Cape Cod, l'affaire avait droit à un grand titre qui barrait la une : SUICIDE PROBABLE D'UN MÉDECIN CÉLÈBRE. MAISON DE CAMPAGNE DÉTRUITE DANS UN INCENDIE. Le journaliste était parvenu à rassembler la plupart des indices que Ricky avait laissés derrière lui, depuis l'achat de l'essence, ce matin-là, transportée dans des bidons tout neufs et répandue dans la maison, jusqu'au message de suicide et aux dons aux associations caritatives. Il avait aussi découvert les récentes « accusations d'indélicatesse » portées contre Ricky, même s'il s'abstenait de préciser la nature du cocktail préparé par Rumplestiltskin et formulé de manière si théâtrale par Virgil. L'article mentionnait également la mort de sa femme, trois ans plus tôt, et avançait que Ricky avait subi récemment des « revers financiers » qui pouvaient avoir contribué à son état d'esprit suicidaire. C'était un excellent travail journalistique, pensa Ricky, bien documenté et plein de détails convaincants, comme il l'espérait. La nécrologie publiée le lendemain par le *New York Times* était d'une brièveté accablante et n'avançait qu'une ou deux hypothèses quant aux motifs de sa mort. Il l'avait contemplée avec une vague irritation, un peu en colère, surtout fâché que les réussites d'une vie entière tiennent aussi facilement dans quatre paragraphes d'une prose journalistique bâclée et obscure. Il se dit qu'il avait apporté plus que cela au monde, puis il comprit que ce n'était peut-être pas vrai, finalement, ce qui le calma quelques minutes. La notice nécrologique rapportait aussi qu'aucune messe de souvenir n'était prévue, ce qui, à ses yeux, était beaucoup plus révélateur. Il devina que cette absence de service religieux résultait des accusations d'abus sexuels que Rumplestiltskin et Virgil avaient fait circuler. Aucun de ses collègues de Manhattan ne voulait se compromettre en assistant à un événement organisé en la mémoire du travail et de la personnalité de Ricky, alors que tant de questions n'avaient pas reçu de réponses. Il devinait qu'en apprenant la nouvelle de sa mort par les journaux, nombre de ses confrères analystes avaient conclu que c'était une preuve indirecte de ce que les accusations forgées par Rumplestiltskin étaient fondées. Ils considéraient en même temps que c'était une très bonne chose, car leur profession échappait à l'horrible scandale qu'aurait immanquablement provoqué la publication des accusations dans le *New York Times*. Cette pensée alimenta sa colère à l'égard des membres de sa profession. Il mit un moment à se persuader qu'il était heureux d'en avoir fini avec eux.

Il se demanda comment il avait pu être aussi aveugle, jusqu'à son premier jour de vacances.

Les deux journaux expliquaient qu'il s'était probablement noyé et que les gardes-côtes continuaient à chercher son corps au large. Le *Cape Cod Times*, à son grand soulagement, citait le commandant local. Celui-ci affirmait qu'il était peu probable qu'on retrouve son cadavre, à cause des courants violents et de la force des marées dans la baie de Hawthorne.

A bien y réfléchir, Ricky se dit qu'il n'aurait pu imaginer meilleure mort, vu la brièveté du délai dont il disposait.

Il espérait qu'on avait retrouvé tous ses indices, depuis l'ordonnance suggérant qu'il avait absorbé une surdose de médicaments avant de se jeter à l'eau jusqu'à sa grossièreté inoubliable (et qui ne lui ressemblait aucunement) envers le jeune employé du magasin d'accastillage. Assez pour satisfaire la police locale, même si elle n'avait pas de corps à autopsier. Assez, espérait-il, pour convaincre Rumplestiltskin que son plan, pour ce qui concernait Ricky, était couronné de succès.

Mais le fait, bizarre entre tous, de lire des articles sur sa propre mort provoqua en lui un malaise dont il eut beaucoup de mal à se libérer. Le stress accumulé pendant les quinze derniers jours de son existence – de l'instant où Rumplestiltskin était entré dans sa vie jusqu'au moment où il était descendu vers le bord de l'eau en s'efforçant de laisser des traces de pas sur le sable fraîchement mouillé – avait été une épreuve dont aucun livre de psychiatrie n'avait envisagé l'existence.

Toutes sortes d'émotions contradictoires – la peur, l'exultation, la confusion, le soulagement – l'avaient traversé, presque dès le premier pas, lorsque, l'eau lui léchant les orteils, il avait jeté la poignée de comprimés dans l'Océan. Puis il avait fait demi-tour et marché dans le flot sur une centaine de mètres, assez loin pour que ni la police ni quiconque examinant le lieu de sa disparition ne remarque les traces de pas qu'il laisserait en sortant de l'eau glacée.

Seul dans sa kitchenette, Ricky eut l'impression que les heures qui suivirent appartenaient au monde du cauchemar, comme lorsque les détails d'un rêve demeurent à l'esprit après le réveil et imprègnent le moindre geste en donnant un sentiment de malaise et d'instabilité. Ricky se revoyait sur le remblai en train de passer les vêtements de rechange, enfilant frénétiquement les chaussures de course pour quitter cette plage au plus vite sans être repéré. Il avait attaché les béquilles au sac à dos. Il se trouvait à près de dix kilomètres du parking du restaurant Au Fier Homard et il savait qu'il devrait y être avant l'aube, avant l'arrivée des premiers passagers du direct de six heures pour Boston.

Ricky sentait encore le vent brûler ses poumons pendant sa course. Il faisait encore nuit noire et, tandis que ses pieds martelaient le bitume de la route, il se dit que courir dans une mine de charbon devait ressembler à cela. Un seul témoin dénonçant sa présence pouvait anéantir ses chances, très minces, de rester en vie, et il avait couru sur tout le trajet avec l'énergie du désespoir.

A son arrivée, le parking était désert. Il s'était glissé dans la profonde obscurité qui régnait derrière le coin du restaurant. C'est là qu'il avait détaché les béquilles du sac à dos et les avait calées sous ses bras. Quelques instants plus tard, il avait entendu le hurlement lointain des sirènes. Il avait noté avec une légère satisfaction qu'il avait fallu un certain temps pour que quelqu'un remarque que sa maison brûlait. Un peu plus tard, des voitures commencèrent à déposer sur le parking des passagers qui allaient attendre le car. C'était un groupe hétéroclite, pour la plupart des jeunes gens qui partaient travailler à Boston, et deux ou trois hommes d'affaires dans la cinquantaine, qui semblaient contrariés à l'idée de devoir prendre l'autocar, en dépit de ses avantages évidents. Ricky resta à l'écart, songeant qu'il était le seul, parmi les gens qui attendaient dans le matin doux et humide, à être trempé de sueur sous l'effet de la peur et de l'effort. Quand le car était arrivé, avec deux minutes de retard, il s'était approché en sautillant de la file qui attendait pour embarquer. Deux jeunes gens s'étaient écartés pour le laisser monter péniblement le marche-pied, et il avait donné au chauffeur le billet qu'il avait acheté la veille. Puis il s'était assis à l'arrière.

Même si Virgil ou Merlin, ou n'importe qui d'autre chargé par Rumplestiltskin d'enquêter sur son suicide, se doutait de ce qui s'était passé et interrogeait les chauffeurs de car ou des passagers sur le trajet de ce matin-là, ils ne se souviendraient que d'un homme aux cheveux noirs marchant avec des béquilles, ignorant qu'il avait couru jusqu'à l'arrêt des cars.

Il avait eu une heure de correspondance avant le départ du car de Durham. Il en avait profité pour s'éloigner. A deux rues de la gare, il avait repéré une benne à ordures devant un immeuble de bureaux. Il y avait jeté les béquilles. Puis il était retourné à la gare et avait embarqué dans un autre car.

Durham présentait un autre avantage. Il n'y avait jamais mis les pieds, il ne connaissait personne qui y avait vécu et n'avait aucun lien d'aucune sorte avec cette ville. Il aimait beaucoup le slogan du New Hampshire qu'on voyait sur les plaques d'immatriculation : « Vivre libre ou mourir. » Cela décrivait assez bien sa situation.

Est-ce que je m'en suis sorti ? se demanda-t-il.

Il voulait le croire, mais il n'en était pas encore tout à fait sûr.

Ricky s'approcha de la fenêtre et regarda une fois de plus l'obscurité si peu familière. Il y a tant à faire, se dit-il. Tout en scrutant la nuit, au-delà de la chambre de motel, il vit son reflet dans la vitre. Le Dr Frederick Starks n'existe plus, pensait-il. Quelqu'un d'autre a pris sa place. Inspirant à fond, il comprit que sa priorité, désormais, était de s'inventer une nouvelle identité. Lorsque ce serait fait, il pourrait chercher un logement plus stable pour l'hiver qui approchait. Il savait qu'il aurait besoin d'un emploi pour arrondir son petit pactole. Il lui fallait consolider son anonymat et étayer sa disparition.

Ricky regarda la table. Il avait conservé le certificat de décès de la mère de Rumplestiltskin, le rapport de police sur le meurtre de celui qui avait été son amant et la copie du dossier sur ses six mois d'activité à la clinique de consultation externe du Columbia Presbyterian Hospital, où cette femme était venue chercher une aide qu'il n'avait pas été capable de lui donner. Il trouvait qu'il avait payé le prix fort pour une simple négligence.

Le paiement était effectué et il ne pouvait faire marche arrière.

Maintenant, se dit-il, le cœur plein d'une froide détermination, j'ai moi aussi une dette à collecter.

Je le retrouverai. Et je lui ferai ce qu'il m'a fait.

Ricky actionna l'interrupteur, ce qui plongea la chambre dans l'obscurité. De temps en temps, le rayon des phares d'une voiture venait balayer les murs. Il s'allongea sur le lit, qui fit entendre un grincement hostile.

Autrefois, j'ai travaillé dur pour apprendre à sauver des vies. Aujourd'hui, je dois apprendre comment tuer quelqu'un.

Ricky était étonné de la manière dont il parvenait à maîtriser ses pensées et ses sentiments. La psychanalyse, le métier qu'il venait de quitter, est peut-être la plus créative de toutes les spécialités médicales, à cause précisément de la nature changeante de la personnalité humaine. Même s'il existe des maladies identifiables et des traitements définis dans le cadre de la thérapie, au bout du compte les unes et les autres sont toujours uniques, pour la simple raison que deux détresses ne sont jamais semblables. Ricky avait passé des années à découvrir et à perfectionner la flexibilité du thérapeute, sachant que n'importe quel patient pouvait entrer dans son cabinet, à n'importe quel moment, avec quelque chose de semblable ou quelque chose de totalement différent, et qu'il devait être prêt à tout moment aux changements d'humeur les plus extravagants. Le problème, songeait-il, était de se servir de ce qu'il avait appris durant les années passées derrière le divan pour se doter, la persévérance aidant, d'une vie nouvelle.

Il ne voulait pas céder au rêve de redevenir un jour celui qu'il avait été. Pas question d'entretenir l'espoir de retourner chez lui, à New York, et de retrouver la routine de son existence passée. Il comprit que le problème n'était pas là. Le problème, c'était de faire payer l'homme qui avait ruiné sa vie.

Quand cette dette serait remboursée, il serait libre de devenir ce qu'il voudrait. Tant que le spectre de Rumplestiltskin n'aurait pas disparu de sa vie, Ricky n'aurait pas un instant de paix ni une seconde de liberté.

Il en était absolument certain.

Mais il n'était pas sûr d'être parvenu à convaincre Rumplestiltskin de sa mort. Peut-être avait-il seulement gagné un peu de temps, pour lui ou pour n'importe quel parent innocent qui aurait été la cible de Rumplestiltskin. Il le savait, il se trouvait dans une situation des plus bizarres. Rumplestiltskin était un assassin. Il semblait maintenant que Ricky fût capable de le battre à son propre jeu.

Il était convaincu au moins d'une chose : il devait devenir quelqu'un de nouveau, quelqu'un de totalement différent de l'homme qu'il avait été.

Il devait inventer cette nouvelle personnalité, sans que personne puisse soupçonner que l'homme connu jadis sous le nom de Frederick Starks existait toujours. Il était coupé de son propre passé, désormais. Il ignorait où Rumplestiltskin pouvait avoir placé un piège, mais il lui semblait évident qu'il y en avait un quelque part, prêt à se refermer sur lui au moindre indice suggérant qu'il ne flottait pas quelque part entre deux eaux, au large de Cape Cod.

Il lui fallait un nouveau nom, une histoire inventée de toutes pièces, une vie plausible.

Dans ce pays, se dit-il, nous sommes d'abord et avant tout des numéros. Numéro de Sécurité sociale. Numéros de compte bancaire et de carte de crédit. Numéro de dossier fiscal. Numéro de permis de conduire. Numéros de téléphone, adresse privée. Créer tout cela devait être la première étape. Après quoi il lui faudrait trouver un travail, un logement, il lui faudrait créer un monde autour de lui, vraisemblable et totalement anonyme. Il fallait qu'il soit le plus petit et le plus insignifiant des êtres. Il pourrait alors commencer à apprendre ce qu'il devait savoir pour retrouver et exécuter l'homme qui l'avait obligé à se suicider.

Créer de toutes pièces l'histoire et la personnalité de son nouveau moi ne l'inquiétait pas. Après tout, le rapport entre la réalité et l'impression qu'elle laisse sur l'être humain, c'était sa spécialité. Il s'inquiétait beaucoup plus de la manière dont il allait créer les numéros qui feraient du nouveau Ricky un individu crédible.

Sa première sortie dans ce but se solda par un échec. Il voulut aller à la bibliothèque de l'université du New Hampshire, mais il apprit qu'on ne pouvait franchir le poste de contrôle à l'entrée sans une carte d'identification fournie par l'université. Il envia les étudiants qui parcouraient sans but apparent les travées pleines de livres. Mais il y avait une seconde bibliothèque, nettement moins importante, sur Jones Street. Elle était liée à la bibliothèque publique du comté et même si elle était moins vaste que celle de l'université, dont elle n'avait pas le calme sépulcral, Ricky y trouverait ce qu'il cherchait : des livres et des informations. Elle avait un autre avantage : l'entrée était libre. N'importe qui pouvait s'installer dans un des grands fauteuils de cuir qui parsemaient cet immeuble de brique d'un étage, pour lire journaux, livres et magazines. Pour emprunter des livres, il fallait une carte. Mais cette bibliothèque présentait encore un avantage. Quatre ordinateurs s'alignaient sur une table, le long d'un mur, avec la liste imprimée des règles pour s'en servir, à commencer par la première : premier arrivé, premier servi. Puis le mode d'emploi.

Ricky contempla les ordinateurs en se disant qu'ils pouvaient lui être utiles. Sans savoir par où commencer, cet ancien « homme de paroles » qui nourrissait un préjugé désuet contre la technologie moderne se promena au hasard entre les rayons, en quête d'une section « Informatique ». Il ne lui fallut pas plus de quelques minutes pour la découvrir. Il consulta les titres sur le dos des livres. Quelques secondes plus tard, il trouvait *L'Informatique chez soi. Initiation pour les ignorants et les timides*.

Il se laissa tomber dans un fauteuil en cuir et commença sa lecture. Le texte était énervant et humiliant, qui semblait s'adresser vraiment à des crétins. Mais il regorgeait d'informations utiles, et si Ricky avait été un peu plus malin, il aurait compris que cette pédagogie infantile était destinée précisément à des gens comme lui, la plupart des gosses de onze ans connaissant déjà tout ce qu'il y avait dans ce livre.

Après avoir lu pendant une heure, Ricky s'approcha des ordinateurs. C'était le milieu de la matinée, un jour de semaine de la fin de l'été, et la bibliothèque était presque déserte. Il avait les lieux pour lui tout seul. Il alluma un des appareils et s'installa devant. Il avait repéré les instructions épinglées au mur. Il alla directement au paragraphe consacré à la connexion à Internet. Il suivit les instructions et son écran s'anima. Il continua à frapper les touches et à introduire des instructions. Quelques instants plus tard, il plongeait jusqu'au cou dans le monde virtuel. Il lança un moteur de recherche, comme le mode d'emploi le lui indiquait, et tapa les mots « fausse identité ».

Moins de dix secondes plus tard, l'ordinateur l'informait qu'il avait plus de dix mille pages disponibles dans cette catégorie. Ricky commença par le début.

A la fin de la journée, il avait appris que la création de nouvelles identités était une industrie des plus florissantes. Des dizaines de sociétés disséminées dans le monde entier pouvaient fournir pratiquement n'importe quelle sorte de faux documents, qui étaient vendus sous la bannière mensongère « Uniquement pour les loisirs ». Il se dit qu'il y avait quelque chose d'explicitement criminel dans les activités d'une firme française qui proposait à la vente des permis de conduire de l'Etat de Californie. Mais bien qu'explicite, ce n'était pas illégal.

Il dressa des listes d'endroits et de documents, se constitua un porte-cartes imaginaire. Il savait ce qu'il lui fallait, mais l'obtenir posait des problèmes.

Il ne tarda pas à comprendre que les gens qui cherchent une fausse identité sont déjà quelqu'un.

Ce n'était pas son cas.

Il avait toujours une poche pleine d'argent liquide et des endroits où il pouvait le dépenser. Le problème était qu'ils se trouvaient dans le monde virtuel de l'électronique. L'argent liquide y était inutile. Il leur fallait des numéros de cartes de crédit. Il n'en avait pas. Il leur fallait une adresse e-mail. Il n'en avait pas. Il leur fallait une adresse postale pour livrer ses achats. Il n'en n'avait pas.

Ricky affina ses recherches sur Internet et lut ce qu'il trouvait sur le détournement d'identité. Il découvrit que c'était, aux Etats-Unis, une entreprise criminelle prospère. Il lut des histoires horribles de gens qui découvraient un beau matin que leur vie était bouleversée parce que des gens sans scrupules, quelque part, contractaient des dettes en leur nom.

Il n'eut pas de mal à faire le lien avec la manière dont ses propres comptes avaient été vidés de leur contenu, et il comprit que Rumplestiltskin avait accompli tout cela avec une remarquable facilité, simplement en se procurant certains de ses numéros. Cela expliquait en partie la disparition du carton contenant ses déclarations d'impôts. A l'âge de l'électronique, il n'est pas très difficile d'être quelqu'un d'autre. Ricky se promit qu'à l'avenir, quelle que soit son identité, il ne serait jamais assez idiot pour jeter à la poubelle les formulaires de demande de carte de crédit pré-approuvés qu'on reçoit par la poste.

Ricky sortit de la bibliothèque. Le soleil était vif, et l'air toujours plein de la chaleur estivale. Il continua à marcher presque sans but, jusqu'au moment où il arriva dans un quartier résidentiel où s'alignaient des maisonnettes en bois d'un étage cernées de petits jardins jonchés de jouets en plastique aux couleurs vives. Il entendit des voix d'enfants dans une arrière-cour, hors de vue. Sur la pelouse, un chien de race indéterminée le regardait. Il était attaché à une corde fixée au tronc d'un gros chêne. Il remua vigoureusement la queue en voyant

Ricky s'approcher, comme pour l'inviter à lui gratter les oreilles. Ricky regarda autour de lui, contempla les rues bordées d'arbres, où l'ombre des branches feuillues dessinait des taches sombres sur le trottoir. Une brise légère agitait la voûte, modifiant leur dessin et leur position, puis elles s'immobilisaient à nouveau. Il fit encore quelques pas dans la rue. A la fenêtre d'une maison, il vit une petite pancarte, et des mots écrits à la main : CHAMBRE À LOUER. S'ADRESSER À L'INTÉRIEUR.

Ricky se dirigea vers la maison. Voilà ce que je cherche, se dit-il.

Puis il se figea.

Je n'ai pas de nom. Pas d'histoire. Aucune référence.

Il enregistra mentalement l'adresse et poursuivit son chemin.

Il faut que je sois quelqu'un. Il faut que je sois quelqu'un d'impossible à retrouver. Un homme seul, mais un homme réel.

Un mort peut revenir à la vie. Mais cela crée un problème, un petit accroc dans le tissu, qu'on ne peut réparer. Un individu créé de toutes pièces peut surgir tout à coup de l'imagination, mais cela aussi amène des questions.

Le problème de Ricky était différent de celui des criminels, des hommes qui fuient les paiements de pension alimentaire, des anciens membres de sectes terrifiés à l'idée d'être suivis, des femmes se cachant de maris violents.

Il lui fallait devenir quelqu'un qui serait à la fois mort et vivant.

Ricky réfléchit à cette contradiction, puis il sourit. Il rejeta la tête en arrière, regarda en face le soleil brillant.

Il savait exactement ce qu'il avait à faire.

Il trouva rapidement un fripier de l'Armée du Salut, dans un petit centre commercial quelconque, sur la route des cars. Un endroit dallé, des bâtiments carrés et plats aux peintures passées et écaillées, pas vraiment décrépis, pas exactement abandonnés, mais dont les poubelles rarement vidées et le parking au bitume fissuré révélaient de sérieuses négligences. Le magasin de l'Armée du Salut était recouvert d'une peinture blanche réfléchissante, qui brillait sous le soleil de l'après-midi. L'intérieur était semblable à un petit entrepôt. Des appareils électriques, comme des grille-pain et des moules à gaufres, étaient exposés d'un côté, des rangées de vêtements suspendus aux portants occupant le centre du magasin. Quelques adolescents chinaient, en quête de pantalons de treillis trop larges et autres articles aux couleurs ternes. Ricky restait dans leur sillage, explorant les mêmes piles de vêtements. A première vue, il eut l'impression que personne ne donnait jamais rien à l'Armée du Salut qui ne fût noir ou brun, ce qui satisfaisait son imagination.

Il trouva rapidement ce qu'il cherchait : un long pardessus d'hiver en laine, déchiré, qui lui tombait aux chevilles, un pull-over usé jusqu'à la corde et un pantalon trop grand de deux tailles. Tout était très bon marché, mais il choisit le moins cher du magasin. C'était aussi le plus abîmé et le moins approprié pour le temps très clément de cette fin d'été en Nouvelle-Angleterre.

Le caissier était un bénévole d'un certain âge, avec des lunettes aux verres épais et une chemise de sport rouge qui jurait dans le monde glauque et brun des vêtements offerts par les donateurs. Il approcha le pardessus de son nez et renifla.

— Vous êtes sûr que vous voulez celui-là, m'sieur ?

— Oui, celui-là.

— Il pue, on dirait qu'il a traîné dans des endroits pas très ragoûtants. On a parfois des trucs, ici... On les prend pour remplir les rayons, mais on ne devrait pas. Il doit y avoir des choses plus propres, vous auriez un peu plus d'air. Il pue, celui-là. Et quelqu'un aurait pu réparer cette déchirure, sur le côté, avant de le mettre en vente.

— C'est exactement ce que je cherche, fit Ricky en secouant la tête.

L'homme haussa les épaules, ajusta ses lunettes, puis regarda l'étiquette.

— Ecoutez, je ne vais tout de même pas vous faire payer les dix billets qu'ils en demandent. Trois dollars, ça vous va ? Ça me semble plus juste. D'accord ?

— Vous êtes très généreux.

— Qu'est-ce que vous voulez faire de cette camelote, au fait ?

Sa curiosité n'était pas du tout hostile.

— C'est pour une pièce de théâtre, mentit Ricky.

— Eh bien, fit le vieil homme en hochant la tête, j'espère que ce n'est pas pour la vedette, parce que s'ils reniflent ce manteau, je crois qu'ils iront chercher un nouvel accessoiriste...

L'homme émit un rire poussif et des bruits de gorge plus laborieux que vraiment amusés. Ricky lâcha à son tour un rire forcé.

— Eh bien, le régisseur m'a demandé de lui trouver quelque chose de « grincheux », je crois que ça lui conviendra. Je ne suis que le coursier. Théâtre socioculturel, vous savez... Pas un gros budget...

— Vous voulez un sac ?

Ricky acquiesça. Il sortit du magasin, ses achats sous le bras. Il vit qu'un bus approchait de l'arrêt aménagé devant le centre commercial et il courut pour l'attraper. L'effort le fit transpirer. Il se laissa tomber sur le siège arrière et sortit le vieux pull-over du sac pour essuyer la sueur sur son front et sous ses aisselles.

Avant de regagner sa chambre au motel, Ricky emporta tous ses achats dans un petit jardin public et prit le temps, à l'abri d'un bouquet d'arbres, de les traîner dans la terre.

Au matin, il remballa les vieux vêtements dans un sac de papier marron. Il entassa tout le reste – les quelques documents concernant Rumplestiltskin, les autres objets qu'il avait achetés – dans le sac à dos. Il paya sa note à la réception du motel et déclara qu'il reviendrait sans doute quelques jours plus tard. L'employé ne leva même pas les yeux de la page des sports du journal qu'il lisait avec une évidente intensité.

Un car de la compagnie Trailways partait en milieu de matinée pour Boston, que Ricky commençait à connaître un peu. Comme toujours, il se dissimula sur un siège à l'arrière du car, évitant de croiser le regard des autres passagers, s'efforçant de rester seul et anonyme à chaque arrêt. A Boston, il s'arrangea pour être le dernier à descendre. Le mélange de gaz d'échappement et d'air brûlant qui semblait flotter au-dessus du trottoir le fit tousser. Mais l'intérieur de la gare était climatisé, même si l'air y semblait bizarrement crasseux. Des rangées de sièges en plastique orange et jaune vif étaient fixées au sol en lino. La plupart étaient couverts d'éraflures et d'inscriptions laissées par des gens qui s'ennuyaient, ayant des heures à tuer avant l'arrivée ou le départ de leur car. Il régnait là une odeur très nette de friture : à l'une des extrémités de la station se tenaient côte à côte un fast-food et un marchand de beignets. Un kiosque vendait des piles de journaux du jour et de magazines, ainsi que quelques spécimens de la production pseudo-pornographique la plus ordinaire. Ricky se demanda combien de gens y achetaient en même temps *US News & World Report* et *Hustler*.

Il choisit un siège en face des toilettes pour hommes afin de surveiller les allées et venues. Au bout de vingt minutes, il était certain qu'il n'y avait personne dans les toilettes – surtout après qu'un flic de Boston en chemise bleue tachée de sueur en fut sorti, cinq minutes après y être entré, se plaignant à son collègue visiblement amusé des effets peu ragoûtants du hot-dog qu'il avait avalé un peu plus tôt. Dès que les deux hommes s'éloignèrent, leurs godillots noirs claquant sur le sol crasseux de la station, Ricky se précipita.

Sans perdre un instant, il s'enferma dans l'une des cabines, arracha les vêtements corrects qu'il avait sur le dos et les remplaça par ceux de l'Armée du Salut. Le mélange de sueur et de musc qui imprégnait le manteau lui arracha une grimace. Il fourra ses vêtements dans le sac à dos avec toutes ses autres affaires, y compris l'argent liquide. Il ne garda que cent dollars en billets de vingt, qu'il glissa dans une déchirure du pardessus, de sorte que, sans être totalement en sécurité, il était à l'abri. Il lui restait un peu de monnaie, qu'il enfonça dans la poche de son pantalon. Il émergea de la cabine et se contempla dans le miroir au-dessus du lavabo. Il ne s'était pas rasé depuis plusieurs jours. Cela faisait partie de l'ensemble.

Une rangée de consignes métalliques bleues s'alignait le long d'un des murs. Ricky mit son sac à dos dans l'une d'elles mais il garda le sac en papier dont il s'était servi pour porter les vieux vêtements. Il glissa deux pièces de vingt-cinq *cents* dans la serrure et tourna la clé. Enfermer les rares effets qui lui restaient le fit hésiter. Il se dit qu'au bout du compte il était plus à la dérive qu'il ne l'avait jamais été. A l'exception de la petite clé de la consigne 569, qu'il serrait entre ses doigts, rien ne le reliait plus à quoi que ce soit. Il n'y avait plus aucune identification possible. Aucun lien avec quiconque.

Ricky inspira à fond et mit la clé dans sa poche.

Il s'éloigna vivement de la gare. Il ne s'arrêta que lorsqu'il fut certain que personne ne le regardait. Il ramassa un peu de saleté sur le trottoir et s'en frotta les cheveux et le visage.

Le temps qu'il franchisse deux blocs, la sueur commençait à lui couler sous les bras et sur le front. Il l'essuya avec la manche de son manteau.

Avant même d'avoir atteint le troisième bloc, il se dit qu'à présent il ressemblait vraiment à ce qu'il était. Un clochard.

22

Ricky arpenta les rues pendant deux jours, étranger au monde.

Son allure était celle d'un sans-abri visiblement alcoolique, toxicomane ou schizophrène, peut-être un peu des trois – même si un regard attentif au fond de ses yeux aurait permis d'y déceler une évidente détermination, ce qui est plutôt rare chez les clochards. Secrètement, Ricky se surprenait à examiner les gens dans la rue, laissant son imagination courir sur qui ils étaient et ce qu'ils faisaient, presque jaloux du simple plaisir que procure une identité. Il imagina l'histoire de cette femme grisonnante qui s'affairait, les bras chargés de sacs d'achats effectués dans les boutiques de Newbury Street. Un adolescent au jean coupé, avec un sac à dos, la casquette des Red Sox vissée sur la tête, lui en inspirait une autre. Il repéra des hommes d'affaires et des chauffeurs de taxi, des livreurs d'appareils ménagers et des techniciens en informatique. Il vit des courtiers en Bourse et des médecins, des réparateurs, un crieur de journaux près d'un kiosque, à un carrefour. De la vieille folle abandonnée de tous, marmonnant dans son coin et en proie à des hallucinations, au promoteur immobilier en costume Armani se glissant à l'arrière d'une limousine, chacun possédait une identité propre, définie par ce qu'ils étaient. Ricky, lui, n'en avait aucune.

Sa situation lui procurait une certaine volupté et en même temps lui faisait peur. Comme il n'était nulle part chez lui, il aurait pu aussi bien être invisible. Sachant que l'homme qui avait ruiné son existence ne pouvait pas le retrouver, il était provisoirement soulagé. Mais il savait que c'était éphémère. Son être était inextricablement lié à l'homme qu'il connaissait sous le nom de Rumplestiltskin – le fils d'une certaine Claire Tyson, qu'il n'avait pu aider au moment où elle en avait besoin – et il était seul, maintenant, à cause de cet échec.

Il passa sa première nuit tout seul, sous la voûte de brique d'un pont de la rivière Charles. Il s'emmitoufla dans son pardessus, transpirant toujours abondamment grâce à la chaleur emmagasinée dans la journée, et se serra contre un mur, s'efforçant de voler quelques heures à la nuit. Il se réveilla un peu après l'aube avec un torticolis. Tous les muscles de son dos et de ses jambes protestaient de l'affront qui leur était fait. Il se leva, s'étira avec précaution, essayant de se rappeler la dernière fois qu'il avait dormi en plein air. Cela ne lui était sans doute pas arrivé depuis l'enfance. La raideur de ses articulations lui fit sentir qu'il ne devrait pas le faire trop souvent. Il imagina la tête qu'il avait et pensa que le plus scrupuleux des comédiens de l'Actors Studio ne lui arrivait pas à la cheville.

La brume montait de la rivière en volutes grises. Ricky émergea de sous le pont et remonta vers la piste cyclable qui longe la rive. On aurait dit un vieux ruban noir de machine à écrire, d'apparence satinée, serpentant dans la ville. Il se dit que le soleil devait monter beaucoup plus haut avant que l'eau soit bleue et que s'y reflètent les bâtiments majestueux qui surplombent les rives. Au petit matin, la rivière exerçait sur lui un effet presque hypnotique. Pendant quelques minutes il resta simplement planté là, à contempler la vue.

Sa rêverie fut interrompue par un bruit de course sur le bitume de la piste cyclable. Ricky vit deux hommes courant côte à côte et qui se dirigeaient vers lui. Ils portaient de minuscules shorts de sport et des modèles très récents de chaussures de course. A vue de nez, ils avaient plus ou moins le même âge que lui.

Un des deux hommes fit un grand geste du bras dans sa direction.

— N'approche pas ! hurla-t-il.

Ricky recula vivement, et ils passèrent à sa hauteur en coup de vent.

— Pousse-toi du chemin ! fit l'un d'eux en pivotant pour ne pas le toucher.

— Dégage, fit l'autre. Bon Dieu !

Ricky, de loin, entendit un des joggers s'exclamer :

— Foutu clodo ! Ferait mieux de chercher du boulot !

L'autre se mit à rire et lui répondit quelque chose que Ricky ne comprit pas. Il fit deux pas vers eux, en proie à une colère soudaine.

— Hé ! hurla-t-il. Arrêtez !

Ils n'en firent rien. Un des deux hommes tourna la tête vers lui, puis ils accélérèrent. Ricky fit un mouvement dans leur direction.

— Je ne suis pas… commença-t-il. Je ne suis pas ce que vous croyez…

Puis il réalisa que cela aurait pu tout aussi bien être le cas.

Il retourna vers la rivière. Il savait qu'à ce moment précis, il était plus proche de ce qu'il *semblait* être que de ce qu'il avait été. Il reprit son souffle. Il se trouvait dans une situation des plus précaires. Il avait tué l'homme qu'il avait été afin d'échapper à l'individu qui avait entrepris de le détruire. S'il continuait trop longtemps à n'être « personne », il finirait par être avalé, précisément, par cet anonymat.

Ricky se dit qu'il n'était pas moins en danger que lorsque Rumplestiltskin épiait le moindre de ses gestes. Il se mit en mouvement, résolu à répondre à la première et essentielle question.

Il passa la journée à chercher un abri, d'un bout à l'autre de la ville.

Ce fut un véritable voyage dans le monde des démunis : après un petit déjeuner dans l'arrière-cuisine d'une église catholique de Dorchester (œufs baveux et toast froid), il passa une heure devant une société de travail temporaire d'une rue voisine, faisant le pied de grue avec des hommes en attente d'une journée de travail – ramasser des feuilles mortes ou vider des poubelles. Il se rendit ensuite dans un asile géré par l'Etat, à Charlestown. Un homme derrière un bureau lui déclara qu'il ne pouvait entrer sans un document délivré par un organisme, ce que Ricky trouva aussi absurde que les hallucinations dont souffraient les vrais malades mentaux. Il regagna la rue d'un pas lourd. Deux prostituées qui racolaient les employés en pause-déjeuner se moquèrent de lui quand il essaya de leur demander son chemin. Il continua à battre le pavé, croisant des ruelles et des immeubles abandonnés, marmonnant seul dans sa barbe à chaque fois que quelqu'un s'approchait un peu trop de lui. C'était un symptôme brut de folie et cela constituait, avec son odeur de plus en plus repoussante, une armure très efficace contre quiconque n'était pas lui-même un laissé-pour-compte. Il avait les muscles raides et les pieds douloureux, mais il continuait à chercher. Une fois, un agent de police le contempla avec attention, fit un pas dans sa direction, puis se dit qu'il avait mieux à faire et poursuivit son chemin.

C'est en fin d'après-midi, alors que le soleil cognait encore et que les rues de la ville produisaient des volutes de chaleur, que Ricky entrevit une possibilité.

L'homme fourrageait dans un container à ordures à l'orée d'un jardin public, non loin de la rivière. Il avait plus ou moins la même corpulence et la même taille que lui, et des cheveux bruns sales dépassant d'un bonnet tricoté. Il portait un short en lambeaux et un long manteau de laine qui lui tombait presque aux pieds – protégés l'un par un mocassin brun, l'autre par un godillot de chantier noir. L'homme grommelait dans sa barbe, sans doute à propos du contenu de la poubelle. Ricky s'approcha assez pour apercevoir les lésions sur son visage et le dos de ses mains. Tout en s'activant, l'homme toussa à plusieurs reprises, toujours inconscient de la présence de Ricky. Celui-ci se laissa tomber sur un banc, à dix mètres de là. Quelqu'un avait oublié un fragment du journal du jour. Ricky fit semblant de le lire, sans cesser d'observer l'homme. Un instant plus tard, il le vit sortir du container une canette de soda qu'il jeta dans un vieux chariot de supermarché. Le chariot était presque plein de canettes.

Ricky examina sa proie aussi attentivement que possible. Il y a quelques semaines, tu étais encore toubib. Etablis un diagnostic.

L'homme fut pris d'une soudaine crise de rage, à cause d'une boîte arrachée à la poubelle, qui semblait créer quelque problème. Il la lança brusquement par terre et la projeta à coups de pied dans un buisson voisin.

Une nature bipolaire, se dit Ricky. Schizophrène. Il entend des voix. Il n'a pas de médicaments, rien en tout cas qu'il accepte de prendre. Sujet à de brusques crises d'hystérie. Violent sans doute aussi, mais constitue moins une menace pour les autres que pour lui-même. Les plaies peuvent venir de ses conditions de survie dans la rue. Peut-être aussi le sarcome de Kaposi. Il n'est pas impossible qu'il ait le sida. Ou la tuberculose, ou le cancer du poumon, vu cette toux épouvantable. Ce peut être aussi une pneumonie, même si ce n'est pas la saison. Ricky se dit que l'homme était placé aussi bien sous le signe de la mort que de la vie.

Quelques minutes plus tard, l'homme décida qu'il avait récupéré tout ce qui en valait la peine. Il se dirigea vers le container suivant. Ricky resta assis, sans le quitter des yeux. Après avoir examiné les ordures pendant un petit moment, l'homme s'éloigna à grands pas en tirant son chariot derrière lui. Ricky lui colla au train.

Il ne leur fallut pas longtemps pour atteindre une rue de Charlestown pleine de boutiques basses et crasseuses. L'endroit était fréquenté par les déshérités de toutes sortes. Un marchand de meubles au rabais dont les slogans, tracés en lettres géantes sur les vitrines, offraient des ventes à livraison différée et des facilités de crédit. Deux prêteurs sur gages, un magasin d'électroménager, une boutique de vêtements – il manquait un bras ou une jambe aux mannequins disposés dans la vitrine, comme s'ils avaient été victimes d'un accident. L'homme que Ricky suivait se dirigea vers le milieu du bloc. C'était un bâtiment trapu jaune passé, avec une grande enseigne sur la façade : CHEZ AL – SODAS ET ALCOOLS À PRIX RÉDUITS. Sous la première, une autre enseigne disait, dans le même caractère et presque aussi large : ON RACHÈTE LES CONSIGNES, et une flèche indiquait l'arrière du bâtiment.

Son chariot de canettes en remorque, l'homme se dirigea sans hésiter vers le coin du bâtiment. Ricky le suivit.

A l'arrière du magasin, il y avait une porte à mi-hauteur, avec une enseigne similaire aux autres au-dessus du linteau : REPRISE DES CONSIGNES. L'homme enfonça le bouton de sonnette qui se trouvait sur le côté. Ricky se recula contre le mur pour rester invisible.

Quelques secondes plus tard, un adolescent apparut à la porte. La transaction ne prit que quelques minutes. L'homme lui tendit sa moisson de canettes, l'adolescent les compta et sortit deux ou trois billets de la liasse qu'il avait extirpée de sa poche. L'homme prit l'argent, mit la main dans une des grandes poches de son pardessus et en tira un vieux portefeuille de cuir apparemment bourré de papiers. Il y rangea les billets, sauf un qu'il rendit à l'adolescent. Celui-ci disparut, revint quelques instants plus tard avec une bouteille.

Ricky se dissimula, assis sur le ciment de l'allée, en attendant que l'homme repasse devant lui. La bouteille, sans doute un vin bon marché, avait déjà disparu dans les plis de son pardessus. L'homme jeta un coup d'œil vers lui, mais leurs regards ne se croisèrent pas, car Ricky avait baissé la tête. Il haleta pendant quelques secondes, avant de se lever et de repartir sur les talons de l'autre.

A Manhattan, Ricky avait joué au chat et à la souris avec Virgil, Merlin et Rumplestiltskin. Il avait inversé les rôles, désormais. Il s'attardait, puis accélérait pour ne pas perdre le clochard de vue, assez près pour pouvoir le suivre, assez loin pour rester caché. Fort de la bouteille qu'il dissimulait sous son manteau, l'homme marchait maintenant d'un air résolu, du bon pas du soldat qui sait où il va. Il tournait la tête de plus en plus souvent, jetait des regards dans toutes les directions. Clairement, il craignait d'être suivi. Ricky se dit que la paranoïa de cet homme était fondée.

Ils franchirent plusieurs dizaines de blocs en zigzaguant à maintes reprises à travers la circulation. A chaque pas, le décor qu'ils traversaient était un peu plus désolé. L'approche du crépuscule jetait des ombres sur la chaussée, et les peintures écaillées et les vitrines décrépites semblaient refléter l'aspect de Ricky et de sa proie.

Au milieu d'un bloc, l'homme hésita. Il tourna soudain la tête dans sa direction, et Ricky se jeta contre l'immeuble. A la limite de son champ de vision, il le vit entrer brusquement dans une ruelle formant une crevasse étroite entre deux immeubles de brique. Ricky inspira à fond, puis le suivit.

Il s'approcha de l'entrée de la ruelle et passa la tête pour jeter un coup d'œil circonspect. L'endroit semblait accueillir la nuit plus tôt qu'ailleurs. Il y faisait déjà sombre et confiné. C'était le genre de lieu où il est aussi impossible de se réchauffer en hiver que de se rafraîchir en été. Ricky distinguait tout juste un tas de grands cartons et, tout au fond, une benne à ordures verte. La ruelle donnait sur l'arrière d'un autre immeuble. Ricky se dit que ça devait être un cul-de-sac.

Une rue plus haut, il était passé devant une épicerie et un marchand d'alcools à bon marché. Il abandonna sa proie pour repartir dans cette direction. Il extirpa de la doublure de son manteau un de ses précieux billets de vingt dollars qu'il serra dans sa paume. Il fut presque immédiatement trempé de sueur.

Il se rendit d'abord à la boutique d'alcools. Le

magasin était tout petit, des offres spéciales peintes en lettres rouges sur la vitrine. Il poussa la porte, mais elle était verrouillée. Levant les yeux, il aperçut un vendeur assis derrière la caisse. Il essaya à nouveau de pousser la porte, qui fit un bruit de ferraille. Le vendeur le regarda. Il se pencha brusquement en avant et parla dans un micro. Une voix métallique sortit du haut-parleur fixé à côté de la porte :

— Fous le camp, vieux dégueulasse, sauf si t'as du pognon…

— J'ai de l'argent, acquiesça Ricky.

Le vendeur était un homme un peu bedonnant, qui avait plus ou moins le même âge que lui. Ricky aperçut le gros revolver qu'il portait dans sa ceinture.

— T'as du pognon ? Ouais, sûr. Fais voir.

Ricky montra son billet de vingt dollars. L'homme le reluqua, derrière son tiroir-caisse.

— Où t'as eu ça ?

— Je l'ai trouvé dans la rue, répondit Ricky.

La porte émit un bourdonnement. Ricky entra.

— C'est ça, fit le vendeur. Je te donne deux minutes. Qu'est-ce que tu veux ?

— Une bouteille de vin.

Le vendeur tendit le bras derrière lui et prit une bouteille sur une étagère. Ça ne ressemblait à aucune bouteille de vin que Ricky avait eu l'occasion d'acheter auparavant. Elle avait un bouchon à visser, et d'après l'étiquette, c'était du Silver Satin. Elle coûtait deux dollars. Ricky tendit son billet de vingt dollars au vendeur, qui glissa la bouteille dans un sac en papier, ouvrit sa caisse et lui rendit un billet de dix et deux de un.

— Hé ! s'exclama Ricky. Ce n'est pas assez !

— Je crois que je t'ai fait crédit, l'autre jour, le vieux, fit le vendeur avec un sourire méchant, la main sur la crosse de son revolver. Je dois me rembourser de ma gentillesse.

— Vous mentez, dit Ricky, furieux. Je ne suis jamais venu ici.

— Tu veux vraiment qu'on ait une discussion, tous les deux, espèce de sale clodo ?

Il serra le poing et l'agita devant le visage de Ricky. Celui-ci recula. Il jeta un regard méchant au vendeur, qui se mit à rire.

— Je t'ai rendu ta monnaie. Plus que tu ne mérites. Maintenant, fous le camp. Avant que je te foute dehors à coups de pied au cul. Et si tu m'obliges à faire le tour de ce comptoir, je te jure que je récupère la bouteille, je récupère mon fric et je te botte le cul. Qu'est-ce que t'en dis ?

Ricky se dirigea lentement vers la porte. Il se retourna, essaya d'imaginer une riposte, mais l'autre ne lui en laissa pas le temps :

— Quoi ? Qu'est-ce qu'il y a ? T'as un problème ?

Ricky secoua la tête et sortit en agrippant la bouteille. Il entendit le type rire dans son dos.

Il redescendit la rue jusqu'à l'épicerie. Il fut accueilli par la question habituelle :

— Tu as de l'argent ?

Il montra son billet de dix dollars. Il acheta un paquet de cigarettes, les moins chères qu'il put trouver, deux barres au chocolat, deux paquets de gâteaux et une petite lampe de poche. Le vendeur, un adolescent, jeta ses achats dans un sac en plastique.

— Bon appétit ! fit-il d'un ton sarcastique.

Ricky sortit sur le trottoir. La nuit s'étendait sur le quartier. La lumière pâle venant des magasins encore ouverts découpait dans la pénombre des petits carrés brillants. Ricky traversa et retourna vers la ruelle. Il y entra en s'efforçant de garder son calme. Il s'adossa à l'un des murs de brique et se laissa glisser pour se retrouver en position assise. Et il commença à attendre, obsédé par l'idée qu'il n'avait jamais imaginé à quel point il était facile, en ce bas monde, d'être haï.

Ricky avait l'impression que l'obscurité l'enveloppait lentement, comme la chaleur par un jour d'été. Elle était épaisse, sirupeuse, et semblait s'insinuer dans son corps. Il laissa passer quelques heures. Il se trouvait dans un état proche du rêve, l'esprit peuplé d'images de ce qu'il était autrefois, des gens qui avaient envahi sa vie pour la détruire et du plan qu'il devrait élaborer pour la reconquérir. Assis là où il était, le dos appuyé à la brique, dans une ruelle sombre d'une ville où personne ne le connaissait, il aurait été rassuré s'il avait pu se remémorer sa femme bien-aimée, un ami oublié, voire un souvenir de sa propre enfance, n'importe quelle image d'un moment heureux, matin de Noël, remise de diplôme, son premier smoking lors d'une soirée au lycée ou l'enterrement de sa vie de garçon. Mais tous ces instants semblaient appartenir à une autre vie, à un autre homme. Il n'avait jamais cru à la réincarnation, mais il avait l'impression d'être revenu sur terre sous la forme de quelqu'un d'autre. Il percevait la puanteur de plus en plus forte qui émanait de son pardessus de clochard. Il leva une main devant lui et imagina la crasse qui noircissait ses ongles. Jadis, les jours où il avait les ongles sales étaient des jours heureux : cela signifiait qu'il avait passé des heures au jardin, derrière sa maison de Cape Cod. Son estomac se serra, car il venait d'entendre le bruit assourdissant de l'essence qui s'enflammait – l'essence qu'il avait répandue dans la maison. Ce souvenir gravé au fond de son cerveau semblait venir d'une autre époque, comme si un archéologue l'avait rapporté du passé.

Ricky crut voir Virgil et Merlin assis en face de lui, de l'autre côté de la ruelle. Il distinguait leurs visages, la moindre nuance, la moindre petite manie de l'avocat bedonnant et de la sculpturale jeune femme. Un guide pour l'enfer, c'est ce qu'elle me disait. Elle avait raison, sans doute plus qu'elle ne le croyait. Il sentait la présence du troisième membre du trio, mais Rumplestiltskin n'était encore qu'un ensemble d'ombres, mêlé à l'obscurité qui envahissait la ruelle comme la marée montante.

Il avait les jambes raides. Il ne savait pas combien de kilomètres il avait parcourus à pied depuis son arrivée à Boston. Comme il avait l'estomac vide, il ouvrit un paquet de biscuits, qu'il avala en deux ou trois bouchées. Le chocolat l'atteignit comme une amphétamine à bon marché et lui redonna un peu d'énergie. Ricky se releva et se tourna vers le fond de la ruelle.

Il entendit faiblement un bruit, qu'il identifia en tendant l'oreille. Une voix qui chantait faux, très doucement.

Ricky se dirigea avec précaution dans cette direction. Tout près de lui, il entendit le grattement d'un animal qui s'enfuyait précipitamment. Un rat, sans doute. Il caressa la petite lampe de poche qu'il tenait en main, mais il s'efforça d'habituer ses yeux à l'obscurité de la ruelle. Il trébucha une ou deux fois, pour s'être pris les pieds dans des débris non identifiables. Il faillit tomber, mais il retrouva son équilibre et reprit sa marche.

Il sentit qu'il était presque au-dessus de l'homme, quand le chant s'interrompit.

Il y eut une ou deux secondes de silence, puis il entendit une question :

— Qui est là ?

— Ce n'est que moi, fit Ricky.

— N'approche pas. Ou je frappe. Je te tuerai, peut-être bien. J'ai un couteau.

A cause de l'alcool, ses mots n'étaient qu'une bouillie inarticulée. Ricky espérait presque que le type serait ivre mort. Il était encore relativement alerte. Mais pas très mobile, se dit-il ; il n'entendait pas le moindre bruit suggérant qu'il essayait de ramper hors du chemin ou de se cacher. Il ne croyait pas que l'homme était armé. Mais il ne pouvait pas en être certain. Il resta immobile.

— C'est chez moi, ici, poursuivit l'autre. Fous le camp.

— Maintenant, c'est aussi chez moi, dit Ricky.

Il respira un grand coup et plongea dans l'univers où il savait qu'il devait entrer afin de communiquer avec cet homme. C'était comme s'il plongeait dans une piscine d'eau noire, ignorant ce qui se trouvait sous la surface. Accueillir la folie, se dit Ricky en essayant de faire appel à tout ce qu'il avait appris dans son existence antérieure. Créer l'illusion. Etablir le doute. Entretenir la paranoïa.

— Il m'a dit que nous étions censés bavarder. Voilà ce qu'il m'a dit : « Cherche le mec dans l'allée et demande-lui son nom. »

L'homme hésita.

— Qui t'a dit ça ?

— D'après toi ? fit Ricky. Il me l'a dit. Il vient me voir et il me dit qui je dois chercher, et je dois le faire parce qu'il me l'a ordonné, alors je l'ai fait, et me voici.

Il avait déversé ce charabia d'une seule traite.

— Qui t'a parlé ?

Les questions surgissaient de la pénombre, pleines d'une ardeur qui tentait de dissiper les vapeurs d'alcool qui obscurcissaient l'esprit déjà confus de l'homme.

— Je n'ai pas le droit de prononcer son nom, ni à voix haute ni là où l'on pourrait m'entendre, chut ! Mais il a dit que tu saurais pourquoi j'étais venu si tu étais bien celui que je cherche et que je n'aurais pas besoin de t'expliquer.

L'autre semblait hésiter. Il essayait de déchiffrer ces instructions absurdes.

— Moi ?

Ricky acquiesça, dans le noir.

— Si tu es celui que je cherche. C'est toi ?

— Je ne sais pas, fit l'autre.

Il marqua un moment d'arrêt avant de conclure :

— C'est possible.

Ricky devait réagir vite pour enfoncer le clou.

— Il me donne les noms, tu vois, et je dois partir à leur recherche et poser les questions, car je dois trouver le bon. Voilà ce que je fais, encore et encore, et c'est ce que je dois faire, mais es-tu le bon ? Je dois le savoir, tu vois. Sinon, tout est perdu.

L'homme semblait s'efforcer d'absorber tout cela.

— Qu'est-ce qui me prouve que je peux te faire confiance ? bafouilla-t-il d'une voix indistincte.

Ricky sortit sa petite lampe torche et la tint sous son menton, comme font les enfants qui veulent effrayer leurs camarades autour du feu de camp. Il l'alluma, éclaira son propre visage, puis la dirigea vers l'homme, assez longtemps pour jeter un coup d'œil autour de lui. L'homme était assis, le dos contre le mur de brique, la bouteille de vin à la main. Il y avait encore des débris, et une grande caisse en carton. Ricky devina qu'il s'agissait de son logement. Il éteignit sa lampe.

— Là, fit-il d'un ton aussi péremptoire que possible. Il te faut d'autres preuves ?

L'homme s'agita.

— J'arrive pas à penser, grogna-t-il. J'ai mal à la tête.

L'espace d'un instant, Ricky fut tenté de se pencher simplement vers lui et de prendre ce dont il avait besoin. Il était tellement enclin à s'abandonner à la violence que ses mains s'étaient mises à trembler. Il était seul avec cet homme dans une impasse déserte et il savait que les gens qui l'avaient mis dans cette situation n'hésiteraient pas une seconde, eux, à faire usage de la force. Il s'efforça de repousser cette idée. Il savait ce qu'il voulait. Mais il tenait à ce que l'homme le lui donne.

— Dis-moi qui tu es !

C'était à moitié un cri, à moitié un chuchotement.

— Je veux qu'on me foute la paix, plaida l'homme. Je n'ai rien fait. Je veux m'en aller d'ici.

— Tu n'es pas le bon, dit Ricky. Je le crois. Mais je dois en être sûr. Dis-moi qui tu es.

L'homme se mit à sangloter.

— Qu'est-ce que tu veux ?

— Ton nom. Je veux connaître ton nom.

Ricky sentait les larmes qui se formaient derrière chaque mot que cet homme prononçait.

— Je ne veux pas te le dire… J'ai peur. Tu vas me tuer ?

— Non, dit Ricky. Si tu me donnes la preuve de ton identité, je ne te ferai aucun mal.

L'homme marqua un temps d'arrêt, comme s'il réfléchissait.

— J'ai un portefeuille, dit-il lentement.

— Donne-le-moi ! fit Ricky d'un ton vif. C'est la seule façon d'être sûr !

L'homme remua non sans mal, se gratta et glissa la

main sous son manteau. Ricky, les yeux à peine adaptés à l'obscurité, devina qu'il tendait quelque chose. Il s'en saisit et le fit disparaître dans sa poche.

L'autre se mit à pleurer. Ricky lui parla d'une voix douce.

— Tu n'as plus à t'inquiéter, maintenant. Je vais te laisser tranquille.

— Je vous en supplie, allez-vous-en !

Ricky se pencha et sortit la bouteille de vin bon marché qu'il avait achetée à la boutique d'alcools. Il prit également un billet de vingt dollars dans la doublure de son manteau. Il les jeta à l'homme.

— Tiens. Voilà des cadeaux parce que tu n'es pas l'homme qu'il faut, mais ce n'est pas ta faute, et il veut que je te dédommage pour t'avoir ennuyé. Ça ira ?

L'homme agrippa la bouteille. Il ne répondit pas, tout d'abord, puis il eut l'air d'acquiescer.

— Qui êtes-vous ? répéta-t-il, chaque mot coloré par le même mélange de peur et de confusion.

Ricky sourit intérieurement en songeant qu'il y avait quelque avantage à posséder une bonne culture générale.

— Je m'appelle Personne, dit-il.

— Fersen ?

— Non. Personne. Si quelqu'un te demande qui t'a rendu visite cette nuit, tu pourras lui répondre que c'était personne.

Ricky pensait que le premier flic venu ne serait pas plus patient que les frères du cyclope Polyphème quand il entendrait l'histoire imaginée des siècles auparavant par un homme, lui aussi, à la dérive dans un monde étranger et dangereux.

— Bois un coup et dors. Quand tu te réveilleras, rien n'aura changé pour toi.

L'homme gémit. Puis il avala une longue gorgée de vin, à même la bouteille.

Ricky se leva et gagna d'une démarche prudente la sortie de l'impasse. Il se dit qu'il n'avait pas exactement volé ce dont il avait besoin, même s'il ne l'avait pas payé à son juste prix. Il avait fait ce qu'il fallait faire, c'étaient les règles du jeu. Rumplestiltskin, bien entendu, ne savait pas qu'il était encore en lice. Mais il le saurait tôt ou tard. Ricky sortit tranquillement de l'obscurité. Il se dirigea vers les rues de la ville faiblement éclairées devant lui.

23

Ricky n'ouvrit pas tout de suite le portefeuille. Il attendit d'être à la gare des autocars, à l'issue d'un voyage qui l'obligea à changer deux fois de métro, et d'avoir récupéré ses vêtements dans la consigne où il les avait laissés. Il s'enferma dans les toilettes des hommes, où il se débarrassa tant bien que mal du mélange de terre et de crasse qui lui recouvrait le visage et les mains, et se frotta les aisselles et le cou avec une serviette en papier trempée dans l'eau tiède et du savon antiseptique odorant. Il ne pouvait pas faire grand-chose pour la graisse luisante qui lui collait les cheveux, ni pour l'odeur de moisi dont il était imprégné, que seule une douche pourrait faire disparaître. Il jeta ses vêtements de clochard dégoûtants dans la poubelle la plus proche et enfila le pantalon et la chemise de sport qu'il avait gardés dans le sac à dos. Il s'examina dans la glace : il se dit qu'il était revenu en deçà d'une ligne invisible où il était de nouveau un être vivant, et non plus un occupant des régions infernales. Un peigne en plastique bon marché l'aida à améliorer son aspect. Mais il savait qu'il se trouvait toujours sur le fil du rasoir, très loin en tout cas de l'homme qu'il avait été.

Il sortit des toilettes et prit un billet d'autocar pour

rentrer à Durham. Comme il avait presque une heure d'attente, il acheta un sandwich et un soda, et s'installa dans un coin désert de la gare. Après s'être assuré que personne ne faisait attention à lui, il déballa le sandwich sur ses genoux. Puis il ouvrit le portefeuille, qu'il dissimula avec la nourriture.

La première chose qu'il vit lui amena un sourire de soulagement : une carte de Sécurité sociale déchirée, aux couleurs passées, mais parfaitement lisible.

Le nom dactylographié était celui de Richard S. Lively. Richard S. « Vivant ».

Ricky apprécia la coïncidence. Pour la première fois depuis des semaines, en effet, il eut l'impression d'être vivant. Il avait une chance supplémentaire : il n'aurait pas besoin de s'habituer à répondre à son nouveau prénom. Ricky est à la fois le diminutif de Richard et de Frederick.

Il rejeta la tête en arrière et fixa les lampes fluorescentes du plafond. Renaître dans une station d'autocars... Il se dit qu'il existait des endroits bien pires pour réintégrer le monde des vivants.

Le portefeuille sentait la sueur séchée. Il s'empressa d'en inventorier le contenu. Il n'y avait pas grand-chose, mais ce qu'il y trouva valait une mine d'or. En plus de la carte de Sécurité sociale, il y avait un permis de conduire périmé émis dans l'Illinois, une carte de membre d'une bibliothèque de la banlieue de Saint Louis, dans le Missouri, et une carte de l'Automobile Club du même Etat. Aucune ne portait de photo, sauf le permis de conduire. A côté d'un portrait légèrement flou de Richard Lively, il mentionnait des détails comme la couleur des cheveux et des yeux, le poids et la taille. Il y avait aussi une carte d'identification délivrée par un hôpital de Chicago, avec un astérisque rouge imprimé dans un coin. Le sida. Séropositif. Ricky ne s'était pas trompé à propos des plaies que l'homme avait au visage. Chaque document portait une adresse différente. Ricky les sortit du portefeuille et les fourra dans sa poche. Il trouva également deux coupures de journaux jaunies et déchirées, qu'il déplia avec précaution. La première était l'avis de décès d'une femme de soixante-treize ans, l'autre un article sur des licenciements dans une usine de pièces détachées pour automobiles. La femme devait être la mère de Richard Lively. Sur la deuxième coupure, il devait s'agir de l'emploi qu'occupait Lively avant de sombrer dans l'alcool qui l'avait amené dans la rue – là où Ricky l'avait trouvé. Ricky ignorait pourquoi et comment il était venu du Midwest à la côte Est, mais il devait avouer que cela l'arrangeait bien. Il y avait d'autant moins de risques que quelqu'un établisse un lien entre Richard Lively et lui.

Ricky parcourut rapidement les deux coupures de journaux et en grava les détails dans sa mémoire. Il remarqua qu'un seul autre parent de la vieille dame était mentionné : une mère de famille, apparemment, à Albuquerque, Nouveau-Mexique. Une sœur, se dit Ricky, qui s'était éloignée de son frère des années auparavant. La mère avait été bibliothécaire au service du comté et principale de collège – d'où une modeste notoriété qui lui valait cette notice nécrologique. On y signalait qu'elle avait perdu son mari quelques années plus tôt. La fabrique de plaquettes de freins où travaillait Richard Lively avait été victime d'une décision de son groupe de la délocaliser au Guatemala, où les salaires étaient nettement moins élevés. Ricky se dit que ces événements étaient à l'origine d'une amertume pas du tout inhabituelle, et une raison largement suffisante pour laisser l'alcool prendre un ascendant sur son existence. Il ignorait comment Lively avait contracté le sida. Les aiguilles, peut-être. Il remit les coupures dans le portefeuille, qu'il jeta dans une poubelle proche. Il pensa à la carte de l'hôpital, avec cette marque rouge qui pouvait le trahir, et la sortit de sa poche. Il la plia et la replia jusqu'à ce qu'elle casse, puis enveloppa les deux fragments dans l'emballage de son sandwich, avant de fourrer le tout au fond de la poubelle.

J'en sais assez, se dit-il.

Le haut-parleur annonça l'arrivée de son car, par la voix d'un employé, presque inintelligible derrière sa cloison vitrée. Ricky se leva et jeta son sac à dos sur son épaule. Puis il dissimula le Dr Starks dans une fissure, au plus profond de lui-même, et fit ses premiers pas dans la peau de Richard Lively.

Très vite, sa vie commença à prendre forme.

Une semaine plus tard, il avait trouvé deux emplois à temps partiel. Le premier consistait à tenir la caisse d'un Dairy Mart, cinq heures par jour, en soirée. Le second était un poste de manutentionnaire dans une épicerie Stop & Shop, cinq heures par jour, le matin. Cet arrangement lui permettait de disposer de ses après-midi pour ses besoins personnels. Personne ne lui avait posé trop de questions. Mais le gérant du Stop & Shop lui avait demandé d'un air entendu s'il suivait un programme en douze étapes, ce à quoi il avait répondu par l'affirmative. Il apparut que, pour le gérant, c'était réellement le cas. Après avoir donné à Ricky une liste des églises et des centres municipaux, ainsi que le programme de leurs réunions, il lui avait tendu l'indispensable tablier vert et l'avait mis au travail.

Ricky se servit du numéro de Sécurité sociale de

Richard Lively pour ouvrir un compte bancaire, où il déposa ce qui lui restait d'argent liquide. A partir de là, il découvrit que ses raids dans le monde de l'administration étaient relativement faciles. On lui avait remplacé sa carte de Sécurité sociale sur la base d'un simple formulaire qu'il avait lui-même signé. Au service des véhicules à moteur, l'employé n'avait même pas regardé la photo du permis de conduire de l'Illinois avant de lui délivrer un permis du New Hampshire – celui-ci portant sa photo et sa signature, ainsi que son véritable signalement (couleur des yeux, taille et poids). Il loua une boîte postale dans une agence locale de Mailboxes Etc., ce qui lui permettait de disposer d'une adresse crédible pour ses relevés bancaires et toute la correspondance qu'il devrait recevoir plus tard. (Il aurait besoin de catalogues.) Il s'inscrivit à un vidéoclub et au YMCA, qui lui donnèrent l'un et l'autre une carte à son nouveau nom. Un formulaire et un chèque de cinq dollars lui permirent de recevoir l'extrait de naissance de Richard Lively, que lui expédia un employé d'état civil consciencieux de la banlieue de Chicago.

Il essayait de ne pas penser au véritable Richard Lively. Il se dit qu'il n'avait pas été très difficile de dépouiller un ivrogne, malade et un peu dérangé, de son portefeuille et de son identité. Certes, ce qu'il avait fait valait mieux que de le rosser…

Ricky repoussa ce sentiment de culpabilité d'un haussement d'épaules, car il devait élargir son univers. Il se promit de restituer ses papiers d'identité à Richard Lively quand il aurait échappé pour de bon aux griffes de Rumplestiltskin. Mais il ignorait combien de temps cela lui prendrait.

Ricky savait qu'il devait quitter sa chambre avec kitchenette, au motel. Il retourna dans le quartier proche de la bibliothèque publique où il avait vu une pancarte CHAMBRE À LOUER. A son grand soulagement, elle se trouvait toujours à la fenêtre de la petite maison à la charpente en bois.

Il y avait une courette sur un côté de la maison, à l'ombre d'un grand chêne. Un petit garçon énergique de quatre ans jouait dans l'herbe avec un camion et une collection de petits soldats. Une femme d'un certain âge était assise sur une chaise de jardin, à quelques mètres de là. Elle lisait le journal du jour et jetait de temps en temps un coup d'œil vers l'enfant, qui imitait des bruits de moteur et de bataille. Ricky remarqua que le petit garçon avait un appareil auditif à une oreille.

La femme leva les yeux et vit Ricky qui se tenait au milieu de l'allée.

— Bonjour, fit-il. Vous êtes la propriétaire ?

Elle hocha la tête, plia le journal sur ses genoux et jeta un coup d'œil en direction du petit.

— Oui, en effet, dit-elle.

— J'ai vu la pancarte. Pour la chambre.

Elle le fixait avec attention.

— En général, nous louons plutôt à des étudiants.

— Je suis une sorte d'étudiant, dit-il. C'est-à-dire... j'espère préparer un diplôme supérieur, mais cela ne va pas vite, parce que je dois travailler pour gagner ma vie. Ça ne facilite pas les choses, conclut-il en souriant.

La femme se leva.

— Quel genre de diplôme supérieur ? demanda-t-elle.

— Criminologie, improvisa Ricky. Je me présente : Richard Lively. Mes amis m'appellent Ricky. Je ne suis pas d'ici, je viens d'arriver dans la région. Mais j'ai besoin d'une chambre.

Elle le regardait toujours avec circonspection.

— Pas de famille ? Pas de racines ?

Il secoua la tête.

— Vous avez fait de la prison ?

Ricky se dit qu'il devrait répondre oui. Une prison conçue par un homme que je n'ai jamais vu, mais qui me hait.

— Non. Mais la question n'est pas déraisonnable. J'étais à l'étranger.

— Où cela ?

— Au Mexique.

— Qu'est-ce que vous faisiez là-bas ?

Il fallait improviser, sans hésiter.

— Un de mes cousins était parti à Los Angeles, où il a été impliqué dans un trafic de drogue. Il avait disparu là-bas. Je suis descendu pour essayer de le retrouver. Six mois de mensonges et de réponses évasives, j'en ai bien peur. Mais cela m'a donné envie de m'intéresser à la criminologie.

Elle secoua la tête. Le ton de sa voix montrait à l'évidence qu'elle avait de sérieux doutes sur cette histoire exotique.

— Bien sûr. Et comment êtes-vous arrivé à Durham ?

— Je voulais simplement m'éloigner le plus possible de ce monde-là, répondit-il. Je ne me suis pas fait que des amis en posant toutes ces questions sur mon cousin. Je me suis dit que je devais aller le plus loin possible. D'après la carte, ce devait être le New Hampshire ou le Maine. C'est comme ça que j'ai atterri ici.

— Je ne sais pas si je dois vous croire. Ça ressemble un peu trop à une histoire toute faite. Comment voulez-vous que je sache si je peux vous faire confiance ? Vous avez des références ?

— N'importe qui peut trouver des références pour n'importe quoi, répondit Ricky. Je crois que vous seriez mieux avisée de m'écouter et de regarder mon visage, et ainsi de vous faire une opinion personnelle après quelques minutes de conversation.

En entendant cela, la femme eut un sourire.

— Voilà un raisonnement digne du New Hampshire, dit-elle. Je vais vous montrer la chambre. Mais je ne suis pas encore sûre…

— C'est assez normal, dit Ricky.

La chambre était un ancien grenier aménagé. A part la petite salle d'eau, il y avait juste assez de place pour un lit, un bureau et un vieux fauteuil. Une étagère vide et une commode pour le linge étaient placées le long du mur. Une jolie fenêtre bordée d'un rideau rose à rubans très féminin, avec une imposte en demi-lune, donnait sur la cour et le calme de la rue latérale. Les murs s'ornaient d'affiches de publicité pour les Florida Keys et Vail, dans le Colorado. Une plongeuse sous-marine en bikini et un skieur soulevant une couche de neige immaculée. Un petit renfoncement abritait un frigo minuscule et une plaque chauffante. Un minimum de vaisselle blanche était rangé sur une étagère vissée dans le mur. Ricky mesura du regard l'espace disponible. Cela offrait plus ou moins les mêmes possibilités que la cellule d'un moine. Il n'était pas loin de se considérer comme tel.

— On ne peut pas vraiment cuisiner, dit la femme. Uniquement réchauffer des plats, des pizzas, ce genre de choses. Ce n'est pas une vraie cuisine…

— Le plus souvent, je prends mes repas à l'extérieur. Je ne suis pas un gros mangeur, de toute façon.

La propriétaire le regardait toujours.

— Combien de temps resterez-vous ? En général, nous louons pour l'année scolaire…

— Ça me convient parfaitement, dit-il. Vous voulez signer un bail ?

— Non. D'habitude, une poignée de main me suffit. Nous payons les charges, sauf le téléphone. Il y a une ligne séparée. C'est votre affaire. La compagnie du téléphone l'activera quand vous voudrez. Pas de visites. Pas de réceptions. Pas de musique. Pas de soirées prolongées…

— Vous louez vraiment à des étudiants ? lui dit-il en souriant.

Elle vit la contradiction.

— Oui, enfin… des étudiants sérieux, quand nous en trouvons.

— Vous vivez seule ici avec votre petit garçon ?

Elle secoua la tête.

— Vous êtes très flatteur, fit-elle en souriant. C'est mon petit-fils. Ma fille est à l'école. Elle est divorcée et prépare son diplôme de comptable. C'est moi qui m'occupe du petit quand elle travaille ou qu'elle étudie, c'est-à-dire pratiquement tout le temps.

Ricky hocha la tête.

— Je suis un type plutôt discret et tranquille. J'ai plusieurs emplois, qui me prennent une bonne partie du temps. Et pendant mon temps libre, j'étudie.

— Vous êtes bien âgé pour un étudiant. Un peu trop, peut-être.

— On n'est jamais trop âgé pour apprendre, vous ne croyez pas ?

La femme sourit à nouveau. Elle le fixait toujours avec circonspection.

— Est-ce que vous êtes dangereux, monsieur Lively ? Est-ce que vous fuyez quelque chose ?

Ricky réfléchit avant de répondre.

— J'ai cessé de courir, madame…

— Williams. Janet Williams. Le petit s'appelle

Evans et ma fille, que vous n'avez pas encore vue, c'est Andrea.

— Eh bien, madame Williams, voici l'endroit où je cesse de courir. Je ne fuis pas un crime, ni l'avocat de mon ex-femme, ni une secte d'extrême droite, même si rien n'empêche votre imagination de s'emballer dans une ou plusieurs de ces directions. Quant à être dangereux… Si j'étais dangereux, pourquoi devrais-je fuir ?

— Vous marquez un point, dit Mme Williams. C'est mon foyer, ici, vous savez. Nous sommes deux femmes seules avec un enfant…

— Vos inquiétudes sont parfaitement légitimes. Je ne vous en veux pas de m'interroger.

— Je ne sais pas jusqu'à quel point je peux vous croire, répondit Mme Williams.

— Est-ce qu'il est si important de me croire ou pas, madame Williams ? Quelle différence cela ferait-il si je vous disais que je viens d'une autre planète ? Que je suis chargé d'étudier le mode de vie des gens de Durham, New Hampshire, avant que mon peuple n'envahisse la Terre ? Ou si je vous disais que je suis un espion russe, ou un terroriste arabe avec le FBI à mes trousses, et si je vous demandais l'autorisation de me servir de la salle de bains pour y fabriquer des bombes ? On peut toujours tisser toutes sortes d'histoires, mais au bout du compte elles sont toujours déplacées. La seule vérité que vous avez besoin de savoir, c'est ceci : est-ce que je ferai du bruit, est-ce que je n'inviterai pas des gens, est-ce que je paierai mon loyer à temps, et d'une manière générale est-ce que je vous ficherai la paix, à vous, à votre fille et à votre petit-fils ? N'est-ce pas cela qui est important, ici ?

Mme Williams eut un sourire.

— Je crois que je vous aime bien, monsieur Lively.

Je ne sais pas si je vous fais confiance, et il est certain que je ne vous crois pas. Mais j'aime bien votre façon de dire les choses, ce qui signifie que vous avez réussi le premier test. Que diriez-vous de me verser un mois de garantie et un mois de loyer ? Et nous pourrions continuer chaque mois, au coup par coup, de sorte que si l'un ou l'autre avait un problème, nous pourrions en rester là rapidement ?

Ricky prit la main de la vieille dame en souriant.

— Si j'en crois mon expérience, dit-il, les conclusions rapides sont insaisissables. Mais qu'entendez-vous par « problème » ?

Le sourire de la vieille dame s'élargit et elle maintint sa prise sur la main de Ricky.

— J'appelle « problème » tout ce qui pourrait venir du chiffre 911 sur un cadran de téléphone, et des questions désagréables que pourraient poser des hommes en uniforme bleu et dépourvus d'humour. Vous me suivez ?

— Je vous suis parfaitement, madame Williams. Je crois que nous sommes d'accord.

— C'est bien ce que je pensais, répliqua-t-elle.

La vie de Ricky s'installa dans la routine aussi vite que l'automne s'installa sur le New Hampshire.

A l'épicerie, on lui confia bientôt de nouvelles responsabilités et son salaire fut augmenté, bien que le gérant lui ait demandé pourquoi il ne l'avait jamais vu à la moindre réunion. Il y alla donc de temps en temps. Une ou deux fois, dans un sous-sol d'église, il se leva pour concocter à l'intention d'un auditoire d'alcooliques l'histoire typique d'une vie gâchée par la boisson. Ses récits suscitaient des murmures de compréhension de la part des hommes et des femmes réunis là, et lui valaient à l'issue de la réunion des étreintes venues du fond du cœur, qu'il acceptait en se traitant d'hypocrite. Il aimait son travail à l'épicerie et avait des rapports cordiaux, sinon chaleureux, avec ses collègues. Il déjeunait de temps en temps avec eux, plaisantait, entretenait une attitude amicale qui parvenait à dissimuler sa solitude. Il semblait très doué pour faire les inventaires, au point qu'il finit par se dire que remplir les étagères de produits alimentaires n'était pas très différent de ce qu'il faisait avec ses patients. Eux aussi avaient besoin qu'on répare et qu'on remplisse leurs étagères.

A la mi-octobre, il eut un coup de chance : il tomba sur une annonce proposant un emploi à temps partiel au service entretien de l'université. Il quitta son emploi de caissier au Dairy Mart et commença à jouer du balai et de la serpillière, quatre heures par jour, dans les labos de sciences. Il s'acquitta de sa tâche avec un acharnement qui impressionna son supérieur. Plus important : on lui donna un uniforme, un vestiaire où il pouvait se changer et une carte d'identification qui lui permettait d'utiliser le système informatique de l'université. Entre la bibliothèque et les bases de données, Ricky entreprit de construire son propre univers.

Il se dota d'un pseudonyme : Ulysse.

Cela lui permit d'obtenir une adresse électronique et d'avoir accès à tout ce qu'Internet pouvait lui offrir. Il ouvrit plusieurs comptes en se servant du numéro de boîte postale de Mailboxes Etc. comme adresse principale.

Puis il prit des dispositions pour créer un individu entièrement nouveau. Quelqu'un qui n'avait jamais existé, mais qui avait laissé des traces – en l'occurrence un modeste historique bancaire, des permis et le genre de passé qu'on peut vérifier facilement. C'était très simple, parfois, comme pour obtenir une fausse identité sous un nouveau nom. Une fois de plus, il s'émerveilla devant les milliers de sociétés sur Internet qui pouvaient fournir des faux papiers « uniquement pour les loisirs ». Pour commencer, il commanda des faux permis de conduire et des cartes d'étudiant. Il obtint aussi un diplôme de l'université de l'Iowa, promotion 1970, et un certificat de naissance émis par un hôpital imaginaire de Des Moines. Il ajouta aussi son nom à la liste des anciens élèves d'un collège catholique de cette ville, disparu depuis des années. Il s'inventa un numéro de Sécurité sociale. Armé de tous ces nouveaux outils, il se rendit dans une banque concurrente de celle où Richard Lively avait un compte. Il y ouvrit un modeste compte courant au nom qu'il avait choisi après mûre réflexion : Frederick Lazarus. Son propre prénom et le nom d'un homme qui s'était relevé d'entre les morts.

C'est dans la peau de Frederick Lazarus que Ricky commença sa quête.

L'idée de départ était très simple. Richard Lively était réel et il menait une vie sûre et tranquille. Il avait un chez-soi. Frederick Lazarus était une fiction. Ces deux personnages n'auraient aucun lien entre eux. Le premier vivait dans l'anonymat de la réalité. L'autre était créé de toutes pièces : si quelqu'un demandait des informations sur Frederick Lazarus, il découvrirait qu'il n'avait d'autre substance que des faux numéros et une identité imaginaire. Il pouvait être dangereux. Il pouvait être criminel. Il pouvait être une menace. Mais c'était une fiction, conçue dans un but unique et exclusif : dénicher l'homme qui avait ruiné la vie de Ricky et lui rendre la monnaie de sa pièce.

24

Ricky laissa les semaines devenir des mois, il laissa l'hiver du New Hampshire l'envelopper et disparut dans le froid et la nuit qui l'isolaient des événements. Il laissa la vie de Richard Lively prendre de l'ampleur, jour après jour, et en même temps, il continua à ajouter des détails à sa seconde *persona*, Frederick Lazarus. Quand il avait une soirée libre, Richard Lively allait au match de base-ball à l'université. De temps en temps, il faisait le baby-sitter pour ses logeuses, qui n'avaient pas tardé à lui faire confiance. Son assiduité au travail était exemplaire. Tant à l'épicerie qu'au service entretien de l'université, il avait gagné le respect de ses collègues, grâce à sa personnalité enjouée, drôle, presque insouciante, qui semblait ne rien prendre très au sérieux, excepté le travail vite et bien fait. Quand on l'interrogeait sur son passé, ou bien il imaginait une histoire banale – rien d'assez choquant pour qu'on ne le croie pas –, ou bien il éludait la question avec une autre question. Ricky, l'ancien psychanalyste, découvrit qu'il était expert en la matière : il créait une situation où les gens pensaient qu'il parlait de lui, alors qu'il s'agissait d'eux. Il fut un peu surpris de découvrir combien il lui était facile de mentir.

Au début, il fit un peu de bénévolat dans un asile de nuit et il alla plus loin : deux nuits par semaine, il œuvrait gratuitement pour un service téléphonique de prévention du suicide. Il travaillait de dix heures du soir à deux heures du matin, de très loin la tranche horaire la plus intéressante. A minuit, il était souvent en train de parler d'une voix douce à des étudiants menacés par des stress plus ou moins intenses, curieusement stimulé par le lien qu'il établissait avec des êtres anonymes mais perturbés. Il se disait que c'était une manière aussi bonne qu'une autre de maintenir en éveil ses talents d'analyste. Quand il raccrochait, après avoir persuadé un adolescent de ne pas agir à la légère mais de demander de l'aide à la clinique universitaire, il avait l'impression de faire pénitence, d'une certaine manière, pour son manque de vigilance quelque vingt années plus tôt, quand Claire Tyson s'était présentée à son cabinet avec des doléances qu'il n'avait pas été capable d'entendre, menacée par un danger qu'il n'avait pas été capable de déceler.

Frederick Lazarus était tout à fait différent. Ricky construisit son personnage avec une absence de scrupules dont il fut le premier étonné.

Frederick Lazarus était membre d'un club de remise en forme, où il parcourait lourdement des kilomètres en solitaire sur un tapis de jogging, avant de s'attaquer aux haltères. Le corps de l'ancien analyste new-yorkais, qui avait été maigre et flasque, se reformait, gagnait jour après jour en forme physique et en force. Sa taille s'amincit. Ses épaules s'élargirent. Il travaillait seul, dans un silence absolu – sauf un grognement de temps en temps et le martèlement de ses pieds sur le tapis mécanique. Il prit l'habitude de peigner ses cheveux blonds en arrière et de les enduire d'une couche de brillantine agressive. Il se laissa pousser la barbe. Il trouvait un plaisir glacial dans l'épuisement qu'il s'imposait, surtout lorsqu'il découvrit qu'il n'était plus essoufflé quand il accélérait son rythme. Au club, il y avait un cours d'autodéfense. Il était surtout destiné aux femmes, mais il adapta légèrement son emploi du temps pour pouvoir y assister. Il y apprit les rudiments, comment jeter quelqu'un à terre et comment frapper vite et bien à la gorge, au visage et à l'aine. Au début, sa présence mettait un peu mal à l'aise les femmes qui assistaient au cours, mais son empressement à leur servir de partenaire lui valut d'être plus ou moins accepté. Au moins pouvaient-elles le frapper sans se sentir coupables lorsqu'il portait sa tenue de protection. Quant à lui, il considérait cela comme un moyen de s'endurcir.

Un samedi après-midi, fin janvier, Ricky se rendit non sans mal, entre congères et trottoirs verglacés, dans une armurerie. Elle se trouvait nettement à l'écart de la zone du campus, dans un de ces centres commerciaux à bas loyers où l'on trouve des marchands de pneus rechapés et des stations « graissage express ». La boutique était minable, carrée, basse de plafond, pleine de cibles en forme de daim en plastique, de vêtements orange fluo, de tas de cannes et autres articles de pêche, ainsi que d'arcs et de flèches. Un large éventail d'armes à feu était présenté sur un mur : fusils de chasse, fusils à pompe, armes de guerre modifiées auxquelles il manquait la beauté simple des crosses de bois et des canons polis d'autres armes plus décentes. Les AR-15 et les AK-47 avaient un aspect glacé, militaire, et leur destination ne faisait aucun doute. Sous le comptoir vitré s'alignaient de multiples armes de poing. Bleu acier. Chrome poli. Métal noir.

Ricky passa une heure agréable à évoquer avec le vendeur les mérites comparés de divers modèles. Son interlocuteur, un barbu chauve d'une quarantaine d'années, portait une chemise de chasse rouge à carreaux. Malgré son gros ventre, il portait à la ceinture, dans un étui, un pistolet de calibre 38 à canon court. Les deux hommes discutèrent des avantages des revolvers et des pistolets automatiques, du calibre et de la puissance, de la précision et de la vitesse. Il y avait un stand de tir au sous-sol du magasin, constitué de deux allées étroites parallèles, séparées par une cloison à mi-hauteur, et un peu semblable à une piste de bowling sombre et abandonnée. Un système électrique de poulies faisait descendre des cibles en forme de silhouettes devant un mur, à une quinzaine de mètres, étayé par des sacs de sciure de bois de cinquante kilos. Ricky ne s'était jamais servi d'une arme à feu. Le vendeur lui montra avec empressement comment viser et quelle était la bonne position, l'arme tenue à deux mains, de sorte que le monde s'étrécissait au point que seuls importaient le champ de vision, la pression du doigt sur la détente et la cible qu'il avait dans sa ligne de mire. Ricky tira des dizaines de fois. Il essaya le petit 22 automatique, en passant par le .357 Magnum et le 9 mm (utilisés par les forces de l'ordre), jusqu'au .45 qui avait eu son heure de gloire pendant la Seconde Guerre mondiale – et dont le recul était si violent que le choc se transmettait de sa paume à l'épaule et redescendait dans sa poitrine.

Ricky jeta son dévolu sur un modèle intermédiaire : un Rutger .380 avec un chargeur de quinze coups. C'était une arme efficace à moyenne portée, entre les gros calibres qui ont les faveurs de la police et les petits revolvers mortels appréciés des femmes et des tueurs professionnels. Il choisit la même arme que celle qu'il avait vue dans la mallette de Merlin, dans le train qui les ramenait à Manhattan, lors d'un voyage qui lui semblait appartenir à un autre univers. Il se disait que c'était une bonne idée d'être à égalité, au moins en termes d'armes de poing.

Il remplit les formulaires sous le nom de Frederick Lazarus, en utilisant le numéro de Sécurité sociale qu'il avait créé précisément pour cette occasion.

— Ça prendra quelques jours, dit le vendeur. Et c'est foutrement plus facile ici que dans le Massachusetts. Vous comptez payer comment ?

— En liquide.

— Le plus vieux moyen de paiement, fit le vendeur en souriant. Pas de cartes plastique ?

— Le plastique ne fait que vous compliquer la vie.

— Un Rutger .380 peut vous la simplifier.

Ricky acquiesça.

— C'est plus ou moins le problème, non ?

Le vendeur hocha la tête en finissant de remplir les papiers.

— Vous avez l'intention de « simplifier » quelqu'un en particulier, monsieur Lazarus ?

— Quelle drôle de question, répondit Ricky. Ai-je l'air de quelqu'un qui se bat avec son patron ? Un voisin qui aurait laissé son clebs souiller ma pelouse une fois de trop ? Ou, peut-être, une femme qui m'aurait un peu trop asticoté ?

— Non, sûrement pas, fit le vendeur avec un grand sourire. Mais nous ne voyons pas beaucoup de novices en matière d'armes à feu, par ici. La plupart de nos clients sont des habitués, des gens qu'on connaît de vue, sinon de nom. Est-ce que ça va coller, monsieur Lazarus ? demanda-t-il en regardant le formulaire.

— Sûr. Pourquoi pas ?

— Eh bien, c'est plus ou moins ce que je me demande. Je déteste ces saloperies de règlements.

— Les règlements sont faits pour être appliqués.

L'homme hocha la tête.

— Voilà bien une foutue vérité !

— Comment fait-on pour s'entraîner ? demanda Ricky. Je veux dire, à quoi servirait-il de s'offrir une arme aussi magnifique, si on n'apprend pas à s'en servir comme il faut ?

— Vous avez absolument raison, monsieur Lazarus, fit le vendeur en hochant la tête. Beaucoup trop de gens s'imaginent qu'il suffit d'acheter une arme pour se protéger. Bon Dieu, moi je crois que ce n'est que le premier pas. Faut savoir s'en servir, surtout quand les choses deviennent… comment dire… ? qu'elles s'enveniment, comme lorsque quelqu'un pénètre dans la cuisine et que vous êtes au premier, dans la chambre, avec le trouillomètre à zéro…

— Exactement, le coupa Ricky. Je n'ai pas envie d'avoir peur…

Le vendeur finit la phrase à sa place :

— … au point de finir par buter la bourgeoise, ou le chien de la famille, ou le chat…

Il se mit à rire.

— Encore que ce n'est peut-être pas le pire. Si vous étiez marié avec ma femme, vous iriez payer un verre au voleur, après coup. Sans parler de sa foutue bestiole pleine de poils, qui me fait éternuer à tout bout de champ…

— Alors, le stand de tir ?

— Vous pouvez l'utiliser quand vous voulez, aux heures d'ouverture, sauf s'il y a déjà quelqu'un. Les cibles ne coûtent qu'un demi-dollar. La seule condition, c'est que vous achetiez vos munitions ici. Et que vous ne passiez pas la porte d'entrée avec une arme chargée. Vous la laissez dans son étui. Chargeurs vides. Vous les remplissez ici, où quelqu'un peut voir ce que vous faites. Après quoi vous pouvez tirer autant que vous voulez. Au printemps, nous organisons un parcours dans les bois. Ça vous dirait peut-être d'essayer ?

— Absolument, dit Ricky.

— Voulez-vous que je vous appelle quand je recevrai l'autorisation, monsieur Lazarus ?

— Dans quarante-huit heures, c'est ça ? Non, je ferai moi-même un saut jusqu'ici. Ou bien je vous appellerai.

— Comme vous voudrez, répondit le vendeur qui le regardait avec attention. Il arrive que ces demandes de permis soient rejetées à cause d'une connerie technique. Un problème, par exemple, avec les numéros que vous m'avez donnés. Quelque chose qui apparaît dans l'ordinateur de quelqu'un, vous voyez ce que je veux dire…

— Des confusions peuvent arriver, hein ? fit Ricky.

— Vous m'avez l'air d'être un type bien, monsieur Lazarus. Je n'aimerais pas que votre demande soit refusée à cause de la pagaille bureaucratique. Ce ne serait pas juste.

Il parlait lentement, presque en pesant ses mots. Ricky l'écoutait attentivement.

— Tout dépend du genre de fonctionnaire qui va examiner votre demande. Il y a des types, dans les bureaux fédéraux, qui se contentent de taper des chiffres sur un clavier en regardant à peine ce qu'ils font. D'autres prennent leur boulot très au sérieux…

— J'ai l'impression que vous tenez à ce que ma demande tombe sur le bureau du bon type…

Le vendeur hocha la tête.

— Nous ne sommes pas supposés savoir qui vérifie les dossiers, mais j'ai des amis, là-bas…

Ricky sortit son portefeuille. Il posa cent dollars sur le comptoir.

L'homme lui fit encore un grand sourire.

— Ce n'est pas nécessaire, dit-il tandis que sa main se refermait sur le billet. Je ferai en sorte que vous tombiez sur le bon fonctionnaire. Le genre de type rapide et efficace…

— C'est très aimable de votre part, dit Ricky. Vraiment très aimable. Je vous serai redevable.

— Mais c'est bien naturel. On essaie de satisfaire nos clients, voilà tout, fit le vendeur en empochant le billet de cent dollars. Hé, un fusil, ça ne vous intéresse pas ? Nous avons une occasion, un calibre 30, avec une portée suffisante pour tirer les daims. Et des fusils à pompe…

Ricky secoua la tête.

— Peut-être. Je dois savoir de quoi j'ai besoin. Je veux dire, dès que je serai sûr de ne pas avoir de problème avec les permis, je verrai bien. Ceux-là sont assez impressionnants, ajouta-t-il en montrant la collection d'armes de guerre.

— Un Uzi, un pistolet-mitrailleur Ingram de calibre 45, ou encore un AK-47 avec un joli chargeur banane, ça peut rendre de grands services pour résoudre les conflits. Ils ont tendance à donner envie d'éviter les désaccords et à faciliter les compromis.

— C'est bon à savoir, répliqua Ricky.

Ricky devint un expert en informatique.

En utilisant son pseudonyme, il lança deux recherches différentes de son arbre généalogique personnel. Cela lui permit de découvrir à une vitesse décourageante combien il avait été facile, pour Rumplestiltskin, de se procurer la liste qui avait été le point d'appui de ses premières menaces. Il lui avait fallu moins de deux heures pour faire apparaître sur l'écran les cinquante et quelques membres de la famille du Dr Frederick Starks. Ricky put constater que, muni de ces noms, il lui fallait peu de temps pour trouver les adresses, qui menaient à leur tour aux professions. Il n'était pas difficile d'imaginer comment Rumplestiltskin – qui disposait du temps et de l'énergie nécessaires – avait localisé ces personnes et comment il avait pu déterminer lesquelles étaient les plus vulnérables.

Ricky contempla son ordinateur, légèrement étonné.

Quand son nom apparut à l'écran et que le moteur de recherche lui apprit qu'il était mort récemment, il se raidit, pétrifié – alors qu'il n'aurait pas dû être surpris. Réaction semblable à celle de l'automobiliste qui voit un animal surgir devant sa voiture, en pleine nuit, puis disparaître dans les buissons au bord de la route. Un instant de terreur, balayé dans la même seconde.

Il avait travaillé pendant des décennies dans un monde de mystère, où des secrets étaient dissimulés sous des nappes de brouillard d'émotions et des couches successives de doute, enfoncés au plus profond de la mémoire, obscurcis par des années de refoulement et de dépression. Si l'analyse est, au mieux, le lent dévoilement des frustrations dans le but de révéler les vérités cachées, l'ordinateur, lui, est l'équivalent du scalpel. Les détails et les faits traversaient simplement l'écran, effacés immédiatement par quelques coups frappés sur un clavier. Il haïssait cela, et en même temps, il était fasciné.

Ricky réalisa aussi à quel point la profession qu'il avait choisie semblait primitive.

Il comprit très vite, aussi, qu'il avait fort peu de chances de gagner au jeu imposé par Rumplestiltskin.

Repassant en revue les quinze jours séparant l'arrivée de la lettre et sa prétendue mort, il constata que son adversaire n'avait eu aucun mal à anticiper le moindre de ses mouvements. Le caractère prévisible de ses réactions, à chaque étape, était tout simplement évident.

Ricky se concentra sur un autre aspect du jeu. Chaque moment avait été conçu à l'avance, chaque moment l'avait précipité dans la direction où l'on désirait le voir aller. Rumplestiltskin le connaissait dans le moindre détail, aussi bien qu'il se connaissait lui-même. Virgil et Merlin étaient les outils dont il s'était servi pour le distraire, l'empêcher de prendre tout recul. Ils l'avaient obligé à foncer à tombeau ouvert, emplissant ses derniers jours de leurs exigences, rendant chaque menace réelle, palpable.

Chaque étape du jeu avait été soigneusement programmée. De la mort de Zimmerman dans le métro à sa visite au Dr Lewis, à Rhinebeck, en passant par le bureau de l'employé à l'hôpital où il avait vu, jadis, Claire Tyson. Que fait l'analyste ? se demanda-t-il. Il établit la règle la plus simple et pourtant la plus inviolable de toutes. Une fois par jour, cinq jours par semaine, ses patients se présentent à la porte de son cabinet, font retentir la sonnette d'une manière caractéristique. Le reste du chaos de leur existence prend forme grâce à ce système. Et grâce à lui, par conséquent, émerge la possibilité d'en reprendre le contrôle.

La leçon à retenir est simple, se dit Ricky. Il ne fallait plus qu'il soit prévisible.

C'est un peu inexact, corrigea-t-il. Richard Lively peut être aussi normal qu'il le faut, aussi normal qu'il le veut. Un type ordinaire. Mais Frederick Lazarus sera quelqu'un de tout à fait différent.

Un homme sans passé peut écrire n'importe quel avenir.

Frederick Lazarus se fit délivrer une carte de bibliothèque et se plongea dans la culture de la vengeance. La violence dégoulinait de tout ce qu'il lisait. Il lut des articles, des pièces de théâtre, des poèmes et des récits documentaires – tout ce qui touchait au crime. Il dévora des romans, des classiques gothiques du dix-neuvième siècle aux polars de l'année. Il parcourut le théâtre, apprit *Othello* presque par cœur et, remontant encore plus loin, *L'Orestie*. Il en extirpa des extraits de sa mémoire, en relut des passages qu'il se rappelait de ses années d'études, et passa surtout beaucoup de temps avec Ulysse, qui lui avait donné son pseudonyme. Il se plongea en particulier dans la scène où le héros de *L'Odyssée* ferme la porte aux prétendants et s'empresse d'assassiner tous les hommes qui le croyaient mort.

Ricky, qui ne connaissait pas grand-chose au crime et aux criminels, devint rapidement un expert en la matière – dans la mesure en tout cas où la lecture de la chose imprimée suffit à instruire. Thomas Harris et Robert Parker furent ses professeurs, comme Norman Mailer et Truman Capote. Les œuvres d'Edgar Allan Poe et de sir Arthur Conan Doyle se mêlaient aux manuels de formation du FBI disponibles dans les librairies en ligne. Il lut *Le Masque de la santé mentale,* de Hervey Cleckley, qui lui fournit une connaissance approfondie de la nature des psychopathes. Il lut des livres intitulés *Pourquoi ils tuent* et *L'Encyclopédie des serial killers de A à Z.* Il se documenta sur les meurtres en série et les crimes à l'explosif, les crimes passionnels et les meurtres conçus comme des crimes parfaits. Les noms et les crimes emplissaient son imagination, de Jack l'Eventreur à Billy the Kid, de John Wayne Gacy au Zodiac Killer. Du passé au présent. Il lut des histoires de crimes de guerre et de tireurs embusqués, de tueurs à gages et de messes noires, de gangsters et d'adolescents déboussolés qui venaient à l'école avec une arme de guerre et cherchaient les copains de classe qui les avaient taquinés une fois de trop.

Il découvrit avec surprise qu'il était capable de cloisonner tout ce qu'il lisait. Dès qu'il fermait un livre détaillant certaines des horreurs que l'être humain peut faire subir à son prochain, il mettait Frederick Lazarus de côté et revenait à Richard Lively. Le premier apprenait comment étrangler une victime sans méfiance ou les raisons pour lesquelles le couteau est peu efficace pour tuer quelqu'un. Le second aidait le petit-fils de quatre ans de sa logeuse à s'endormir en lui lisant des histoires, et il apprenait par cœur *Green Eggs and Ham*, que le gosse ne se lassait jamais d'entendre. Et tandis que l'un s'informait sur l'importance de l'ADN comme preuve dans une enquête criminelle, l'autre passait la nuit à dialoguer avec un étudiant qui avait du mal à revenir sur terre après un « trip » en surdose.

Dr Jekyll et Mr. Hyde, se dit-il.

Non sans une certaine perversité, il s'aperçut qu'il appréciait la compagnie des deux personnages.

Peut-être plus, curieusement, que celle de l'homme qu'il était lorsque Rumplestiltskin était entré dans sa vie.

Une nuit de printemps, très tard, neuf mois après sa « mort », Ricky passa trois heures au téléphone avec une jeune fille désespérée, très déprimée, qui appela le numéro de SOS Prévention-suicide alors qu'elle avait un tube de somnifères devant elle. Ils parlèrent de ce que sa vie était devenue et de ce qu'elle pouvait devenir. Il lui décrivit un avenir libéré des chagrins et des doutes qui l'avaient amenée dans l'état où elle se trouvait. Chacune de ses phrases tissait un fil d'espoir supplémentaire et, quand ils accueillirent les premières lueurs de l'aube, elle avait renoncé à ses menaces de suicide et promis de prendre rendez-vous avec un médecin.

Quand il sortit ce matin-là, plus stimulé qu'épuisé, il décida que le moment était venu de démarrer son enquête.

Un peu plus tard, après avoir fini son travail au service technique de l'université, il se servit de sa carte d'accès électronique pour pénétrer dans la salle d'étude de la section informatique. La salle était constituée de petits espaces individuels séparés, tous équipés d'un ordinateur relié au réseau général de l'université. Il en alluma un, tapa son mot de passe et pénétra dans le système. Dans une chemise, à portée de sa main gauche, il avait les quelques informations rassemblées dans sa vie précédente sur la femme dont il avait négligé les doléances. Il hésita un instant avant de faire sa première tentative. Ricky savait qu'il pouvait gagner sa liberté et une existence simple et tranquille. Il lui suffirait de vivre jusqu'à la fin de ses jours dans la peau de Richard Lively. La vie d'agent d'entretien n'était pas désagréable du tout, il devait le reconnaître. Il se demanda s'il ne valait pas mieux rester dans l'ignorance. Il savait en effet que, dès qu'il aurait entamé ses recherches pour identifier Rumplestiltskin et ses associés Merlin et Virgil, il ne pourrait plus s'arrêter. Deux choses arriveraient alors. Toutes les années passées sous l'identité du Dr Starks, vouées à l'idée que creuser sous la surface pour découvrir la vérité était un travail essentiel, allaient le rattraper. Et Frederick Lazarus, agent actif de son offensive, allait réclamer son dû.

Ricky lutta contre lui-même. Il ne sut pas combien de temps. Quelques secondes peut-être. Mais peut-être était-il resté des heures les yeux fixés sur l'écran, les doigts en équilibre, paralysés, au-dessus du clavier.

Il décida qu'il ne serait pas un lâche.

Il était conscient que le problème était de ne pas savoir où se trouvait la lâcheté. Dans le fait de se cacher ? Ou dans le fait de passer à l'action ?

Un frisson glacé le parcourut au moment où il prit sa décision. Qui étiez-vous, Claire Tyson ?

Où sont vos enfants maintenant ?

Il y a toutes sortes de libertés, se dit Ricky. Il s'était laissé tuer par Rumplestiltskin pour acquérir une certaine liberté. Maintenant, il allait partir à la recherche de la vraie liberté.

25

Voici ce que Ricky savait : quelque vingt années plus tôt, une femme était morte, à New York, et ses trois enfants avaient été abandonnés pour être adoptés. A cause de ce simple fait, il avait été condamné à se suicider.

Ses premières tentatives pour retrouver sur Internet le nom de Claire Tyson s'étaient révélées vaines, bizarrement. Comme si sa mort l'avait fait disparaître des fichiers aussi sûrement qu'elle avait disparu de la surface de la terre. Même avec la copie du certificat de décès, il se trouva dans une impasse. Les programmes de recherches généalogiques qui lui avaient permis de localiser si rapidement sa propre famille se révélaient beaucoup moins efficaces pour retrouver la trace de Claire Tyson. Elle devait descendre de gens beaucoup plus modestes, et cette absence de notoriété semblait diminuer les manifestations de sa présence en ce monde. Ricky était un peu étonné par l'absence d'informations. Le site « Retrouvez vos parents disparus ! » se targuait pourtant de retrouver quasiment n'importe qui, et sa disparition apparente de toutes les archives accessibles ne laissait pas d'être inquiétante.

Mais ses premiers efforts ne furent pas complètement

inutiles. Les mois qui avaient suivi ses toutes dernières vacances lui avaient appris au moins une chose : il fallait penser de manière plus oblique. En tant que psychanalyste, il avait développé l'art de suivre les symboles et de les transformer en réalités. Il utilisait maintenant des techniques comparables, mais beaucoup plus concrètes. Quand il vit que le nom de Claire Tyson ne débouchait sur aucun résultat, il se mit à chercher d'autres angles d'attaque. Une recherche dans les archives immobilières de Manhattan lui permit d'identifier l'actuel propriétaire de l'immeuble où elle avait vécu. Une autre recherche le mena aux noms et aux adresses des services municipaux auprès de qui elle avait dû faire des demandes d'assistance sociale, de bons d'alimentation et d'aide aux familles avec des enfants à charge. L'astuce consistait à imaginer la vie qu'avait menée Claire Tyson, puis à identifier toutes les forces qui étaient en jeu à l'époque. Quelque part, dans le tableau, il devait y avoir un lien avec l'homme qui le traquait.

Il explora les annuaires électroniques du nord de la Floride. Elle venait de là-bas, en effet. Et Ricky pensait que, si elle avait encore des parents en vie – autres que Rumplestiltskin –, c'était là-bas qu'ils devaient se trouver. Le certificat de décès mentionnait l'adresse du parent le plus proche. Mais quand il confronta le nom à l'adresse en question, il constata que quelqu'un d'autre y habitait désormais. Il y avait beaucoup de Tyson dans la zone de Pensacola et il semblait que ce fût une tâche décourageante que d'essayer de vérifier qui était qui. Puis Ricky se rappela les notes qu'il avait gribouillées pendant les séances avec sa patiente. Elle avait un diplôme de fin d'études secondaires. Elle avait fait deux ans d'université avant de suivre un marin stationné à la base navale, le père de ses trois enfants.

Ricky imprima les noms des parents potentiels et les adresses de tous les lycées de la région.

En contemplant les feuilles imprimées par l'ordinateur, il eut l'impression d'être en train de faire ce qu'il aurait dû faire des années plus tôt : essayer de connaître cette jeune femme afin de la comprendre.

Les deux mondes n'auraient pu être plus différents. Pensacola, en Floride, c'est la « Bible Belt », Jésus tout-puissant, voix aiguës, loué soit le Seigneur, messe le dimanche et n'importe quel autre jour de la semaine si on a besoin de Sa présence. Quant à New York... eh bien, selon Ricky, cette ville représentait sans doute tout ce que les gens de Pensacola identifiaient au mal et au vice. C'était une combinaison inquiétante, se disait-il. Mais il était plutôt sûr d'une chose : Rumplestiltskin avait beaucoup plus de chances de se trouver à New York que dans la campagne, au nord de la Floride. Pourtant, il n'excluait pas que cet homme ait eu de l'influence dans le Sud profond.

Ricky décida de commencer par là.

Grâce à son nouveau savoir-faire, il commanda, sur un des sites Internet spécialisés dans les faux papiers d'identité, un permis de conduire de l'Etat de Floride et une carte d'ancien combattant. Les documents devaient être expédiés à la boîte postale de Frederick Lazarus, à Mailboxes Etc. Mais la carte d'ancien combattant devait être établie au nom de Rick Tyson.

Les gens ne refuseraient pas d'aider un parent perdu de vue depuis longtemps, qui se présentait innocemment pour tenter de retrouver ses racines. En guise de couverture supplémentaire, il écrivit, sur du papier à en-tête d'un centre de traitement du cancer né de son imagination, une lettre « à toutes les personnes concernées » expliquant que l'enfant de M. Tyson, atteint de la maladie de Hodgkin, avait besoin d'une greffe de moelle osseuse. Toute aide permettant de retrouver des membres de sa famille, dont l'ADN promettait des chances accrues de guérison, serait non seulement appréciée, mais pourrait lui sauver la vie.

Cette lettre est totalement cynique, se dit-il.

Mais il était probable qu'elle lui ouvrirait certaines portes.

Il réserva un billet d'avion et s'arrangea avec ses logeuses et son supérieur au service d'entretien de l'université, qui l'autorisa à grouper ses horaires de travail afin de disposer de quelques jours de congé. Il passa au magasin de vêtements d'occasion, où il fit l'achat d'un costume d'été noir très simple et très bon marché. Plus ou moins le genre de costume que pourrait porter un croque-mort, songea-t-il, ce qui serait approprié. En fin de soirée, la veille de son départ, vêtu de sa chemise et de son bleu de travail, il s'introduisit dans les locaux de la troupe de théâtre de l'université. Un de ses passe-partout lui permit d'accéder au débarras où les étudiants rangeaient leurs costumes de scène. Il ne lui fallut pas longtemps pour trouver ce qu'il cherchait.

Le temps était lourd et humide, comme si la chaleur qui régnait dans le golfe du Mexique recelait une menace cachée. Les premières bouffées d'air qu'il inhala à l'extérieur, entre la fraîcheur climatisée de l'aéroport et l'agence de location de voitures, étaient brûlantes, onctueuses, oppressantes. C'était sans commune mesure avec les journées les plus chaudes à Cape Cod, ou même avec la chaleur infernale des mois d'août new-yorkais. Comme si l'air avait de la consistance, qu'il charriait un contenu invisible mais douteux.

La maladie, crut-il d'abord. Puis il se dit que cette idée était trop amère.

Son plan était simple. Il prendrait une chambre de motel bon marché, puis il se rendrait à l'adresse figurant sur le certificat de décès de Claire Tyson. Il frapperait à quelques portes, poserait des questions dans le voisinage et verrait si quelqu'un savait où se trouvait sa famille. Puis il ferait le tour des lycées les plus proches. Ce n'était pas un plan extraordinaire en soi, mais il reposait sur une détermination de journaliste : frapper aux portes, écouter si quelqu'un avait quelque chose à dire.

Ricky trouva un Motel 6 sur un boulevard qui semblait desservir presque exclusivement des cabarets en nombre infini, des fast-food de toutes les marques imaginables et des magasins de vente au rabais. C'était une piste de ciment étincelant, que baignait la lumière de l'inéluctable soleil du golfe du Mexique. Çà et là, un palmier ou un massif d'arbrisseaux semblaient jetés sur le rivage de ce commerce minable, comme des morceaux d'épaves après une tempête. Ricky sentait la présence de l'Océan à proximité, l'odeur en imprégnait l'air, mais le panorama était urbanisé, presque à perte de vue, en une enfilade illimitée de bâtiments à un étage et de panneaux aux couleurs criardes.

Il s'inscrivit sous le nom de Frederick Lazarus et paya en liquide pour trois nuits. Il dit à l'employé, qui n'y prêta guère attention, qu'il était représentant de commerce. Après avoir inspecté sa modeste chambre et déposé son sac, Ricky ressortit par le parking et se rendit à la boutique d'une station-service. Il y acheta un plan détaillé des rues de la zone de Pensacola.

Le lotissement proche de l'immense base navale montrait une uniformité qui évoquait un des premiers cercles de l'enfer. Rangées de maisons de parpaing avec de minuscules carrés de pelouse fumant sous le soleil, et les omniprésents systèmes d'arrosage projetant des arcs-en-ciel de gouttelettes. En traversant le quartier en voiture, Ricky eut l'impression que chaque pâté de maisons avait quelque chose qui semblait définir les aspirations des habitants. Les blocs aux pelouses bien tondues, aux maisons modestes fraîchement peintes, luisant d'un blanc presque irréel sous le soleil du golfe, disaient l'espoir et l'optimisme. Les voitures garées dans les allées étaient propres, polies, brillantes et neuves. On voyait des balançoires et des jouets en plastique sur certaines pelouses et, en dépit de la chaleur du matin, quelques enfants jouaient sous le regard attentif de leurs parents. Mais les lignes de démarcation étaient visibles. Quelques blocs plus loin, les maisons étaient plus abîmées, plus usées. Maisons fatiguées, peintures écaillées, gouttières rouillées par l'usage. Traînées de terre brune, barrières de plastique, une ou deux voitures sans roues en train de rouiller, posées sur des parpaings. Il y avait moins de cris d'enfants, les poubelles débordaient de bouteilles vides. Le quartier des rêves limités, se dit-il.

Il savait que le golfe, au loin, immense étendue d'eau bleu vif, et la base, avec ses alignements de grands navires gris, étaient le pivot autour duquel tout s'organisait. Mais plus il s'éloignait de la mer, plus il avançait vers le besoin et plus le monde qu'il traversait semblait borné, sans objet, aussi dénué d'espoir qu'une bouteille vide.

Il trouva la rue où avait habité la famille de Claire Tyson, et frissonna. Ce n'était ni mieux ni pis que n'importe quelle autre rue du quartier. Mais la médiocrité ambiante en disait long : c'était un endroit dont on avait envie de s'échapper.

Le numéro 13 se trouvait au milieu du bloc. Il se gara devant.

La maison elle-même était plus ou moins semblable aux autres dans la rue. Une petite maison de plain-pied, avec deux ou trois chambres et des climatiseurs suspendus à plusieurs fenêtres. Une dalle de béton servait de porche et un gril noir rouillé était appuyé contre le pignon. Une peinture rose passée recouvrait la maison et un « 13 » grotesque était peint à la main en chiffres noirs, près de la porte. Le 1 était nettement plus grand que le 3, ce qui semblait indiquer que le peintre avait changé d'avis en cours de route. Un panier de basket-ball était fixé au portail d'un petit parking à ciel ouvert, et même l'œil inexpérimenté de Ricky pouvait voir qu'il était vingt ou trente centimètres trop bas. En tout cas, le cercle métallique était tordu et il n'y avait plus de filet. Un ballon orange, usé et décoloré, était appuyé contre un poteau. Le jardin de devant était négligé, des traînées brunes défiguraient la pelouse étouffée par les mauvaises herbes. Un gros chien jaune, dont la chaîne était fixée au mur, enfermé par une barrière métallique dans la minuscule arrière-cour carrée, se mit à aboyer furieusement quand Ricky remonta l'allée. Le journal du jour se trouvait encore au bord de la pelouse. Ricky le prit et se dirigea vers la porte d'entrée. Il enfonça le bouton de la sonnette. Un bébé pleurait, qui se calma presque instantanément quand une voix répondit à son coup de sonnette :

— J'arrive, j'arrive…

La porte s'ouvrit. Une jeune Noire se dressa devant lui, un bébé sur la hanche. Elle n'ouvrit pas la porte grillagée.

— Qu'est-ce que vous voulez ? demanda-t-elle d'une voix furieuse, à peine gênée. Vous venez pour la télé ? La machine à laver ? Les meubles, peut-être ? Ou le biberon du petit ? Qu'est-ce que vous êtes venu prendre, cette fois ?

Elle regardait derrière lui, vers la rue, cherchant le camion et les ouvriers.

— Je ne viens pas faire une saisie, dit-il.

— Vous êtes de la compagnie d'électricité ?

— Non. Je ne travaille pas pour un contentieux. Ni pour un service de récupération.

— Vous êtes qui, alors ? demanda-t-elle d'une voix toujours agressive et méfiante.

— J'ai simplement quelques questions à vous poser. Et si vous avez des réponses, ajouta-t-il en souriant, j'aurai peut-être de l'argent.

La femme le fixait toujours d'un air soupçonneux, mais il y avait un peu de curiosité dans son regard.

— Quel genre de questions ?

— Des questions sur quelqu'un qui a habité ici. Il y a longtemps.

— Je ne sais pas grand-chose, répondit la femme.

— Une famille du nom de Tyson.

Elle hocha la tête.

— Oh, c'est le type qui a été expulsé avant qu'on arrive ici.

Ricky sortit un billet de vingt dollars de son portefeuille. La femme ouvrit la porte grillagée.

— Vous êtes flic ? Détective ?

— Je ne suis pas policier, dit Ricky. Mais on pourrait dire que je suis une sorte de détective.

Il entra dans la maison.

Il cligna des yeux, le temps de s'habituer à la pénombre. Il faisait étouffant dans la petite entrée. Il suivit la femme et l'enfant jusqu'au salon. Malgré les fenêtres ouvertes, la chaleur était telle que la pièce étroite évoquait une cellule de prison. Il y avait un fauteuil, un divan, un téléviseur et un petit parc rouge et bleu où elle déposa son enfant. Les murs étaient nus, à l'exception d'une photo du bébé et d'une photo de mariage assez austère où il reconnut la jeune femme, aux côtés d'un Noir en uniforme de la marine. A vue de nez, il leur donna dix-neuf ans. Pas plus de vingt, en tout cas. Il jeta un coup d'œil vers la femme. Dix-neuf ans, se dit-il, mais elle vieillit vite. Il se tourna de nouveau vers la photo et posa la question, purement rhétorique :

— C'est votre mari ? Où est-il ?

— Il est en mer.

Depuis que la colère avait disparu, sa voix montrait une certaine douceur. Son accent chantant venait indiscutablement du Sud. Le Sud profond, se dit Ricky. L'Alabama ou la Georgie. Peut-être le Mississippi. L'enrôlement dans la marine avait été le chemin le plus court pour sortir de la campagne. Elle avait suivi le mouvement, sans savoir que cela remplacerait simplement la pauvreté qu'elle connaissait par une misère tout aussi noire.

— Il est dans le Golfe, ou quelque part du côté de l'Arabie, sur l'*USS Essex*. Un destroyer. Encore deux mois avant qu'il revienne.

— Comment vous appelez-vous ?

— Charlene. Bon, si vous me posiez les questions qui me feront gagner un peu d'argent ?

— Les temps sont durs, hein ?

Elle rit, comme si c'était une bonne plaisanterie.

— Oui, je vous prie de le croire. Si vous ne montez pas en grade, vous n'allez pas loin, avec la paie que vous donne la marine. On a déjà dû rendre la voiture, et j'ai deux mois de loyer en retard. Il faut payer le crédit pour les meubles, aussi. C'est l'histoire de presque tout le monde, dans ce quartier.

— Le propriétaire vous menace ? demanda Ricky.

Elle secoua la tête, l'air surprise.

— Le proprio, je ne le connais pas, mais il est correct. Quand j'ai de l'argent, je le dépose sur un compte en banque. Un homme de la banque, ou un avocat peut-être, m'a appelée et m'a dit de ne pas m'en faire, que je paierais quand je pourrais. Il a dit qu'il comprenait que la vie n'était pas toujours facile pour les militaires. Reggie, mon mari, c'est un simple matelot. Il doit monter en grade pour bien gagner sa vie. Mais le proprio est arrangeant, et il est bien le seul. La compagnie d'électricité a promis qu'elle allait couper le courant, c'est pour ça que je ne fais pas marcher la climatisation ni rien.

Ricky s'assit sur l'unique fauteuil. Charlene s'installa sur le bord du divan.

— Dites-moi ce que vous savez de la famille Tyson. Ils habitaient ici avant votre arrivée ?

— Oui. Mais je ne sais pas grand-chose sur ces gens. Sauf le vieux. Il était là, tout seul. Pourquoi vous vous intéressez à ce vieux type ?

Ricky sortit son portefeuille et lui montra le faux permis de conduire au nom de Rick Tyson.

— C'est un parent éloigné, fit-il, et il se peut qu'il ait hérité d'une petite somme. La famille m'a chargé d'essayer de le retrouver.

— Là où il est, dit Charlene, je ne crois pas qu'il ait besoin d'argent.

— Où est-il ?

— A l'hôpital pour anciens combattants, sur Midway Road. S'il est encore en vie.

— Et sa femme ?

— Morte. Il y a quelques années de ça. Une crise cardiaque, d'après ce que je sais.

— Vous le connaissez ?

Charlene secoua la tête.

— Non, je connais l'histoire par les voisins…

— Racontez-moi ça.

— Le vieux et la vieille vivaient ici tous les deux…

— On m'a dit qu'ils avaient une fille…

— Oui, je crois, mais j'ai entendu dire qu'elle était morte, il y a longtemps.

— C'est exact. Continuez.

— Ils vivaient sur les chèques de la Sécurité sociale. Peut-être une pension, je ne sais pas. Mais pas grand-chose. La vieille dame, elle tombe malade. Le cœur. Elle n'a pas d'assurance, rien que Medicare, le minimum. Et puis ils ont des factures à payer. La vieille femme meurt et laisse le vieux avec encore plus de factures. Pas d'assurance. Ce n'est qu'un vieux salaud, les voisins ne l'aiment pas. Pas d'amis, pas de famille pour s'inquiéter de lui. La seule chose qu'il ait, c'est comme moi : des factures. Des créanciers qui réclament leur argent. Et puis, un jour, l'hypothèque sur la maison vient à échéance, il découvre que ce n'est plus la banque qui possède les traites. Quelqu'un a racheté l'hypothèque à la banque. Il saute un paiement, peut-être une fois de trop, les adjoints du shérif débarquent chez lui avec un ordre d'expulsion. Ils fichent le vieux dehors, à la rue. Ensuite, quand j'entends parler de lui, il est aux anciens combattants. Je crois qu'il en sortira les pieds devant.

Ricky réfléchit à tout ce qu'il venait d'entendre.

— Vous vous êtes installés ici après l'expulsion ?

— Oui.

Elle soupira, secoua la tête.

— Le quartier était nettement plus agréable il y a à peine deux ans. Il n'y avait pas toutes ces ordures, ni ces poivrots, ces bagarres. Je pensais que ce serait le bon endroit pour démarrer, mais finalement on n'avance pas et on n'a pas d'argent pour partir. En tout cas, j'ai appris l'histoire du vieux par des gens qui habitaient en face. Ils sont morts, maintenant. Tous les gens qui ont connu le vieux sont sans doute morts. Mais je ne crois pas qu'il ait eu beaucoup d'amis. Il avait un pitbull, attaché dans la cour, là où nous mettons notre chien. Le nôtre, il se contente d'aboyer, de faire du bruit, comme quand vous êtes arrivé tout à l'heure. Si je le lâche, il vous léchera la figure, il n'essaiera pas de vous mordre. Le pitbull de Tyson, ce n'était pas le même genre. Quand il était jeune, il le faisait participer à ces combats de chiens où les gens font des paris, vous savez... Dans ce genre d'endroits où des tas de Blancs transpirent en jouant l'argent qu'ils n'ont pas, en buvant et en jurant. Un aspect de la Floride qu'on ne montre pas aux touristes ou aux gars de la Navy. On croirait l'Alabama ou le Mississippi. La Floride des ploucs. Des ploucs et des pitbulls.

— Oui, ce n'est généralement pas très bien vu, dit Ricky.

— Il y a des tas d'enfants dans le quartier. Un chien comme ça, c'est une menace, il risque de blesser quelqu'un. Et il y avait peut-être d'autres raisons pour que les gens n'aiment pas trop le vieux, par ici.

— Que voulez-vous dire ?

— J'ai entendu des histoires.

— Quel genre d'histoires ?

— Des histoires, monsieur. Je veux dire, des choses vraiment ignobles, rien que le mal à l'état pur. Je ne sais pas si elles sont vraies, et ma mère et mon père m'ont toujours dit de ne pas répéter des choses dont je ne suis pas vraiment certaine, mais vous pouvez demander par ici, quelqu'un qui craint moins que moi le Seigneur Dieu vous racontera peut-être. Mais je ne sais pas qui. Il ne reste plus personne de ce temps-là.

Ricky réfléchit un instant.

— Connaissez-vous le nom ou l'adresse de l'homme à qui vous payez le loyer maintenant ?

Charlene acquiesça, un peu étonnée.

— Bien sûr. Je fais un chèque à un avocat, en ville, qui l'envoie à un autre type à la banque. Quand j'ai de l'argent.

Elle prit un bout de crayon qui traînait sur le sol et inscrivit un nom et une adresse au dos d'une enveloppe à en-tête d'une société de location de meubles. Sur l'enveloppe, imprimés en rouge, il vit les mots DEUXIÈME RAPPEL.

— J'espère que ça vous sera utile.

Ricky lui tendit deux autres billets de vingt dollars. Elle le remercia d'un signe de tête. Il hésita une fraction de seconde, puis ajouta un troisième billet.

— Pour le bébé, dit-il.

— Vous êtes gentil, monsieur.

Quand il regagna la rue, il dut s'abriter les yeux du soleil. Le ciel était uniformément bleu et la chaleur encore plus forte. Pendant un instant, il se rappela les jours de grande chaleur estivale, à New York, et comment il s'échappait vers le climat plus tempéré de Cape Cod. Mais c'était fini. Il regarda dans la direction où était garée sa voiture de location. Il essaya d'imaginer un vieil homme assis au bord de la route, au milieu de ses maigres possessions. Sans amis, expulsé de la maison où il avait passé tant d'années. Une vie difficile, mais au moins c'était sa vie. Chassé sans préavis, sans avoir le temps de réfléchir. Abandonné à la vieillesse, à la maladie et à la solitude. Ricky fourra dans sa poche le morceau de papier portant le nom de l'avocat. Il savait qui avait fait expulser le vieil homme. Mais il ignorait si celui-ci, assis au soleil, désespéré, avait compris que l'homme qui l'avait jeté à la rue n'était autre que l'enfant de sa propre fille, à qui il avait tourné le dos tant d'années auparavant.

A moins de sept rues de distance de la maison dont Claire Tyson s'était enfuie, il y avait un immense lycée. Ricky se gara dans le parking. Il contempla l'établissement en se demandant comment un enfant pouvait espérer forger sa personnalité, *a fortiori* faire son éducation, à l'intérieur de ces murs. C'était un énorme immeuble de béton couleur jaune sable, avec un terrain de football et une piste circulaire collés sur le côté, derrière une barrière de trois mètres de haut. Il se dit que celui qui avait conçu cette structure s'était contenté de tracer un immense rectangle, puis un second rectangle formant un grand T avec le premier et que son projet architectural s'était arrêté là. Un grand casque grec était dessiné sur le mur de l'immeuble et juste en dessous, en grandes lettres flottantes, d'un rouge un peu passé, on avait peint les mots CHEZ LES SPARTIATES DU SOUTH SIDE. L'endroit tout entier cuisait comme un quatre-quarts dans un four, sous le ciel immaculé et le soleil brûlant.

Il y avait un poste de contrôle à l'intérieur, juste après l'entrée principale. Un gardien, à qui sa tenue (chemise bleue, pantalon noir, ceinture et chaussures de cuir noir) donnait l'air d'un policier, manipulait un détecteur de métal. Il expliqua à Ricky comment se rendre aux bureaux de l'administration. Puis il le fit passer entre les montants jumeaux de sa machine et lui montra la direction à prendre. Les semelles de Ricky cliquetaient sur le lino du hall. Comme c'était l'heure des cours, il se trouvait quasiment seul entre les rangées de vestiaires gris. De temps en temps, un étudiant isolé le dépassait à grands pas.

Au-delà d'une porte marquée ADMINISTRATION, une secrétaire siégeait derrière un bureau. Quand Ricky lui eut expliqué la raison de sa visite, elle le guida vers le bureau de la principale. Il attendit quelques instants à l'extérieur, puis la secrétaire revint pour le faire entrer. Une femme de près de soixante ans, corsage blanc boutonné jusqu'au menton, leva les yeux de son écran d'ordinateur. Par-dessus les verres de ses lunettes, elle lui jeta un regard typique de maîtresse d'école – presque un regard de réprimande. Elle semblait légèrement décontenancée par sa présence. Elle lui montra une chaise tout en pivotant sur son fauteuil pour venir s'installer derrière un bureau encombré de papiers. Ricky s'assit lourdement en se disant que son siège avait sans doute servi à des étudiants mal à l'aise, pris en flagrant délit de mauvaise conduite, ou à des parents affolés, qu'on avait convoqués pour les instruire des bêtises de leurs enfants.

— Comment puis-je vous être utile, exactement ? demanda brusquement la principale.

Ricky hocha la tête.

— Je cherche des renseignements, dit-il. Je dois retrouver la trace d'une femme qui a poursuivi ses études ici, à la fin des années soixante. Elle s'appelait Claire Tyson…

— Les dossiers scolaires sont confidentiels, l'interrompit la principale. Mais je me rappelle cette jeune fille.

— Vous travaillez ici depuis longtemps…

— Toute ma carrière, dit la femme. Mais à part vous montrer l'annuaire de la classe 1967, je ne vois pas comment je pourrais vous aider. Je vous l'ai dit, les dossiers sont confidentiels.

— De fait, je n'ai pas vraiment besoin de son dossier scolaire, dit-il en lui montrant la fausse lettre du centre de cancérologie. Je cherche quelqu'un qui pourrait connaître un parent…

La femme lut rapidement la lettre. Son expression s'adoucit.

— Oh, je suis désolée. Je ne savais pas…

— Je vous en prie, fit Ricky. Je vais un peu au hasard. Mais, voyez-vous, il y a cette nièce, qui est malade… Alors on essaie toutes les possibilités.

— Bien sûr, fit la principale, très vite. Oui, vous avez raison. Mais je ne pense pas qu'il y ait par ici des Tyson qui soient de la famille de Claire. Pas que je me rappelle, en tout cas. Et je crois que je me souviens de tous les gens qui ont franchi ces portes.

— Je suis surpris que vous vous souveniez de Claire…

— Elle était remarquable. A plusieurs points de vue. A l'époque, j'étais sa conseillère pédagogique. J'ai grimpé quelques échelons.

— Bien sûr, dit Ricky. Mais vos souvenirs, surtout après toutes ces années…

La femme fit un geste de la main, comme pour couper court à la question. Elle se dirigea vers la bibliothèque qui se trouvait sur le mur du fond. Un instant plus tard, elle lui tendit un vieil annuaire de la promotion 1967, relié en simili-cuir.

C'était un annuaire scolaire comme les autres. Une page après l'autre, ce n'était qu'une succession d'instantanés de jeunes gens occupés à diverses activités, sportives ou non, que mettaient en valeur des commentaires emphatiques. Les photos des seniors aux remises de diplômes constituaient le corps de l'annuaire – portraits posés de jeunes gens essayant de paraître plus vieux et plus sérieux qu'ils n'étaient en réalité. Ricky feuilleta l'album jusqu'à ce qu'il trouve Claire Tyson. Il eut un peu de mal à reconnaître la femme qu'il rencontrerait, une dizaine d'années plus tard, dans cette jeune adulte au visage frais et immaculé. Ses cheveux, plus longs, retombaient en vagues sur ses épaules. Elle souriait légèrement, un peu moins raide que la plupart de ses camarades, avec le regard entendu de celle qui connaît un secret. Ricky lut la légende. Elle énumérait les cercles qu'elle fréquentait (français, sciences, futures maîtresses de maison, troupe de théâtre) et les sports qu'elle pratiquait (soft-ball et volley-ball en équipe interétablissements). On mentionnait aussi ses distinctions, dont huit semestres au tableau d'honneur et une recommandation pour une bourse du mérite national. Il y avait une citation, choisie pour son humour, mais que Ricky trouva de mauvais augure : « Fais-le aux autres avant qu'ils aient le temps de te le faire... » Une prédiction : « Veut vivre sur la voie rapide » et un coup d'œil dans la boule de cristal adolescente : « Dans dix ans, elle sera... A Broadway, ou en dessous. »

La principale lisait par-dessus son épaule.

— Elle n'avait aucune chance, dit-elle.

— Pardon ? fit Ricky.

— Elle était l'enfant unique d'un couple... eh bien, disons, d'un couple difficile. Ils vivaient en permanence au bord de la misère. Le père était un tyran. Peut-être même pis que cela...

— Vous voulez dire...

— Elle montrait la plupart des symptômes classiques des victimes de violences sexuelles. Il m'est souvent arrivé de lui parler, quand elle avait ces incontrôlables crises de dépression. Des crises de larmes. Hystériques. Puis elle retrouvait son calme. Froide, presque lointaine. Comme si elle était ailleurs, alors qu'elle était assise juste là, devant moi. Si j'avais eu la moindre preuve concrète, j'aurais prévenu la police. Mais elle n'aurait jamais admis quoi que ce soit qui me permette d'en arriver là. Quand on occupe un poste comme le mien, il faut être très prudent. Et nous en savions beaucoup moins sur ces problèmes qu'aujourd'hui.

— Bien sûr.

— Je me doutais qu'elle s'en irait à la première occasion. Ce garçon…

— Un petit ami ?

— Oui. Je suis presque certaine qu'elle était enceinte et que c'était bien avancé, le printemps où elle a eu son diplôme.

— Vous connaissez son nom ? Je me demande si un de leurs enfants pourrait encore être… Ce serait crucial, vous savez, avec l'héritage génétique… je n'ai pas très bien compris tout ce que m'ont dit les docteurs, mais…

— Il y a eu un bébé. Mais j'ignore ce qui s'est passé. Ce qui est sûr, c'est qu'ils ne se sont pas enracinés ici. Le garçon voulait s'engager dans la marine – même si je ne suis pas sûre du tout qu'il y soit arrivé – et elle est partie s'inscrire en premier cycle à l'université. Je ne crois pas qu'ils étaient vraiment mariés. Un jour, je l'ai revue, dans la rue. Elle s'est arrêtée pour me dire bonjour, mais ça n'a pas été plus loin. C'était comme si elle était incapable de parler de quoi que ce soit. Tout lui faisait honte. Le problème, c'est qu'elle était brillante. Sur scène, elle était remarquable. Elle pouvait jouer n'importe quel rôle, de Shakespeare à *Guys and Dolls*, et elle était vraiment excellente. Très douée pour jouer la comédie. C'était la réalité qui lui posait un problème...

— Je vois.

— Elle était de ces gens qu'on a envie d'aider, sans pouvoir le faire. Elle était toujours en quête de quelqu'un qui puisse prendre soin d'elle, mais elle tombait toujours sur les gens qu'il ne fallait pas. Immanquablement.

— Et le garçon ?

— Daniel Collins ?

La principale prit l'annuaire, chercha une page et le tendit à Ricky.

— Mignon, hein ? Un coureur de filles. Football, base-ball, mais pas vraiment un champion. Un garçon assez intelligent, mais qui ne s'appliquait pas en classe. Le genre de gosse qui savait toujours où se trouvait la soirée où il y avait de l'alcool, de l'herbe ou je ne sais quoi, et qui ne se faisait jamais prendre. Un de ces jeunes qui traversent la vie en se laissant glisser. Il avait toutes les filles qu'il voulait, mais surtout Claire, qu'il menait par le bout du nez. C'était une de ces relations sur lesquelles vous n'avez aucune prise, tout en sachant qu'elles n'apporteront que du chagrin.

— Vous ne l'aimiez pas beaucoup ?

— Qu'est-ce qu'on pouvait aimer en lui ? C'était un prédateur. Et pas qu'un peu. Un type qui ne s'intéressait qu'à lui-même et à ce qui pouvait lui faire du bien.

— Connaissez-vous l'adresse de sa famille ici ?

La principale se dirigea vers un ordinateur et tapa un nom sur le clavier. Puis elle prit un crayon et recopia un numéro sur un morceau de papier qu'elle tendit à Ricky. Il hocha la tête.

— Ainsi, vous pensez qu'il l'a quittée.

— Bien sûr. Après l'avoir utilisée. C'est ce qu'il faisait le mieux. Se servir des gens, puis les rejeter. Que ça lui prenne dix ans ou un an, je ne sais pas. Quand on fait le travail que je fais, on finit par être capable de prédire ce qui leur arrivera, à tous ces gosses. Certains parviennent à vous surprendre, d'une manière ou d'une autre. Mais c'est très rare.

Elle montra la prédiction dans l'annuaire. « A Broadway, ou en dessous ». Ricky savait laquelle des deux hypothèses s'était réalisée.

— Les gosses tournent toujours tout à la plaisanterie. Mais la vie est rarement aussi amusante, n'est-ce pas ?

Avant d'aller à l'hôpital pour anciens combattants, Ricky s'arrêta à son hôtel pour se changer. Il mit son costume noir. Il prit aussi l'accessoire qu'il avait emprunté à la troupe de théâtre de l'université. Il le plaça autour de son cou et se contempla dans la glace.

L'hôpital, à l'instar du lycée, donnait l'impression d'être sans âme. C'était un bâtiment de deux étages aux murs de brique chaulés, qu'on aurait déposé brutalement dans l'espace laissé libre au milieu d'un cercle – si Ricky comptait bien – d'au moins six églises différentes. Pentecôtiste, baptiste, catholique, congrégationaliste, unitarienne ou adventiste, chacune affichait sur sa pelouse en façade un message d'espoir proclamant sa joie infinie d'accueillir l'arrivée imminente de Jésus ou, au moins, le soulagement apporté par les paroles de la Bible – que l'on prononçait avec ferveur aux services quotidiens (deux fois le dimanche). Ricky, qui devait à la pratique de la psychanalyse un sain irrespect de la religion, appréciait assez la juxtaposition de l'hôpital pour anciens combattants et des églises. C'était comme si la cruelle réalité des laissés-pour-compte, représentée par l'hôpital, rétablissait une sorte d'équilibre avec l'optimisme qui circulait impunément dans les églises. Il se demanda si Claire avait été pratiquante. C'était fort possible, vu l'environnement dans lequel elle avait grandi. Tout le monde allait à l'église. Le problème, c'est que cela n'empêchait pas les hommes de battre leurs femmes ou d'abuser de leurs enfants les autres jours de la semaine – ce que Jésus désapprouvait probablement, se dit-il, pour autant qu'Il eût une idée sur la question.

Deux drapeaux flottaient mollement sur l'hôpital : la bannière étoilée et le drapeau de l'Etat de Floride, côte à côte dans la chaleur hors de saison de la fin du printemps. Deux ou trois buissons rabougris poussaient près de l'entrée. Ricky aperçut quelques vieillards sous le petit porche latéral, robes de chambre dépenaillées et fauteuils roulants, laissés sans surveillance sous le soleil de l'après-midi. Ces hommes ne formaient pas un groupe, ils n'étaient même pas deux par deux. Chacun semblait se trouver sur une orbite définie par son âge et sa maladie, et qui n'existait que pour lui seul. Ricky pénétra dans le bâtiment. L'intérieur était sombre, presque béant, comme une bouche ouverte. Il entra en frissonnant. Les hôpitaux où il avait accompagné sa femme pendant sa maladie étaient clairs, modernes, conçus pour refléter tous les progrès de la médecine, des endroits habités par l'énergie et la volonté de vivre. Ou, dans le cas de sa femme, le désir de combattre ce qui était inévitable. De voler des jours à la maladie, comme un joueur de rugby qui lutte pour chaque mètre, quel que soit le nombre de défenseurs qui s'accrochent à lui. Cet hôpital était exactement le contraire. Il se trouvait au plus bas de l'échelle de la médecine, là où les soins étaient aussi fades et aussi peu imaginatifs que les menus quotidiens. La mort y était aussi normale que du riz blanc ordinaire. Ricky en avait la chair de poule. Il se dit qu'il était triste que ces vieillards viennent mourir dans un tel endroit.

Il vit une réceptionniste derrière un bureau. Il se dirigea vers elle.

— Bonjour, mon père, dit-elle vivement. Je peux vous aider ?

— Bonjour, mon enfant, fit Ricky, en touchant du doigt le col de pasteur du magasin d'accessoires du théâtre universitaire. Une chaude journée pour porter le costume que le Seigneur nous impose… Je me demande parfois pourquoi Il n'a pas choisi… oh, disons ces belles chemises hawaiiennes aux couleurs vives, au lieu de ce col dur. Ce serait beaucoup plus confortable, par une journée comme celle-ci…

La réceptionniste fit entendre un rire bruyant.

— Oui, on se demande bien à quoi Il pensait ! dit-elle en enchérissant.

— Je suis venu voir un de vos patients. Il doit s'appeler Tyson.

— Vous êtes de la famille, mon père ?

— Non, hélas, non, mon enfant. Mais sa fille m'a chargé de passer le voir quand ma mission évangélique m'amènerait par ici.

La réponse semblait acceptable, comme il s'y attendait. Il se doutait bien que personne, en Floride, n'oserait envoyer promener un curé. La femme fit quelques recherches sur son ordinateur. Elle grimaça légèrement quand le nom s'afficha sur l'écran.

— C'est très bizarre, dit-elle. Son dossier dit qu'il n'a aucun parent vivant. Pas de famille du tout. Vous êtes sûr qu'il s'agit bien de sa fille ?

— Ils ont été longtemps fâchés, mais elle est revenue vers lui il y a peu. Peut-être qu'avec ma modeste assistance, et la bénédiction du Seigneur, la chance d'une réconciliation, sur ses vieux jours…

— Ce serait bien, mon père. Je le souhaite de tout cœur. Tout de même, elle devrait être inscrite.

— Je le lui dirai, promit-il.

— Il a sans doute besoin d'elle…

— Dieu vous bénisse, mon enfant, dit Ricky.

Il jouissait de l'hypocrisie de ses mots et de son histoire, un peu comme un comédien jouit de sa performance sur scène. Des instants habités par la tension, par le doute, mais que les réactions du public rendaient excitants. Après avoir passé tant d'années derrière le divan, contraint de garder le silence sur la plupart des sujets, Ricky jubilait de se retrouver à découvert et de mentir.

— Mais on dirait qu'il ne lui reste plus beaucoup de temps pour se réconcilier avec elle, mon père. Je crains que M. Tyson ne se trouve déjà plus à l'hospice. Je suis désolée, mon père.

— Il est…

— Phase terminale.

— Alors je viens peut-être à un meilleur moment que je ne l'espérais. Peut-être pourrai-je lui apporter un peu de réconfort, au crépuscule de sa vie…

La réceptionniste hocha la tête. Elle lui montra le plan de l'hôpital.

— Voilà où vous devez aller. L'infirmière de service vous aidera.

Ricky parcourut le dédale des couloirs, avec l'impression de s'enfoncer dans une série de mondes de plus en plus froids et ternes. Comme si, dans cet hôpital, tout était légèrement défraîchi. Cela lui rappela la différence entre les boutiques de vêtements chics de Manhattan, qu'il fréquentait quand il était psychanalyste, et le monde des fripiers de l'Armée du Salut qu'il avait découvert lorsqu'il était parti dans le New Hampshire. Dans l'hôpital pour anciens combattants, rien de neuf, rien de moderne, rien qui semblât fonctionner comme il aurait dû : tout avait l'air d'avoir déjà servi plusieurs fois. Même la peinture blanche sur les murs de parpaings était passée et jaunie. Il était troublant de se trouver dans un endroit qui aurait dû être placé sous le signe de la propreté et de la science, et de ressentir le besoin d'une douche. La médecine des pauvres, se dit-il. Devant le service de cardiologie, celui des soins pulmonaires et, enfin, devant une porte fermée portant le panneau PSYCHIATRIE, il sentit que tout était de plus en plus décrépit et usé – jusqu'à ce qu'il parvienne à l'étape ultime : une double porte avec le mot HOSPICE tracé au pochoir. Le peintre avait dessiné les lettres légèrement de guingois, de sorte que les deux moitiés du mot n'étaient pas alignées.

Le col pastoral et son déguisement remplissaient leur mission à la perfection. Personne ne lui demandait le moindre papier, personne ne semblait soupçonner qu'il pût être un imposteur. En entrant dans le service, il trouva immédiatement la réception. L'infirmière de service, une grosse femme noire, leva les yeux en l'entendant.

— Bonjour, mon père. On vient de m'appeler pour me prévenir de votre arrivée. M.Tyson est dans la chambre 300. Premier lit en entrant…

— Merci, fit Ricky. Pouvez-vous me dire de quoi il souffre ?

L'infirmière lui tendit respectueusement une fiche

médicale. Cancer du poumon. Phase terminale. Une souffrance terrible. Mais il ne ressentait aucune compassion.

Sous prétexte de soulager la douleur des patients, songea-t-il, les hôpitaux font beaucoup pour les avilir. C'était certainement le cas pour Calvin Tyson : branché à une batterie d'appareils, il reposait sur son lit dans une position inconfortable, à demi redressé, le regard vissé sur un vieux téléviseur suspendu au plafond entre son lit et celui de son voisin. L'appareil diffusait un feuilleton, mais le son était coupé. De toute façon, l'image était floue.

Tyson était maigre à faire peur, presque squelettique. Il avait un masque à oxygène pendu autour du cou, dont il se servait de temps en temps pour s'aider à respirer. Le bleu caractéristique de l'emphysème lui colorait le nez. Ses jambes nues et décharnées gisaient au milieu du lit comme des branches jonchent la chaussée après la tempête. Son voisin de lit était sensiblement dans le même état. Les respirations sifflantes des deux hommes composaient un duo d'agonie. Quand Ricky entra dans la chambre, Tyson se tourna vers lui en bougeant simplement la tête.

— Je ne veux pas de prêtre, fit-il d'une voix haletante.

Ricky eut un sourire peu aimable.

— Mais ce prêtre veut vous parler, lui.

— Je veux être seul, dit Tyson.

Ricky contempla le vieillard qui gisait devant lui.

— D'après ce que je vois, dit-il brusquement, d'ici peu vous serez seul pour l'éternité.

Tyson s'efforça de secouer la tête.

— Pas besoin de religion, plus maintenant.

— Je ne vais pas essayer de vous aider. Du moins pas comme vous croyez.

Ricky fit une pause, le temps de s'assurer que la porte, derrière lui, était bien fermée. Deux casques audio, qui servaient à écouter la télévision, étaient accrochés au mur au-dessus des têtes de lit. Il s'approcha du compagnon de chambre de Tyson. L'homme le regarda d'un air interrogatif mais détaché. Ricky lui montra l'écouteur à la tête de son lit.

— Vous voulez bien mettre ça, pour me permettre de parler en privé à votre voisin ? fit-il d'un ton qui n'admettait aucune discussion.

L'homme haussa les épaules. Non sans mal, il glissa les écouteurs sur ses oreilles.

— Parfait, fit Ricky en se tournant vers Tyson. Vous savez qui m'envoie ?

— Aucune idée, croassa Tyson. Il reste plus personne pour s'intéresser à moi.

— Là, vous vous trompez. Vous vous foutez le doigt dans l'œil.

Il s'approcha, se pencha au-dessus du vieillard et chuchota, d'un ton glacé :

— Maintenant, vieux salaud, dis-moi la vérité : combien de fois as-tu baisé ta fille avant qu'elle décide de s'en aller pour de bon ?

26

Stupéfait, le vieil homme écarquilla les yeux. Il commença à s'agiter. Il leva une main osseuse, essaya de la remuer dans l'espace réduit séparant Ricky de son torse malingre, comme si c'était suffisant pour repousser la question, mais il était trop faible pour y parvenir. Il toussa, suffoqua, la gorge serrée, puis demanda :

— Quelle sorte de curé êtes-vous ?

— Un curé de la mémoire.

— Qu'est-ce que ça veut dire ?

Il parlait d'une voix pressante, paniquée. Il balaya la chambre d'un regard fou, comme si quelqu'un pouvait lui venir en aide.

Ricky ne répondit pas tout de suite. Il regardait Calvin Tyson se tortiller sur son lit, en proie à la terreur. Il se demandait si le vieux avait peur de lui ou de l'histoire qu'il avait l'air de connaître. Il devinait que Tyson était resté seul, pendant des années, avec le souvenir de ce qu'il avait fait, et même si la direction de l'école, ses voisins ou même sa femme ne l'avaient jamais soupçonné, il s'était probablement bercé d'illusions en imaginant qu'il s'agissait d'un secret exclusif entre sa fille et lui.

La question provocante de Ricky lui avait sans doute fait l'effet d'une apparition macabre. Il vit la main de l'homme approcher du bouton d'appel qui pendait au bout d'un fil électrique au-dessus de la tête du lit. Il se pencha vers Tyson et repoussa le bouton hors de sa portée.

— Nous n'en avons pas besoin. Ceci doit rester une conversation privée.

Le vieux laissa retomber sa main sur le lit. Il attrapa le masque à oxygène, inspira de profondes bouffées d'air enrichi, les yeux toujours élargis par la peur. Le masque était un modèle en plastique vert, opaque, qui recouvrait le nez et la bouche. Dans un hôpital plus moderne, on lui aurait fourni un appareil plus petit, de ceux qui se fixent sous les narines. Mais l'hôpital pour anciens combattants était de ces endroits qui utilisent du matériel de récupération jusqu'à ce qu'il soit vraiment hors d'usage – ce qui était plus ou moins le cas des patients... Ricky écarta le masque du visage de Tyson.

— Qui êtes-vous ? demanda ce dernier, terrifié.

Il parlait avec l'accent du Sud. Ricky se dit qu'il y avait quelque chose d'enfantin dans la peur qu'il lisait dans son regard.

— Quelqu'un qui a des questions à poser. Et qui compte bien avoir des réponses. Ça peut se passer plus ou moins bien : ça dépend de vous, pépé...

A sa grande surprise, il découvrit qu'il n'avait aucun mal à menacer ce vieil homme décrépit, qui avait abusé de sa fille unique et rejeté ses petits-enfants devenus orphelins.

— Z'êtes pas un pasteur, lui dit le vieux. Vous n'œuvrez pas avec Dieu.

— Là, vous vous trompez, dit Ricky. Vu la façon dont vous allez vous retrouver devant Lui, d'un jour à l'autre, vous avez peut-être intérêt à ne pas prendre de risques…

L'argument sembla faire mouche. Le vieux s'agita encore, puis hocha la tête.

— Votre fille… commença Ricky.

— Ma fille est morte, le coupa le vieux. Ce n'était pas une bonne fille. Elle ne l'a jamais été.

— Vous croyez que vous y êtes peut-être pour quelque chose ?

Calvin Tyson secoua la tête.

— Vous ne savez rien du tout. Personne ne sait rien. Tout ce qui est arrivé, c'est du passé. De l'histoire ancienne.

Ricky marqua une pause et le regarda dans les yeux. Il les vit se durcir, comme du ciment qui sèche au soleil. Il soupesa rapidement ses chances. Tyson était un pédophile dénué de remords. Sans le moindre repentir, incapable de comprendre le mal qu'il avait fait à sa fille. Et il mentait sur son lit de mort, sans doute plus terrifié par ce qui l'attendait que par ce qu'il avait fait. Ricky se dit qu'il pouvait essayer de faire vibrer cette corde-là.

— Je puis vous accorder le pardon… commença-t-il.

Le vieux eut un grognement méprisant.

— Aucun curé n'est assez fort pour ça. Je prends le risque.

— Votre fille, Claire, avait trois enfants…

— C'était une putain, elle a foutu le camp avec ce bon à rien, et puis elle est montée à New York. C'est ça qui l'a tuée. Pas moi.

— Après sa mort, quelqu'un vous a contacté. Vous étiez son plus proche parent vivant. Quelqu'un vous a appelé de New York et vous a demandé si vous vouliez prendre les enfants…

— Qu'aurais-je fait de ces bâtards ? Elle ne s'était jamais mariée. Je n'en voulais pas.

Ricky fixa Calvin Tyson. Il devinait que cette décision avait dû être difficile à prendre. D'un côté, il ne voulait pas du fardeau financier que représentait l'éducation des trois orphelins de sa fille. De l'autre, cela aurait fourni plusieurs nouvelles sources de satisfaction à ses besoins sexuels pervers. Ricky se dit que cela avait dû être une tentation écrasante, presque irrésistible. Le désir pédophile est une force puissante, que rien ne peut arrêter. Qu'est-ce qui avait pu le faire renoncer à disposer d'une source de plaisir fraîche et disponible ? Ricky fixait toujours le vieil homme. Tout à coup, il comprit. Calvin Tyson avait d'autres possibilités. Les enfants des voisins ? Ceux du bas de la rue ? Juste au coin ? Dans un terrain de jeu ? Ricky n'en savait rien. Mais la réponse n'était pas loin, il le sentait.

— Alors vous avez signé des papiers pour qu'ils soient adoptés, c'est ça ?

— Oui. En quoi ça vous intéresse ?

— Parce que je dois les retrouver.

— Pourquoi ?

Ricky regarda autour de lui. Il fit un geste vers la chambre d'hôpital.

— Vous savez qui vous a jeté à la rue ? Est-ce que vous savez qui a saisi votre maison et vous a fichu dehors pour que vous finissiez vos jours ici, tout seul ?

Tyson secoua la tête.

— Quelqu'un a racheté l'hypothèque de la maison. M'ont pas laissé une chance de rattraper, alors que j'avais qu'un mois de retard. Bang ! Comme ça ! Je me suis retrouvé dehors…

— Qu'est-ce qui s'est passé ensuite ?

Les yeux de l'homme, soudain chassieux, s'emplirent

de larmes. Pathétique, se dit Ricky. Il repoussa tout sentiment de pitié. Calvin Tyson n'avait même pas eu ce qu'il méritait.

— Je me suis retrouvé dehors, à la rue. J'ai été malade. On m'a battu. Maintenant je me prépare à mourir, comme vous dites.

— Eh bien, l'homme à qui vous devez d'être ici, tout seul, dans ce lit, c'est l'enfant de votre fille.

Les yeux de Calvin Tyson s'élargirent. Il secoua la tête.

— Comment c'est possible ?

— Il a racheté l'hypothèque. Il vous a fait expulser. C'est lui, sans doute, qui s'est arrangé pour qu'on vous batte. Est-ce que quelqu'un vous a violé ?

Tyson secoua la tête. Il y a donc quelque chose que Rumplestiltskin ignorait, se dit Ricky. Claire Tyson devait avoir gardé le secret. Elle ne l'avait pas dit à ses enfants. Le vieux avait de la chance que Rumplestiltskin n'ait pas interrogé les voisins ou les gens du lycée.

— C'est lui qui m'a fait tout ça ? Mais pourquoi ?

— Parce que vous les avez laissés tomber, lui et sa mère. Il vous a rendu la monnaie de votre pièce.

L'homme se mit à sangloter.

— Tout ce qui m'est arrivé…

— … est le fait d'un seul homme, acheva Ricky. C'est lui que j'essaie de retrouver. Alors je vous le redemande. Vous avez signé des papiers pour que les enfants soient adoptés, hein ?

Tyson acquiesça.

— Vous avez reçu de l'argent pour ça ?

Le vieux hocha de nouveau la tête.

— Deux ou trois mille.

— Comment s'appelaient les gens qui ont adopté les trois enfants ?

— J'ai gardé un papier.

— Où cela ?

— Dans une boîte, avec mes affaires, dans le placard.

Il montra un vestiaire métallique gris.

Ricky l'ouvrit. Il vit quelques vêtements élimés suspendus à des crochets. Par terre, il y avait un petit coffre bon marché. Le fermoir était brisé. Ricky l'ouvrit et fouilla rapidement dans un paquet de vieux papiers, jusqu'à ce qu'il trouve plusieurs feuilles pliées et maintenues ensemble par un élastique. Il reconnut le tampon de l'Etat de New York. Il fourra les documents dans la poche de sa veste.

— Vous n'en aurez plus besoin, dit-il au vieillard.

Il regarda l'homme étalé sur les draps miteux du lit d'hôpital, sa chemise de nuit couvrant à peine sa nudité. Tyson pompa un peu d'oxygène. Il était très pâle.

— Vous savez quoi ? fit Ricky d'une voix lente, avec une cruauté qui le surprit. Maintenant, pépé, vous pouvez mourir. Je pense qu'il serait sage de votre part d'en finir au plus vite, car je pense que vous allez encore souffrir. Il y a encore beaucoup de douleur à la clé. Autant de douleur que vous en avez infligé sur cette terre, mais au centuple. Alors, allez-y maintenant, mourez.

— Qu'allez-vous faire ? demanda Tyson.

Sa voix n'était plus qu'un chuchotement bouleversé, entrecoupé de halètements et de sifflements, douloureux à cause de la maladie qui lui dévorait la poitrine.

— Retrouver ces enfants.

— Qu'est-ce que vous leur voulez ?

— L'un d'eux m'a tué, moi aussi, dit Ricky.

Puis il lui tourna le dos et sortit de la chambre.

Un peu avant l'heure du dîner, Ricky frappa à la porte d'une maison rustique de taille moyenne, assez soignée, dans une rue tranquille bordée de palmiers. Il portait toujours les signes distinctifs de la prêtrise. Cela augmentait sa confiance en lui, comme si le col lui accordait une sorte d'invisibilité défiant quiconque de l'interroger. Il entendit quelqu'un approcher en traînant les pieds, puis la porte s'ouvrit dans un craquement et il vit une femme âgée qui l'examinait, à demi dissimulée par le montant de la porte. Celle-ci s'écarta un peu plus quand elle vit le col de l'homme d'Eglise, mais elle resta derrière le grillage.

— Oui ?

— Bonjour, fit Ricky d'un air enjoué. Je me demandais si vous pourriez m'aider. J'essaie de retrouver ce qu'est devenu un certain Daniel Collins...

La femme eut un hoquet et mit la main à sa bouche pour masquer sa surprise. Sans un mot, Ricky la regarda qui s'efforçait de recouvrer son sang-froid. Il essaya de déchiffrer les expressions qui se succédaient sur son visage. Le choc, d'abord. Puis la dureté, un frisson qui sembla aller vers lui, à travers la porte grillagée. Enfin, son visage se figea et, quand elle fut capable de parler, elle prononça des mots qu'on eût dits sculptés dans la glace :

— Nous l'avons perdu.

Des larmes luttaient au coin de ses yeux, comme pour contredire la dureté d'acier de sa voix.

— Oh ! Je suis désolé, fit Ricky, continuant de feindre cet enjouement qui l'aidait à dissimuler sa soudaine curiosité. Mais je ne comprends pas. Qu'entendez-vous par « perdu » ?

La femme secoua la tête sans répondre. Elle contempla son costume de prêtre. Puis :

— Pourquoi cherchez-vous mon fils, mon père ?

Il sortit la fausse lettre de l'institut de cancérologie, persuadé qu'elle ne lui accorderait pas assez d'attention pour y trouver matière à discussion. Dès qu'elle commença sa lecture, il se mit à lui parler, pour l'empêcher de se concentrer. Il ne lui semblait pas très difficile d'éviter qu'elle lui pose des questions.

— Voyez-vous, madame… madame Collins, c'est bien cela ? La paroisse s'efforce d'entrer en contact avec quiconque pourrait faire un don de moelle osseuse pour cet enfant, qui est votre parent éloigné. Vous comprenez le problème ? Je pourrais vous demander de vous soumettre à des examens sanguins, mais je crois que vous êtes trop âgée pour donner votre moelle osseuse. Vous avez plus de soixante ans, n'est-ce pas ?

Ricky ignorait totalement si la moelle osseuse cessait d'être viable à partir d'un certain âge. C'est pourquoi il posait une question idiote, dont la réponse était évidente. La femme leva les yeux de la lettre pour répondre. Ricky la lui prit des mains, sans lui donner le temps d'en digérer le contenu.

— Il y a beaucoup de bla-bla médical là-dedans. Si vous préférez, je peux tout vous expliquer. Nous pourrions peut-être nous asseoir ?

La femme acquiesça à contrecœur et lui tint la porte ouverte. Il entra dans une maison qui semblait aussi fragile que son occupante. Elle était pleine de colifichets et de figurines en porcelaine, de vases vides et de babioles. L'odeur de moisi triomphait de l'air confiné que brassait le climatiseur (il faisait un tel bruit que Ricky se dit qu'une pièce devait être cassée). Il y avait sur les tapis des chemins de plastique. Le divan était lui aussi protégé par une housse en plastique, comme si la vieille femme avait peur que la moindre poussière vienne s'y déposer. Ricky eut l'impression que tout était à sa place – l'occupante des lieux aurait remarqué immédiatement le moindre objet qui aurait été déplacé d'un millimètre.

Le divan couina sous son poids.

— Votre fils… Est-ce que je pourrais le voir ? Vous savez, il pourrait convenir pour…

Ricky n'avait aucun mal à mentir.

— Il est mort, dit la femme froidement.

— Mort ? Mais comment… ?

Mme Collins secoua la tête.

— Mort pour nous tous. Mort pour moi, maintenant. Mort et bon à rien, rien sauf la douleur, mon père. Pardonnez-moi.

— Comment est-il… ?

— Oh, pas encore, fit-elle en secouant la tête. Bientôt, je crois…

Ricky se laissa aller en arrière, ce qui provoqua un autre couinement.

— Je crains de ne pas comprendre…

La femme se pencha et prit un album de coupures de presse sous une table basse. Elle l'ouvrit et le feuilleta un instant. Ricky aperçut des articles de journaux sur des matchs. Il lui revint que Daniel Collins avait été un sportif renommé au collège. Il y avait la photo d'une remise de diplômes, puis une page blanche. La femme s'arrêta là et lui tendit le cahier.

— Tournez la page, dit-elle d'un ton amer.

Un article découpé dans le *Tampa Tribune* occupait le centre d'une page de l'album. Le titre disait : UN HOMME ARRÊTÉ APRÈS UNE BAGARRE MORTELLE DANS UN BAR. L'article donnait peu de détails. Un peu plus d'un an plus tôt, Daniel Collins avait été arrêté et inculpé d'homicide à la suite d'une rixe dans un bar. Sur la page voisine, un autre titre : L'ÉTAT RÉCLAME LA PEINE DE MORT POUR LE MEURTRIER DU BAR. Collé au milieu d'une autre page de l'album, ce second article était illustré d'une photo représentant un Daniel Collins d'une cinquantaine d'années, qu'on faisait entrer au tribunal, menottes aux poignets. Ricky lut l'article. Les faits semblaient assez simples. Une bagarre avait opposé deux hommes pris de boisson. L'un d'eux était sorti et avait attendu que l'autre le rejoigne. Un couteau à la main, selon l'accusation. L'assassin, Daniel Collins, avait été arrêté sur les lieux du crime, inconscient, ivre mort, le couteau couvert de sang à la main, à quelques mètres de la victime étendue par terre, bras et jambes écartés. L'auteur de l'article suggérait que la victime avait été cruellement éviscérée avant d'être dévalisée. Il apparut qu'après avoir assassiné l'homme et l'avoir dépouillé de son argent, Collins s'était arrêté, le temps de boire le contenu d'une bouteille d'un alcool bon marché. Il avait perdu l'équilibre et s'était évanoui avant d'avoir le temps de s'enfuir. Point final.

Ricky lut des articles brefs sur le procès et la condamnation. Collins avait prétendu qu'il ne savait rien du meurtre, tant il avait l'esprit obscurci par l'alcool ce soir-là. Argument qui n'expliquait rien et ne convainquit pas les jurés. Les délibérations avaient duré à peine une heure et demie. Il ne fallut que quelques heures supplémentaires pour exiger la peine de mort : l'accusé avait apporté les mêmes explications pour obtenir les circonstances atténuantes, mais on n'en avait pas tenu compte. La mort officielle, nette et sans bavure, enveloppée et réglée, avec le minimum de complications.

Ricky leva les yeux. La vieille femme secouait la tête.

— Mon petit garçon chéri... Je l'ai perdu une

première fois pour cette putain, puis pour l'alcool, et maintenant pour le couloir de la mort.

— La date est fixée ? demanda Ricky.

— Non. Son avocat prétend qu'il y a encore des procédures d'appel. Qu'ils vont essayer tel ou tel tribunal. J'avoue que je n'y comprends pas grand-chose. Tout ce que je sais, c'est que mon garçon dit qu'il est innocent, mais que ça ne change rien.

Elle avait les yeux fixés sur le col de pasteur ajusté au cou de Ricky.

— Dans cet Etat, nous aimons tous Jésus, et la plupart vont à l'église le dimanche. Mais le Livre saint dit : « Tu ne tueras point » et ça n'a pas l'air de s'appliquer à nos tribunaux. Non. Ni en Georgie et au Texas. Pas des endroits pour commettre un crime avec mort d'homme, mon père. J'aurais bien voulu que mon garçon s'en souvienne, avant de prendre ce couteau et de se laisser entraîner dans cette bagarre.

— Il prétend être innocent ?

— Oui. Il dit qu'il ne se souvient pas du tout de la bagarre. Il s'est réveillé quand les policiers l'ont asticoté avec leurs matraques, couvert de sang, le couteau à côté de lui. Qu'il ait tout oublié, ça ne fait pas une bonne défense.

Ricky tourna la page, mais à partir de là l'album était vide.

— J'ai gardé une page, dit la femme. Pour le dernier article. J'espère être morte avant que ce jour-là n'arrive. Je ne veux pas voir ça.

Elle secoua la tête.

— Vous voulez que je vous dise, mon père ?

— Oui ?

— Cela m'a toujours mise en colère. Vous savez, quand il a marqué cet essai contre South Side High, pendant le tournoi municipal, eh bien, ils ont mis sa photo en première page. Mais toutes ces histoires, là, à Tampa, où personne ne connaît rien du tout de mon garçon, eh bien, c'était des articles de rien du tout, au milieu du journal, où personne ne va jamais les lire. Il me semble que si l'on prend la vie d'un homme à cause d'un procès, eh bien, ça doit être un événement. Ça devrait être important, ça devrait se retrouver là, en première page. Mais non. Ce n'est qu'un petit article comme les autres, entre une rupture de canalisation dans les égouts et la rubrique jardinage. Comme si la vie n'avait plus aucune importance.

Elle se leva et Ricky l'imita.

— Mais ça me fait mal au cœur de vous parler de tout ça, mon père. Et les mots n'apportent aucun soulagement, même pas ceux de la sainte Bible, aucun n'est capable de repousser la douleur.

— Mon enfant, je pense que vous devriez ouvrir votre cœur à tout le bien que vous vous rappelez. Cela vous soulagera.

Ricky se dit que, quand il essayait d'imiter un prêtre, ses paroles étaient banales et fades, ce qui était plus ou moins ce qu'il désirait. La vieille femme avait élevé un garçon qui, selon les apparences, était un parfait salopard, qui avait commencé sa misérable vie en séduisant une camarade de classe qu'il avait traînée derrière lui pendant quelques années. Il l'avait abandonnée, avec ses trois enfants, dès qu'ils étaient devenus un poids. Et il avait fini par tuer un homme, probablement sans autre motif que d'avoir trop bu. S'il y avait quelque chose dans l'existence inutile et cruelle de Daniel Collins qui méritât le pardon, Ricky ne l'avait pas encore découvert. Ce cynisme qu'il sentait bouillir en lui fut quelque peu renforcé par les propos de la vieille femme.

— Le bien, ça s'est arrêté avec cette fille. Quand elle est tombée enceinte, la première fois, toutes les chances qui restaient à mon garçon s'en sont allées. Elle l'a attiré vers elle en se servant de toutes ses ruses de femme, elle l'a piégé puis s'est servi de lui pour s'en aller loin d'ici. Tous les problèmes qu'il a eus pour devenir quelqu'un, pour tracer son chemin dans le monde, eh bien, c'est de sa faute à elle.

Le ton de cette femme ne laissait place à aucune discussion. Sa voix glacée exprimait la certitude absolue que son fils chéri n'était aucunement responsable des ennuis qui lui étaient tombés dessus. Et Ricky, l'ancien psychanalyste, savait qu'il y avait peu de chances qu'elle fût consciente de sa propre responsabilité. Nous créons, se dit-il, et quand notre création tourne mal, nous en blâmons quelqu'un d'autre, alors que très souvent nous en sommes seuls responsables.

— Et vous, vous pensez qu'il est innocent ?

Il connaissait la réponse. Il ne précisa pas « du crime », parce que la vieille femme était persuadée que son fils était innocent de tous ses méfaits.

— Bien sûr. Si c'est ce qu'il dit, je le crois.

Elle prit l'album et en sortit une carte de visite qu'elle tendit à Ricky. Un avocat de l'assistance judiciaire, à Tampa. Il nota le nom et le numéro de téléphone, puis elle le raccompagna à la porte.

— Est-ce que vous savez ce qui est arrivé aux trois enfants ? Vos petits-enfants ? demanda Ricky en montrant la lettre du prétendu centre médical.

Elle secoua la tête.

— Ils ont été abandonnés, à ce que je sais. Danny a signé un papier quand il était en prison au Texas. Il s'était fait prendre pour un cambriolage, mais je n'en crois rien. Il a fait plusieurs années de prison. Nous n'en avons plus jamais entendu parler. Je me doute qu'ils sont grands, maintenant, mais je n'ai jamais revu aucun d'eux, pas une seule fois, alors je n'y pense pas. Danny, il a eu raison de les abandonner après la mort de cette femme, parce qu'il ne pouvait pas élever trois enfants qu'il ne connaissait pas du tout. Et je ne pouvais pas l'aider, toute seule ici, malade et tout. Alors ils sont devenus le problème de quelqu'un d'autre. Les enfants de quelqu'un d'autre. Je vous l'ai dit, nous n'avons plus jamais entendu parler d'eux.

Ricky savait que c'était un mensonge.

— Vous connaissez au moins leurs noms ?

La femme secoua la tête. La cruauté que révélait ce simple geste le frappa comme un coup de poing. Il comprit de qui le jeune Daniel Collins tenait son égoïsme.

Quand les derniers rayons de soleil lui frappèrent le crâne, il resta un moment sans bouger sur le trottoir, étourdi. Il se demanda si Rumplestiltskin avait le bras assez long pour expédier Daniel Collins dans le couloir des condamnés à mort. Sans savoir comment il avait fait, il se dit que c'était sans doute le cas.

27

Ricky retourna dans le New Hampshire et reprit la vie de Richard Lively. Il était troublé par ce qu'il avait appris en Floride.

Deux hommes étaient entrés dans la vie de Claire Tyson à des moments critiques. Le premier l'avait abandonnée, avec ses enfants. Il occupait une cellule dans le couloir de la mort, mais il clamait son innocence – dans un Etat réputé pour ne prêter aucune attention à ce genre de protestations. Le second avait abandonné sa fille (après avoir abusé d'elle) et les enfants qui avaient besoin d'aide. Des années plus tard, il avait été jeté à la rue avec la même cruauté, et il était condamné à vivre jusqu'à son dernier souffle dans un autre couloir de la mort, tout aussi impitoyable.

Ricky ajouta des éléments au tableau qui commençait à prendre forme dans sa tête. L'amant qui battait Claire Tyson à New York avait été battu à mort, et son meurtrier lui avait gravé un R de sang dans la poitrine. Le laxiste Dr Starks, que son irrésolution avait empêché de secourir Claire Tyson qui était venue vers lui, désespérée, avait été poussé au suicide après qu'on l'eut privé systématiquement de toute possibilité de trouver de l'aide.

Il devait y en avoir d'autres. Cette certitude lui fit froid dans le dos.

Il semblait que Rumplestiltskin ait organisé une série de vengeances en fonction d'un principe très simple : à chacun selon ce qu'il était. Des années plus tard, des crimes par omission étaient jugés et des verdicts étaient prononcés. L'amant, qui n'était qu'un voleur et un criminel, avait été traité d'une certaine manière. Le grand-père, qui avait tourné le dos aux doléances de sa progéniture, avait reçu un autre type de châtiment. C'était une méthode unique pour faire le mal, se dit Ricky. La partie qui le concernait avait été conçue par quelqu'un qui connaissait sa personnalité et son éducation. D'autres avaient été traités beaucoup plus brutalement, parce qu'ils venaient d'un monde où la brutalité était plus évidente. Une chose semblait claire, en outre : l'imagination de Rumplestiltskin ne connaissait aucune limite.

Mais le résultat final était toujours le même. Un mouvement logique vers la ruine et la mort. Et quiconque se dressait sur ce chemin, comme le malheureux M. Zimmerman ou l'inspectrice Riggins, était considéré comme un obstacle et, de ce fait, sommairement éliminé, avec à peu près autant de compassion qu'un bambin envers les insectes qu'il torture.

Ricky frissonna en mesurant à quel point Rumplestiltskin était patient, scrupuleux et sans pitié.

Il commença à dresser une brève liste des gens qui auraient pu manquer à leurs devoirs vis-à-vis de Claire Tyson et de ses trois enfants quand ils étaient dans le besoin. Un propriétaire, à New York, avait-il exigé de cette femme indigente le paiement d'un loyer ? Si c'était le cas, il devait se trouver à la rue, quelque part, à se demander ce qui était arrivé à son immeuble. Un assistant social qui aurait échoué à lui faire obtenir le bénéfice d'un programme d'aide ? Sans doute était-il ruiné, aujourd'hui, contraint de demander à bénéficier du même programme. Un prêtre, qui aurait écouté ses doléances et suggéré que la prière pouvait remplir un estomac vide ? Il était sans doute occupé à prier pour son propre salut. Ricky ne pouvait qu'imaginer la violence de la vengeance de Rumplestiltskin. Qu'était-il arrivé à l'employé de la compagnie d'électricité qui était venu couper le courant parce qu'elle ne payait plus ses factures ? Il ne connaissait pas la réponse à ces questions, pas plus qu'il ne savait précisément où Rumplestiltskin avait tracé la ligne de séparation entre les gens qu'il jugeait coupables et tous ceux, pourtant nombreux, qui auraient pu l'être. Mais il savait une chose : un certain nombre de personnes, jadis, n'avaient pas été à la hauteur, et elles en payaient le prix aujourd'hui.

Plus précisément, elles avaient payé. Tous ceux qui avaient échoué à aider Claire Tyson, si bien que le désespoir avait poussé la jeune femme à mettre fin à ses jours.

Ricky ne pouvait imaginer une conception plus ignoble de la justice. Le meurtre du corps et de l'âme. Il avait l'impression d'avoir été souvent pris de terreur depuis que Rumplestiltskin était entré dans sa vie. Il avait été un homme de routine et de réflexion. Il ne restait plus rien de solide. Tout était devenu incertain. Mais la peur qu'il sentait maintenant jaillir en lui était différente. Quelque chose qu'il avait du mal à définir, mais qui lui laissait la bouche sèche et un goût amer sur la langue. En tant qu'analyste, il avait vécu dans l'univers des angoisses alambiquées et des frustrations débilitantes de ses riches patients. Tout cela lui semblait maintenant absolument insignifiant et il n'y voyait plus qu'une pitoyable complaisance pour soi-même.

Il était stupéfait devant l'ampleur de la fureur de Rumplestiltskin. En même temps, il trouvait cela parfaitement logique.

La psychanalyse nous enseigne une chose, se dit-il. Rien n'arrive jamais *ex nihilo*. La moindre mauvaise action peut avoir toutes sortes de conséquences. Il pensa à ce gadget à « mouvement perpétuel » qu'il avait vu sur le bureau de certains de ses collègues. L'appareil consiste en une rangée de billes suspendues, de sorte que si l'on soulève légèrement la première et qu'on la laisse percuter la suivante, la force se transmet de bille en bille jusqu'au bout de la rangée et revient avec un claquement, initiant un mouvement qui ne s'interrompt que si l'on pose la main sur l'objet. La vengeance de Rumplestiltskin, dont lui-même n'avait été qu'un élément, fonctionnait comme cette machine.

Certains étaient morts. D'autres étaient détruits. Il était le seul, apparemment, à connaître l'ensemble du processus. Le mouvement perpétuel.

Ricky sentit son sang se glacer.

Tous ces crimes prenaient place dans un plan général qui se caractérisait par l'immunité de son auteur. Quel enquêteur serait capable d'établir un lien entre eux, puisque les victimes n'avaient eu d'autre point commun que leurs relations avec une femme morte vingt ans plus tôt ?

Des crimes en série, reliés par un fil invisible qui défiait l'imagination. Comme le suggérait le policier qui lui avait parlé avec insouciance du R sculpté dans la poitrine de Rafael Johnson, il y aurait toujours quelqu'un dont la culpabilité serait plus vraisemblable que celle du fantomatique Monsieur R. Les raisons de sa propre mort étaient évidentes. Carrière anéantie, foyer détruit, épouse décédée, finances dévastées, absence presque totale d'amis et repli sur soi... Avait-il une seule raison de *ne pas* se tuer ?

Il y avait autre chose, qui lui semblait évident : si Rumplestiltskin apprenait qu'il s'était échappé, s'il avait le moindre soupçon que Ricky respirait quelque part sur cette planète, il se lancerait sur sa piste sur-le-champ, avec les pires intentions. Ricky doutait d'avoir la possibilité de jouer une deuxième partie jusqu'au bout. Il savait aussi combien il serait facile de faire disparaître son nouveau personnage. Richard Lively n'existait pas. C'était pour cette raison, précisément, que sa mort rapide et brutale ne poserait aucun problème. Richard Lively pouvait être assassiné en plein jour, aucun policier au monde n'aurait la moindre raison d'établir un lien avec Ricky Starks et un nommé Rumplestiltskin. La seule chose qu'on découvrirait, c'est que Richard Lively n'était pas Richard Lively. Il deviendrait immédiatement un John Doe, un mort anonyme qu'on enterre sans trop de cérémonie ni pierre tombale, dans quelque cimetière des pauvres. Un policier se demanderait peut-être, en passant, qui il était vraiment. Mais il serait débordé de travail, et la mort de Richard Lively serait aussitôt classée. Pour l'éternité.

Ce qui assurait la sécurité de Ricky était aussi ce qui le rendait le plus vulnérable.

C'est pourquoi, dès son retour à Durham, il accueillit avec un enthousiasme exagéré l'idée de retrouver sa vie routinière. Comme s'il espérait pouvoir se perdre dans un emploi du temps sans surprise : se lever chaque matin pour rejoindre ses collègues du service entretien à l'université, récurer les toilettes, faire briller le sol des couloirs et changer des ampoules en blaguant avec les autres et en spéculant sur les chances des Red Sox de finir honorablement la saison. Le monde où il avait sa place était si visiblement normal et banal qu'il méritait d'être peint aux couleurs institutionnelles, bleu pâle et vert clair. Un jour, alors qu'il nettoyait la moquette de la salle des professeurs, il découvrit que le bourdonnement, les vibrations de la machine à vapeur entre ses mains et les reflets de la moquette propre lui procuraient un plaisir presque hypnotique. Il eut l'impression qu'il pourrait disparaître du monde qu'il avait connu pour rester dans la simplicité toute neuve de celui-ci. Bizarrement, c'était une situation satisfaisante. La solitude. Un emploi qui implique routine et monotonie. De temps en temps, une nuit passée à répondre au téléphone du service de prévention du suicide, où il utilisait ses talents de thérapeute pour dispenser des conseils et lancer des bouées de sauvetage, modestement et de manière contrôlée. Il découvrit que la dose quotidienne d'angoisse, de frustration et de colère qui caractérisait son existence d'analyste ne lui manquait pas. Il se demandait parfois si les gens qui avaient fait partie de sa vie, y compris sa propre femme, le reconnaîtraient. Bizarrement, Ricky se disait que Richard Lively était plus proche de l'homme qu'il avait voulu être, plus proche de l'homme qui passait tous les étés à Cape Cod, que le Dr Starks ne l'avait jamais été en soignant les riches, les puissants et les névrosés.

L'anonymat présente des attraits.

Mais il est fuyant. Pour chaque seconde passée à s'habituer à sa nouvelle peau, son surmoi vengeur, Frederick Lazarus, lançait des ordres contradictoires. Il reprit son entraînement physique et utilisait ses heures de liberté à améliorer ses performances au stand de tir. Tandis que le temps continuait à s'améliorer, amenant la chaleur et les explosions de couleurs, il décida qu'il lui fallait ajouter des activités de plein air à son répertoire. Il s'inscrivit donc, sous le nom de Frederick Lazarus, à un stage d'orientation sur le terrain organisé par une société spécialisée dans les randonnées et le camping.

Dans un sens, il avait été « triangulé », un peu comme un bateau qu'on retrouve perdu au milieu de l'océan. Les trois axes étaient : ce qu'il avait été, ce qu'il était devenu et ce qu'il voulait être.

Une nuit, assis seul dans sa chambre meublée presque plongée dans l'obscurité, une unique lampe de bureau déchirant la pénombre à grand-peine, il se demanda s'il pouvait tourner le dos à tout ce qui s'était passé. S'il pouvait se contenter de renoncer à tout lien émotionnel avec son passé et à ce qui lui était arrivé, et vivre dans une simplicité absolue. Vivre au jour le jour en attendant son prochain salaire. Jouir d'une routine élémentaire. Se redéfinir. Se mettre à la pêche, ou à la chasse, ou simplement à la lecture. Se lier le moins possible. Mener une existence monacale, dans une solitude d'ermite. Tourner le dos à cinquante-trois ans d'existence, faire comme s'il était reparti de zéro le jour où il avait incendié sa maison et qu'il avait tout quitté. C'était presque zen… et terriblement tentant. Ricky pouvait s'évaporer du monde comme une flaque d'eau sous le soleil d'un après-midi d'été et s'élever dans l'atmosphère.

Cette possibilité était presque aussi terrifiante que l'autre.

Il sentait qu'il avait atteint le stade où il devait faire un choix. Comme Ulysse, le pseudonyme qu'il avait choisi pour son adresse électronique, il voyait se profiler sur sa route Charybde et Scylla. Chaque solution présentait des risques.

Tard dans la nuit, dans sa modeste chambre meublée du New Hampshire, il étala sur son lit toutes les notes et informations qu'il possédait sur l'homme qui l'avait obligé à s'effacer de sa propre vie. Des bribes d'information, des indices, des directions qu'il pouvait suivre. Ou ne pas suivre. Ou bien il se lançait à la poursuite de l'homme qui lui avait fait cela, courant le risque de se découvrir. Ou bien il renonçait et tirait le meilleur qu'il pouvait de ce qu'il avait déjà établi. Il était semblable à un conquistador du quinzième siècle, debout en équilibre sur le pont de son voilier en proie au tangage, le regard fixé sur l'immense étendue de l'océan vert foncé – et peut-être vers le nouveau monde incertain qui se trouve juste au-delà de l'horizon.

Au milieu du tas de documents, se trouvaient les papiers qu'il avait pris au vieux Tyson sur son lit de mort, à l'hôpital pour anciens combattants de Pensacola. Et là, il y avait le nom des gens qui avaient été, vingt ans plus tôt, les parents adoptifs des trois enfants. Ce devait être sa prochaine étape, il le savait.

Une partie de lui pensait qu'il pouvait être heureux dans la peau de Richard Lively, agent d'entretien. Durham était une ville agréable. Ses propriétaires étaient charmantes.

Mais une autre partie de lui voyait les choses autrement.

Le Dr Frederick Starks n'avait pas mérité de mourir. Pas pour ce qu'il avait fait – même si c'était mal – à une époque où sa vie était habitée par le doute et l'indécision. Il était indiscutable qu'il aurait pu faire mieux pour Claire Tyson. Il aurait pu lui tendre la main. Peut-être aurait-il pu l'aider à trouver une vie qui vaille d'être vécue. Il ne pouvait pas nier qu'il en avait eu la possibilité et qu'il était passé à côté. Sur ce point,

Rumplestiltskin avait raison. Mais le châtiment était disproportionné au regard de sa faute.

Et cette pensée le rendait furieux.

— Je ne l'ai pas tuée ! dit-il à voix haute.

En fait, il chuchotait.

La chambre où il se trouvait était autant son cercueil que son radeau de survie.

Il se demanda s'il pourrait jamais respirer sans sentir le goût du doute. Quelle sorte de sécurité pouvait-il gagner en se cachant pour toujours ? Il continuerait à chercher derrière chaque fenêtre l'homme qui l'avait poussé à se réfugier dans l'anonymat. C'était une pensée horrible. Il se rendait compte que le jeu de Rumplestiltskin n'aurait jamais de fin, même s'il était fini pour l'insaisissable Monsieur R., Ricky ne le saurait jamais, il n'en serait jamais certain, il n'aurait jamais un instant de paix, ne serait jamais libéré des questions qui le hantaient.

Il fallait qu'il trouve les réponses.

Seul dans sa chambre, il prit les papiers posés sur le lit. Il roula l'élastique qui maintenait ensemble les papiers de l'adoption – si vite qu'il claqua avec un bruit sec.

— Parfait, dit-il d'une voix calme, autant pour lui que pour les fantômes qui l'écoutaient peut-être. Le jeu reprend.

Ricky découvrit très vite que les services sociaux de la ville de New York avaient placé les trois enfants dans plusieurs familles d'accueil successives, durant les six mois qui avaient suivi la mort de leur mère. Puis ils avaient été adoptés par une famille du New Jersey. Le rapport d'une assistante sociale attestait que les placements des enfants avaient été difficiles. Sauf dans leur dernier foyer (celui où ils finiraient par rester), ils s'étaient montrés frondeurs, colériques et capricieux. L'assistante sociale avait préconisé une thérapie, surtout pour l'aîné. Le rapport était rédigé dans une langue simple, administrative et timorée. Ricky n'y trouva pas le moindre détail sur l'enfant qui, en grandissant, allait devenir son bourreau. Il apprit que l'adoption avait été placée sous la responsabilité des bonnes œuvres du diocèse de New York. Aucun document ne faisait mention de mouvements d'argent, mais Ricky se doutait qu'il y en avait eu. Il y avait des copies de documents légaux signés par le vieux Tyson, par lesquels il renonçait à toute revendication ultérieure sur les enfants. Il y avait un autre document, signé par Daniel Collins quand il était en prison au Texas. Ricky nota la symétrie de cet élément : Collins était en détention quand il avait rejeté les trois enfants. Il y était retourné des années plus tard, sous la rude impulsion de Rumplestiltskin. Ricky se dit que cela avait dû procurer à ce dernier, qui avait été rejeté quand il était petit garçon, une formidable satisfaction.

Le couple qui adopta les trois enfants s'appelait Jackson, Howard et Martha Jackson. Le dossier mentionnait une adresse à West Windsor, une bourgade semi-rurale à quelques kilomètres de Princeton, mais aucune information détaillée sur les parents. Ils avaient adopté les trois enfants, c'était ce qui intéressait Ricky. Il se demandait comment ils étaient parvenus à rester ensemble, pourquoi on ne les avait pas séparés. Les prénoms des enfants étaient mentionnés. Luke, douze ans. Matthew, onze ans. Joanna, neuf ans. Des prénoms bibliques, remarqua Ricky. Il doutait que les enfants les eussent conservés.

Il fit plusieurs recherches sur Internet, mais sans succès. Cela ne manqua pas de l'étonner. Il avait l'impression que certaines informations auraient dû être disponibles. Il chercha dans l'annuaire téléphonique : il trouva de nombreux Jackson dans le centre du New Jersey, mais aucun nom ne semblait correspondre à ceux qui figuraient dans son maigre dossier.

Tout ce dont il disposait, c'était une adresse vieille de vingt ans. Ce qui signifiait qu'il y avait une porte où il pouvait frapper. C'était la seule solution.

Ricky envisagea de réutiliser le costume de pasteur et la fausse lettre du centre de cancérologie, mais il décida qu'ils lui avaient été déjà bien utiles et qu'il valait mieux les garder pour une autre occasion. En revanche, il cessa de se raser, et il lui poussa très rapidement une barbe clairsemée. Il acheta sur Internet une carte d'identification d'une agence de détectives privés imaginaire. Une nouvelle expédition nocturne dans les locaux de la troupe de théâtre lui permit de s'équiper d'un faux ventre – une sorte d'oreiller qu'il pouvait fixer avec une lanière sous un tee-shirt et qui lui donnait une vingtaine de kilos supplémentaires. A son grand soulagement, il trouva un costume marron capable d'abriter cette corpulence inhabituelle. Il découvrit également, dans les boîtes à maquillage, des produits qui lui seraient utiles. Il glissa ses trouvailles dans un sac poubelle vert qu'il emporta chez lui. Dans sa chambre, il y ajouta son pistolet et deux chargeurs pleins.

Il loua à l'agence locale Rent-A-Wreck une voiture vieille de quatre ans, qui avait connu des jours meilleurs. La compagnie, dont la clientèle se composait plutôt d'étudiants, semblait parfaitement disposée à prendre son argent sans poser de questions, l'employé notant consciencieusement les informations figurant sur son faux permis de conduire de l'Etat de Californie. Le vendredi suivant, après sa journée de travail au service d'entretien, il prit la route vers le sud, en direction du New Jersey. Il laissa la nuit l'envelopper peu à peu, les kilomètres défilant sous les pneus de la voiture de location. Il conduisait vite, mais sans à-coups, à peine à dix kilomètres à l'heure au-dessus de la vitesse autorisée. Quand il baissa sa vitre, un courant d'air chaud envahit la voiture. Ricky se dit qu'on approchait de nouveau, très vite, du début de l'été. Quand il était à New York, c'était l'époque où il commençait à essayer de convaincre ses patients qu'ils surmonteraient son absence, inévitable, lors de ses vacances d'août. Il y parvenait parfois, mais pas toujours. Il se rappelait ses promenades à pied en ville, à la fin du printemps et au début de l'été, la manière dont les fleurs et la végétation, dans les parcs, semblaient déclarer la guerre aux canyons de brique et de béton qui constituaient la chair de Manhattan. C'était le meilleur moment de l'année, à New York. Mais c'était très éphémère, à cause de l'arrivée de la chaleur et de l'humidité. Cela durait juste assez longtemps pour être convaincant.

Il était nettement plus de minuit quand il commença à contourner la ville. Il jeta un regard derrière lui en traversant le pont George-Washington. Même au plus profond de la nuit, la cité semblait briller de tous ses feux. L'Upper West Side s'étirait paresseusement derrière lui. Il savait qu'à la limite de son champ de vision se trouvait le Columbia Presbyterian Hospital, avec la clinique où il avait exercé si brièvement, des années auparavant, loin de se douter des conséquences de son travail. Un curieux cocktail d'émotions le frappa tandis qu'il réglait le péage et pénétrait dans le New Jersey. Comme s'il traversait un rêve, comme s'il était emporté dans une de ces séries d'images et d'événements angoissants, sous tension, qui occupent l'inconscient, au bord du cauchemar. La grande ville évoquait tout ce qu'il avait été, la voiture brinquebalante qu'il conduisait le long de la nationale représentait ce qu'il était devenu, et l'obscurité qui s'étendait devant lui, son futur incertain.

Ayant repéré un panneau CHAMBRES LIBRES devant un motel, sur la Route 1, il s'arrêta. Le réceptionniste de nuit était un homme au regard triste, d'origine indienne ou pakistanaise. Son badge indiquait qu'il s'appelait Omar. Il semblait un peu fâché que l'arrivée de Ricky interrompe sa rêverie à demi éveillée. Il lui donna un plan détaillé de la région et retourna s'asseoir avec quelques livres de chimie et un Thermos qu'il coinça entre ses genoux.

Le lendemain matin, Ricky passa un certain temps dans sa salle de bains, au motel, avec les produits de maquillage qu'il avait pris au théâtre. Il dessina une ecchymose et une cicatrice au bord de son œil gauche. Il se fit également un teint violacé qui devait attirer l'attention de ses interlocuteurs. Psychologie élémentaire : comme ceux de Pensacola, les gens d'ici ne se rappelleraient pas qui il était, mais à quoi il ressemblait. Leur regard serait irrésistiblement attiré par les marques sur son visage, et ils ne se souviendraient pas de ses véritables traits. Sa barbe broussailleuse l'aiderait aussi à les dissimuler. Le faux ventre accroché sous son tee-shirt complétait le tableau. Il aurait aimé se grandir en posant des talonnettes à ses chaussures, mais il se dit qu'il pouvait garder cela pour une autre fois. Il enfila un costume bon marché et glissa son pistolet dans une de ses poches, avec un chargeur de réserve.

L'adresse où il se rendait était une étape importante pour approcher l'homme qui avait voulu sa mort. Il l'espérait, en tout cas.

La région où il se trouvait paraissait déchirée par d'étranges contradictions. C'était surtout un pays plat et vert, une campagne quadrillée de routes qui, jadis, avaient sans doute été calmes et délaissées, et qui semblaient porter désormais le fardeau d'un développement « haut de gamme ». Ricky vit de nombreux lotissements, des fermettes de deux ou trois chambres (fierté de la petite bourgeoisie) aux faux manoirs beaucoup plus luxueux, avec portiques et colonnades, flanqués de piscines et de triples garages pour les inévitables BMW, Range Rover et Mercedes. Des maisons pour cadres supérieurs. Des endroits sans âme, pour des hommes et des femmes qui gagnent de l'argent et le dépensent le plus vite possible en s'imaginant que cela signifie quelque chose. Le mélange d'ancien et de nouveau était déconcertant. Comme si une partie de l'Etat était incapable de choisir entre ce qu'il était et ce qu'il voulait être. Il pensa que les propriétaires de fermes restaurées ne devaient pas du tout s'entendre avec les hommes d'affaires et les courtiers modernes.

Le soleil inondait son pare-brise. Il baissa sa glace. C'était une journée parfaite, très belle et très chaude, pleine de promesses de printemps. Sentant le poids du pistolet dans sa poche, il se dit que lui, en revanche, abritait des pensées hivernales.

Il repéra une boîte aux lettres au bord d'une route secondaire, au milieu d'anciennes parcelles correspondant à l'adresse qu'on lui avait donnée. Il hésita, pas du tout certain de ce qu'il allait trouver. Il aperçut une pancarte dans l'allée : CHENILS SÉCURITÉ D'ABORD. PENSION, TOILETTAGE, DRESSAGE. ÉLEVEURS DE SYSTÈMES DE SÉCURITÉ « NATURELS ». La photo d'un rottweiler accompagnait le texte – ce que Ricky prit pour une manifestation d'humour. Il s'engagea dans l'allée, sous la voûte formée par les arbres.

Puis une allée circulaire le mena jusqu'à une sorte de ranch datant des années cinquante : une maison de plain-pied avec une façade en brique. On avait ajouté, en plusieurs étapes, une construction en bardeaux blancs qui communiquait avec un dédale d'enclos séparés par des grilles. Dès qu'il descendit de voiture, il fut accueilli par une cacophonie d'aboiements. L'odeur de moisi qui se dégageait des excréments était omniprésente, sans doute accrue par la chaleur de cette fin de matinée. Quand il s'avança, le vacarme augmenta encore. Sur l'annexe, un écriteau indiquait BUREAU. Un panneau plus ou moins identique à celui de l'allée était fixé au mur. Dans le chenil le plus proche, un gros rottweiler noir de plus de cinquante kilos, au torse puissant, se dressait sur ses pattes postérieures, la gueule ouverte, babines relevées montrant les crocs. De tous les chiens de l'établissement – Ricky en voyait des dizaines en train de se tortiller, de se ruer en avant, de mesurer leur marge de manœuvre –, c'était le seul qui semblait calme. L'animal le suivait des yeux, avec attention, comme s'il était en train de le jauger. Ce qui, se disait Ricky, était sans doute le cas.

Il entra dans le local. Un homme d'une cinquantaine d'années était assis derrière un vieux bureau métallique. L'endroit puait l'urine. L'homme était maigre et chauve, sans une once de graisse, avec des avant-bras qu'il avait sans doute musclés en maniant des gros chiens.

— Je suis à vous dans une seconde, fit-il.

Il tapait des chiffres sur une calculatrice.

— Prenez votre temps, répondit Ricky.

Il le regarda taper encore quelques chiffres, puis l'homme fit la grimace en découvrant le total. Il se leva et s'avança vers Ricky.

— Je peux vous aider ? Hé, mec, on dirait que vous avez été pris dans une bagarre, hein ?

Ricky hocha la tête.

— Je suis censé répondre : « Et encore, vous n'avez pas vu l'autre type... »

L'éleveur se mit à rire.

— Et moi, je suis censé vous croire. Eh bien, qu'est-ce que je peux faire pour votre service ? Je dois vous signaler que si Brutus avait été à côté de vous, il n'y aurait pas eu de bagarre. Impossible.

— Brutus, c'est le chien dans l'enclos près de la porte ?

— Bingo. Sa loyauté décourage toute dispute. Et il a engendré plusieurs chiots qui seront prêts pour l'entraînement dans deux ou trois semaines.

— C'est très aimable, mais non merci.

L'éleveur avait l'air surpris.

Ricky produisit la fausse carte de détective privé qu'il avait achetée sur Internet. L'homme la contempla pendant une bonne minute, puis :

— Eh bien, monsieur Lazarus, je crois que vous n'êtes pas là pour acheter un chiot ?

— Non.

— Alors, qu'est-ce que je peux faire pour vous ?

— Il y a quelques années, un couple vivait ici. Howard et Martha Jackson...

En entendant ces mots, l'homme se raidit. Son air affable disparut sur-le-champ, pour laisser la place à un regard soupçonneux. Il recula d'un pas, comme si les noms que Ricky venait de prononcer l'avaient frappé à la poitrine. Il répondit d'une voix atone, prudente :

— Qu'est-ce que vous leur voulez ?

— Ce sont des parents à vous ?

— J'ai acheté cette propriété au moment de leur succession. Ça fait un bout de temps.

— Leur succession ?

— Ils sont morts.

— Morts ?

— Exact. En quoi ça vous intéresse ?

— Je m'intéresse à leurs trois enfants…

L'homme hésita de nouveau, comme s'il réfléchissait aux propos de Ricky.

— Ils n'avaient pas d'enfants. Ils sont morts sans enfants. Juste un frère, qui vivait je ne sais où. C'est lui qui m'a vendu la propriété. Je l'ai foutrement développée. J'en ai fait quelque chose. Mais ils n'avaient pas d'enfants. Jamais de la vie.

— Vous vous trompez, dit Ricky. Ils ont eu des enfants. Ils ont adopté trois orphelins, trois petits New-Yorkais, par l'intermédiaire du diocèse de New York…

— Ecoutez, je ne sais pas d'où vous tenez vos informations, mais c'est vous qui vous trompez. Vous vous fichez le doigt dans l'œil, répondit-il en dissimulant mal son agacement. Les Jackson n'avaient aucun parent direct, sauf ce frère qui m'a vendu la boîte. Il n'y avait ici que les deux vieux, et ils sont morts ensemble. Je ne sais pas de quoi vous parlez et j'ai bien l'impression que vous non plus, vous ne savez pas de quoi vous parlez.

— Ensemble ? Comment ça ?

— Ce n'est pas mes oignons. Et je ne sais pas si c'est vos oignons non plus.

— Mais vous connaissez la réponse, hein ?

— Tous ceux qui vivaient dans le coin connaissent la réponse. Il suffit de lire les journaux. Vous pouvez aussi aller au cimetière. Ils sont enterrés là-bas, au bout de la route.

— Mais vous ne voulez pas m'aider ?

— Là, vous avez raison. Quel genre de détective privé êtes-vous ?

— Je vous l'ai dit, répondit vivement Ricky. Je m'intéresse aux trois enfants que les Jackson ont adoptés il y a une vingtaine d'années.

— Et moi, je vous l'ai déjà dit, il n'y a jamais eu d'enfants. Ni adoptés, ni autrement. Alors, qu'est-ce que vous cherchez ?

— J'ai un client. Il a quelques questions. Le reste est confidentiel.

L'homme plissait les yeux. Il redressait les épaules, comme s'il avait absorbé le choc initial. Il était très agressif maintenant.

— Un client ? Quelqu'un qui vous paie pour fouiner par ici et poser des questions ? Alors vous avez une carte ? Un numéro où je peux vous toucher si jamais quelque chose me revient…

— Je ne suis pas en ville, mentit Ricky très vite.

L'éleveur le fixait toujours.

— Les lignes du téléphone ne s'arrêtent pas à la frontière de l'Etat, mec. Comment je peux vous joindre ? Comment vous mettre la main dessus, en cas de besoin ?

Ce fut au tour de Ricky de reprendre l'offensive :

— Qu'est-ce qui vous fait dire que vous vous souviendrez de quelque chose que vous ne vous rappelez pas maintenant ?

— Faites-moi voir cette carte, encore une fois. Vous avez un insigne ?

L'homme parlait maintenant d'une voix radoucie. Il

jaugeait Ricky, comme s'il voulait graver dans sa mémoire le moindre détail de son visage et de son allure.

Tout, dans le changement d'attitude de l'éleveur, indiquait à Ricky qu'il devait se méfier. Il s'aperçut brusquement qu'il se trouvait à deux doigts d'un danger – comme un homme qui marche dans le noir et qui se rend compte qu'il se trouve au bord d'une falaise.

Il recula d'un pas en direction de la porte.

— Ecoutez. Je vous donne quelques heures pour réfléchir, puis je vous rappelle. Si vous avez envie de parler, si quelque chose vous est revenu, alors on pourra se revoir.

Il manœuvra rapidement pour sortir du bureau et se dirigea à grands pas vers sa voiture. L'éleveur, qui le suivait à quelques pas, bifurqua soudain. En quelques secondes, il atteignit l'enclos de Brutus. Il ouvrit la barrière. Le chien, gueule béante mais toujours silencieux, fit un bond et vint immédiatement s'asseoir aux pieds de son maître. Celui-ci lui fit un petit signe de la main, paume ouverte. L'animal s'immobilisa, les yeux fixés sur Ricky, dans l'attente du prochain signal.

Ricky pivota pour leur faire face. Il fit à reculons, lentement, les quelques pas qui le séparaient de la voiture. Il prit les clés dans la poche de son pantalon. Le chien émit enfin un grognement rauque aussi menaçant que les muscles tendus de ses épaules et ses oreilles dressées, attendant l'ordre de l'éleveur.

— Je ne crois pas que j'aurai le plaisir de vous revoir, fit celui-ci. Si l'envie vous prenait de venir traîner dans le coin pour poser des questions… Je ne pense pas que ce serait une bonne idée.

Ricky fit passer les clés dans sa main gauche et ouvrit la portière. Simultanément, il glissa la main droite dans la poche de son manteau et empoigna son arme. Sans quitter le chien des yeux, il se concentra sur les gestes qu'il devait accomplir. Oter le cran de sûreté. Sortir le pistolet. L'armer. Se mettre en position de tir et viser. Quand il faisait tout cela au stand de tir, il ne s'était jamais pressé, il avait tout son temps. Cela lui prenait plusieurs secondes. Il ne savait absolument pas s'il aurait le temps de tirer et s'il était capable de toucher le chien. L'idée lui traversa l'esprit, aussi, qu'une balle ne suffirait peut-être pas pour arrêter la bête.

Il ne faudrait sans doute pas plus de deux ou trois secondes au rottweiler pour franchir l'espace qui les séparait. Non, se dit Ricky, moins que ça. Une seule seconde.

L'éleveur regarda Ricky. Il vit sa main s'agiter dans sa poche.

— Dites donc, monsieur le détective privé, fit-il en souriant, si c'est une arme que vous avez là dans votre poche, cela ne suffira pas. Pas avec ce chien-là. Aucune chance.

Ricky serra les doigts sur la crosse du pistolet et laissa son index sur la détente. Les yeux plissés, il reconnut à peine le son de sa propre voix.

— Peut-être, fit-il très lentement, en articulant avec soin. Peut-être que je le sais. Et je n'essaierai même pas de foutre une balle dans la tête de votre chien, là. Mais je pourrais vous en balancer une au milieu de la poitrine. Vous faites une belle grosse cible et, croyez-moi, je ne vous louperai pas. Vous serez mort avant de toucher le sol et vous n'aurez même pas la satisfaction de voir votre clebs me mordre le cul.

L'éleveur hésita. Il posa la main sur le collier du chien, comme pour le retenir.

— Des plaques du New Hampshire, fit-il après quelques secondes. Avec la devise « Vivre libre ou mourir ». Facile à se rappeler. Maintenant, foutez le camp.

Ricky n'hésita pas. Il se glissa dans la voiture et claqua la portière. Il sortit le pistolet de sa veste et démarra. Quelques secondes plus tard, la voiture s'ébranlait. Il aperçut l'éleveur dans son rétroviseur. L'homme attendait qu'il soit parti, le chien toujours à ses pieds.

Ricky haletait, comme si la chaleur était plus forte que la climatisation. Alors que la voiture quittait l'allée en cahotant pour rejoindre la route goudronnée, il baissa sa vitre et inspira avidement le vent provoqué par le déplacement. Cela lui brûla la langue.

Il se rangea sur le bord de la route, le temps de retrouver son sang-froid. Il apercevait l'entrée du cimetière. Il se calma peu à peu, en essayant de comprendre ce qui s'était passé au chenil. Il était évident que l'allusion aux orphelins avait provoqué une réaction chez l'éleveur. Pendant des années, ce type n'avait pas pensé aux trois enfants. Puis Ricky avait débarqué, avec une simple question qui avait suscité un mécanisme de réaction au plus profond de sa mémoire.

Pendant cette rencontre, Ricky avait senti un danger autre que la présence du chien aux pieds de son maître. Il avait l'impression que l'homme attendait depuis des années que lui, Ricky (ou quelqu'un comme lui), vienne l'interroger. Une fois passé la surprise de voir enfin arriver ce moment, il avait su exactement quoi faire.

A cette idée, Ricky sentit son estomac se contracter.

Juste après l'entrée du cimetière, il y avait un petit bâtiment de bardeaux blancs, un peu à l'écart de l'allée qui serpentait entre les rangées de tombes. Comme il semblait s'agir d'autre chose qu'une simple cabane pour entreposer le matériel, Ricky s'arrêta devant. Au même instant, un homme aux cheveux gris, vêtu d'un bleu de travail presque semblable à celui que portait Ricky au service d'entretien de l'université, en sortit et se dirigea vers le petit motoculteur stationné sur le côté. Quand il vit Ricky descendre de sa voiture, il s'immobilisa.

— Je peux vous aider ?

— Je cherche deux tombes, fit Ricky.

— Ce n'est pas ça qui manque, par ici. Celle de quelqu'un en particulier ?

— Un couple, des nommés Jackson.

Le vieil homme eut un sourire.

— Y a longtemps que personne ne leur a rendu visite. Les gens croient sans doute que ça leur porterait la poisse. Moi, je pense que tous les gens qui ont élu domicile ici ont déjà dépensé toute la chance, bonne ou mauvaise, qui leur était allouée, alors je m'en fiche pas mal. Les tombes des Jackson sont au fond, dernière rangée, tout au bout à droite. Prenez l'allée jusqu'au bout, descendez et continuez dans la même direction. Vous trouverez facilement.

— Vous les connaissiez ?

— Nan. Vous êtes quoi, un parent ?

— Non, fit Ricky. Je suis détective. Je m'intéresse aux enfants qu'ils ont adoptés.

— Ils n'avaient pas de famille à proprement parler. Jamais été question d'enfants adoptés. Ça aurait dû figurer dans les papiers quand ils sont morts, mais je ne me rappelle rien à ce sujet. Et pourtant, les Jackson, ils ont fait la une des journaux pendant plusieurs jours.

— De quoi sont-ils morts ?

L'homme semblait étonné.

— Je croyais que vous étiez au courant, puisque vous veniez voir les tombes, et tout…

— Comment ?

— Eh ben… les flics ont appelé ça « meurtre plus suicide ». Le vieux a tué sa femme pendant une de leurs engueulades, puis il a tourné son fusil contre lui. Les cadavres ont mariné plusieurs jours dans la maison, avant que le facteur se rende compte que personne ne relevait le courrier. Il a eu des soupçons et il a appelé la police. Les chiens s'étaient attaqués aux corps, apparemment, de sorte qu'il n'y avait plus grand-chose, sinon des restes atroces. C'est une sacrée colère qui s'est déchaînée dans cette maison, je vous prie de le croire.

— Et le type qui l'a achetée…

— Je ne le connais pas, mais il paraît que c'est un cas… Aussi mauvais que ses chiens. Il a repris l'affaire d'élevage que les Jackson avaient montée. Au moins a-t-il abattu les chiens qui avaient dévoré leurs maîtres. Mais je crois qu'il finira comme eux. Peut-être que ça le travaille. C'est peut-être ce qui le rend si mauvais.

Le vieil homme eut un rire sinistre et lui montra la côte.

— Là-haut, dit-il. En fait, c'est un endroit très agréable pour y passer l'éternité.

Ricky réfléchit un instant.

— Vous ne sauriez pas, par hasard, qui a acheté la concession ? Et qui paie pour l'entretien ?

— Tout ce que je sais, fit l'homme en haussant les épaules, c'est que je reçois les chèques.

Ricky n'eut pas beaucoup de mal à trouver les tombes. Il se tint une seconde dans le silence, sous le vif soleil de midi. Il se demanda si quelqu'un avait pensé à sa pierre tombale, après son suicide. Il en doutait. Il avait été aussi isolé que les Jackson. Il se demanda aussi pourquoi il n'avait jamais élevé une stèle pour sa femme. Il avait aidé à établir un fonds à son nom, à la bibliothèque de son ancienne faculté de droit, et il avait payé sa contribution annuelle au bureau de protection de la nature en son nom, en se disant que cela valait mieux qu'un bloc de pierre dressé quelque part sur quelques mètres carrés de terre. Mais là, dans ce cimetière, il n'en était plus certain du tout. Il s'abandonna à une sorte de rêverie sur la mort, réfléchissant à sa permanence et à son impact sur ceux qui restent. Quand quelqu'un disparaît, se dit-il, on en apprend plus sur les survivants que sur la personne qui meurt.

Il ne sut pas combien de temps il resta là, devant les tombes, avant de se décider à les examiner. Il y avait une pierre tombale double, qui indiquait simplement leurs noms et leurs dates de naissance et de mort.

Quelque chose le tracassait. Il regarda attentivement ce qu'il avait sous les yeux. Il voulait comprendre. Il lui fallut quelques secondes pour faire le lien.

Le meurtre-suicide avait eu lieu le même mois que la signature du dossier d'adoption.

Ricky recula d'un pas. Il vit autre chose.

Les Jackson étaient nés tous les deux dans les années vingt. A leur mort, ils devaient avoir l'un et l'autre une bonne soixantaine d'années.

Il avait chaud, de nouveau. Il desserra sa cravate. Son faux ventre, de plus en plus lourd, semblait le tirer en avant, et sa cicatrice et son ecchymose le démangeaient.

Personne ne peut adopter un enfant à cet âge-là, se dit-il. Encore moins trois enfants. Les règlements des services d'adoption auraient exclu immédiatement un couple aussi âgé et sans enfants, au profit d'un couple plus jeune et beaucoup plus vigoureux.

Debout devant les tombes, il se dit que ce qu'il avait

sous les yeux dissimulait un mensonge. Pas sur leur mort. C'était vrai. Mais un mensonge qui gisait quelque part dans leur vie.

Tout est faux, pensa-t-il. Tout est différent de ce que ça devrait être. Ricky était presque paralysé par le sentiment de marcher sur le bord de quelque chose de beaucoup plus énorme que ce qu'il avait cru. Une vengeance sans limites.

Il décida de retrouver la sécurité du New Hampshire et de prendre des décisions en fonction de ce qu'il avait appris. Elaborer une stratégie rationnelle, intelligente. Il gara sa voiture de location devant le bureau du motel, dans lequel il pénétra. Il ne connaissait pas l'employé qui était de service. Omar avait été remplacé par un certain James, dont la cravate avec clip parvenait tout de même à être de travers.

— Je vais vous régler. M. Lazarus. Chambre 232.

L'employé fit apparaître la facture sur l'écran de son ordinateur.

— Tout est en ordre. Mais il y a des messages téléphoniques pour vous.

— Des messages ? fit Ricky après un instant d'hésitation.

James acquiesça.

— Le patron d'un chenil, qui voulait savoir si vous logiez ici. Il a laissé un message sur la messagerie de la chambre. Et juste avant votre arrivée, il y a deux minutes, un autre message est arrivé.

— Le même type ?

— Je ne sais pas. J'enfonce des boutons. Je ne parle jamais aux gens qui appellent. Il y a simplement un numéro qui s'affiche sur mon tableau. Chambre 232.

Deux messages. Si vous voulez, décrochez le poste, là-bas, et composez le numéro de votre chambre. Vous pourrez écouter les messages.

Ricky obtempéra. Le premier message venait de l'éleveur : « Je me suis dit que vous étiez dans un hôtel bon marché et pas très éloigné. J'ai pas eu beaucoup de mal à trouver. J'ai réfléchi à vos questions. Appelez-moi. J'ai peut-être des informations qui pourraient vous intéresser. Mais vous avez intérêt à prendre votre carnet de chèques... ça va vous coûter du fric. »

Ricky appuya sur le 3 pour effacer le message. Le suivant se déclencha automatiquement. La voix était tranchante, glacée, et elle produisait un effet étonnant. Comme si l'on trouvait un glaçon sur un trottoir brûlant par une chaude journée d'été. « Monsieur Lazarus, quelqu'un m'a parlé de votre curiosité concernant les regrettés M. et Mme Jackson. Je crois que je pourrais bien avoir des informations à ce sujet, qui pourraient vous être utiles dans vos recherches. S'il vous plaît, appelez-moi au 212.555.1717 dès que possible, et nous essaierons d'arranger un rendez-vous. »

Sa correspondante ne donnait pas son nom. Ce n'était pas nécessaire. Ricky avait reconnu sa voix.

Virgil.

TROISIÈME PARTIE

Même les mauvais poètes aiment la mort

28

Ricky s'enfuit.

Il boucla son sac en toute hâte et fonça sur l'autoroute en faisant hurler ses pneus, tournant le dos à son motel du New Jersey et à la voix si familière du message téléphoné. Il prit à peine le temps de nettoyer la cicatrice qu'il s'était dessinée sur la joue. En une matinée, simplement en posant quelques questions aux mauvais endroits, il était parvenu à compresser le temps, cet allié dont il avait fait son ennemi. Il avait cru qu'il s'approcherait lentement, en grattant peu à peu, de l'identité de Rumplestiltskin. Puis, quand il aurait appris tout ce qu'il voulait savoir, il aurait mis au point une stratégie, concoctant patiemment mais énergiquement, sa propre vengeance. Il se serait assuré que tout était en place, ses pièges tendus, avant de faire irruption, sur un pied d'égalité avec son adversaire. Il comprit que c'était un luxe dont il ne disposait plus.

Il ignorait quel était le lien entre l'homme du chenil et Rumplestiltskin, mais ce lien existait sûrement. Juste après son départ, tandis qu'il visitait négligemment la tombe d'un couple disparu, l'éleveur avait passé des coups de fil. Il avait retrouvé son motel avec une facilité décourageante. Ricky se promit d'être beaucoup plus prudent, à l'avenir, pour dissimuler ses traces.

Très tendu, il roulait vite, sur la route qui le ramenait vers le New Hampshire, tout en essayant de savoir à quel point son existence était réellement menacée. Des peurs irraisonnées et des pensées contradictoires se télescopaient en lui.

Mais une idée dominait le reste. Ricky ne pouvait pas retourner à la passivité du psychanalyste. Un monde où l'on attend qu'il se passe quelque chose. Avant d'agir, on s'efforce d'interpréter et de comprendre les forces cachées. C'est un monde de réaction, de patience. De calme et de raison.

S'il tombait dans ce piège, cela lui coûterait la vie. Il savait qu'il devait agir.

Il devait au moins créer l'illusion qu'il était aussi dangereux que Rumplestiltskin.

Il venait de passer le panneau BIENVENUE DANS LE MASSACHUSETTS, quand il eut une idée. Un peu plus loin, il aperçut une sortie et, juste après, le phare le plus fréquent du paysage américain : une galerie commerciale géante. Il quitta la voie express et entra dans le parking du centre commercial. Quelques minutes plus tard, il se noyait dans la foule, courant comme tout le monde vers les magasins qui vendaient les mêmes articles, plus ou moins au même prix, mais présentés dans des emballages différents afin de donner à chaque consommateur l'impression qu'il avait trouvé le produit unique qu'il cherchait. Ricky y vit une sorte d'ironie et se dit que l'endroit était absolument approprié à ce qu'il avait l'intention de faire.

Il ne lui fallut pas longtemps pour trouver, près de la place où se trouvaient les restaurants, une batterie de téléphones publics. Il n'eut aucun mal à se rappeler son premier numéro. Derrière lui régnait le léger bourdonnement des bruits de table et des conversations des gens qui mangeaient. Il composa le numéro en couvrant à demi le récepteur de la main.

— *New York Times*, petites annonces.

— Bonjour, fit-il d'un ton plaisant. J'aimerais passer une annonce, dans les petits encarts de la une, sur une colonne.

Il dicta rapidement un numéro de carte de crédit. L'employé nota l'information, puis :

— OK, monsieur Lazarus, quel est le message ?

Ricky hésita, puis :

— « Monsieur R., la partie recommence. Une nouvelle Voix. »

— C'est tout ? demanda l'employé après avoir relu le texte.

— C'est tout, dit Ricky. N'oubliez pas de mettre une majuscule à « Voix », hein ?

Dès qu'il en eut la confirmation, Ricky raccrocha. Il se rendit dans un fast-food, commanda un café et prit une poignée de serviettes en papier. Il se trouva une table un peu à l'écart. Le stylo à la main, il commença à déguster le café brûlant. Il essayait de faire abstraction du bruit ambiant pour se concentrer sur ce qu'il devait écrire, tapotant son stylo sur ses dents, buvant une gorgée, s'efforçant de rester calme et de réfléchir. Les serviettes lui servaient de papier brouillon. Finalement, par à-coups, il finit par écrire ceci :

Vous savez qui j'étais, mais pas qui je suis.
C'est pourquoi vous êtes dans les ennuis.
Ricky n'est plus, il a mis les bouts.
Moi je suis là, à sa place, debout.
Lazare s'est levé, et moi aussi,

Le moment est venu, quelqu'un va y laisser la vie.
Une autre partie, dans un endroit plus farce,
Nous mettra peut-être face à face.
Alors nous verrons qui paiera la dîme,
Monsieur R., même les mauvais poètes aiment les rimes.
Même les mauvais poètes aiment la mort.

Ricky admira son œuvre pendant quelques instants, puis il retourna aux téléphones. Quelques secondes plus tard, il était en ligne avec le service des petites annonces du *Village Voice*.

— J'aimerais passer une annonce dans la rubrique « Messages personnels ».

— Pas de problème, chantonna l'employé. Je suis là pour ça.

Ricky trouvait amusant que le responsable des petites annonces du *Voice* semble nettement moins collet monté que ses homologues du *Times*. A y réfléchir, c'était assez normal.

— Quelle sorte d'accroche voulez-vous ?

— Accroche ? demanda Ricky.

— Ah, c'est la première fois… Vous savez bien, HB pour « homme blanc », SM pour « sadomasochisme »…

— Oh, je vois. Ecrivez : « HB, dans les 50, cherche M. Right pour jeux et plaisirs particuliers »…

L'employé lui relut le tout.

— Bien. Il y a autre chose ?

— Oh oui, en effet, fit Ricky.

Il lui dicta son poème et le lui fit répéter deux fois pour être certain qu'il l'avait noté correctement. Quand il eut fini de relire, l'employé marqua un temps d'arrêt.

— Eh bien, c'est original. Vraiment original. Ça les fera sans doute tous sortir du bois. Les curieux, en tout cas. Peut-être aussi quelques cinglés. Est-ce que vous désirez une boîte vocale payante ? Nous vous donnons un numéro de boîte et vous avez accès à vos réponses par téléphone. L'avantage du système, c'est que personne d'autre ne peut prendre connaissance des réponses.

— Oui, s'il vous plaît.

Ricky l'entendit manipuler le clavier de son ordinateur.

— Voilà. Votre boîte porte le numéro 1313. J'espère que vous n'êtes pas superstitieux.

— Pas le moins du monde, dit Ricky.

Il nota sur une serviette le numéro qu'il devait composer pour accéder à sa boîte et raccrocha.

Pendant un moment, il envisagea d'appeler le numéro que Virgil avait laissé. Mais il résista à la tentation. Avant cela, il avait quelques petites choses à régler.

Dans *L'Art de la guerre*, Sun Zi évoque l'importance qu'il y a, pour un général, à choisir son champ de bataille. A rester invisible, à conserver une situation de supériorité. A élire son terrain. A être capable de dissimuler ses propres forces. A tirer avantage de la topographie. Ricky se dit que ces leçons s'adressaient aussi à lui. Le poème du *Village Voice* était comme un coup de canon dans la proue de son adversaire, une salve d'ouverture destinée à attirer son attention.

Ricky savait qu'il ne faudrait pas longtemps avant que quelqu'un ne débarque à Durham à sa recherche, grâce au numéro d'immatriculation que l'éleveur avait noté. Il ne serait pas difficile de découvrir que la voiture appartenait à une agence de Rent-A-Wreck et, avant peu, quelqu'un irait leur demander le nom de l'homme qui l'avait louée. Il faisait face à un problème complexe, mais qui se résumait à une question simple : où voulait-il mener la prochaine bataille ? Il devait en choisir le terrain.

Il récupéra sa voiture, passa brièvement à sa chambre, puis, distrait par toutes ces questions, il se rendit directement à son travail de nuit à la permanence de SOS Prévention-suicide. Il ne savait pas combien de temps lui feraient gagner les annonces passées dans le *New York Times* et le *Village Voice*. Un peu, en tout cas. Le *Times* sortirait le lendemain matin, le *Voice* à la fin de la semaine. On pouvait raisonnablement estimer que Rumplestiltskin n'agirait pas avant d'avoir vu les deux. Tout ce qu'il savait, jusqu'ici, c'était qu'un détective privé un peu obèse et au visage marqué avait posé à un dresseur de chiens du New Jersey des questions incohérentes sur le couple dont les archives attestaient qu'il les avait adoptés, lui et ses frère et sœur, quand ils étaient enfants. Un homme pourchassant un mensonge. Ricky ne se berçait pas d'illusions, il savait que Rumplestiltskin verrait les liens, qu'il trouverait rapidement d'autres preuves qu'il vivait encore. Frederick Lazarus, pasteur de son état, menait une enquête en Floride. Frederick Lazarus, détective privé, apparaissait dans le New Jersey. Ricky se dit qu'il disposait d'un avantage : il n'existait aucun lien visible entre Frederick Lazarus et le Dr Frederick Starks ou Richard Lively. Le premier était censé être mort. Le second vivait dans un anonymat absolu. Il s'installa derrière sa table, dans le bureau sombre, près du standard à lignes multiples. Il se réjouissait de voir le semestre à l'université s'achever. Il s'attendait à recevoir des appels d'étudiants présentant les symptômes habituels – le désespoir né du stress des derniers examens –, avec lesquels il était à l'aise. Pour Ricky, personne ne se suicidait à cause d'un examen de chimie, même s'il avait déjà entendu des choses encore plus idiotes. Au plus profond de la nuit, il constata qu'il était capable de se concentrer et de penser clairement.

Quel est mon objectif ? se demanda-t-il.

Est-ce qu'il voulait tuer l'homme qui l'avait poussé à feindre sa propre mort, qui avait menacé ses parents lointains et détruit tout ce qui constituait son existence ? Ricky songea que, dans certains des thrillers et des romans policiers qu'il avait dévorés ces derniers mois, la réponse aurait été oui, tout simplement. Quelqu'un lui avait fait beaucoup de mal, alors il devait lui rendre la monnaie de sa pièce. Le tuer. La loi du talion était le fondement de toute vengeance.

Ricky fit la moue. Il y a des tas de façons de tuer quelqu'un, pensa-t-il. De fait, il en avait déjà essayé une. Il devait en exister d'autres – de la balle de revolver de l'assassin aux ravages de la maladie.

Trouver la bonne méthode était essentiel. Et pour cela, il devait connaître son ennemi. Savoir non seulement qui il était, mais *ce qu'il était*.

Et il devrait s'en sortir vivant. Il n'était pas une sorte de kamikaze, qui avalait le saké rituel avant de se précipiter vers la mort sans la moindre inquiétude. Ricky avait l'intention de survivre.

Il savait, sans l'ombre d'un doute, qu'il ne pourrait plus jamais redevenir le Dr Frederick Starks. Terminée, la sinécure consistant à écouter les gémissements des riches et des déçus de la vie, jour après jour, quarante-huit semaines par an. C'était fini, et il le savait.

Il contempla le petit local où était installée la « ligne rouge » de SOS Prévention-suicide. Il se situait à l'écart du couloir principal, dans le bâtiment qui abritait les services médicaux de l'université. C'était une pièce étroite, pas particulièrement confortable, avec un seul bureau, trois postes de téléphone et quelques affiches détaillant le planning annuel des équipes de rugby, de hockey et de football, avec des photos des joueurs. Il y avait également une grande carte du campus et une liste dactylographiée des numéros d'urgence et autres services relatifs à la sécurité. En caractères légèrement plus grands, on détaillait la procédure à suivre lorsque le bénévole de service avait la certitude que quelqu'un avait bel et bien essayé de se suicider. Ce protocole détaillait la marche à suivre, comment appeler la police et faire tracer la ligne par un opérateur du 911 afin de remonter jusqu'à la personne qui avait appelé. On ne pouvait l'utiliser qu'en cas d'urgence absolue, lorsqu'une vie était en danger et qu'on avait besoin de mobiliser les services de secours. Ricky ne s'en était jamais servi. Durant les semaines où il avait assuré la permanence de nuit, il était toujours parvenu à convaincre ses interlocuteurs les plus exaltés de différer leurs projets, sinon d'y renoncer. Il s'était souvent demandé si les jeunes gens qu'il avait aidés auraient été surpris d'apprendre que l'homme qui essayait de les ramener à la raison d'une voix calme était agent d'entretien à la faculté de chimie.

Il est important de protéger cela, se dit Ricky.

Ce qui l'amenait à prendre une décision. Il devait maintenir Rumplestiltskin loin de Durham. S'il voulait survivre à la confrontation qui ne manquerait pas d'avoir lieu, Richard Lively devait être en sécurité et rester anonyme.

— Retourner à New York, murmura-t-il pour lui seul.

Au moment où il parvenait à cette conclusion, le téléphone sonna. Il enfonça le bouton pour prendre la ligne.

— SOS Prévention-suicide. Que puis-je faire pour vous ?

Il y eut un bref silence. Puis il entendit un sanglot étouffé, suivi d'une suite de mots incohérents. Un par un, ils ne voulaient rien dire, mais l'ensemble avait beaucoup de signification.

— Je ne peux pas... non, je ne peux pas, c'est trop... je ne veux pas, oh, non, je ne sais plus...

Une jeune fille. Sous les sanglots, la voix n'était pas pâteuse. Ricky en déduisit qu'elle n'était sous l'emprise ni de drogues ni de l'alcool. Rien que la solitude du fond de la nuit et le désespoir à bon marché.

— Pouvez-vous parler un peu plus lentement ? fit-il d'une voix douce. Essayez de m'expliquer ce qui ne va pas. Pas besoin de me faire un tableau général. Juste maintenant, juste en cet instant précis. Où êtes-vous ?

— Dans ma chambre, à la cité universitaire.

— Bien, fit Ricky toujours très doucement, commençant à la sonder. Vous êtes seule ?

— Oui.

— Pas de colocataire ? Des amis ?

— Non. Je suis toute seule.

— Est-ce que c'est toujours ainsi ? Ou est-ce parce que vous avez ce sentiment maintenant ?

Il sentit que la question la faisait réfléchir.

— Eh bien... j'ai rompu avec mon copain et mes résultats scolaires sont nuls. Quand je rentre chez moi, mes vieux menacent de me tuer parce que je ne suis plus dans le peloton de tête. En fait, il se peut que je n'aie pas mon diplôme, et tout a l'air d'arriver au point critique, et...

— Et quelque chose vous a poussée à nous appeler, ce soir ?

— J'avais envie de parler. Je ne voulais pas me faire du mal…

— Je comprends parfaitement. J'ai l'impression que ce n'est pas un trimestre formidable, hein ?

La jeune fille eut un rire amer.

— Oui, on peut le dire comme ça.

— Mais d'autres trimestres suivront, hein ?

— Eh bien… oui.

— Et votre copain, pourquoi vous a-t-il quittée ?

— Il prétend qu'il ne veut pas s'attacher pour le moment…

— Et ce prétexte vous a fait quel effet ? Ça vous a déprimée ?

— Oui. Comme une gifle. J'ai eu l'impression qu'il s'était servi de moi, vous savez… pour le sexe. Et avec les vacances d'été, maintenant, il a dû se dire que j'étais devenue inutile. Comme si je n'étais qu'une sorte de friandise. On croque dedans, et on jette…

— C'est bien dit, répondit Ricky. Une insulte. Un coup porté à l'idée que vous avez de vous-même.

La jeune fille laissa passer un autre silence. Puis :

— Oui, peut-être. Mais je ne voyais pas vraiment les choses de cette façon.

— Dans ce cas, reprit Ricky toujours d'une voix chaude et douce, au lieu d'être déprimée et de vous dire que vous avez un problème, vous feriez mieux de diriger votre colère contre ce petit salaud. Clairement, c'est de son côté qu'il y a un problème. Et le problème, c'est l'égoïsme, n'est-ce pas ?

Il sentit que la fille acquiesçait. C'était l'appel le plus classique. Elle téléphonait à cause d'un désespoir sentimental et scolaire dont on découvrait très vite, en grattant sous la surface, qu'il était très éloigné du véritable désespoir.

— Je crois que c'est assez bien résumé, fit-elle. Le salaud.

— Alors vous êtes peut-être mieux sans lui, fit Ricky. Ce n'est pas le seul poisson dans la mer.

— Je croyais que je l'aimais.

— Et ça fait un peu mal, hein ? Mais vous ne souffrez pas vraiment parce que vous avez le cœur brisé. Vous souffrez surtout parce que vous avez l'impression de vous être engagée dans un mensonge. Votre confiance en vous est mise en péril.

— Vous avez raison, dit-elle.

Ricky entendit qu'elle séchait ses larmes.

— Vous devez recevoir des tas de coups de fil comme celui-ci, reprit-elle une minute plus tard. Tout ça me semblait si important, si horrible, il y a deux minutes. Je pleurais, je sanglotais, et maintenant…

— Reste la question de vos notes. Que se passera-t-il quand vous rentrerez chez vous ?

— Ils vont être furieux. Mon père va me dire : « Je ne dépense pas tout cet argent durement gagné pour que tu nous ramènes des zéros ! »

La fille avait parlé d'une voix grave, dans une imitation assez suggestive de son père. Ricky se mit à rire et elle l'imita.

— Il surmontera cela, dit-il. Soyez franche, tout simplement. Parlez-lui de vos tensions et de votre petit ami. Dites-lui que vous essaierez de faire mieux. Il s'en remettra.

— Vous avez raison.

— Eh bien, fit Ricky, voici mes prescriptions pour ce soir. Offrez-vous une bonne nuit de sommeil. Laissez vos bouquins de côté. Quand vous vous réveillerez, demain matin, allez vous chercher un de ces cafés mousseux très sucrés, riches en calories. Prenez-le ailleurs que dans un de vos bistrots habituels, asseyez-vous sur un banc et buvez-le tranquillement en admirant la nature. Si par hasard vous voyez le garçon en question, ignorez-le. S'il veut vous parler, éloignez-vous. Trouvez-vous un autre banc. Pensez un peu aux promesses de l'été. Il y a toujours de l'espoir que les choses finissent par s'améliorer. C'est à vous de le trouver.

— Très bien, dit-elle. Merci de m'avoir parlé.

— Si vous vous sentez encore tendue, au point de penser que vous n'êtes pas capable de tenir le coup, vous devriez prendre un rendez-vous avec un conseiller des services de santé. Il vous aidera à surmonter vos problèmes.

— Vous avez l'air de bien connaître la dépression.

— Oui, en effet, fit Ricky. En général, elle est passagère. Mais il y en a qui durent. La première est une condition normale de l'existence. Les secondes sont une véritable maladie, très grave. Il me semble que vous êtes simplement au premier stade.

— Je me sens mieux. Je prendrai peut-être un gâteau, avec cette tasse de café. Tant pis pour les calories.

— Voilà la bonne attitude !

Ricky allait raccrocher, lorsqu'une pensée lui vint.

— Hé, fit-il, vous pouvez peut-être m'aider…

— Hein ? Comment ? répliqua-t-elle, un peu étonnée. C'est vous qui avez besoin d'aide ?

— C'est la ligne d'urgence pour les situations de crise, dit Ricky, non sans humour. Vous croyez que les gens qui vous répondent ne traversent pas eux-mêmes des crises ?

La fille marqua un temps d'arrêt, comme si elle se rendait compte de l'évidence d'une telle proposition.

— D'accord. Que puis-je faire pour vous ?

— A quels jeux jouiez-vous quand vous étiez petite ?

— A quels jeux ? Des jeux de société, vous savez, « Chutes & Ladders », « Candyland »…

— Non. Je veux dire, des jeux de plein air…

— Comme « Ring around the Rosie » ou « Freeze Tag » ?

— Oui, c'est cela. Mais quand vous vouliez jouer avec d'autres gosses, vous savez, le genre de jeux avec ceux qui chassent et ceux qui sont chassés… vous voyez ce que je veux dire ?

— Vous ne parlez pas de jouer à cache-cache, n'est-ce pas ? Ce que vous cherchez, c'est un peu plus subtil…

— Oui. Exactement.

La jeune fille hésita, puis elle se mit à réfléchir plus ou moins à voix haute :

— Eh bien, il y avait « Red Rover, Red Rover », mais il s'agissait plus d'un défi physique. Il y a les chasses au trésor, mais là on recherche des objets. « Tag and Mother May I », et « Jacques a dot… »

— Non. Je cherche quelque chose d'un peu plus stimulant…

— Le plus astucieux dont je me souvienne, c'est « Chiens et Renards », dit-elle tout à coup. Un jeu où il était très difficile de gagner.

— Comment jouait-on à ça ? demanda Ricky.

— En été, à la campagne. Il y avait deux équipes : les Renards et les Chiens, évidemment. Les Renards partaient avec un quart d'heure d'avance. Ils avaient des sacs en papier pleins de journaux déchirés. Tous les dix mètres, ils devaient en jeter une poignée par terre. Les Chiens suivaient la piste. Le truc, c'était de laisser des fausses pistes, de revenir sur ses pas, d'envoyer les Chiens vers le marais, ce genre de choses. Les Renards avaient gagné s'ils parvenaient à revenir au point de départ au bout d'un laps de temps fixé à l'avance, disons, deux ou trois heures. Les Chiens avaient gagné s'ils rattrapaient les Renards. S'ils les repéraient au milieu d'un champ, par exemple, ils pouvaient faire comme de vrais chiens et se lancer à leur poursuite. Et les Renards devaient se cacher. Ainsi, il arrivait que les Renards s'arrangent pour savoir où se trouvaient les Chiens, vous savez, en les espionnant…

— C'est exactement le jeu que je cherche, dit Ricky d'une voix calme. Et qui gagnait en général ?

— C'est là toute la beauté du jeu, dit la jeune fille. Cela dépendait à la fois de l'ingéniosité des Renards et de la détermination des Chiens. Ce qui fait que n'importe quel camp pouvait gagner, à tout moment.

— Je vous remercie, dit Ricky, dont l'esprit s'était mis à bouillonner.

— Bonne chance, lui dit la fille avant de raccrocher.

Ricky se dit que c'était exactement ce dont il allait avoir besoin. De la chance.

Le lendemain matin, il commença à s'organiser. Il paya son loyer pour le mois à venir et prévint ses logeuses qu'il allait devoir quitter la ville quelque temps pour régler des affaires de famille. Il avait installé une plante verte dans sa chambre. Il leur demanda de l'arroser régulièrement. C'était à ses yeux une façon élémentaire de manipuler la psychologie féminine : un homme qui demande qu'on arrose sa plante verte n'a certainement pas l'intention de s'en aller. Il parla à son superviseur, au service d'entretien de l'université, qui l'autorisa à cumuler la récupération d'heures supplémentaires et ses jours de congé en retard. Son patron fut également compréhensif ; grâce au ralentissement de l'activité dû à la fin du semestre, il accepta de le libérer sans compromettre son emploi.

A la banque locale où Frederick Lazarus avait un compte, Ricky fit un virement télégraphique au crédit d'un compte qu'il avait ouvert, via Internet, dans une banque de Manhattan.

Il réserva aussi plusieurs nuits d'hôtel dans des établissements situés dans différents quartiers de la ville, pour les jours à venir. Ils étaient tous moins que séduisants. Ce n'était pas du tout le genre d'endroits que vantent les guides touristiques de New York. Il effectua les réservations avec les cartes de crédit de Frederick Lazarus, sauf le dernier hôtel de sa liste. Les deux derniers se trouvaient sur la 22e Rue Ouest, plus ou moins en face l'un de l'autre. Dans l'un, il réserva deux nuits au nom de Frederick Lazarus. L'autre présentait l'avantage d'offrir des suites équipées, à la semaine. Il en réserva une pour deux semaines. Pour ce dernier hôtel, il se servit de la carte Visa de Richard Lively.

Il clôtura le compte de Frederick Lazarus chez Mailboxes Etc., et donna pour instructions de faire suivre son courrier à l'adresse de l'avant-dernier hôtel.

Il n'avait plus qu'à ranger son arme, les munitions qui lui restaient et plusieurs changes de vêtements au fond d'un sac, et à retourner à Rent-A-Wreck. Une fois de plus, il loua une voiture modeste et assez ancienne. Mais cette fois il s'arrangea pour laisser une piste.

— C'est la formule « kilométrage illimité », n'est-ce pas ? demanda-t-il à l'employé. Car je dois aller jusqu'à New York et je n'ai pas envie de me faire avoir de dix cents supplémentaires par kilomètre…

L'employé avait l'âge d'être étudiant. Il était évident qu'il s'agissait pour lui d'un emploi estival et qu'après quelques jours à peine il s'ennuyait déjà mortellement.

— Exact. Kilométrage illimité. Pour ce qui nous concerne, vous pouvez faire l'aller et retour en Californie.

— Non, je vais à New York pour affaires, insista Ricky. Je vais d'ailleurs mentionner mes coordonnées sur le contrat de location.

Il nota le nom et le numéro de téléphone du premier des hôtels où « Frederick Lazarus » avait réservé une chambre.

L'employé contemplait le jean et la chemise de sport de Ricky.

— Oui, bien sûr. Pour affaires. Qu'importe...

— Et si je devais prolonger mon séjour...

— Il y a un numéro sur le contrat. Appelez-le. Nous débiterons votre carte de crédit pour le supplément. Mais il faut nous prévenir : sinon, après quarante-huit heures, nous appelons les flics et nous déclarons que la voiture est volée.

— Je n'en ai pas envie.

— Qui en aurait envie ? répliqua l'employé.

— Encore une chose, ajouta Ricky lentement en choisissant ses mots avec attention.

— Oui ?

— J'ai laissé un message à un ami, pour lui recommander de louer une voiture chez vous. Vous savez bien... bons prix, véhicules solides et en bon état, pas de tracasseries comme dans les grandes firmes de location...

— Ah oui ? fit l'adolescent, comme s'il était surpris que quelqu'un perde son temps à émettre des opinions sur les sociétés de location de voitures.

— Mais je ne suis pas absolument sûr qu'il ait bien reçu mon message...

— Qui ça ?

— Mon ami. Comme moi, il voyage beaucoup pour son travail, alors il est toujours à l'affût d'une bonne affaire.

— Et alors ?

— Alors, dit Ricky en pesant ses mots, si jamais il venait par ici dans les prochains jours, en quête de l'endroit où j'ai loué ma voiture, vous me promettez de l'orienter comme il faut et de lui faire faire une bonne affaire, d'accord ?

L'employé acquiesça.

— Si je suis de service…

— Vous êtes ici pendant la journée, non ?

L'employé hocha la tête une fois de plus et fit un geste qui semblait indiquer que se trouver là, coincé derrière un comptoir aux premiers jours de la chaleur estivale, ne valait guère mieux que d'être en prison. Ricky se dit que ça devait être la même chose, en effet.

— Il y a donc des chances pour qu'il ait affaire à vous.

— Il y a des chances.

— Alors, s'il vous interroge à mon sujet, dites-lui simplement que je suis reparti pour mes affaires. A New York. Il connaît mon planning.

L'employé haussa les épaules.

— Pas de problèmes, s'il me pose la question. Sinon…

— Bien sûr. Si quelqu'un vient vous interroger, vous saurez que c'est mon ami.

— Il a un nom ?

— Bien sûr, fit Ricky avec un sourire. R.S. Skin. Facile à se souvenir. Monsieur R.S. Skin.

Sur le trajet qui le ramenait à New York par la Route 95, Ricky s'arrêta dans trois centres commerciaux différents, tous situés à l'écart de la nationale. Le premier se trouvait juste au-dessous de Boston, les deux autres dans le Connecticut, près de Bridgeport et de New Haven. A chaque fois, il flâna sans but apparent dans les grandes allées, au milieu des rangées de vêtements et des monceaux de gâteaux au chocolat, jusqu'à ce qu'il trouve le rayon des téléphones portables. Il acheta en tout cinq appareils au nom de Frederick Lazarus, chacun agrémenté de promesses de centaines de minutes de communication gratuites et d'appels longue distance à très bon marché. Ils étaient reliés à quatre opérateurs différents et, bien que chacun des vendeurs, en établissant la garantie et le contrat d'utilisation, demandât à Ricky s'il avait d'autres contrats pour des téléphones portables, aucun d'eux ne se donna la peine de vérifier. Ricky prit toutes les options disponibles sur chacun des appareils, affichage du numéro appelant, mise en attente, et s'abonna à tous les services existants : les vendeurs étaient pressés de compléter les commandes au plus vite.

Il s'arrêta aussi dans un grand magasin de matériel de bureau. Il s'acheta un ordinateur portable bas de gamme, l'équipement nécessaire pour le faire fonctionner, et un sac pour transporter le tout.

Il arriva au premier des hôtels où il avait effectué une réservation en début de soirée. Il avait laissé sa voiture de location sur un parking en plein air près de l'Hudson, du côté de la 50e Rue Ouest, puis il avait pris le métro jusqu'à l'hôtel, qui se trouvait à Chinatown. Il fit enregistrer son arrivée par un employé du nom de Ralph, qui avait souffert d'acné chronique pendant son enfance. Il en avait gardé des cicatrices qui lui donnaient un air assez rébarbatif. Ralph n'avait pas grand-chose à dire, mais il eut l'air légèrement surpris de découvrir que la carte de crédit au nom de Frederick Lazarus n'était pas refusée. Le mot « réservation » le surprit également. Ricky se dit que dans ce genre d'endroits on ne faisait pas beaucoup de réservations. Une prostituée, qui travaillait dans une chambre au bout du couloir, lui adressa un sourire suggestif et incitatif. Il secoua la tête et entra dans sa propre chambre. L'endroit était aussi mal tenu qu'il s'y attendait. Mais c'était aussi le genre de lieu où le simple fait d'arriver sans le moindre bagage et de repartir un quart d'heure plus tard n'attirait l'attention de personne.

Il reprit le métro, jusqu'au dernier des hôtels de sa liste, celui où il avait loué une suite meublée. Il se présenta sous le nom de Richard Lively – calme et silencieux, répondant par monosyllabes au réceptionniste. Tout en s'efforçant de se faire le moins possible remarquer, il monta à la chambre.

Pendant la nuit, il alla dans une épicerie acheter quelques sodas et de quoi se faire des sandwichs. Il passa le reste de la nuit à réfléchir en silence, à l'exception d'une petite sortie à minuit.

Une averse avait laissé la chaussée luisante. Des lampadaires jetaient sur le bitume des arcs de lumière jaune pâle. L'air nocturne était encore chaud, avec une certaine lourdeur qui annonçait la venue de l'été. Il baissa les yeux vers le trottoir en songeant qu'il n'avait jamais vraiment remarqué à quel point les ombres étaient nombreuses, à minuit, à Manhattan. Il pensa que lui-même était une ombre maintenant.

Il parcourut la ville d'un pas rapide, jusqu'à ce qu'il tombe sur une cabine téléphonique isolée. Il était temps de relever ses messages.

29

Une sirène déchira l'air de la nuit, à un bloc peut-être de la cabine téléphonique où il se trouvait. Ricky était incapable de dire si c'était la police ou une ambulance. Les camions de pompiers émettent un son plus grave, un beuglement rauque qu'on reconnaît à sa puissance. Mais la police et les ambulances ont plus ou moins le même son. Il se dit que peu de bruits, dans ce monde, transportent autant qu'une sirène la promesse d'ennuis à venir. Quelque chose d'angoissant, de féroce, comme si la violence du son réduisait toute chance de compromis et d'espoir. Il attendit que le vacarme s'évanouisse dans la nuit et que le bruit de fond normal à Manhattan reprenne ses droits : rien d'autre que le ronronnement régulier des voitures et des autobus traçant leur chemin dans les rues et, de temps en temps, le grondement d'un métro passant à grand fracas dans un des tunnels qui quadrillent le sous-sol de la ville.

Il composa le numéro donnant accès aux réponses à son annonce personnelle, dans la boîte 1313 de la messagerie du *Village Voice*. Il y en avait près de trois douzaines.

C'étaient pour la plupart des publicités trompeuses et des promesses d'aventures sexuelles. Presque tous les correspondants faisaient allusion aux « jeux et plaisirs particuliers » qu'évoquait Ricky dans son annonce, ce qui semblait les entraîner, comme il l'avait soupçonné, dans une direction spécifique. Quelques-uns avaient composé des bouts rimés pour répondre aux siens mais, là encore, c'était pour promettre du sexe et de l'ardeur. Il décelait dans leur voix une impatience effrénée.

Le trentième – celui qu'il attendait – était tout à fait différent. Il parlait d'une voix froide, presque atone, lourde de menaces. Elle avait aussi une coloration métallique qui lui donnait un son quasiment artificiel. Ricky comprit que son interlocuteur se servait d'un appareil pour modifier sa voix. Mais il n'avait aucune raison de dissimuler la menace qui planait dans sa réponse.

Ricky est rusé, Ricky est farceur…
Mais voici un poème qu'il devrait prendre à cœur.
Il croit être en sûreté, il veut jouer,
Mais dans sa cachette il devrait rester.
Il s'est échappé une fois, très impressionnant,
Mais ne saurait recommencer, évidemment.
Une deuxième chance, une autre partie
Finira sans doute comme la première a fini.
Sauf que cette fois, je le lui promets,
Sa dette à mon égard, il devra payer.

Ricky écouta la réponse trois fois de suite pour qu'elle soit parfaitement gravée dans sa mémoire. Il y avait quelque chose de nouveau, dans le son de la voix, qui l'inquiétait, comme si les mots ne suffisaient pas : même l'intonation était chargée de haine. En outre, il avait l'impression de déceler autre chose, une intonation presque familière dans la voix, capable de filtrer à travers le mince appareil chargé de la masquer. Cette pensée le transperça – surtout quand il comprit que c'était la première fois qu'il entendait la voix de Rumplestiltskin. Chacun de leurs échanges, dans le passé, s'était fait sur le papier ou par l'intermédiaire de Merlin ou de Virgil. Cette voix lui donnait des visions de cauchemar et le fit légèrement frissonner. Il s'enjoignit de ne pas sous-estimer la difficulté du défi qu'il s'était lancé.

Il fit défiler les autres réponses dans la boîte vocale, s'attendant à tomber sur une autre voix, beaucoup plus familière. Juste après le silence qui suivait un bref poème, Ricky ne fut pas étonné d'entendre la voix enregistrée de Virgil. Il l'écouta attentivement, en quête de nuances qui pourraient lui apprendre quelque chose.

« Ricky, Ricky, Ricky, comme c'est gentil de donner de vos nouvelles. C'est vraiment extraordinaire. Et vraiment étonnant, je dois dire… »

— Bien sûr, murmura Ricky dans sa barbe. Je m'en doute, que ça vous surprend.

Il écouta le message jusqu'au bout. Virgil s'exprimait avec les mêmes intonations qu'autrefois, tour à tour caressante et aguichante, puis dure et inflexible. Il se dit qu'elle était aussi forte à ce jeu que son propre patron. Chez Virgil, le danger résidait dans sa capacité à changer de couleur, comme un caméléon. Elle pouvait être prévenante, et coléreuse et directe l'instant suivant. Si Rumplestiltskin était obstiné, froid et concentré, Virgil était versatile. Et Merlin, dont il n'avait pas encore reçu la réaction, était aussi dénué de passion qu'un comptable, avec le risque mortel que cela impliquait.

« … je dois dire que la manière dont vous vous êtes échappé, eh bien… cela va certainement obliger certaines personnes, dans des cercles importants, à reconsidérer leur approche des faits. Leur imposer un nouvel examen de A à Z de ce qu'ils croyaient savoir. Ça montre simplement combien la vérité peut être insaisissable, hein, Ricky ? Je les avais prévenus, vous savez. Vraiment. Ricky est un type très malin, je leur ai dit. Intuitif, d'une vive intelligence… Mais ils ne m'ont pas crue. Ils pensaient que vous seriez aussi stupide et étourdi que les autres. Et maintenant, regardez où ça nous a menés. Eh bien, vous êtes vraiment l'alpha et l'oméga de nos problèmes, Ricky. Le plat de résistance. Très dangereux pour tous les gens impliqués, je dirais… »

Virgil faisait alors entendre un profond soupir, comme si ses propres paroles lui apprenaient quelque chose. Elle poursuivait ensuite :

« Personnellement, j'ai du mal à comprendre pourquoi vous voulez continuer à jouer avec Monsieur R. J'aurais cru que le fait de regarder partir en flammes votre maison de vacances, que vous aimiez tant… Oh ! c'était une belle idée, Ricky, un coup tout en douceur, remarquablement intelligent. Incendier tout ce bonheur passé, avec tous les souvenirs qui y étaient attachés… Quel meilleur message aurions-nous pu recevoir ? Un psychanalyste ne pouvait pas faire moins que cela. Je ne m'y attendais pas, pas le moins du monde… Bref, j'aurais cru que cette expérience vous aurait convaincu que Monsieur R. est un homme très difficile à battre dans n'importe quel combat, surtout dans les combats qu'il organise lui-même. Vous auriez dû rester où vous étiez, Ricky, sous le rocher où vous étiez caché. Peut-être devriez-vous fuir, maintenant. Fuir et vous cacher pour toujours. Creuser un trou quelque part, le plus loin possible, un trou glacé et noir, creuser toujours plus profond. Parce que je crois que Monsieur R., la prochaine fois, exigera des preuves plus convaincantes de sa victoire. Des preuves définitives… C'est un homme très méticuleux. C'est ce que j'ai entendu dire, en tout cas… »

La voix de Virgil s'interrompit, comme si elle avait brusquement raccroché. Ricky attendit le signal de fin de message, puis passa au suivant. C'était Virgil, de nouveau :

« Eh bien, Ricky, je serais très déçue si vous deviez rejouer la fin de la première partie, mais si c'est ça qui doit se passer, après tout, à vous de choisir. Quel est ce nouveau jeu dont vous parlez et quelles en sont les règles ? Je lirai mon *Village Voice* très attentivement, désormais. Et mon patron est… “impatient” n'est pas vraiment le mot exact, Ricky. Il ronge son frein, comme un cheval avant la course, peut-être. Eh bien, Ricky, nous attendons que vous ouvriez le bal. »

Ricky raccrocha.

— C'est déjà fait, dit-il à voix haute.

Des renards et des chiens. Penser comme le renard. Il faut laisser une piste, afin de savoir où ils sont, mais il faut avoir assez d'avance pour éviter d'être repéré et capturé. Et puis les attirer droit vers le buisson de ronces.

Le lendemain matin, Ricky prit le métro pour retourner dans le premier hôtel où il avait pris une réservation. Il n'y resta pas plus longtemps que la fois précédente. Il rendit sa clé à un employé indifférent, qui lisait une revue porno – *Les Grandes Dames de l'amour* – derrière son comptoir. L'homme avait l'air indéniablement minable, avec ses vêtements qui ne lui allaient pas, son visage grêlé et sa lèvre marquée d'une cicatrice.

Ricky pensa qu'une agence de casting n'aurait pu trouver mieux pour incarner le réceptionniste d'un hôtel de cette catégorie. Il prit la clé quasiment sans mot dire, très absorbé par les images aux couleurs vives et explicites qu'il avait sous les yeux.

— Hé, fit Ricky, à peine capable d'attirer son attention. Il est possible que quelqu'un cherche à me joindre pour me remettre un paquet.

L'employé hocha la tête sans vraiment écouter. Il préférait de toute évidence les acrobaties de son magazine.

— Un paquet, ce n'est pas rien, insista Ricky.

— Bien sûr.

Le réceptionniste aurait aussi bien pu répondre qu'il n'avait rien entendu.

Ricky sourit. Il n'aurait pu souhaiter une conversation plus adaptée à ses vœux. Il jeta un coup d'œil dans le hall morne et défraîchi pour s'assurer qu'ils étaient seuls, et mit la main à sa poche. Il sortit le pistolet, les mains toujours au-dessous du comptoir, il l'arma, ce qui produisit un son caractéristique.

Le réceptionniste leva brusquement la tête et le regarda, les yeux écarquillés.

Ricky lui adressa un sourire méchant.

— Tu reconnais ce bruit, espèce de connard ?

L'employé posa les mains devant lui, bien à plat sur la table.

— Je pourrais peut-être avoir ton attention maintenant ? demanda Ricky.

— Je vous écoute.

Ricky se dit que ce type avait l'habitude d'être menacé et cambriolé.

— Alors je recommence. Un homme avec un paquet. Pour moi. S'il vient se renseigner, tu lui donnes ce numéro. Allez, prends ton crayon et note : 212.555.2798. C'est le numéro où il peut me toucher. Compris ?

— Compris.

— Réclame-lui un bifton de cinquante. Peut-être même de cent. Ça les vaut.

L'homme hocha la tête, l'air maussade.

— Et si je ne suis pas là ? Supposez que ce soit pendant le service du gardien de nuit…

— Si tu as envie de gagner les cent dollars, tu seras là, répondit Ricky. Maintenant, ajouta-t-il, voici la partie difficile. Supposons que quelqu'un d'autre, n'importe qui, vienne poser des questions. Je dis bien : n'importe qui, d'accord ? Quelqu'un qui n'aurait pas de paquet… Eh bien, tu dois lui dire que tu ne sais pas où je suis allé, ni qui je suis, ni rien du tout. Pas un mot. Pas de réponse. Pigé ?

— Rien qu'au type avec un paquet. D'accord. Qu'est-ce qu'il y a dans ce paquet ?

— Tu n'as pas besoin de le savoir. Et tu ne t'attends sûrement pas à ce que je te le dise.

Cette réponse sembla assez explicite.

— Supposons que je ne voie pas le paquet. Comment suis-je censé savoir que c'est le bon type ?

Ricky hocha la tête.

— Un point pour toi, mon pote. Ecoute : tu lui demanderas comment il connaît M. Lazarus, et il te répondra quelque chose comme : « Tout le monde sait que Lazare s'est relevé le troisième jour. » Alors tu pourras lui donner le numéro, comme je t'ai dit. Si tu t'y prends bien, il y aura sans doute un billet de cent à la clé.

— Le troisième jour. Lazare s'est relevé. On dirait un truc de la Bible…

— Peut-être.

— D'accord. Pigé.

— Bien, dit Ricky.

Il remit son arme dans sa poche, non sans avoir abaissé le chien avec un cliquetis aussi repérable que le précédent.

— Je suis heureux d'avoir eu cette petite conversation. Je me sens beaucoup mieux, maintenant.

Ricky fit un grand sourire et ajouta, en montrant la revue porno :

— Bon, je ne voudrais pas t'empêcher plus longtemps de poursuivre ton éducation.

Personne, bien entendu, ne viendrait lui apporter de paquet. Mais quelqu'un d'autre viendrait à l'hôtel. Et il était très probable que le réceptionniste communiquerait toutes les informations intéressantes à celui qui le demanderait, surtout s'il était motivé par une promesse d'argent ou des menaces de violences physiques, ce que Monsieur R., Merlin ou Virgil – Ricky en était persuadé – ne manqueraient pas de lui faire miroiter. Et quand il lui aurait transmis les réponses que Ricky lui-même lui avait dictées, Rumplestiltskin aurait matière à réflexion. Un paquet qui n'existe pas. Contenant des informations tout aussi imaginaires. Délivré à un individu qui n'a jamais existé. Ricky aimait cette idée. Donner à Rumplestiltskin un sujet d'inquiétude qui n'était que pure fiction.

Il traversa la ville pour se présenter à l'hôtel suivant.

Côté décor, il ressemblait au précédent, ce qui était rassurant. Un employé distrait et négligé siégeait derrière un grand comptoir de bois couvert de rayures. La chambre était d'une simplicité monacale, déprimante et défraîchie. Ricky avait croisé deux femmes dans le couloir – jupe ultracourte, maquillage luisant, talons aiguilles et bas résille noirs – qui ne faisaient pas mystère de leur profession. Elles l'avaient jaugé, le regard intéressé. L'une d'elles lui avait jeté une œillade suggestive, mais il avait secoué la tête. Il entendit une des filles grogner : « Un flic... », puis elles étaient parties, ce qui l'avait étonné. Il se dit qu'il réussissait (visuellement, en tout cas) dans sa tentative de s'adapter au monde où il avait décidé de s'enfoncer. Mais peut-être était-il plus difficile qu'il ne le croyait de se défaire de ce qu'on a été. On porte avec soi ce que l'on est, à l'intérieur et à l'extérieur.

Il se laissa tomber sur le lit et sentit les ressorts s'affaisser sous son poids. Les cloisons étaient si minces qu'il entendait une collègue des deux femmes en plein travail. Des gémissements et des chocs filtraient à travers le mur, au rythme où le lit de la chambre voisine était mis à contribution. S'il n'avait pas été si concentré, il aurait été très déprimé par les bruits et les odeurs (un léger remugle d'urine se répandait par les conduits d'aération). Mais l'atmosphère était exactement celle qu'il recherchait. Il tenait à ce que Rumplestiltskin croie que Ricky était devenu un habitué de l'enfer. Comme Monsieur R. en personne.

Ricky approcha le téléphone posé à côté du lit.

Son premier appel fut pour le courtier qui gérait ses modestes comptes d'investissement quand il était encore vivant. La secrétaire décrocha.

— Bonjour, puis-je vous aider ? fit-elle.

— Oui. Je m'appelle Diogène. Veuillez le noter, demanda-t-il en épelant soigneusement le nom. Je représente M. Frederick Lazarus, qui est l'exécuteur testamentaire de feu le Dr Frederick Starks. Je veux vous informer que les irrégularités importantes qui ont été constatées concernant sa situation financière à la veille de sa malheureuse disparition font l'objet d'une enquête.

— Je crois que nos services chargés de la sécurité des comptes se sont penchés sur cette affaire...

— Pas à notre satisfaction. Je voulais que vous sachiez que nous allons dépêcher quelqu'un pour examiner ces comptes, afin de retrouver les fonds disparus et de les distribuer à leurs propriétaires légitimes. J'ajouterai que des gens sont très mécontents de la manière dont l'affaire a été traitée.

— Je vois, mais qui...

La secrétaire était troublée, décontenancée par le ton sec et péremptoire de Ricky.

— Je m'appelle Diogène. Je vous prie de vous en souvenir. Je vous rappellerai, demain ou après-demain. Veuillez informer votre employeur qu'il doit rassembler les relevés correspondant à toutes les transactions concernées, en particulier les transferts télégraphiques et informatiques, pour que nous ne perdions pas de temps quand nous nous verrons. Je ne me ferai pas accompagner par les inspecteurs de la SEC pour cette enquête préliminaire, mais cela pourrait s'imposer à l'avenir. C'est une question de coopération, vous voyez ?

Ricky savait que la mention de l'organisme produirait un effet radical et immédiat sur son interlocutrice. Aucun courtier n'aime entendre parler des enquêteurs de la Commission des opérations de Bourse.

— Je pense que vous devriez parler à...

— Certainement, la coupa-t-il. Quand je rappellerai, dans un jour ou deux. Mais maintenant, j'ai un rendez-vous et quelques coups de fil à donner à propos de cette affaire. Je dois vous laisser. Merci.

Il raccrocha, envahi d'un sentiment de satisfaction des plus malsains. Il se dit que pour son ancien courtier, un homme ennuyeux qui ne s'intéressait qu'à l'argent

– qu'il s'agisse d'en gagner ou d'en perdre –, le nom du personnage de l'Antiquité qui parcourait le monde, sans succès, en quête d'un honnête homme n'évoquerait rien. Mais Ricky connaissait quelqu'un qui comprendrait immédiatement l'allusion.

L'appel suivant était pour le président de la Société psychanalytique de New York.

Ricky ne l'avait rencontré qu'une ou deux fois dans le passé. Il le considérait à l'époque comme un freudien vaniteux et suffisant qui, même lorsqu'il bavardait avec ses confrères, se ménageait de longs silences et des pauses creuses. C'était un vétéran de la psychanalyse à New York. Il avait soigné de nombreuses personnalités selon la technique du divan et du secret, et, on ne savait trop pourquoi, il se servait de ces patients célèbres pour exagérer sa propre importance, comme si la présence sur son divan d'un acteur couvert d'oscars, d'un lauréat du prix Pulitzer ou d'un financier multimillionnaire faisait de lui un thérapeute plus compétent ou un homme meilleur. Ricky, qui avait vécu et travaillé jusqu'à son « suicide » dans un isolement presque total, se disait qu'il n'y avait pas la moindre chance que le président reconnaisse sa voix. Il ne chercha donc pas à la camoufler.

Il attendit le moment propice. Il savait que le seul moment où le docteur pouvait décrocher le téléphone, c'était pendant la pause entre deux patients.

On répondit à la deuxième sonnerie. Une voix atone, brusque et raisonnable, qui se passait de formule de politesse :

— Docteur Roth…

— Je suis très heureux de vous parler, docteur, dit lentement Ricky. Je m'appelle Diogène. Je représente

M. Frederick Lazarus, exécuteur testamentaire de feu le Dr Frederick Starks.

— Que puis-je faire pour vous ? le coupa Roth.

Ricky marqua un temps d'arrêt. Un silence qui était censé mettre mal à l'aise, selon la technique que Roth avait lui-même l'habitude d'utiliser.

— Nous aimerions savoir précisément quelles suites ont été données aux plaintes formulées contre le Dr Starks, fit-il avec une agressivité qui le surprit.

— Les plaintes ?

— Oui. Les plaintes. Comme vous le savez parfaitement, des accusations ont été portées contre lui, un peu avant sa mort. A propos d'inconvenances sexuelles aux dépens d'une de ses patientes. Nous voudrions connaître les conclusions de l'enquête qui a suivi.

— J'ignore s'il y a eu une enquête officielle, fit vivement Roth. Certainement pas du fait de la Société psychanalytique, en tout cas. Après la mort du Dr Starks, tout complément d'information était sans objet.

— Oh, vraiment ? fit Ricky. Il ne vous est pas venu à l'esprit – à vous ou à n'importe quel membre de la société que vous présidez – qu'il avait peut-être été poussé au suicide par l'injustice et la fausseté de ces accusations, et non que son suicide était une sorte de preuve indirecte de sa culpabilité ?

— Nous avons envisagé cette hypothèse, en effet, répondit Roth après un silence.

Tiens donc, se dit Ricky. Espèce de menteur.

— Serez-vous étonné d'apprendre, docteur, que la jeune femme qui a produit ces accusations a disparu après coup ?

— Je vous demande pardon…

— Elle n'est jamais revenue pour poursuivre sa

thérapie chez l'analyste de Boston auprès de qui elle s'était plainte en premier lieu.

— C'est curieux...

— Et tous les efforts pour la retrouver ont simplement mis en évidence un fait très inquiétant : elle lui avait fourni une fausse identité.

— Une imposture ?

— Et on a fini par découvrir que ses accusations faisaient partie d'un coup monté. Vous l'ignoriez, docteur ?

— Mais non, non, je ne... Je vous l'ai dit, nous n'avons pas assuré de suivi de cette histoire, après le suicide.

— En d'autres termes, vous vous êtes lavé les mains de toute l'affaire.

— Elle a été transmise aux autorités compétentes...

— Mais ce suicide vous a sûrement épargné, à vous et à l'ensemble de votre profession, pas mal de publicité négative et très embarrassante, n'est-ce pas ?

— Je ne sais pas... Oui, bien sûr, mais...

— Il ne vous est pas venu à l'esprit que les héritiers du Dr Starks voudraient peut-être restaurer sa réputation ? Que cette disculpation, même posthume, pourrait être importante pour eux ?

— Je n'y ai pas pensé...

— Vous savez que vous pourriez être considéré comme responsable de sa mort ?

Ces mots provoquèrent une réaction courroucée très prévisible :

— Pas le moins du monde ! Nous n'avons pas...

Ricky l'interrompit :

— Il y a d'autres responsabilités que légales, dans ce monde, vous ne croyez pas, docteur ?

Il aimait cette question. Elle touchait au cœur de ce

que représentait la psychanalyse. Il imaginait l'homme qui se trouvait à l'autre bout du fil, en train de s'agiter nerveusement dans son fauteuil. Peut-être commençait-il à transpirer.

— Bien sûr, mais…

— Mais personne, au sein de la Société, ne voulait vraiment connaître la vérité, n'est-ce pas ? Il valait mieux qu'elle disparaisse au fond de l'océan avec le Dr Starks, pas vrai ?

— Je ne crois pas que je doive continuer à répondre à vos questions, monsieur…

— Non, bien sûr. Pas pour l'instant. Plus tard, peut-être. Mais c'est curieux, vous en conviendrez avec moi, docteur.

— Quoi ?

— Que la vérité soit beaucoup plus forte que la mort.

Sur ces mots, Ricky raccrocha.

Il s'allongea sur le lit, les yeux fixés sur le plafond blanc et l'ampoule électrique nue. Il sentait sa propre sueur, comme si cette conversation lui avait donné chaud. Mais sa transpiration n'était pas due à la nervosité, plutôt à la satisfaction que provoquait le sentiment d'avoir raison. Dans la chambre voisine, le couple avait remis cela. Il écouta les battements rythmés de l'amour, reconnaissables entre tous. Il trouvait cela amusant, pas du tout désagréable. Je ne suis pas le seul à prendre du bon temps dans mon travail, aujourd'hui, songea-t-il. Au bout d'un moment, il se leva et prit dans le tiroir de la table de nuit un petit bloc de papier et un stylo à bille.

Il écrivit sur une feuille les noms et les numéros de téléphone des deux hommes qu'il venait d'appeler. En dessous, il nota les mots « Argent » et « Réputation », devant lesquels il fit une légère marque. Il écrivit ensuite le nom du troisième hôtel où il avait réservé une chambre. Juste au-dessous, il gribouilla le mot « Domicile ».

Puis il froissa le papier et le jeta dans une corbeille métallique. Il se doutait qu'on ne faisait pas souvent le ménage dans les chambres et qu'il était très probable, si quelqu'un venait à sa recherche, qu'il trouverait le papier. Il serait de toute façon assez malin pour examiner les fiches de téléphone de cette chambre, ce qui l'amènerait aux numéros que Ricky venait de composer. Passer des numéros de téléphone aux conversations ne serait pas difficile.

Le meilleur jeu, se dit-il, c'est celui où les joueurs ignorent qu'ils sont en train de jouer.

30

Ricky trouva sur sa route un de ces magasins où l'on vend des surplus de l'armée et de la marine. Il acheta quelques objets dont il pensait avoir besoin pour la prochaine étape de son plan. Cela incluait un petit pied-de-biche, un antivol de vélo bon marché, des gants chirurgicaux, une minuscule lampe de poche, un rouleau de bande adhésive grise et la paire de jumelles la moins chère qu'il trouva. Comme s'il y pensait après coup, il acheta aussi un petit spray d'un insecticide composé à cent pour cent de DEET, ce qui était sans doute, pensa-t-il avec ironie, le produit le plus dangereux dont il ait jamais envisagé de s'enduire le corps. Ses achats formaient un assemblage assez hétéroclite, mais il ne savait pas exactement ce qu'exigerait la tâche qu'il s'était fixée, et il préférait parer à toutes les éventualités.

Au début de l'après-midi, il regagna sa chambre. Il rangea ses achats dans un petit sac à dos, avec son pistolet et deux de ses téléphones portables. Il se servit du troisième téléphone pour appeler l'hôtel qui suivait sur sa liste – celui où il n'avait pas encore réservé. Il y déposa un message urgent pour Frederick Lazarus, à qui il demandait de le rappeler dès son arrivée. Il donna le numéro du portable au réceptionniste, et le fourra dans une poche extérieure du sac à dos, non sans l'avoir soigneusement marqué avec un stylo. Quand il arriva près de sa voiture de location, il ressortit le téléphone et rappela l'hôtel d'un ton brusque. Il laissa un second message pour lui-même. Il répéta l'opération trois fois, sur la route du New Jersey, exigeant à chaque fois d'une voix plus stridente et plus insistante que M. Lazarus l'appelle immédiatement, parce qu'il avait des informations importantes à lui communiquer.

Après le troisième message, il s'arrêta sur une aire de repos, à la barrière de péage du New Jersey. Aux toilettes des hommes, il se lava les mains et abandonna le téléphone sur le bord du lavabo. En sortant, il croisa plusieurs adolescents qui se rendaient aux toilettes. Il était très probable qu'ils récupèrent le portable et qu'ils s'en servent assez vite. C'était précisément ce qu'il voulait.

Quand il arriva à West Windsor, c'était le début de la soirée. Il y avait eu beaucoup de circulation sur toute la partie à péage, des files de voitures ne respectant pas les distances de sécurité et roulant trop vite jusqu'à ce que les véhicules surchauffés soient contraints d'adopter une allure de tortue. Concert de Klaxon, gyrophares : un accident s'était produit près de la sortie 11. Les regards curieux des conducteurs ralentissaient encore la circulation, quand ils dépassaient les deux ambulances, la demi-douzaine de véhicules de la police de l'Etat et les coquilles de deux petites voitures déchiquetées par l'impact. Ricky aperçut un homme en chemise blanche et cravate, à demi accroupi près de la bande d'arrêt d'urgence, la tête dans les mains, le visage caché. Au moment où il dépassait le lieu de l'accident, la première ambulance démarrait dans un hurlement de sirène. Ricky vit un policier muni d'un odomètre mesurer les traces de dérapage. Un autre se tenait près des torches posées sur le goudron, faisant signe d'avancer, l'air sévère et désapprobateur, comme si la curiosité – la plus humaine des émotions – était déplacée, alors que tout simplement elle lui compliquait la vie. Le regard furieux de ce policier lui rappela l'analyste qu'il avait été.

Il trouva un *diner* sur la Route 1, pas très loin de Princeton. Il y tua le temps devant un cheeseburger-frites préparé par un être humain, non par des machines et des chronomètres. La journée s'étirait encore sous la lumière de juillet et, quand il regagna sa voiture, il s'en fallait encore d'un moment avant que la nuit tombe. Il se rendit au cimetière où il était allé deux semaines plus tôt. Comme il l'espérait, le vieux croque-mort n'était pas là. Il avait de la chance : l'entrée du cimetière n'était pas fermée à clé, de sorte qu'il put ranger sa voiture derrière la cabane en bardeaux blancs. Il la laissa là, plus ou moins dissimulée aux regards des gens qui passaient sur la route et inoffensive aux yeux de ceux qui, par hasard, auraient pu la repérer.

Ricky prit le temps de s'enduire généreusement d'insecticide et d'enfiler les gants chirurgicaux. Ce n'était pas suffisant pour dissimuler son odeur, mais cela maintiendrait au moins les tiques à distance. La lumière du jour commençait à diminuer, teintant le ciel du New Jersey d'un gris-brun malsain, comme si la chaleur de l'après-midi avait carbonisé les bords du monde. Ricky jeta le sac à dos sur son épaule et, après un unique coup d'œil sur la route de campagne déserte, il se mit à courir vers le chenil où il savait pouvoir trouver les informations qu'il cherchait. Le goudron dégageait encore une chaleur épouvantable, qui ne tarda pas à lui brûler les bronches. Il haletait et il savait que ce n'était pas l'effet de la fatigue de la course.

Il quitta la route, se dissimula sous la voûte des arbres et dépassa l'enseigne du chenil avec l'image du rottweiler au torse puissant. Puis il s'arrêta au bord de l'allée, sous le bouquet d'arbrisseaux qui cachait le chenil aux regards depuis la route, et commença à s'approcher avec moult précautions de la maison et des enclos. Toujours sous le couvert de la végétation, restant à l'abri des premières ombres dispensées par la nuit tombante, Ricky sortit ses jumelles et examina la disposition des lieux un peu plus attentivement que lors de sa première visite interrompue.

Ses yeux se posèrent d'abord sur le chenil, près de l'entrée principale, où il repéra Brutus, debout, qui arpentait nerveusement son enclos. Il sent le DEET, se dit-il. Et derrière, mon odeur. Mais il ne sait pas encore ce que cela signifie. Pour le chien, il appartenait simplement à la catégorie de ce qui sort de l'ordinaire. Ricky n'était pas encore assez près pour qu'il le considère comme une menace. Un instant, il envia le monde plus simple des chiens, défini par des odeurs et des instincts, jamais perturbé par les caprices des émotions.

Balayant l'espace avec ses jumelles, Ricky vit une lumière s'allumer dans la maison. Il guetta sans interruption pendant plusieurs minutes, puis la lueur blafarde d'un téléviseur apparut dans une pièce de devant. Sur la gauche, le bureau était plongé dans l'obscurité – et probablement fermé, pensa-t-il. Il passa les lieux en revue une dernière fois et découvrit un grand projecteur rectangulaire à hauteur du toit de la maison. Il comprit qu'il était sans doute relié à un détecteur de mouvement et qu'il était orienté sur l'avant de la maison. Il rangea les jumelles dans son sac, puis il entreprit de se déplacer parallèlement à la maison, sans quitter la lisière du sous-bois, jusqu'au moment où il atteignit la limite de la propriété. Un petit sprint l'amènerait à l'entrée du bureau et lui éviterait peut-être de déclencher l'éclairage extérieur.

Brutus n'était pas le seul à avoir remarqué sa présence. Plusieurs autres chiens tournaient en rond dans leur enclos en reniflant autour d'eux. Quelques-uns avaient émis un ou deux aboiements nerveux. Perturbés et inquiets, à cause d'une odeur inconnue.

Ricky savait exactement ce qu'il voulait faire et se disait que son plan avait des qualités. Mais il ne savait pas s'il pourrait le mener à bien. Jusqu'alors il avait simplement frôlé l'illégalité. Cette fois, c'était différent. Il gardait présent à l'esprit un autre détail : pour un homme qui aimait jouer, Rumplestiltskin ne respectait aucune règle. En tout cas, aucune règle imposée par une morale connue de Ricky. Celui-ci savait que même si Monsieur R. n'en était pas encore conscient, il était sur le point de pénétrer un peu plus avant sur ce terrain-là.

L'ancien Ricky n'aurait jamais imaginé se trouver un jour dans cette situation. Le nouveau Ricky était poussé par une motivation tenace. Ce que j'étais, ce n'est pas ce que je suis. Et je ne suis pas encore ce que je peux devenir. Il se demandait s'il avait jamais été une partie de ce qu'il était ou une partie de ce qu'il allait devenir. Question difficile. Il sourit intérieurement. Tu aurais pu te la poser, jadis, sur le divan, pendant des heures, des jours. Rien de plus. Il la repoussa au plus profond de lui-même.

Levant les yeux au ciel, il vit que les dernières lueurs du jour s'évanouissaient enfin. La nuit tomberait dans quelques minutes à peine. C'était le moment le plus incertain de la journée, parfait pour ce qu'il avait l'intention de faire.

Ricky sortit le petit pied-de-biche et l'antivol, qu'il

tint bien serré de la main droite. Puis il remit le sac sur son dos, inspira à fond et jaillit des buissons, dans une course folle vers le bâtiment.

Un tumulte de chiens excités déchira d'un seul coup la pénombre naissante. Jappements, hurlements, aboiements et grognements de toutes sortes transpercèrent l'air, masquant le grattement de ses semelles sur le gravier. Ricky était vaguement conscient que toutes les bêtes se jetaient en avant, dans leurs petits enclos respectifs, s'entortillant et tournant en rond dans une furie soudaine. Un monde de marionnettes hystériques dont les fils étaient embrouillés.

Quelques secondes plus tard, il était devant l'enclos de Brutus. L'énorme bête semblait être le seul pensionnaire du chenil à garder un certain sang-froid, et il était plutôt menaçant. Il arpentait le sol de ciment, mais il s'immobilisa quand Ricky arriva devant le portail. Pendant une seconde, Brutus le fixa en grognant, gueule ouverte, babines relevées. Puis, avec une vitesse stupéfiante, le chien bondit, projetant ses cinquante kilos contre la grille qui le retenait prisonnier. La violence de l'assaut faillit renverser Ricky. Brutus retomba en arrière, écumant de rage. Il se jeta de nouveau sur les grilles d'acier, les crocs claquant contre le métal.

Ricky ne perdit pas un instant. Il fixa vivement le montant de la porte à l'encadrement avec son antivol, retira ses mains avant que Brutus ait eu le temps de les attraper, ferma l'antivol, fit tourner les crans pour brouiller la combinaison et le lâcha. Brutus se jeta immédiatement sur la chaîne d'acier recouverte de caoutchouc noir.

— Va te faire foutre, murmura Ricky en imitant l'intonation d'un dur de cinéma. Au moins, tu n'iras nulle part.

Puis il se releva et se précipita vers le bureau. Il savait qu'il ne disposait plus que de quelques secondes avant que le propriétaire des lieux réagisse au vacarme, de plus en plus fort, des chiens excités. L'homme était peut-être armé, mais Ricky n'en était pas sûr. Peut-être se fiait-il suffisamment à la présence de Brutus pour ne pas devoir compter sur des armes.

Ricky enfonça le pied-de-biche entre la porte et le montant, et força la serrure, qui sauta dans un craquement de bois qui éclate. L'éleveur n'accordait certainement pas beaucoup de valeur au bureau, de toute façon, et était sûrement loin d'imaginer qu'un cambrioleur puisse vouloir se mesurer à Brutus. La porte s'ouvrit en grand et il se glissa à l'intérieur. Il fit basculer le sac devant lui, y fourra le pied-de-biche et sortit son pistolet, qu'il arma immédiatement.

Un véritable opéra d'hystérie canine se déroulait à l'intérieur. Le tintamarre était tellement violent qu'il avait du mal à réfléchir, mais cela lui donna une idée. Il alluma sa lampe de poche et descendit le couloir moisi et nauséabond où tous les chiens étaient enfermés, ouvrant au passage les portes de tous les enclos.

En quelques secondes, il se retrouva au centre d'une quarantaine de chiens de formes et de tailles variées, de toutes races, bondissant et aboyant. Certains étaient terrifiés, d'autres fous de joie. Reniflant, jappant, ne sachant que faire, mais tous surexcités par leur liberté retrouvée. Ricky comptait sur la psychologie élémentaire du chien, qui ne comprend pas vraiment ce qui se passe mais tient à en être. Malgré sa nervosité, cette activité de bêtes reniflant et soufflant qui tournaient autour de lui et passaient entre ses jambes le fit sourire. Toujours entouré de la meute, il retourna au bureau. Il agitait les bras en chassant les animaux de la voix, comme un Moïse déchaîné et impatient au bord de la mer Rouge.

Dehors, le projecteur s'alluma et Ricky entendit une porte claquer.

Le bruit avait enfin décidé l'éleveur à bouger. Il se demandait sans doute ce qui arrivait à ces foutues bêtes, sans vraiment imaginer que cela pouvait représenter une menace. Ricky compta jusqu'à dix. C'était assez pour lui donner le temps d'approcher de la cage de Brutus. Au-dessus du vacarme général, il entendit un bruit caractéristique : un grincement de chaîne métallique, puis un juron, quand l'homme comprit que la cage du rottweiler ne s'ouvrait pas.

C'est alors que Ricky ouvrit la porte du bureau à la volée.

— Allez-y, les gars, vous êtes libres ! fit-il en agitant les bras.

Une quarantaine de chiens franchirent la porte comme un ouragan. Ils foncèrent dans la nuit tiède du New Jersey, leurs hurlements se fondant dans un chant collectif et désordonné de joyeuse liberté.

Ricky entendit l'éleveur jurer violemment. Il sortit à son tour, mais demeura dans l'ombre, à la limite de la portée du projecteur.

L'éleveur avait été pris de court par la ruée des chiens qui l'avaient renversé. Il se retrouva sur un genou. Il se releva tant bien que mal, se remit presque sur pied, cherchant à retrouver son équilibre. Il essayait de les attraper, alors même que la vague le recouvrait et le renversait à nouveau. Un tourbillon d'émotions animales : chiens apeurés, chiens joyeux, chiens hésitants, ne sachant ce qui se passait, mais conscients que cela n'avait rien à voir avec la routine du chenil et impatients d'en profiter. Ricky eut un sourire cruel. Sa diversion était plutôt réussie.

Quand l'éleveur leva les yeux, au-delà de la vague canine bondissante et soufflante, il vit le revolver de Ricky pointé sur son visage. Stupéfait, il fit un bond en arrière, avec un hoquet, comme si le trou noir au bout du canon dégageait la même puissance que la marée animale.

— Vous êtes seul ?

Ricky avait parlé juste assez fort pour se faire entendre au-dessus des aboiements.

— Hein ?

— Vous êtes seul ? Il y a quelqu'un d'autre dans la maison ?

L'homme comprit. Il secoua la tête.

— Est-ce que Brutus a un congénère dans la maison ? Son frère, sa mère, son père ?

— Non. Personne d'autre que moi.

Ricky avança son pistolet. Assez près pour que l'odeur âcre de métal et de graisse – peut-être aussi de mort – parvienne aux narines de l'éleveur. Il n'avait pas besoin d'un odorat aussi développé que ses chiens pour comprendre le risque qu'il courait.

— Vous aurez plus de chances de rester en vie si vous parvenez à me convaincre que vous êtes seul, fit Ricky.

Il était un peu étonné de la facilité avec laquelle il pouvait proférer des menaces. Mais il ne se faisait aucune illusion. Il savait qu'il serait incapable de prouver qu'il ne bluffait pas.

La rage de Brutus était à son paroxysme. Il continuait à se jeter contre l'acier, ses crocs heurtant la grille. De l'écume lui recouvrait les babines et ses grondements déchiraient l'air. Ricky le regarda, circonspect.

Combien il devait être frustrant d'être élevé et éduqué dans un but unique et, quand le moment se présentait enfin de justifier son entraînement, de se retrouver coincé devant une porte fermée par un antivol de vélo. Le chien semblait presque accablé par son impuissance. Ricky se dit que c'était comme une métaphore de la vie de certains de ses anciens patients.

— Il n'y a que moi ici. Personne d'autre.

— Bien. Alors nous pouvons bavarder.

— Qui êtes-vous ?

Ricky hésita une seconde, avant de se rappeler que, lors de sa première visite, il était déguisé. Il se frotta la joue. Quelqu'un avec qui tu vas regretter de n'avoir pas été plus aimable la première fois, pensa-t-il.

— Quelqu'un que vous préféreriez sans doute ne pas avoir rencontré, fit-il en agitant son arme devant le visage de l'homme.

Il ne lui fallut que quelques secondes pour amener l'éleveur là où il voulait : assis par terre, le dos contre la grille de l'enclos de Brutus, les mains posées sur les genoux pour qu'il puisse les voir. Les autres chiens évitaient de trop s'approcher du rottweiler enragé. Quelques-uns avaient disparu dans la nuit, d'autres s'étaient rassemblés près des pieds de l'éleveur, d'autres encore sautaient en tous sens ou jouaient avec leurs congénères sur l'allée de gravier.

— Je ne sais toujours pas qui vous êtes, fit l'éleveur.

Il leva les yeux vers Ricky en louchant pour essayer de le localiser. La pénombre et les changements dans son allure jouaient en faveur de Ricky.

— Qu'est-ce que c'est que cette histoire ? Je n'ai pas d'argent liquide, ici, et…

— Ce n'est pas un cambriolage, sauf si vous pensez que le fait de vous extorquer des informations peut s'appeler comme ça... Je me disais d'ailleurs qu'à maints égards, c'est la même chose, répondit énigmatiquement Ricky.

— Je ne pige rien, fit l'éleveur en secouant la tête. Qu'est-ce que vous voulez ?

— Il n'y a pas si longtemps, un détective privé est venu vous poser quelques questions.

— Ouais. Et alors ?

— Je veux des réponses aux mêmes questions.

— Qui êtes-vous ? répéta l'homme.

— Je vous l'ai dit. La seule chose que vous avez besoin de savoir pour le moment, c'est que je suis armé, et pas vous. Et votre seul moyen de défense est enfermé derrière cette grille, et ça le rend fou furieux, si j'en juge à son air...

L'éleveur hocha la tête. Depuis quelques instants, il semblait retrouver un peu de confiance en soi et pas mal de sang-froid.

— Vous n'êtes pas le genre de type à vous servir de ça. Alors peut-être bien que je ne vous dirai pas un foutu mot de ce qui vous intéresse tant. Je ne sais pas qui vous êtes, mais allez vous faire foutre !

— Je veux que vous me parliez des deux vieux qui sont morts et qu'on a enterrés là-bas, en bas de la route. Et de la façon dont vous avez acheté cet endroit. Et, surtout, des trois enfants qu'ils avaient adoptés, même si vous prétendez que ce n'est pas vrai. Et je veux que vous me parliez du coup de fil que vous avez donné après le départ de mon ami Lazarus, l'autre jour. A qui avez-vous téléphoné ?

L'homme secoua la tête.

— Je vais vous dire une chose : j'ai touché du fric pour donner ce coup de fil. Et je devais aussi m'arranger pour garder ce mec dans les parages. Dommage qu'il ait filé. J'aurais touché un bonus.

— De qui ?

— C'est mes oignons, monsieur le dur. Je vous l'ai dit, allez vous faire foutre.

Ricky leva le revolver devant le visage de l'éleveur, qui grimaça un sourire.

— J'ai déjà vu des mecs se servir de ce truc. Je parie que vous, vous n'en êtes pas.

Il y avait dans sa voix un peu de l'hésitation du joueur de poker. Ricky sentait que l'homme n'était pas tout à fait sûr de lui.

Le revolver était ferme dans la main de Ricky. Il visa un point situé entre les yeux de l'éleveur. Plus cela durait, plus l'autre semblait mal à l'aise. Ce qui lui parut assez normal. Il voyait la sueur perler sur son front. Mais en même temps, chaque seconde supplémentaire permettait à sa victime de lire en lui. Il pourrait être obligé de devenir un meurtrier, mais il ne savait pas s'il serait capable de tuer quelqu'un d'autre que sa cible principale. Quelqu'un d'extérieur et de secondaire, simplement, même s'il était odieux. Ricky réfléchit une seconde, puis il regarda l'éleveur avec un sourire froid. Il y a une différence de taille, se dit-il, entre tuer l'homme qui a ruiné votre existence et tirer sur un simple rouage de la machine.

— Tu sais, commença-t-il lentement, tu as cent fois raison. Je ne me suis pas trouvé très souvent dans cette situation. C'est si évident que ça, que je manque d'expérience dans ce domaine ?

— Ouais, fit l'éleveur. Ouais, c'est foutrement clair.

Il changea légèrement de position, comme s'il se détendait.

— Peut-être que je pourrais m'entraîner un peu, fit Ricky d'une voix singulièrement neutre.

— Quoi ?

— Je disais que je pourrais m'entraîner. Comment savoir si je serais vraiment capable de me servir de ce truc contre toi, si je ne m'entraîne pas sur quelque chose d'un peu moins sérieux ? Peut-être même de beaucoup moins sérieux…

— Je ne vous suis toujours pas.

— Mais si. Seulement, tu ne te concentres pas. Ce que je suis en train de t'expliquer, c'est que je ne suis pas un ami des bêtes.

En prononçant ces mots, Ricky leva légèrement son arme. Il se concentra sur toutes ses heures d'entraînement, au stand de tir du New Hampshire, inspira lentement en s'efforçant de rester calme et appuya une fois sur la détente.

Le pistolet rua violemment dans sa main. Une seule déflagration déchira l'air. La balle siffla dans le noir.

Ricky ignorait s'il avait touché le rottweiler. L'éleveur était pétrifié. Il semblait avoir reçu une gifle. Il se couvrit une oreille avec la main, comme pour s'assurer que la balle, qui était passée très près, ne l'avait pas écorché.

Dans la cour, le vacarme reprit de plus belle. Un tintamarre fait de hurlements, d'aboiements et de bruits de course. Brutus, le seul chien qui était enfermé, comprit la menace. Il recommença à se jeter sauvagement sur la grille qui lui barrait le chemin.

— J'ai dû le rater, dit Ricky d'un ton nonchalant. Merde ! Et dire que je suis censé être bon tireur…

Il pointa de nouveau le pistolet vers le chien fou de rage.

— Bon Dieu ! cracha enfin son dresseur.

Ricky lui fit un nouveau sourire.

— Non, pas ici. Pas maintenant. Tout ça n'a rien à voir avec la religion. La question qui importe, c'est celle-ci : est-ce que tu aimes ton chien ?

— Nom de Dieu ! Attendez !

L'éleveur était presque aussi hystérique que les bêtes qui couraient en tous sens dans l'allée. Il leva la main, comme pour demander grâce à Ricky.

Celui-ci le fixait avec la même curiosité que s'il avait été un insecte suppliant qu'on lui laisse la vie sauve – avant de l'écraser d'une claque. Intéressé, mais sans plus.

— Attendez une seconde !

— Tu as quelque chose à dire ?

— Oui, nom de Dieu ! Mais attendez…

— J'attends.

— Ce chien vaut des milliers de dollars, dit l'éleveur. C'est un mâle alpha, et j'ai passé des heures, merde, j'ai passé la moitié de ma vie à le former. C'est un nom de Dieu de champion et vous lui tireriez dessus ?

— Je n'ai pas l'impression que tu me laisses beaucoup le choix. Je pourrais te tuer, mais dans ce cas, je ne trouverais jamais ce que je cherche. Et si par hasard les flics faisaient leur boulot et me mettaient la main dessus, eh bien… j'aurais de sérieux problèmes. Ce qui te ferait une belle jambe, puisque tu serais mort. D'un autre côté… je te l'ai dit, je ne suis pas vraiment un ami des bêtes. Et Brutus, là, peut-être qu'il assure tes fins de mois, peut-être qu'il représente des heures de travail, peut-être même que tu as de l'affection pour lui, mais pour moi, ce n'est qu'un clebs furieux et baveux qui n'a qu'une envie : me sauter à la gorge, et j'ai bien l'impression que le monde serait meilleur sans lui. Alors, si j'ai le choix… Je crois que le moment est venu pour Brutus de rejoindre le grand chenil éternel, là-haut, dans le ciel…

Ricky mettait dans sa voix toute la moquerie possible. Il voulait que l'éleveur s'imagine qu'il était aussi cruel qu'il en avait l'air. Ce qui n'était pas très difficile.

— Attendez une seconde…

— Tu vois, reprit Ricky, maintenant, tu as matière à réflexion. Est-ce que l'obligation de garder pour toi ces informations vaut la vie de ton chien ? A toi de jouer, espèce de crétin. Mais décide-toi en vitesse, parce que je perds patience. Ce que je veux dire, c'est que tu dois te poser la question : A qui doit aller ma loyauté ? Au chien, qui me tient compagnie et qui est mon gagne-pain depuis des années… ou à des étrangers qui paient mon silence ? Il faut choisir.

— Je ne les connais pas…

Ricky visa le chien. Cette fois, l'éleveur leva les deux mains.

— D'accord ! Je vais vous dire ce que je sais.

— C'est une bonne idée. Et Brutus te revaudra ta générosité avec le plus grand dévouement, en engendrant de nombreux petits fauves aussi stupides et merveilleusement sauvages que lui.

— Je ne sais pas grand-chose…

— Mauvais début, dit Ricky. Tu cherches un prétexte avant même de commencer…

Il tira immédiatement un second coup de feu en direction de la bête féroce. La balle pénétra dans la niche en bois, au fond de l'enclos.

Fou de rage, Brutus se mit à hurler.

— Bon Dieu ! Arrêtez ! Je vais parler.

— Eh bien, vas-y, je t'en prie. Cette séance a assez duré.

L'homme semblait réfléchir.

— Ça remonte loin en arrière, fit-il.

— Oui, je sais.

— Vous aviez raison, à propos des anciens propriétaires du chenil. Je ne connais pas le fond de l'arnaque, mais ils ont adopté ces trois mômes, uniquement sur le papier. Les enfants n'ont jamais mis les pieds ici. J'ignore à qui ils servaient de prête-noms, parce que je ne suis arrivé qu'après la mort des vieux. Dans un accident de voiture. J'avais essayé de leur acheter cet endroit un an plus tôt. Après l'accident, j'ai reçu un coup de fil d'un type qui s'est présenté comme leur exécuteur testamentaire. Il m'a demandé si je voulais toujours acheter l'affaire. Le prix était incroyable...

— Très haut ou très bas ?

— Je suis là, non ? Très bas. C'était une bonne affaire, surtout avec le terrain qui va avec. Une foutue bonne affaire. Il n'a pas fallu longtemps pour signer les papiers.

— Avec qui tu as traité ? Un avocat ?

— Ouais. Dès que j'ai dit oui, un type du coin a pris les choses en main. Un crétin. Un gars qui ne s'occupe que d'affaires immobilières et d'infractions au code de la route. Il était salement vexé, aussi, parce que la seule chose qu'il était capable de dire, c'était que je faisais une sacrée bonne affaire. Mais il ne critiquait pas. A mon avis, il était trop bien payé pour ça.

— Tu sais qui vendait la propriété ?

— Je n'ai vu le nom qu'une seule fois. Je crois que je me souviens d'avoir entendu l'avocat dire que c'était un parent du vieux couple. Un cousin. Assez éloigné. J'ai oublié le nom. Ça devait être un docteur...

— Un docteur ?

— C'est ça. Et on m'a dit une chose, aussi. C'était très clair.

— Oui ?

— Si jamais quelqu'un, le lendemain ou des années plus tard, venait me poser des questions sur la vente ou sur les vieux, ou sur ces trois enfants que personne n'a jamais vus, je devais appeler un certain numéro.

— Ils t'ont donné un nom ?

— Non, rien qu'un numéro de téléphone à Manhattan. Un jour, peut-être six ou sept ans plus tard, un homme m'appelle de je ne sais où pour me dire que le numéro a changé. Il m'en donne un autre, à New York. Puis, peut-être quelques années plus tard, le même type rappelle et me laisse encore un nouveau numéro, cette fois dans le nord de l'Etat de New York. Il me demande si quelqu'un n'est pas venu me voir, par hasard. Je lui dis que non. Parfait, il me répond. Il me rappelle notre arrangement et me dit qu'il y aurait une prime pour moi, si jamais quelqu'un venait. Mais il ne se passe rien, jusqu'à l'autre jour, quand ce Lazarus s'est pointé. Il me pose des questions, je le fous dehors. Puis j'appelle le numéro. Le type décroche. Il est vieux, maintenant, ça s'entend à sa voix. Très vieux. Me remercie pour le tuyau. A peine deux minutes plus tard, je reçois un coup de fil. Une femme, cette fois. Jeune. Elle me dit qu'elle m'envoie du cash, quelque chose comme mille dollars, et que si je retrouve Lazarus et que je le retiens, il y aura un autre billet de mille. Je lui réponds qu'il n'y a que trois ou quatre motels par ici où il peut loger. C'est tout, jusqu'à votre arrivée. Et, bon Dieu, je ne sais toujours pas qui vous êtes.

— Lazarus est mon frère, dit doucement Ricky.

Il hésita, réfléchit, ajouta les années à une équation qui résonnait fortement en lui.

— Le numéro que tu as appelé. Donne-le-moi.

L'éleveur cracha les dix chiffres d'une seule traite.

— Merci, fit Ricky d'un ton froid.

Il n'avait pas besoin de le noter. Il le connaissait déjà.

De la main qui tenait le revolver, il lui ordonna de se retourner.

— A plat ventre, les mains derrière le dos.

— Hé, attendez. Je vous ai tout dit. Je ne sais pas à quoi ça rime, tout ça, mais moi, je ne suis pas important.

— Ça, j'en suis sûr.

— Alors, laissez-moi partir.

— Il faut simplement que je limite tes mouvements pour quelques minutes… pour me donner le temps, disons, de m'éloigner avant que tu te lèves et que tu trouves une pince coupante pour libérer Brutus. Je crois qu'il aimerait peut-être passer quelques minutes avec moi, tout seul, dans le noir.

Cela arracha un sourire au dresseur.

— C'est le seul chien rancunier que j'aie jamais vu. OK, faites comme vous voulez.

Ricky s'assit sur le dos de l'homme, lui attacha les mains avec du papier collant, puis se releva.

— Tu vas les appeler, hein ?

L'homme acquiesça.

— Si je vous dis non, vous allez vous foutre en rogne. Vous saurez que je raconte des salades.

Ricky sourit.

— Bravo. C'est exact.

Il sortit de sa poche un bout de papier sur lequel il avait jeté, quelques heures auparavant, une petite dizaine de vers :

Lazare s'est levé, il arrive.
Il est ici, il aborde la rive.
Le jeu est reparti, il se rapproche.
Lazare dit que c'est dans la poche.

Peut-être n'êtes-vous plus le maître dans l'arène,
Et devriez-vous lire le Voice *cette semaine.*

— On dirait un poème, dit l'homme, à plat ventre sur le gravier, en s'efforçant de tourner la tête pour regarder Ricky, occupé à lui lire ses vers.

— Une sorte de poème, oui. Maintenant, cours de récitation. Tu vas l'apprendre par cœur.

Le dresseur dut s'y reprendre à plusieurs fois avant de s'en souvenir plus ou moins.

— Je ne pige pas, fit-il. Qu'est-ce qui se passe ?

— Tu joues aux échecs ? lui demanda Ricky.

— Je ne suis pas très bon.

— Eh bien, sois heureux de n'être qu'un pion. Et tu n'as pas besoin d'en savoir plus que ce que sait un pion. Tu connais le but du jeu, aux échecs ?

— Capturer la reine et tuer le roi.

— C'est plus ou moins ça, répondit Ricky en souriant. Ce fut un plaisir de vous connaître, Brutus et toi. Je peux te donner un conseil ?

— Quoi ?

— Passe ton coup de fil. Récite le poème. Essaie de retrouver tous les chiens qui ont fichu le camp. Ça va te prendre du temps. Demain, en te réveillant, oublie tout ça. Retourne à ta vie et ne pense plus jamais à cette nuit.

L'éleveur remua, mal à l'aise, en faisant crisser le gravier.

— Ça ne va pas être facile.

— Peut-être, dit Ricky. Mais il serait sage d'essayer.

Il se leva, laissant l'homme allongé sur le sol. Certains chiens, qui s'étaient couchés là, s'agitèrent en le voyant bouger. Ricky remit l'arme dans le sac à dos et, la lampe de poche à la main, descendit l'allée en courant. Dès qu'il fut sorti de la zone éclairée par la lumière du chenil, il accéléra, tourna vers la route obscure et se dirigea à toute vitesse vers le cimetière, où il avait garé sa voiture. Ses pieds claquaient sur le trottoir sombre. Il éteignit la lampe de poche, de sorte qu'il courait dans le noir absolu. C'était comme nager dans une mer battue par la tempête, traversant les vagues qui le bringuebalaient en tous sens. Mais, malgré la nuit qui l'avait englouti, il avait l'impression d'être illuminé par une information unique, éblouissante. Le numéro de téléphone. Il comprit que tout ce qui s'était passé, depuis qu'on lui avait apporté la première lettre jusqu'à cet instant précis, faisait partie d'un même grand mouvement. Il comprenait que cela allait peut-être beaucoup plus loin. Depuis des mois, des années, quelque chose le poursuivait, l'entraînait, mais il n'en avait rien su. Cette prise de conscience aurait dû le vider. Au lieu de quoi, il se sentait gonflé d'une énergie inattendue. Et il était soulagé, bizarrement. Il se dit que la découverte de la vérité, après qu'il eut été longtemps entouré par le mensonge, était comme un carburant qui le poussait en avant.

Cette nuit-là, il allait devoir parcourir des kilomètres. Des kilomètres d'autoroute et des kilomètres dans son cœur. Un trajet qui l'entraînerait au plus profond de son passé, tout en lui montrant la direction de son avenir. Il accéléra encore, comme le coureur de marathon qui sent que la ligne d'arrivée approche – elle est encore hors de vue, mais il la sent à la douleur dans ses jambes et dans ses pieds, à l'épuisement s'insinuant plus profond dans son corps à chaque inspiration.

31

Il était un peu plus de minuit quand Ricky atteignit le péage, sur la rive ouest de l'Hudson, juste au nord de Kingston, dans l'Etat de New York. Il avait conduit vite, le plus près possible de la limite autorisée afin d'éviter d'être pris en chasse par un flic de la police de l'Etat. C'était presque une métaphore de son existence passée. Il voulait aller vite, mais sans vraiment oser foncer. Il songea que Frederick Lazarus, sa créature, aurait poussé la voiture de location à cent quatre-vingts à l'heure, mais lui-même ne pouvait s'y résoudre. Comme si les deux hommes, Richard Lively (qui se cachait) et Frederick Lazarus (qui voulait se battre), faisaient le trajet ensemble. Il prit conscience que, depuis qu'il avait mis en scène sa propre mort, il n'avait cessé d'hésiter entre l'incertitude liée aux risques qu'il pourrait prendre et la sécurité que procure l'anonymat. Mais il savait qu'il n'était sans doute plus aussi invisible qu'il l'avait cru. Il sentait que l'homme qui le poursuivait n'était pas loin derrière lui, qu'il avait trouvé toutes les miettes de pain, tous les fils rouges, tous les indices menant du New Hampshire à l'autoroute de New York puis, au-delà, au New Jersey.

Mais il savait qu'il était proche, lui aussi.

C'était la plus mortelle des courses. Un fantôme lancé à la poursuite d'un mort. Un mort chassant un fantôme.

Il s'arrêta au péage. A cette heure tardive, aucune autre voiture ne traversait le pont. Le contrôleur du péage, plongé dans un numéro de *Playboy* qu'il regardait sans le lire, jeta à peine un coup d'œil dans sa direction. Le pont est une curiosité architecturale, il s'élève à plusieurs centaines de mètres au-dessus du ruban noir de l'Hudson, éclairé par une série de lampes à vapeur de sodium jaune-vert, avant de redescendre vers l'autre rive, du côté de Rhinebeck, dans la campagne obscure : de loin, il ressemble à un collier lumineux accroché à une gorge d'ébène et avalé par le noir absolu du rivage. En allant vers la route qui semblait s'enfoncer dans un puits, Ricky songeait que cette traversée n'avait vraiment rien de rassurant. Ses phares avaient du mal à découper dans la nuit des cônes de lumière terne.

Il trouva un endroit pour se garer et sortit un des deux derniers téléphones portables. Il composa le numéro du dernier hôtel où Frederick Lazarus était censé séjourner. C'était un établissement mal tenu, crasseux et bon marché, juste au-dessus de ceux qui louent des chambres à l'heure aux prostituées et à leurs clients. Le veilleur de nuit était sûrement peu occupé, pour autant qu'il n'y ait pas eu de bagarres ni d'échanges de coups de feu durant la nuit – ce qui était, Ricky le savait, une hypothèse audacieuse.

— Hôtel Excelsior, je vous écoute…

— Je m'appelle Frederick Lazarus. J'ai réservé une chambre pour ce soir. Mais je n'arriverai que demain.

— Pas de problème, dit l'homme avec un petit rire, sans doute à l'idée qu'on puisse réserver. Il y aura autant de place qu'aujourd'hui. Nous ne sommes pas vraiment en surbooking, cette année.

— Pouvez-vous vérifier si quelqu'un a laissé des messages pour moi ?

— Ne quittez pas…

Ricky entendit le claquement du téléphone qu'on posait sur le comptoir. L'employé revint en ligne quelques secondes plus tard.

— Mon Dieu, oui. Vous êtes drôlement populaire. Il y en a au moins trois ou quatre…

— Lisez-les-moi, dit Ricky. Je vous revaudrai ça quand je serai chez vous.

L'homme lui lut les messages. C'était ceux que Ricky avait lui-même déposés. Il n'y avait rien d'autre. Il attendit un instant, puis :

— Personne ne m'a demandé ? Je devais avoir une réunion…

Le gardien de nuit hésita de nouveau. Ricky sut ce qu'il voulait savoir. Sans lui laisser le temps d'imaginer un mensonge, il enchaîna :

— Une belle fille, hein ? Le genre à obtenir ce qu'elle veut, quand elle veut, et sans qu'on pose de questions, hein ? Beaucoup plus classe que tout ce qui franchit d'habitude les portes de votre hôtel, je me trompe ?

L'employé toussota.

— Elle est là, maintenant ? demanda Ricky.

— Non, murmura l'employé après deux ou trois secondes. Elle est partie. Il y a un peu moins d'une heure, juste après avoir reçu un coup de fil sur son portable. Partie à toute vitesse. Comme le type qui l'accompagnait, d'ailleurs. Ils n'ont pas cessé d'entrer et de sortir toute la soirée, et de demander après vous.

— Le type qui l'accompagnait ? Un gars un peu enrobé… le genre de type que vous aviez tendance à bousculer, au lycée ?

— Ouais, c'est ça, fit l'employé en riant. C'est lui. Excellente description.

Salut, Merlin, se dit Ricky.

— Ils ont laissé un numéro ou une adresse ?

— Non. Ils ont simplement dit qu'ils reviendraient. Et ils ne voulaient pas que je dise qu'ils étaient venus ici. Qu'est-ce que c'est que toute cette histoire ?

— Oh, juste un problème d'organisation, de timing. Ecoutez : s'ils se montrent, vous leur donnerez ce numéro.

Ricky lui communiqua le numéro de son dernier téléphone portable.

— Mais arrangez-vous pour vous faire graisser la patte, ajouta-t-il. Ils ont du fric.

— D'accord. Est-ce que je leur dis que vous serez ici demain ?

— Oui. Ce serait aussi bien. Et dites-leur que j'ai appelé pour relever mes messages. C'est tout. Est-ce qu'ils ont écouté mes messages ?

L'homme hésita encore. Puis :

— Non, mentit-il. C'est confidentiel. Je ne me permettrais pas de les communiquer à des étrangers sans votre permission.

Bien sûr, pensa Ricky. Pas pour moins de cinquante dollars. Il était satisfait, le type de l'hôtel avait fait ce qu'il attendait de lui. Il coupa la communication et s'enfonça dans son siège. Ils ne seront pas sûrs, se dit-il. Ils ne sauront pas exactement qui d'autre cherche Frederick Lazarus, ni pourquoi, ni ce qui le lie aux événements. Cela va les perturber, les faire hésiter quant à leur prochain mouvement. C'était exactement ce qu'il voulait. Il regarda sa montre. Il était persuadé que l'éleveur avait fini par se libérer de ses menottes de ruban adhésif et que, après avoir calmé Brutus et rassemblé le maximum de chiens, il avait donné son coup de fil. Il était donc certain que, dans la maison où il se rendait maintenant, une lampe au moins serait allumée.

Comme il l'avait déjà fait un peu plus tôt dans la soirée, Ricky gara sa voiture dans une petite rue à l'écart, hors de vue des éventuels passants. Il se trouvait à près de deux kilomètres de sa destination, mais, en finissant le trajet à pied, il pourrait en profiter pour réfléchir à son plan. Il était très excité – comme si le moment était enfin venu d'apporter certaines réponses à certaines questions. Mais cela s'accompagnait d'une indignation qui aurait pu se transformer en fureur s'il s'était laissé aller. La trahison, songea-t-il, pouvait devenir beaucoup plus puissante que l'amour. Il avait un peu mal au cœur. Il reconnut le mélange de déception et de colère refoulée.

Ricky, jadis homme d'introspection, vérifia que son arme était correctement chargée. Il se dit qu'il n'avait d'autre véritable plan que la confrontation directe – c'est-à-dire une approche qui se définissait d'elle-même –, conscient d'aller vers un de ces moments où pensée et action ne font qu'un. Il sprinta dans le noir, le claquement de ses chaussures de course se mêlant à la symphonie ordinaire de la campagne nocturne, grattements d'un opossum dans le sous-bois, craquètement des cigales dans un champ proche. Il avait envie de se fondre dans l'air environnant.

Tout en courant, il se posait la question : Est-ce que tu vas tuer quelqu'un cette nuit ?

Il ne connaissait pas la réponse.

Il se posa une autre question : Est-ce que tu as l'intention de tuer quelqu'un cette nuit ?

Cette fois, la réponse semblait beaucoup plus simple. Il lui apparut qu'une grande partie de lui y était prête. C'était la partie qu'il avait construite de toutes pièces, durant les mois qui avaient suivi l'anéantissement de son existence. La partie qui avait étudié toutes les méthodes de meurtre et de destruction disponibles grâce aux livres empruntés à la bibliothèque, la partie qui s'était entraînée au stand de tir. La partie inventée.

Il s'arrêta net en arrivant devant l'allée qui descendait vers la maison. La maison où se trouvait le téléphone dont il avait reconnu le numéro. L'espace d'un instant, il se remémora sa visite en ces lieux, presque un an auparavant, lorsqu'il était arrivé plein d'espoir mais presque paniqué. Il était venu chercher de l'aide, quelle qu'elle fût, désespérément en quête de réponses, quelles qu'elles fussent. Ils étaient ici, à m'attendre. Simplement, embrouillé par les mensonges, je ne pouvais pas les voir. Je ne pouvais pas imaginer que l'homme que je croyais être mon principal soutien était celui-là même qui essayait de me tuer.

Comme il s'y attendait, il vit, depuis l'allée, que le bureau était éclairé.

Il sait que je viens, pensa-t-il. Virgil et Merlin, qui pourraient l'aider, sont toujours à New York. Même s'ils s'étaient précipités après son appel, en roulant à tombeau ouvert, ils ne seraient pas là avant une bonne heure. Ricky avança prudemment, écoutant le bruit de ses pas sur le gravier de l'allée. Peut-être même sait-il que je suis ici. Il regarda autour de lui, en quête d'un moyen d'entrer discrètement. Mais il n'était pas certain qu'il fût vraiment recommandé de profiter de l'effet de surprise.

Il prit son revolver de la main droite et engagea une balle dans le canon. Il ôta le cran de sûreté et s'avança vers la porte d'entrée d'un pas nonchalant, tel un voisin rendant une visite amicale par un bel après-midi d'été. Il décida de ne pas frapper et tourna simplement la poignée. Il avait vu juste, la porte n'était pas fermée à clé.

Il entra. Une voix retentit dans le bureau, à sa droite :

— Par ici, Ricky.

Il fit un pas, le revolver levé devant lui, prêt à faire feu. Puis il s'avança vers la lumière qui se déversait par l'encadrement de la porte.

— Bonjour, Ricky. Vous avez de la chance d'être encore en vie.

— Bonjour, docteur Lewis.

Le vieil homme était debout derrière son bureau, les mains posées à plat, penché en avant, dans l'expectative.

— Est-ce que je vous tue sur-le-champ ou seulement dans une minute ou deux ? fit Ricky d'une voix atone en s'efforçant de dissimuler sa colère.

— Je suis sûr que certains tribunaux vous donneront raison, si vous me tuez, dit le vieil analyste en souriant. Mais vous voulez connaître les réponses à certaines questions, et j'ai attendu jusqu'à cette longue nuit pour y répondre de mon mieux. Car nous ne faisons pas autre chose, n'est-ce pas, Ricky ? Répondre à des questions.

— C'est peut-être ce que je faisais autrefois, répondit Ricky. Mais c'est fini.

Il leva son pistolet vers l'homme qui avait été son mentor. L'homme qui lui avait tout appris. Le Dr Lewis avait l'air un peu surpris.

— Vous avez vraiment fait tout ce chemin rien que pour me tuer ?

— Oui, mentit Ricky.

— Eh bien, allez-y, fit le vieux docteur en le fixant d'un regard intense.

— Rumplestiltskin... Depuis le début. C'était vous.

Le Dr Lewis secoua la tête.

— Non, vous vous trompez. Mais c'est moi qui l'ai créé. Au moins en partie.

Ricky pénétra dans le bureau en se déplaçant de côté, le dos toujours collé au mur. Les mêmes bibliothèques s'alignaient contre les murs. Les mêmes peintures. L'espace d'une seconde, il eut l'impression que l'année qui séparait ses deux visites n'avait pas eu lieu. L'endroit était froid et neutre, et évoquait une personnalité opaque. Cela en disait sans doute plus que n'importe quoi d'autre. Pas besoin de diplôme accroché au mur pour prouver que vous êtes mauvais. Il se demanda comment cela avait pu lui échapper jusque-là. D'un mouvement de son arme, il ordonna au Dr Lewis de s'asseoir dans le fauteuil de cuir pivotant du bureau.

Le Dr Lewis se laissa tomber sur son siège avec un soupir.

— Je vieillis, fit-il d'une voix neutre, et je n'ai plus autant d'énergie qu'avant.

— Laissez vos mains bien en vue, dit Ricky.

Le vieil homme leva les mains. Puis il tapota son front du bout de l'index.

— Ce n'est pas ce qu'on a dans les mains qui est dangereux, Ricky. Vous devriez le savoir. Au bout du compte, c'est ce que nous avons dans la tête.

— Autrefois, docteur, j'aurais probablement été d'accord avec vous. Aujourd'hui, j'ai des doutes. Mais j'ai une confiance absolue et enthousiaste en cet engin... Il s'agit, si vous l'ignorez, d'un pistolet semi-automatique Rutger. Il tire à haut débit des balles évidées de trois cent quatre-vingts. Il y a quinze balles dans le chargeur, et chacune d'elles est capable de vous arracher un morceau du crâne – y compris celui que vous venez de me montrer – et de vous tuer en une fraction de seconde. Et vous savez ce qui est le plus fascinant, docteur, à propos de cette arme ?

— Quoi donc ?

— L'homme qui la tient est déjà mort. Il n'a aucune existence sur cette terre. Est-ce que vous pouvez réfléchir quelques secondes à ce que ça implique ?

Le Dr Lewis gardait le silence, les yeux fixés sur le pistolet. Puis il eut un sourire.

— Ricky, tout ce que vous dites là est passionnant. Mais je vous connais. Je connais votre moi intime. Vous vous êtes allongé sur mon divan quatre fois par semaine, pendant presque quatre ans. Je connais toutes vos peurs. Tous vos doutes. Tous vos espoirs. Tous vos rêves. Toutes vos aspirations. Toutes vos angoisses. Je vous connais aussi bien que vous vous connaissez, sans doute beaucoup mieux, et je sais parfaitement, en dépit de votre attitude, que vous n'êtes pas un tueur. Vous êtes un homme profondément troublé, qui a fait tout au long de son existence des choix extrêmement médiocres. Je doute que le meurtre vienne s'ajouter à la liste.

Ricky secoua la tête.

— C'est l'homme que vous connaissiez sous le nom de Frederick Starks qui s'est allongé sur votre divan. Mais il est mort, maintenant, mort et enterré, et vous ne me connaissez pas. Vous ne connaissez pas l'homme que je suis maintenant. Pas le moins du monde.

Puis il appuya sur la détente.

Le coup de feu résonna dans la petite pièce et l'assourdit momentanément. La balle siffla au-dessus de la tête du Dr Lewis et frappa la bibliothèque qui se trouvait derrière lui. Ricky vit un gros livre de médecine, le dos légèrement sorti de la rangée, brusquement déchiqueté, comme s'il avait absorbé la balle. C'était un traité de psychopathologie, détail qui fit presque rire Ricky.

Le Dr Lewis pâlit, chancela, se pencha d'un côté et de l'autre, puis haleta bruyamment.

Il s'efforça de retrouver son calme.

— Mon Dieu, bredouilla-t-il.

Ricky vit dans les yeux de cet homme quelque chose qui ressemblait moins à la peur qu'à une sorte de stupéfaction, comme si un événement extraordinaire venait de se produire.

— Je ne pensais pas… commença-t-il.

Ricky le coupa d'un léger mouvement de la main qui tenait l'arme.

— C'est un chien qui m'a appris à faire ça.

Le Dr Lewis fit pivoter légèrement son fauteuil et examina avec attention l'endroit où la balle s'était fichée. Il émit un bruit à mi-chemin entre le rire et le hoquet, puis secoua la tête.

— Beau coup, Ricky, dit-il lentement. Un coup remarquable. Plus près de la vérité que de ma tête. Attention, dans quelques minutes, il faudra vous rappeler ce que je viens de dire.

Ricky contempla le vieil homme.

— Cessez de faire l'idiot, ordonna-t-il brusquement. Nous allions parler des réponses. Remarquable comme une arme telle que celle-ci aide à se concentrer sur les problèmes du moment. Pensez à toutes ces heures avec vos patients, y compris moi-même, docteur. Tous ces mensonges et ces interruptions, ces digressions et ces systèmes opaques de tromperie, ces détours. Tout ce temps passé assidûment à trier des vérités. Qui aurait cru que les choses auraient pu être démêlées si rapidement par un outil comme celui-là ? Un peu comme Alexandre et le nœud gordien, vous ne croyez pas, docteur ?

Le Dr Lewis semblait avoir retrouvé sa maîtrise de soi. Son attitude se modifia brusquement. Il fixait Ricky, les yeux plissés, d'un regard dur, comme s'il pouvait reprendre le contrôle de la situation. Ricky ignorait la signification de ce regard. Comme il l'avait fait presque un an auparavant, il s'installa devant le vieux médecin.

— Qui est Rumplestiltskin, si ce n'est pas vous ?

— Vous le savez, n'est-ce pas ?

— Eclairez ma lanterne.

— Le fils aîné de votre patiente. La femme à qui vous n'avez pu venir en aide.

— Ça, je l'ai trouvé tout seul. Continuez.

Le Dr Lewis haussa les épaules.

— Mon fils adoptif.

— Ça, je l'ai appris ce soir. Et les deux autres ?

— Son frère et sa sœur, tous les deux ses cadets. Vous les connaissez : Merlin et Virgil. Ce ne sont pas leurs vrais noms, bien sûr.

— Vous les avez adoptés, eux aussi ?

— Oui. Nous les avons accueillis tous les trois. D'abord en qualité de famille d'accueil, via les services de l'Etat de New York. Puis je me suis arrangé pour que mes cousins, dans le New Jersey, jouent le rôle de prête-noms dans une procédure d'adoption. Tromper l'administration a été dramatiquement simple. Comme vous vous en êtes sans doute rendu compte, elle se fichait totalement de ce qui pouvait arriver à ces trois enfants.

— Alors ils portent votre nom ? Vous vous êtes débarrassé de Tyson et vous leur avez donné le vôtre ?

— Non, fit le vieil homme en secouant la tête. Ce serait trop beau, Ricky. Vous ne les trouverez pas dans l'annuaire sous le nom de Lewis. Ils ont été totalement réinventés. Un nom différent pour chacun. Une identité différente. Un destin différent. Des écoles différentes. Une éducation différente et un traitement différent. Mais ils sont frères et sœur dans leur cœur, c'est le plus important. Ça, vous le savez.

— Pourquoi ? Pourquoi cette mise en scène compliquée pour dissimuler leur passé ? Pourquoi n'avez-vous pas…

— Ma femme était déjà malade. Mes cousins étaient prêts à aider, pour un peu d'argent. A aider et à oublier.

— Bien sûr, dit Ricky, sarcastique. Et leur petit accident ? Une scène de ménage ?

— Une coïncidence… fit le Dr Lewis en secouant la tête.

Ricky n'était pas sûr de le croire. Il ne put retenir son ironie :

— Freud disait que les coïncidences, ça n'existe pas.

— Exact, opina le Dr Lewis. Mais il y a un fossé entre souhaiter et agir.

— Ah bon ? Je pense que vous vous trompez. Mais peu importe. Pourquoi eux ? Pourquoi ces trois enfants ?

Le vieil analyste haussa à nouveau les épaules.

— Vanité. Arrogance. Egotisme.

— Ce ne sont que des mots, docteur.

— Oui, mais ils expliquent beaucoup de choses. Dites-moi, Ricky : un tueur… un psychopathe meurtrier absolument dénué de remords… a-t-il été créé par son environnement ? Ou était-il destiné à devenir ainsi à cause d'un désordre infinitésimal dans son patrimoine génétique ? Pour quoi optez-vous, Ricky ?

— L'environnement. C'est ce qu'on nous a enseigné. N'importe quel analyste vous dirait la même chose. Les généticiens sont d'un autre avis, bien sûr. Mais nous sommes le produit de nos origines, sur le plan psychologique.

— Je dois être d'accord avec ça. Bref, j'ai recueilli un enfant – et ses deux frère et sœur – qui était un véritable rat de laboratoire pour le mal. Abandonné par son père naturel. Rejeté par ses autres parents. Qui n'avait jamais connu le moindre semblant d'équilibre. Exposé à toutes sortes de perversités sexuelles. Continuellement battu par les amants psychopathes de sa mère. Au final, il a vu sa mère se suicider, broyée par la pauvreté et le désespoir, lui-même étant incapable de sauver la seule personne au monde en qui il ait jamais eu confiance. Une formule pour le mal, vous ne croyez pas ?

— Oui.

— Je me suis dit que je pouvais prendre cet enfant et renverser le poids de tout ce mal. Je l'ai aidé à mettre en place le système qui lui permettrait de se couper de son terrifiant passé. Puis j'ai cru que je pourrais l'aider à devenir un membre productif de la société. Voilà quelle fut mon arrogance, Ricky.

— Et vous n'y êtes pas parvenu ?

— Non. Mais j'ai engendré de la loyauté, curieusement. Peut-être même une sorte d'affection. C'est à la fois terrifiant et fascinant, Ricky, d'être aimé et respecté par un homme dévoué à la mort. Et c'est exactement le cas avec Rumplestiltskin. C'est un professionnel. Un tueur accompli. Il a bénéficié de toute l'éducation que j'ai pu lui offrir. Exeter. Harvard. Ecole de droit à Columbia. Et même un bref séjour à l'armée, pour avoir un peu d'entraînement supplémentaire. Vous savez ce qui est le plus bizarre dans tout cela, Ricky ?

— Dites-moi.

— Son travail n'est pas si différent du nôtre. Les gens viennent le voir, avec leurs problèmes. Ils le paient très cher pour qu'il trouve une solution. Le patient qui s'installe sur notre divan a désespérément besoin de se libérer d'un fardeau. C'est aussi le cas de ses clients. Ses méthodes sont simplement… eh bien, disons, plus radicales que les nôtres. Mais pas beaucoup moins secrètes.

Ricky, brusquement, avait du mal à respirer. Le Dr Lewis secoua la tête.

— Et vous savez quoi, Ricky ? A part le fait d'être extrêmement riche, vous savez quelle est son autre qualité ?

— Quoi ?

— Il est impitoyable.

Le vieux psychanalyste soupira, puis ajouta :

— Mais peut-être vous en êtes-vous déjà rendu compte ? Il a attendu des années, s'est préparé, avant de se spécialiser et de s'en prendre à tous ceux qui avaient fait souffrir sa mère. Il a entrepris de les détruire les uns après les autres, aussi sûrement qu'ils l'avaient détruite, elle. C'est bizarre, j'ai l'impression qu'on pourrait trouver cela touchant. L'amour d'un fils. L'héritage d'une mère. Est-ce qu'il a eu tort, Ricky ? De punir ces gens qui ont ruiné sa vie, délibérément ou par ignorance ? Qui l'ont abandonnée à elle-même, dans ce monde cruel, avec trois petits enfants dans le besoin ? Je ne pense vraiment pas, Ricky. Pas du tout. Même les politiciens les plus agaçants répètent sans cesse que nous vivons dans une société qui fuit ses responsabilités. Est-ce que la vengeance, ce n'est pas simplement accepter les dettes de quelqu'un et les déguiser pour trouver une autre solution ? Les gens qu'il a choisis méritaient amplement d'être châtiés. Comme vous, ils ont tourné le dos à quelqu'un qui leur demandait assistance. Voilà ce qui ne va pas dans notre métier, Ricky. Nous voulons parfois trop d'explications, alors que la véritable réponse se trouve dans un de ces…

Il montra l'arme que Ricky avait en main.

— Mais pourquoi moi ? lâcha ce dernier. Ce n'est pas moi qui…

— Bien sûr que si. Elle est allée vers vous car elle avait désespérément besoin d'aide, mais vous étiez trop préoccupé par l'avenir de votre carrière pour lui prêter attention et la secourir. Enfin, Ricky, une patiente qui se suicide alors qu'elle est en traitement chez vous – même si c'est seulement quelques séances… Vous ne ressentez pas le moindre remords ? Une certaine culpabilité ? Est-ce que vous ne méritez pas d'en payer le prix ? Pourquoi ne pas admettre que la vengeance n'est pas moins responsable que n'importe quelle autre action humaine ?

Ricky ne répondit pas tout de suite.

— Quand avez-vous appris… fit-il au bout d'un moment.

— … votre lien avec le « rat de laboratoire » que j'avais adopté ? Presque à la fin de votre analyse. J'ai simplement décidé d'attendre pour voir comment cela finirait.

Ricky sentait la rage monter en lui, se mêler à sa transpiration. Il avait la bouche sèche.

— Et quand il s'est lancé à ma poursuite ? Vous auriez pu me mettre en garde.

— Trahir mon fils adoptif au profit d'un ancien patient ? Pas vraiment mon patient préféré, soit dit en passant…

Ces mots piquèrent Ricky au vif. Il voyait maintenant que le vieil homme était aussi mauvais que l'enfant qu'il avait adopté. Peut-être pire.

— Et je me disais qu'on pouvait considérer que ce n'était que justice. Mais vous ne connaissez pas la moitié de l'affaire, Ricky, ajouta le Dr Lewis en riant bruyamment.

— Quelle est la moitié que j'ignore ?

— Je pense que vous devrez le découvrir tout seul.

— Et les deux autres ?

— L'homme que vous connaissez sous le nom de Merlin est bel et bien avocat. Un avocat très compétent, d'ailleurs. La femme que vous appelez Virgil est actrice. Elle a une belle carrière devant elle. Surtout maintenant, puisqu'ils ont presque fini de régler les points de détail en suspens dans leur vie. Je crois que vous et moi, Ricky, sommes les derniers « détails » qu'ils aient à régler, tous les trois. L'autre chose que vous devez savoir, c'est qu'ils sont persuadés que c'est leur frère aîné – l'homme que vous appelez Rumplestiltskin – qui leur a sauvé la vie. Ce n'est pas vraiment moi, même si j'ai contribué à leur salut. Non, c'est lui qui a fait en sorte qu'ils restent ensemble, c'est lui qui les a empêchés de sortir du droit chemin, qui s'est battu pour qu'ils aillent à l'école, qu'ils obtiennent de bonnes notes et qu'ils réussissent dans la vie. Alors vous devez bien comprendre ceci, Ricky : ils lui sont dévoués. Ils sont absolument loyaux envers l'homme qui va vous tuer. Qui vous a déjà tué une première fois, et qui recommencera. N'est-ce pas intrigant, Ricky, d'un point de vue psychanalytique ? Un homme sans scrupules qui suscite une dévotion aveugle, absolue. Un psychopathe qui vous tuera, aussi sûrement que vous écrasez l'araignée qui croise votre chemin. Mais il est aimé, et il aime en retour. Et il aime exclusivement ces deux-là. Personne d'autre. Sauf peut-être moi, un petit peu, parce que je l'ai secouru et aidé. Alors j'ai peut-être gagné un peu de sa loyauté. Il est important que vous gardiez cela à l'esprit, Ricky, car vos chances de survivre à votre rencontre avec Rumplestiltskin sont minimes.

— Qui est-il ?

Chaque mot prononcé par le vieil analyste semblait obscurcir le monde autour de Ricky.

— Vous voulez connaître son nom ? Son adresse ? Son lieu de travail ?

— Oui, fit Ricky en levant son arme.

Le Dr Lewis secoua la tête.

— Comme dans le conte de fées, hein ? Le messager de la princesse surprend les propos du troll qui danse près du feu et lâche étourdiment son nom. Elle ne fait rien de vraiment intelligent ou de sage, ni même de compliqué. Elle a simplement de la chance et, quand il vient poser sa troisième question, elle trouve la réponse par un coup de veine idiot, elle a donc la vie sauve, elle garde son premier-né, et elle vivra heureuse jusqu'à la fin de ses jours. Vous croyez que ça peut se passer ainsi ? Que la chance qui vous permet d'être ici, en train d'agiter un revolver au visage d'un vieillard, suffira à vous faire gagner la partie ?

— Donnez-moi son nom, dit Ricky calmement, d'une voix aussi froide et cruelle que possible. Je veux leur nom, à tous.

— Qu'est-ce qui vous fait croire que vous ne le connaissez pas déjà ?

— J'en ai assez, des jeux.

— Mais la vie n'est rien d'autre, fit le vieil analyste en secouant la tête. Une succession de jeux. Et la mort est le plus grand de tous les jeux.

Les deux hommes s'observaient, de part et d'autre de la pièce.

— Je me demande... fit le Dr Lewis avec circonspection avant de lever les yeux pour consulter une pendule murale, je me demande combien de temps il vous reste.

— Assez, répliqua Ricky.

— Vraiment ? Le temps est élastique, hein ? Des instants peuvent durer une éternité, d'autres s'évaporent instantanément. Le temps est essentiellement soumis à notre point de vue sur le monde. N'est-ce pas ce que nous apprend l'analyse ?

— Oui, c'est vrai.

— Et cette nuit, toutes sortes de questions se posent à propos du temps, n'est-ce pas ? Nous sommes ici, seuls dans cette maison. Mais pour combien de temps encore ? Sachant que vous veniez, ne croyez-vous pas que j'ai pris la précaution de demander de l'aide ? Dans combien de temps arrivera-t-elle ?

— Assez longtemps.

— Ah, voilà un pari que je n'engagerais pas, à votre place.

Le vieil analyste sourit de nouveau.

— Mais peut-être devrions-nous compliquer encore très légèrement les choses.

— Comment cela ?

— Supposons que je vous dise que les informations que vous cherchez se trouvent quelque part dans cette pièce. Pourriez-vous les trouver à temps ? Avant que l'on vienne à mon secours ?

— Je vous l'ai dit, j'en ai assez de jouer à ces jeux.

— Elles sont sous vos yeux. Et vous vous en êtes approché, beaucoup plus que je n'aurais pu l'imaginer. Voilà. Assez d'indices.

— Je ne joue pas.

— Eh bien, je pense que vous avez tort. Je pense que

vous allez devoir jouer encore un peu, Ricky. Simplement parce que la partie n'est pas finie.

Le Dr Lewis leva brusquement les deux mains.

— Ricky, je dois sortir quelque chose du tiroir de ce bureau. Cela va sans doute contribuer à changer la manière dont ce jeu se déroule. Vous voudrez le voir. Je peux ?

Ricky dirigea le canon de son revolver sur le front du Dr Lewis. Il hocha la tête.

— Allez-y.

Le docteur sourit de nouveau. C'était un horrible sourire froid qui n'avait rien à voir avec la joie. Le rictus du bourreau. Il sortit une enveloppe du tiroir et la posa devant lui.

— Qu'est-ce que c'est ?

— Il s'agit peut-être des informations que vous êtes venu chercher, Ricky. Des noms. Des adresses. Des identités.

— Poussez-la vers moi.

— Comme vous voulez, fit le Dr Lewis en haussant les épaules.

Il jeta l'enveloppe en travers du bureau, et Ricky s'en empara avec empressement. Elle était scellée. Ricky quitta le vieux médecin des yeux une fraction de seconde pour l'examiner. Il comprit sur-le-champ qu'il avait commis une erreur.

Il leva les yeux. Le vieil homme souriait. Sa main droite tenait un petit revolver de calibre 38 au nez camus.

— Nettement moins gros que le vôtre, n'est-ce pas, Ricky ?

Le docteur fit entendre un rire sonore.

— Mais sans doute aussi efficace. Vous voyez, vous venez de commettre une erreur qu'aucune des trois personnes que vous cherchez n'aurait commise. Et surtout pas celui que vous appelez Rumplestiltskin. Il n'aurait jamais quitté sa cible des yeux. Pas une seconde. Quelles que soient ses relations avec la personne qu'il aurait mise en joue. Il ne lui aurait jamais fait assez confiance pour la quitter des yeux, même une fraction de seconde. Cela vous indique peut-être le peu de chances que vous avez vraiment.

Les deux hommes se faisaient face, de part et d'autre du bureau, chacun pointant son arme sur le visage de l'autre.

Ricky plissa les yeux. Il sentait la sueur sous ses aisselles.

— Voilà bien ce que nous appelons un fantasme d'analyste, non ? fit le Dr Lewis. D'après la théorie du transfert, est-ce que nous ne souhaitons pas tuer l'analyste, exactement comme nous souhaitons tuer notre mère, notre père ou quiconque symbolise ce qui cloche dans notre existence ? Et l'analyste n'entretient-il pas en retour un désir meurtrier qu'il voudrait satisfaire au même moment ?

Ricky ne répondit pas tout de suite.

— L'enfant était peut-être un rat de laboratoire pour expérimenter le mal, comme vous dites, murmura-t-il enfin. Mais il aurait pu être retourné. Vous auriez pu le faire. Mais vous n'avez rien tenté, n'est-ce pas ? Vous trouviez beaucoup plus intéressant de voir ce qui se passerait si vous le laissiez aller à la dérive émotionnellement, hein ? Et il était beaucoup plus facile pour vous de mettre ça sur le compte du mal du monde environnant et d'ignorer le vôtre, hein ?

Le Dr Lewis avait légèrement pâli.

— Vous le saviez, n'est-ce pas, que vous étiez aussi psychopathe que lui ? poursuivit Ricky. Vous vouliez un assassin, et vous en avez trouvé un, simplement parce que c'est ce que vous avez toujours voulu être : un tueur.

Le vieil homme fit la grimace.

— Vous avez toujours été malin, Ricky. Pensez à ce que vous auriez pu faire de votre vie si vous aviez été un peu plus ambitieux. Un tout petit peu plus subtil.

— Baissez votre arme, docteur. Vous n'allez pas me tirer dessus.

Le Dr Lewis laissa son revolver braqué sur le visage de Ricky. Il hocha la tête.

— Je n'ai aucune raison de le faire, hein ? L'homme qui vous a déjà tué une fois vous tuera une seconde fois. Mais il ne se contentera pas d'une notice nécrologique dans la presse. Je pense qu'il voudra absolument assister à votre mort. Vous ne croyez pas ?

— Pas si j'ai mon mot à dire. Peut-être que lorsque j'aurai trouvé ces indices sur son identité, que vous prétendez être ici, peut-être me contenterai-je de disparaître à nouveau. J'y suis parvenu une fois, je devrais pouvoir m'évaporer une deuxième fois. Peut-être Rumplestiltskin devra-t-il simplement faire comme s'il avait gagné la première partie. Le Dr Starks est mort, une fois pour toutes. Mais je continuerai et je deviendrai ce que je veux. Je peux gagner en fuyant. Je peux gagner en me cachant. En menant une existence anonyme. N'est-ce pas bizarre, docteur ? Nous, qui avons travaillé si dur à tenter de faire face aux démons qui nous poursuivent et nous tourmentent, et à tenter d'aider nos patients à le faire, nous pouvons nous sauver en fuyant. Nous aidions nos patients à être *quelqu'un*, mais je peux être *rien* et pourtant gagner. Très ironique, vous ne trouvez pas ?

Le Dr Lewis hocha la tête.

— Je m'attendais à cette réponse, dit-il lentement. Je me disais que vous pourriez voir les choses comme cela.

— Alors, je vous le répète : posez votre arme et je m'en irai. En supposant que les informations que je cherche se trouvent dans cette enveloppe.

— D'une certaine manière, elles s'y trouvent, chuchota le vieil homme qui eut un sourire mauvais. Mais j'ai encore une ou deux questions à vous poser, Ricky... si vous me permettez.

Ricky acquiesça.

— Je vous ai parlé du passé de cet homme. Je vous en ai dit beaucoup plus que vous ne pouvez comprendre. Mais que vous ai-je dit de ses rapports avec moi ?

— Vous avez parlé d'une sorte d'étrange loyauté et d'amour. L'amour d'un psychopathe.

— L'amour d'un tueur pour un autre tueur. Très étonnant, vous ne trouvez pas ?

— Fascinant, fit vivement Ricky. Si j'étais encore psychanalyste, je serais sans doute intrigué au point d'avoir envie de me pencher là-dessus. Mais je ne le suis plus. C'est fini.

— Ah, mais je pense que vous avez tort, fit le Dr Lewis en haussant les épaules. Je crois qu'on ne peut pas abandonner le métier de médecin de l'âme aussi facilement que ça.

Il secoua la tête de gauche à droite. Il tenait toujours son revolver dirigé sur le visage de Ricky.

— Il semble que notre temps soit écoulé pour ce soir, Ricky. Une dernière séance. L'heure de cinquante minutes. Peut-être que votre analyse est presque achevée maintenant. Mais la vraie question que je veux vous poser pour finir, la voici : sachant qu'il désirait à ce point vous pousser au suicide parce que vous aviez abandonné sa mère, que cherchera-t-il à faire, selon vous, quand il croira que vous m'avez tué ?

— Que voulez-vous dire ?

Le vieux médecin ne répondit pas. D'un geste circulaire, il leva le revolver à sa tempe. Avec un sourire de dément, il appuya sur la détente.

32

Stupéfait, choqué, Ricky hurla. Son cri sembla se confondre avec l'écho de la détonation.

Il bascula en arrière dans son fauteuil, comme si la balle qui avait fait sauter le crâne du vieil analyste avait dévié et l'avait frappé à la poitrine. Avant même que l'écho de la déflagration se soit évanoui dans la nuit, Ricky était debout devant le bureau et contemplait l'homme auquel il avait accordé, jadis, une confiance absolue. Le Dr Lewis était renversé, le corps légèrement tordu par la puissance mortelle du projectile qui lui avait traversé la tempe. Ses yeux ouverts fixaient le vide avec une macabre intensité. Un mélange écarlate de sang et de cervelle s'était répandu sur la bibliothèque. Du sang brun foncé coulait de la plaie béante sur le visage et le menton du médecin, tachant sa chemise. Le revolver qu'il tenait entre ses doigts glissa et tomba sur le sol avec un bruit étouffé par le tapis persan. Ricky eut un hoquet d'horreur quand le dernier spasme des muscles accueillant la mort secoua le corps du vieil homme.

Il avait du mal à respirer. Ce n'était pas la première fois qu'il voyait la mort de près. Pendant ses années d'internat, quand il assurait des tours de garde en médecine générale et aux urgences, il lui était arrivé plusieurs fois de voir des gens mourir. Mais cela se passait au milieu du matériel médical, avec des équipes qui essayaient de sauver des vies, de repousser la mort. Même quand sa femme avait fini par succomber au cancer, cela s'était inscrit dans un processus familier, et qui justifiait le contexte – même s'il était horrible.

Cette fois, c'était différent. C'était comme un meurtre, un travail de spécialiste. Il sentit trembler ses mains, semblables à celles d'un vieillard. Il lutta de toutes ses forces contre l'instinct qui le poussait à céder à la panique et à prendre ses jambes à son cou.

Il essaya de mettre de l'ordre dans ses pensées. La pièce était silencieuse. Il entendait son propre souffle, comme un homme qui vient d'atteindre le sommet d'une montagne et qui aspire l'air froid sans être vraiment soulagé. Il avait l'impression que ses muscles avaient rétréci, qu'ils étaient noués et que seule la fuite pourrait l'aider à relâcher la tension. Il agrippa le bord du bureau pour garder son équilibre.

— Qu'est-ce que vous m'avez fait, vieil homme ? dit-il à voix haute.

Sa voix semblait venir d'ailleurs. Une quinte de toux au milieu d'une messe solennelle.

Puis il répondit à sa question : Il a essayé de me tuer. Cette balle pouvait tuer deux personnes. Ricky connaissait trois individus dont les réactions n'auraient aucune limite et qui prendraient très mal la mort de Lewis. Et ils en tiendraient Ricky pour responsable, malgré toutes les preuves que le docteur s'était suicidé.

Mais c'était encore plus compliqué que cela. Le Dr Lewis voulait beaucoup plus que seulement l'assassiner. Il le tenait dans sa ligne de mire et il aurait pu appuyer sur la détente, même sans savoir si Ricky aurait le temps de faire feu avant de mourir. Ce que voulait le vieil homme, c'était que tous les gens qui jouaient à ce jeu meurtrier fassent preuve d'une dépravation morale au moins égale à la sienne. C'était beaucoup plus important que de tuer simplement Ricky et de se suicider. Ricky essaya de s'y retrouver dans les pensées qui défilaient dans son esprit. Depuis le début, il n'était pas uniquement question de la mort. Il était question du processus. De la manière dont on parvient à la mort.

Exactement le genre de jeu qu'un psychanalyste pervers pouvait inventer.

De nouveau, il s'efforça d'inspirer l'air raréfié du bureau. Rumplestiltskin était peut-être l'agent de la vengeance et l'instigateur de tout ce qui s'était passé, mais le jeu avait été conçu par l'homme dont le corps gisait devant lui. Il en était persuadé.

Ce qui signifiait que, quand il parlait de la connaissance, Lewis disait sans doute la vérité. Du moins, une version pervertie de la vérité.

Il fallut plusieurs secondes à Ricky pour se rendre compte qu'il serrait toujours entre ses doigts l'enveloppe que son ancien mentor lui avait donnée. Il eut du mal à détourner les yeux du cadavre du vieil homme. Comme si le suicide avait une force hypnotique. Il y parvint tout de même et déchira l'enveloppe, d'où il sortit une simple feuille de papier. Il lut très vite :

Ricky,

Le salaire du mal, c'est la mort. Pensez à ce qui vient de se passer comme à un impôt que j'ai payé pour tous mes méfaits. Les informations que vous cherchez se trouvent en face de vous, mais serez-vous capable de les voir ? N'est-ce pas là l'essence de notre travail ? Sonder le mystère de ce qui est évident ? Trouver les indices qui nous regardent et hurlent pour attirer notre attention ?

Je me demande s'il vous reste assez de temps et si vous êtes assez intelligent pour voir ce que vous devez voir. J'en doute. Il est beaucoup plus probable, à mon avis, que vous mourrez cette nuit, plus ou moins de la même façon que moi. Sauf que votre mort sera beaucoup plus douloureuse, car vous êtes beaucoup moins coupable que moi.

La lettre n'était pas signée.

A chacune de ses inspirations, Ricky avait l'impression d'être pris d'une panique nouvelle.

Il inspecta le bureau du regard. Le léger tic-tac d'une horloge murale pénétra soudain sa conscience. Il essaya de calculer le temps passé. A quelle heure le vieil homme avait-il appelé Merlin et Virgil, peut-être Rumplestiltskin, pour leur dire qu'il était en route ? La maison de campagne se trouvait à deux heures de la ville. Peut-être un peu moins. Est-ce qu'il disposait de quelques secondes ? De quelques minutes ? D'un quart d'heure ? Il savait qu'il devait s'enfuir, mettre la plus grande distance possible entre lui et le mort assis en face de lui dans son fauteuil – au moins pour rassembler ses pensées et essayer de déterminer quelles chances il lui restait. Pour autant qu'il lui en restât. Il eut soudain l'impression de livrer une partie d'échecs contre un grand maître, déplaçant ses pièces un peu au hasard sur l'échiquier, en sachant depuis le début que son adversaire pouvait prévoir deux, trois, quatre coups ou plus.

Il avait la gorge sèche et il se sentit rougir.

En face de moi, se dit-il.

Il contourna le bureau avec précaution en s'efforçant de ne pas frôler le cadavre de l'analyste. Il allait tendre la main vers le tiroir du haut, mais il s'immobilisa. Qu'est-ce que je laisse derrière moi ? Des fibres de cheveux ? Des empreintes digitales ? De l'ADN ? Ai-je même commis un crime ?

Il y a deux sortes de crimes, pensa-t-il. Ceux qui attirent la police, les procureurs et le poids de la Justice réclamant son dû. Et ceux qui frappent le cœur des êtres. Parfois, il le savait, les deux se mélangeaient. Mais la plupart des événements qui s'étaient déroulés relevaient de la seconde catégorie, et c'était celui qui le poursuivait, à la fois juge, jury et bourreau, qui l'inquiétait vraiment.

Il n'avait pas à s'en faire. Il se rappela une vérité toute simple : l'homme qui laissait ses empreintes et des indices dans la maison du mort était lui-même mort depuis longtemps. Cela devrait le protéger. En tout cas, de la police, qui envahirait probablement les lieux avant la fin de la nuit. Il posa la main sur la poignée du tiroir, qu'il ouvrit d'un geste sec.

Il était vide.

Il regarda rapidement dans les autres tiroirs. Ils étaient tous vides. Il était évident que le Dr Lewis avait pris le temps d'en faire disparaître le contenu. Ricky passa la main sous le bureau, car il pouvait y avoir dissimulé quelque chose. Il se pencha, il n'y avait rien. Puis il tourna de nouveau son attention vers le cadavre. Il inspira à fond, puis fouilla les poches du Dr Lewis. Elles étaient vides, elles aussi. Rien sur le corps. Rien dans le bureau. Comme si le vieil analyste s'était donné du mal pour faire le vide dans le monde où il vivait. Ricky hocha la tête. Mieux que quiconque, se dit-il, un psychanalyste sait ce qui peut révéler des choses sur quelqu'un. Et en décidant de faire le vide, il savait mieux que quiconque comment s'y prendre pour faire disparaître les détails révélateurs de sa personnalité.

Une fois de plus, Ricky balaya la pièce du regard. Il se demanda s'il y avait un coffre-fort. Il posa les yeux sur l'horloge, ce qui lui donna une idée. Le Dr Lewis avait parlé du temps. C'était peut-être l'indice qu'il cherchait. Il se précipita vers le mur et chercha derrière l'horloge.

Rien.

Il avait envie de hurler de rage. C'était ici, quelque part.

Une fois de plus, il s'efforça de respirer à fond. Peut-être pas. Peut-être que le seul objectif du vieux, c'était que je sois encore là quand son rejeton adoptif et meurtrier arriverait. C'était ça, la règle du jeu ? Peut-être voulait-il que tout cela prenne fin cette nuit. Ricky saisit son arme et se retourna vers la porte.

Puis il secoua la tête. Non, car ce serait un simple mensonge, et les mensonges du Dr Lewis étaient beaucoup plus élaborés. Il y avait quelque chose ici.

Il retourna devant la bibliothèque. Des rangées d'ouvrages de médecine et de psychiatrie, des recueils de textes de Freud et de Jung, quelques essais modernes et des retranscriptions d'études cliniques. Des livres sur la dépression. Des livres sur l'anxiété. Des livres sur les rêves. Des dizaines de livres, qui ne couvraient pourtant qu'une infime partie de la connaissance des émotions humaines. Y compris le livre où s'était logée la balle de Ricky. Il regarda le titre imprimé sur la tranche. *Encyclopédie de psychopathologie*. Seules les cinq dernières lettres avaient été déchiquetées par la balle.

Il s'immobilisa, le regard perdu dans le vague.

Pourquoi un psychanalyste a-t-il besoin d'un livre sur la psychopathologie ? Sa vocation est surtout de se pencher sur des émotions légèrement décalées, pas sur des symptômes sombres et pervers. De tous les livres qui s'alignaient sur les étagères, c'était le seul qui semblait légèrement déplacé. Il n'y avait qu'un analyste pour s'en rendre compte.

Lewis avait ri. Il s'était tourné, il avait vu où la balle s'était fichée et il s'était mis à rire, ajoutant quelque chose que Ricky n'avait pas compris, sur le moment.

Ricky saisit le livre sur l'étagère. Le volume était lourd et épais, avec une reliure noire et des caractères jaune vif sur la couverture. Il l'ouvrit à la page de garde.

Il lut ces mots, tracés à l'encre rouge en travers du titre : *Bien joué, Ricky. Maintenant, est-ce que vous trouverez les bonnes entrées ?*

Il leva les yeux et entendit le tic-tac de la pendule. Il se dit qu'il n'avait pas le temps de répondre à cette question pour le moment.

Il s'écarta de la bibliothèque, prêt à s'enfuir, puis s'arrêta. Il revint sur ses pas, saisit avec précaution un autre livre sur une autre étagère et l'introduisit à l'emplacement laissé vacant par celui qu'il avait pris.

Ricky jeta un regard circulaire dans la pièce. Il ne vit rien qui lui indiquât quoi que ce soit. Il regarda une dernière fois le corps du vieil analyste, qui semblait avoir pris une teinte grise depuis que la mort l'avait emporté, quelques minutes plus tôt. Il se demanda s'il devait dire (ou ressentir) quelque chose, mais il n'était plus sûr de rien. Alors il s'en alla.

Il sortit furtivement de la maison du Dr Lewis. En quelques enjambées, il s'éloigna de la porte d'entrée, de la lumière qui filtrait du bureau, et l'onyx profond de la nuit l'enveloppa immédiatement. Dès qu'il se trouva dans le noir, Ricky put jeter un coup d'œil derrière lui.

Les sons harmonieux de la campagne composaient leur habituelle musique de minuit. Aucun son discordant n'indiquait qu'une mort violente avait pris place dans le paysage. Il fit une pause, le temps de constater à quel point, depuis un an, le moindre fragment de son existence avait été méthodiquement anéanti. L'identité est une mosaïque forgée par l'expérience, dit-on. Il avait l'impression que la plupart des éléments qui, selon lui, le composaient n'avaient jamais existé. Il ne lui restait que son enfance. Sa vie adulte était en lambeaux. Mais il était coupé des deux moitiés de son existence, dont l'accès, apparemment, lui était interdit. Cette constatation le laissait à demi étourdi, nauséeux.

Il tourna les talons et reprit sa fuite.

Courant d'un petit trot confortable, le bruit de ses pas se mêlant aux sons de la nuit, Ricky se dirigeait vers sa voiture. Il tenait l'encyclopédie de psychopathologie d'une main, son arme de l'autre. Il avait effectué la moitié du trajet, quand il entendit le bruit reconnaissable entre tous d'une voiture roulant à vive allure sur une route de campagne. Elle venait dans sa direction. Levant les yeux, il vit la lueur des phares balayer l'espace dans un virage, au loin, et entendit le grondement sourd d'une grosse cylindrée qui accélérait.

Il n'hésita pas une seconde. Il comprit immédiatement qui venait dans cette direction, et aussi vite. Ricky se laissa tomber à terre et se glissa tant bien que mal derrière un bouquet d'arbres. Il se baissa prestement, mais leva la tête au moment où une grosse Mercedes noire passait dans un rugissement. Au tournant suivant, le crissement des pneus se fit encore plus aigu.

Quand il se releva, il courait déjà. Cette fois il fuyait pour de bon. Les muscles douloureux, les poumons chauffés à blanc, il filait dans la nuit. Fuir était la seule chose importante, la seule qui comptât. Sans cesser de tendre l'oreille vers ce qui se passait derrière lui, à l'affût du bruit révélateur de la grosse voiture, il allait à toute allure. Il fallait qu'il prenne le plus d'avance possible. Ils ne resteront pas longtemps dans la maison, se dit-il en poussant désespérément sur ses jambes. Quelques instants seulement – le temps de constater la présence de la mort dans le bureau et de chercher des preuves que je suis encore là. Ou pas loin. Ils comprendront qu'il ne s'est écoulé que quelques minutes entre le suicide de Lewis et leur arrivée, et ils essaieront de rattraper leur retard.

Il lui fallut quelques minutes pour atteindre la voiture de location. Il farfouilla pour trouver les clés, les fit tomber, les ramassa, haletant sous l'effet de la tension. Il se jeta derrière le volant et démarra. Toutes les fibres de son corps lui ordonnaient d'accélérer. De s'enfuir. De partir le plus vite possible. Mais il résista et s'efforça de rester concentré.

Il comprit soudain qu'avec cette voiture il ne pourrait jamais les semer. Il y avait deux routes pour regagner New York. La voie express par la rive ouest de l'Hudson, et la Taconic Parkway par l'est. Ils ont une chance sur deux de deviner par où je suis passé et de me retrouver tout de suite. La plaque du New Hampshire, à l'arrière de sa voiture bon marché, permettrait de l'identifier facilement. L'agence de location, à Durham, leur avait peut-être donné le signalement et le numéro d'immatriculation de la voiture. C'était même très probable.

Il comprit qu'il devait imaginer quelque chose d'inattendu.

Quelque chose qui contredirait tout ce que ses trois poursuivants, dans la Mercedes, pouvaient anticiper.

Quand il prit sa décision, il vit que ses mains tremblaient. Il se demanda s'il était vraiment plus facile de jouer avec sa vie maintenant qu'il était déjà mort une fois.

Il embraya et reprit lentement le chemin menant chez le Dr Lewis. Il s'enfonça le plus possible dans son siège, sans que ça soit trop évident. Il se força à respecter la limite de vitesse, roulant plein nord sur la vieille route de campagne, alors que la relative sécurité de la ville se trouvait derrière lui, vers le sud.

Il approchait de l'allée menant à la maison qu'il venait de quitter, quand il vit les phares de la Mercedes qui redescendait vers la route. Il entendit le crissement des pneus massifs sur le gravier. Il ralentit légèrement – il ne voulait pas passer directement devant les gros phares de la voiture – pour leur donner le temps de s'engager sur la route et de se diriger vers lui en accélérant brutalement. Il était en pleins phares. Quand la Mercedes s'approcha, il passa en codes, comme on est censé le faire, puis, au moment précis où elle arrivait devant lui, il lui fit un violent appel de phares, comme n'importe quel conducteur irrité. Quand les deux voitures se croisèrent, elles étaient donc toutes deux en pleins phares. Ricky savait que, pendant le bref instant où il était aveuglé, les autres l'étaient aussi. Au même moment, il enfonça l'accélérateur et disparut de leur vue au premier virage. Trop vite, espérait-il, pour que quelqu'un, dans la Mercedes, ait eu le temps de se retourner pour voir sa plaque arrière.

Il prit la première route à droite et éteignit immédiatement ses phares. Il fit demi-tour sur place dans l'obscurité, à la lumière de la lune. Il se rappela qu'il ne devait pas garder le pied enfoncé sur la pédale du frein, pour ne pas allumer ses stops à l'arrière. Puis il attendit pour voir s'il était suivi.

La route était toujours déserte. Il se força à attendre cinq, puis dix minutes. Assez longtemps pour que les occupants de la Mercedes se décident pour l'une ou l'autre des deux routes possibles et lancent la grosse voiture à cent cinquante kilomètres à l'heure pour essayer de le rattraper.

Ricky redémarra. Il reprit son chemin vers le nord, sans but précis, par les routes secondaires. Presque une heure plus tard, il finit par faire demi-tour, changea à nouveau de direction et prit la route menant à la ville. C'était le milieu de la nuit et il y avait très peu de circulation. Il conduisait sans à-coups. Il se dit que son monde était devenu étroit et obscur, et se demanda ce qu'il pourrait faire pour y ramener la lumière.

Quand il arriva en ville, c'était le petit matin, aux heures qui précèdent l'aube. Le moment auquel New York semble envahi par des formes mouvantes, tandis que l'énergie des derniers noctambules, beaux et décrépits, en quête d'aventure, laisse la place aux foules pour qui commence une journée de travail. Le marché au poisson et les camions des bouchers allaient prendre possession du jour. Une transition sinistre, dans les rues que l'humidité et les néons rendaient luisantes. C'est le moment le plus dangereux de la nuit, pensa Ricky. L'heure où les inhibitions et les contraintes semblent se relâcher, et où le monde est disposé à accepter le changement.

Il avait regagné sa chambre meublée en luttant contre le désir de se jeter sur le lit et de sombrer dans le sommeil. Des réponses. Il les avait en main, dans le livre sur la psychopathologie. Il lui suffisait de les lire. La question était : où ?

L'encyclopédie, respectant l'ordre alphabétique, avait sept cent soixante-dix-neuf pages. Il la feuilleta mais ne trouva aucun indice au début. Plongé dans le livre comme un moine dans une bibliothèque ancienne, il savait pourtant qu'il recelait quelque chose qu'il devait savoir.

Ricky se renversa en arrière dans son siège, prit un crayon qu'il tapota contre ses dents. Je suis au bon endroit, se dit-il. Mais à moins d'examiner chaque page, il ne voyait pas ce qu'il pouvait faire. Il devait penser comme l'homme qui était mort un peu plus tôt ce soir-là. Un jeu. Un défi. Un puzzle.

Ils sont là. Dans un livre sur la psychopathologie.

Qu'est-ce qu'il m'a dit ? Virgil est actrice. Merlin est avocat. Rumplestiltskin est un tueur à gages. Trois professions travaillant ensemble. Tout en feuilletant les pages au hasard, en essayant de se concentrer sur la solution à son problème, il passa sur les quelques pages consacrées à la lettre V. Presque par chance, ses yeux se posèrent sur une marque, au début de la section, qui commençait à la page 559. Dans le coin supérieur, tracée avec le stylo dont le Dr Lewis s'était servi pour écrire ses compliments sur la page de garde, une fraction : un 1 sur un 3.

C'était tout.

Ricky passa aux entrées dont l'initiale était un M. Il trouva une autre paire de chiffres. Un quart : 1, barre oblique, 4. Au début de la section R, il en trouva une autre. Deux cinquièmes : 2 sur 5.

Cela ne faisait aucun doute, c'étaient les clés qu'il cherchait. Il fallait maintenant trouver les serrures.

Ricky se pencha légèrement en avant, se balançant

doucement, comme s'il essayait de contenir une légère nausée – un mouvement presque involontaire, alors qu'il se concentrait sur le problème étalé devant lui.

C'était la personnalité la plus énigmatique, la plus complexe, qu'il ait jamais rencontrée pendant toute sa carrière d'analyste. L'homme qui l'avait analysé pour qu'il trouve sa voie à travers sa propre personnalité, qui avait été son mentor et qui avait fourni les moyens de provoquer sa mort, cet homme lui avait laissé un ultime message. Ricky avait l'impression d'être un mathématicien de la Chine ancienne. Il travaillait sur un boulier, les pierres noires cliquetaient en passant vivement d'un bord à l'autre, et le résultat des calculs successifs disparaissait au fur et à mesure pour céder la place au suivant.

Qu'est-ce que je sais vraiment ?

Le tableau commençait à se former dans son esprit, à commencer par Virgil. Le Dr Lewis avait dit qu'elle était comédienne, ce qui semblait logique, car elle avait toujours été en train de jouer un rôle. L'enfant de la pauvreté, la benjamine, qui, partie de rien, était arrivée si loin à une vitesse étourdissante. Comment cela l'a-t-il affectée ? se demanda Ricky. Des questions sur son identité (qui était-elle vraiment ?) devaient hanter son inconscient. D'où le désir d'embrasser une profession qui exige qu'on redéfinisse constamment sa personnalité. Un caméléon, chez qui les rôles prennent le pas sur la réalité. Ricky hocha la tête. Une propension à l'agressivité, aussi, et une susceptibilité qui traduisait son amertume. Il pensa à tous les facteurs qui l'avaient fait devenir ce qu'elle était devenue, et combien elle avait été désireuse de jouer un rôle clé dans la tragédie qui l'avait poussé vers la mort.

Ricky s'agita sur son siège. Essaie de deviner, se dit-il. Une devinette d'expert.

Névrose narcissique.

Il chercha les entrées commençant par la lettre N, puis l'article consacré à ce diagnostic.

Son pouls s'accéléra. Il vit que le Dr Lewis avait marqué certaines lettres, dans le cœur du texte, au surligneur jaune. Ricky prit une feuille de papier et recopia les lettres en question. Puis il se rassit aussi vite, les yeux fixés sur le charabia ainsi obtenu. Cela n'avait aucun sens. Il revint à la définition de l'encyclopédie, et se rappela le code « un tiers ». Cette fois, il copia les lettres qui précédaient de trois caractères celles qui étaient marquées. En pure perte, de nouveau.

Il se concentra sur la devinette. Cette fois, il décida de prendre les lettres situées trois mots en avant de chacune des lettres jaunes. Mais avant de se mettre à les retranscrire, il pensa à son indice. « Un sur trois »... Il chercha donc les lettres qui se trouvaient trois lignes plus bas que les lettres jaunes.

Avec ce système, les trois premiers points lui donnèrent le mot THE.

Il continua, très vite, et trouva un deuxième mot : JONES.

Il y avait encore six caractères surlignés. Grâce au même schéma, il traduisit : AGENCY.

THE JONES AGENCY.

Ricky alla vers la table de nuit. Le téléphone était posé sur l'annuaire de New York. Il chercha la section « Acteurs de théâtre ». Au milieu d'une longue liste, il trouva une petite publicité pour « The Jones Agency, l'agence des comédiens qui seront les stars de demain »...

En voilà une. Au tour de Merlin, l'avocat.

Il imagina cet homme. Cheveux soigneusement peignés, costumes sans le moindre faux pli, coupés sur mesure. Même ses tenues de sport étaient empesées. Ricky pensa aux mains de Merlin. Il avait des ongles manucurés. Le deuxième enfant, celui du milieu, qui exige que tout soit à sa place, qui n'avait pas toléré le chaos et le traumatisme de ses origines. Il avait haï son passé, adoré la sécurité de son père adoptif, même si le vieil analyste l'avait systématiquement déformé. Il était l'arrangeur, celui qui rend les choses possibles, l'homme qui s'était occupé des menaces, de l'argent, et qui avait démoli la vie de Ricky sans la moindre difficulté.

Cette fois, le diagnostic était plus facile à établir : désordre mental obsessionnel-compulsif.

Ricky passa vivement à la section de l'encyclopédie concernée, où il trouva les mêmes séries de lettres surlignées. Il décoda un mot qui le surprit : ARNESON. Il sentait que ce n'était pas un groupe de lettres dans le désordre, mais le « mot » ne lui disait rien.

Il marqua un temps d'arrêt, parce que cela semblait n'avoir aucun sens. Il s'obstina. La lettre suivante était un C.

Ricky revint en arrière, vérifia le code une nouvelle fois, fronça les sourcils, finit par comprendre le sens de ce qu'il avait trouvé. Les dernières lettres lui donnèrent le mot FORTIER.

Une affaire judiciaire.

Il ignorait dans quel tribunal il pouvait trouver ARNESON C/ FORTIER. Mais il lui suffirait d'interroger un employé dont l'ordinateur avait accès aux registres des affaires en cours.

Se tournant de nouveau vers l'encyclopédie, Ricky se concentra sur l'homme qui se trouvait au cœur de tout ce qui s'était passé. Rumplestiltskin. Il chercha le chapitre P, et la section « Psychopathe ». Il y avait un sous-chapitre intitulé « Homicide ».

Les séries de caractères qu'il cherchait étaient là.

Il utilisa de nouveau son code. Il déchiffra les lettres très rapidement et les inscrivit sur une feuille de papier. Quand il eut fini, il se redressa, lâcha un profond soupir. Il froissa la feuille de papier et en fit une boule qu'il jeta avec colère dans la corbeille.

Il lâcha une bordée de jurons. Pourtant, il s'y attendait à moitié.

Le message qu'il avait déchiffré disait ceci : PAS CELUI-CI.

Ricky n'avait pas beaucoup dormi, mais l'adrénaline le stimula. Il prit une douche, se rasa et s'habilla. Veston et cravate. Une visite, à l'heure du déjeuner, à un greffier et de modestes cajoleries à une assistante impatiente lui permirent de glaner quelques informations sur ARNESON C/ FORTIER. C'était une affaire au civil, dont l'audience préliminaire devait avoir lieu le lendemain matin. Pour autant qu'il ait compris, les parties en présence se disputaient sur une transaction immobilière qui ne s'était pas déroulée comme prévu. Il y avait des doléances et des contre-doléances, et des sommes d'argent assez considérables s'étaient égarées entre deux gros promoteurs de Manhattan. Le genre d'affaire, se dit-il, dans laquelle les deux adversaires sont richissimes, montés l'un contre l'autre et opposés à tout compromis. Ce qui signifie que tout le monde sera perdant, sauf les avocats des deux parties, qui y gagneront un solide pactole. C'était si banal, si ordinaire, qu'il en ressentit presque du mépris. Mais il n'écouta que sa cruauté. Il savait qu'au milieu de cette surenchère de postures, de plaidoiries, de menaces formulées à tort et à travers et d'affectation d'une poignée d'avocats, il trouverait Merlin.

Le registre du tribunal lui donna le nom de toutes les parties. Il ne reconnut aucun nom. Mais l'un d'eux était celui de l'homme qu'il cherchait.

L'audience n'aurait lieu que le lendemain matin, mais Ricky se rendit au palais de justice cet après-midi-là. Il se tint pendant quelques minutes devant l'énorme bâtiment de pierre grise, les yeux levés vers la volée de marches menant aux colonnes qui s'élevaient de part et d'autre de l'entrée. Les architectes qui avaient conçu le bâtiment, des dizaines d'années auparavant, avaient cherché à doter la justice d'un symbole de sa grandeur et de sa stature. Mais après tout ce qui lui était arrivé, Ricky se disait que la justice était finalement une idée un peu plus simpliste et beaucoup moins noble. Le genre d'idée qui tient aisément dans une petite boîte en carton.

Il entra, parcourut les couloirs, longea les salles d'audience, se mêla au flux et au reflux de la foule, repéra les ascenseurs et les escaliers de secours. Il lui vint à l'esprit qu'il pourrait trouver le magistrat chargé de l'affaire ARNESON C/ FORTIER et découvrir qui était Merlin, simplement en fournissant une description à la secrétaire du juge. Mais cette démarche risquait d'éveiller très vite les soupçons. Quelqu'un pourrait se la rappeler plus tard, quand il serait passé à l'action.

Ricky – qui pensait de A à Z comme Frederick Lazarus – tenait à ce que ce qu'il avait en tête restât absolument anonyme.

Il découvrit quelque chose qui pourrait l'aider. Les gens qu'il voyait se déplacer dans le palais de justice appartenaient à plusieurs catégories bien distinctes. Les « costumes trois pièces », c'étaient évidemment les avocats qui plaidaient ce jour-là. Puis il y avait des gens un peu moins distingués, mais parfaitement présentables. Ricky les rangea dans la catégorie qui rassemblait policiers, jurés, plaignants, accusés et personnel du palais de justice. Tous semblaient avoir plus ou moins des raisons d'être là, et une connaissance assez précise du rôle qu'ils devaient y jouer. Mais c'est la troisième catégorie, la plus marginale, qui l'intriguait le plus : les vautours. Sa femme lui en avait parlé, jadis, bien avant qu'on ne lui trouve un cancer, longtemps avant que sa vie se compose de rendez-vous à l'hôpital et de médicaments, de douleur et de désespoir. C'était le groupe des retraités et des parasites, qui trouvent divertissant d'assister aux audiences et d'observer les hommes de loi. Ils fonctionnaient un peu comme les ornithologues amateurs dans la forêt, passant d'une affaire à l'autre, en quête du témoignage dramatique ou du conflit étonnant, réservant parfois leur place dans les salles d'audience où se jugeaient les affaires prestigieuses et fortement médiatisées. C'étaient en général des gens d'allure modeste, un rang à peine au-dessus des clochards. Ils étaient dans l'antichambre de l'hôpital pour anciens combattants et portaient des vêtements de nylon quel que soit le temps. Un groupe facile à infiltrer, se dit Ricky.

Quand il sortit du palais de justice, un plan prenait forme dans son esprit. Tout d'abord, il héla un taxi pour Times Square et se rendit dans une des nombreuses boutiques de souvenirs où l'on peut acheter une fausse édition du *New York Times* avec son nom dans le titre de une. Il se fit faire une demi-douzaine de fausses cartes de visite. Puis il prit un autre taxi, qui le conduisit à un immeuble de verre et d'acier de l'East Side. Le gardien posté à l'entrée lui fit signer un registre. Ricky y apposa le paraphe de Frederick Lazarus, suivi du mot « producteur ». Le gardien lui remit un petit badge en plastique portant le numéro 6 (l'étage où il était censé aller) et reprit le registre sans même y jeter un coup d'œil. La sécurité repose beaucoup sur des intuitions, songea-t-il. Il considéra son personnage : il se comportait avec une assurance brutale qui dissuadait le gardien de lui poser des questions. C'était une performance très mineure, se dit-il, mais Virgil l'aurait sans doute appréciée.

A son entrée dans les bureaux de l'agence Jones, il fut accueilli par une jolie réceptionniste.

— Que puis-je faire pour vous ? fit-elle.

— J'ai parlé à quelqu'un de chez vous, un peu plus tôt, mentit Ricky. C'est à propos d'un clip publicitaire que nous sommes en train de monter. Nous cherchons des visages inconnus, et nous nous intéressons à tous les nouveaux talents. Je devais jeter un coup d'œil à votre portfolio.

La réceptionniste lui jeta un regard vaguement soupçonneux.

— Vous vous rappelez à qui vous avez parlé ?

— Non, excusez-moi. C'est mon assistante qui a appelé.

La réceptionniste hocha la tête.

— Mais peut-être pourrai-je simplement passer en revue quelques gros plans et vous m'aiderez à m'orienter ? proposa Ricky.

— Pas de problème, fit la jeune femme en souriant.

Elle tendit le bras sous son bureau, d'où elle sortit un grand classeur de cuir.

— Ce sont nos clients réguliers, dit-elle. Si vous trouvez quelqu'un qui vous intéresse, je vous dirigerai vers l'agent qui s'occupe de ses engagements.

Elle lui montra un divan de cuir, dans un coin de la pièce. Ricky prit le portfolio et entreprit de le feuilleter.

La septième photo était celle de Virgil.

— Salut, fit Ricky à voix basse, en lui donnant une chiquenaude.

Le vrai nom, l'adresse et le numéro de téléphone de la fille, ainsi que le nom de son agent, étaient inscrits au dos de la page, avec une liste d'engagements « off » Broadway et de quelques titres de films publicitaires. Il recopia le tout sur son bloc. Puis il fit exactement la même chose pour deux autres comédiennes et rapporta le portfolio à la réceptionniste. Ce faisant, il regarda sa montre.

— Je suis vraiment désolé, dit-il, mais je suis en retard à mon prochain rendez-vous. J'ai trouvé deux ou trois filles qui ont l'air de ressembler à ce que je cherche, mais je veux un entretien *de visu* avant de décider quoi que ce soit.

— Bien sûr, fit la jeune femme.

Ricky s'efforçait d'avoir l'air inquiet et pressé.

— Ecoutez, je suis vraiment dans le pétrin, je n'ai vraiment pas beaucoup de temps. Peut-être pourriez-vous appeler ces trois personnes et leur organiser un rendez-vous avec moi ? Voyons... disons, celle-ci à midi demain pour déjeuner, chez Vincent, sur la 82e Rue Est. Les deux autres, disons à deux heures et quatre heures, au même endroit ? Je vous en serais très reconnaissant. Nous sommes un peu sous pression, chez nous, si vous voyez ce que je veux dire...

La réceptionniste semblait déconcertée.

— En général, dit-elle à contrecœur, ce sont les agents qui organisent les rendez-vous, monsieur...

— Je comprends, fit-il. Mais je quitte New York

pour Los Angeles en fin d'après-midi demain. Désolé de vous mettre la pression…

— Je vais voir ce que je peux faire, monsieur…

— Ulysse, répondit Ricky. M. Richard Ulysse. On peut me toucher à ce numéro…

Il sortit une de ses fausses cartes de visite. Elle portait le logo des productions Le Voile de Pénélope. Comme si c'était la chose la plus naturelle du monde, il prit un stylo sur le bureau et biffa un numéro californien inventé de toutes pièces, qu'il remplaça par le numéro d'appel de son dernier téléphone portable. Il s'assura que le faux numéro était illisible. Il doutait aussi que l'un ou l'autre des agents ait la moindre culture classique.

— Voyez ce que vous pouvez faire. S'il y a un problème, appelez-moi à ce numéro. Allons, on a vu des coups plus spectaculaires arriver pour moins que ça. Vous vous souvenez de l'histoire de Lana Turner au drugstore ? De toute façon, je dois foncer. D'autres photos à regarder, si vous voyez ce que je veux dire… Ce ne sont pas les comédiennes qui manquent, ici. Je déteste voir quelqu'un laisser passer sa chance parce qu'il a manqué une invitation à déjeuner.

Là-dessus, il tourna les talons et sortit. Il n'était pas certain que son approche enjouée et faussement insouciante porterait ses fruits. Mais c'était possible.

33

Le lendemain matin, avant de partir au palais de justice, Ricky confirma à l'agent de Virgil son rendez-vous à déjeuner avec cette dernière, ainsi que ceux prévus avec les deux autres actrices (rendez-vous auxquels il n'avait pas l'intention de se rendre). L'homme lui posa quelques questions sur les publicités que le « producteur » Ricky avait l'intention de tourner, auxquelles il répondit d'un ton jovial avec un mensonge élaboré sur des placements de produits en Extrême-Orient et en Europe de l'Est, l'ouverture des marchés dans ces régions, et par conséquent le devoir de la publicité de trouver de nouveaux visages. Ricky se dit qu'il était devenu expert dans l'art de parler pour ne rien dire, ce qui, il s'en rendait compte, était une des manières les plus efficaces de mentir. Le scepticisme de l'agent ne résista pas à la densité des fictions tissées par Ricky. Après tout, si le rendez-vous débouchait sur quelque chose, il toucherait ses dix pour cent ; dans le cas contraire, les choses ne seraient pas pires que ce qu'elles étaient. Ricky savait que si Virgil avait été une vedette plus établie, il aurait eu des problèmes. Mais ce n'était pas encore le cas (cela lui avait été très utile quand elle avait collaboré à la ruine de son existence) et il tablait sans le moindre sentiment de culpabilité sur le fait qu'elle devait être ambitieuse.

A contrecœur, il laissa son revolver dans la chambre. Il ne pouvait prendre le risque de déclencher un détecteur de métal au palais de justice. Il s'était habitué à la présence rassurante d'une arme, même s'il ignorait s'il serait capable de s'en servir pour de bon quand l'occasion se présenterait (et il était persuadé que ce moment était proche). Avant de partir, néanmoins, il se contempla dans le miroir de la salle de bains. Il était très correctement vêtu : chemise, cravate, blazer et pantalon à plis. Assez correct pour se glisser sans se faire remarquer dans la foule qui circulait dans les couloirs du palais de justice. D'une certaine manière, c'était le même genre de protection que celle que lui offrirait un revolver, même si c'était beaucoup moins radical. Ce qu'il avait l'intention de faire était un vrai numéro d'équilibriste.

Il savait que, pour ce qui le concernait, la frontière entre le meurtre, sa propre mort et sa liberté était un fil ténu.

En se regardant dans la glace, il se rappela une de ses premières conférences sur la psychiatrie, à l'école de médecine. L'orateur avait expliqué que, quelle que soit votre connaissance des émotions et du comportement humains, quelle que soit la confiance que vous accordez au diagnostic et au processus d'évolution de la névrose et de la psychose, on ne peut jamais prévoir avec une absolue certitude comment quelqu'un réagira. Il existe des gens capables de prédire l'avenir, poursuivait le conférencier, et il arrive assez souvent que les gens se comportent selon notre attente. Mais ils défient parfois tous les pronostics et c'est assez fréquent pour faire de notre profession dans son ensemble un jeu de devinettes.

Il se demanda s'il avait bien deviné, cette fois.

Si c'était le cas, il serait libre. Sinon, il mourrait.

Ricky examina son image dans la glace. Qui es-tu maintenant ? Quelqu'un ou personne ?

Ces pensées le firent sourire. Il ressentait un soulagement presque jouissif. Libre ou mort. Comme sur la plaque d'immatriculation du New Hampshire de sa voiture de location. « Vivre libre ou mourir ». Il comprenait enfin ce que ça voulait dire.

Ses pensées glissèrent vers les trois personnes qui l'avaient traqué. Les enfants de la femme qui personnalisait son échec. Elevés dans la haine de tous ceux qui avaient échoué à l'aider.

— Je te connais maintenant, dit-il à voix haute en s'adressant à Virgil. Et toi, ajouta-t-il en évoquant l'image de Merlin, je ne vais pas tarder à savoir qui tu es.

Mais Rumplestiltskin restait insaisissable, une ombre dans son imagination.

C'était la seule angoisse qui lui restait. Mais elle était de taille.

Ricky hocha la tête à l'intention de son image. Le moment est venu d'entrer en scène.

Il y avait au coin de la rue un grand drugstore appartenant à une chaîne connue, où l'on trouvait des rangées de médicaments en vente libre, de shampooings et de piles. Ce que Ricky réservait à Merlin ce matin-là, il l'avait vu dans un livre sur la pègre de South Philadelphia. Il trouva ce qu'il cherchait dans un rayon qui proposait des jouets à bon marché. Le second élément se trouvait un peu plus loin, au milieu d'un modeste choix d'articles de papeterie. Il paya en liquide et, après avoir glissé ses achats dans la poche de sa veste, il ressortit dans la rue et héla un taxi.

Il entra dans le palais de justice, l'air de rien, comme la veille, avec l'allure d'un homme ayant un but très différent de ce qu'il avait réellement en tête. Il s'arrêta aux toilettes du deuxième étage pour préparer les objets qu'il avait achetés. Cela lui prit quelques secondes. Puis il tua le temps avant de se rendre à la salle d'audience où l'homme qu'il connaissait sous le nom de Merlin défendait son client.

Comme il l'avait prévu, la salle n'était qu'à moitié pleine. Plusieurs avocats flemmardaient en attendant que leurs affaires soient plaidées. Une douzaine de vautours étaient assis dans la partie centrale de la grande salle en forme de caverne, certains sommeillaient, d'autres écoutaient avec attention. Ricky entra tranquillement dans la salle, passa devant le gardien en sentinelle près de la porte et prit un siège derrière quelques-uns des vieux habitués. Il s'y glissa en s'efforçant de se faire aussi petit que possible.

Une demi-douzaine d'avocats et de plaignants se tenaient à l'avant de la salle, assis derrière de lourdes tables de chêne disposées devant l'estrade du juge. L'espace devant les deux groupes était encombré de documents et de cartons contenant les conclusions des différentes parties. Il n'y avait que des hommes, tous concentrés sur les réactions du juge à leurs arguments. Il n'y avait pas de jury, dans cette audience préliminaire, ce qui signifiait que tout ce qu'ils disaient s'adressait directement au juge. Ils n'avaient pas non plus besoin de se tourner pour s'adresser au public, car cela n'aurait eu aucune influence sur les débats. Par conséquent, aucun d'eux ne prêtait la moindre attention aux gens assis au petit bonheur la chance sur les sièges réservés au public. Ils prenaient des notes, vérifiaient les citations qu'ils empruntaient aux ouvrages de référence et se concentraient sur la tâche en cours : essayer de faire gagner de l'argent à leur client et – plus important – à eux-mêmes. Ricky se dit qu'il assistait à une sorte de représentation théâtrale où personne ne se souciait du public, mais seulement du critique dramatique qui se trouvait devant, dans sa robe noire. Il remua sur son siège et resta caché et anonyme, comme il le souhaitait.

Quand Merlin se leva, il sentit l'excitation le gagner.

— Vous avez une objection, monsieur Thomas ? demanda vivement le juge.

— De fait, oui, votre honneur, répondit Merlin d'un ton suffisant.

Ricky consulta la liste, qu'il avait établie plus tôt, des intervenants dans cette affaire. Mark Thomas, Esquire, bureaux à Manhattan, se trouvait au beau milieu.

— Eh bien ? fit le juge.

Ricky écouta pendant quelques minutes. Il reconnut l'assurance et l'autosatisfaction de l'avocat, telles qu'elles lui étaient apparues dans leurs précédentes rencontres. Que ses assertions reposent ou non sur un fondement juridique, il parlait toujours avec la même confiance en soi. Merlin était bien l'homme qui s'était introduit, avec des conséquences désastreuses, dans la vie de Ricky.

Seulement, il avait un nom maintenant. Et une adresse.

Et comme pour Ricky naguère, ce serait une porte sur sa personnalité.

Ricky pensa de nouveau aux mains de l'avocat. Surtout les ongles manucurés. Il sourit mentalement. Car il avait aussi remarqué la présence d'une alliance. Ce qui voulait dire une maison. Une femme. Des enfants, peut-être. Tous les signes extérieurs de l'ascension sociale, du yuppie agressif fonçant vers la réussite.

Sauf que le passé de maître Merlin, l'avocat, abritait quelques fantômes. Lui-même étant le frère d'un fantôme, au sens propre. Ricky l'écoutait parler, en s'émerveillant de la complexité psychologique de ce qu'il voyait en action. L'analyser aurait été un défi fascinant pour le psychanalyste qu'il avait été. Pour l'homme qu'il était devenu, c'était nettement plus simple. Il caressa le jouet qui se trouvait dans sa poche.

Tout à coup, le juge secoua la tête. Il décréta que la séance était levée et que l'on reprendrait après le déjeuner. C'était le signal que Ricky guettait pour sortir tranquillement de la salle d'audience.

Il se posta devant une rangée d'ascenseurs, à proximité de l'escalier de secours. Dès que le groupe d'avocats apparut, il se dissimula dans la cage d'escalier. Il eut le temps de voir que Merlin portait deux mallettes apparemment lourdes, sans doute bourrées de documents juridiques. Trop lourdes pour qu'il aille plus loin que l'ascenseur le plus proche.

Il descendit les marches quatre à quatre et jaillit au premier étage. Plusieurs personnes attendaient devant les ascenseurs. Ricky se joignit à elles, sa main serrant le jouet au fond de sa poche. Il jeta un coup d'œil au voyant lumineux : l'ascenseur était arrêté à l'étage au-dessus. Puis il reprit sa descente. Ricky était sûr d'une chose : Merlin n'était pas le genre d'homme à aller au fond de l'ascenseur pour faire de la place aux autres.

L'ascenseur s'arrêta, ses portes s'ouvrirent avec un léger chuintement.

Ricky s'avança derrière les gens qui montaient dans l'ascenseur. Merlin se trouvait juste au centre de la cabine.

Il leva la tête. Ricky le regarda droit dans les yeux.

Un éclair traversa le regard de l'avocat quand il le reconnut, et Ricky vit la panique s'afficher sur son visage.

— Salut, Merlin, dit calmement Ricky. Je sais qui vous êtes maintenant.

Il sortit de sa poche le jouet d'enfant et visa la poitrine de l'avocat. C'était un pistolet à eau, de la forme d'un Lüger allemand de la Seconde Guerre mondiale. Il appuya sur la détente, et un flot d'encre noire jaillit du canon, touchant Merlin au torse.

Avant que quiconque ait eu le temps de réagir, les portes s'étaient refermées.

D'un bond, Ricky regagna l'escalier. Il n'essaya pas de descendre en courant, sachant qu'il ne pouvait aller plus vite que l'ascenseur. Au lieu de quoi, il remonta au quatrième par les escaliers et chercha les toilettes des hommes. Il jeta le pistolet à eau dans une poubelle, non sans en avoir fait disparaître les empreintes digitales, comme il l'aurait fait d'une arme véritable. Puis il se lava les mains. Il attendit quelques minutes avant de sortir par les couloirs qui le menèrent à l'autre extrémité du palais de justice. Comme il l'avait repéré la veille, il y avait d'autres ascenseurs, d'autres escaliers et une autre sortie. Il descendit en attachant discrètement ses pas à un groupe d'avocats qui sortaient d'autres salles d'audience. Comme il s'y attendait, il ne vit aucune trace de Merlin. L'avocat n'était pas en situation de donner des explications sur la véritable nature des taches qui maculaient sa chemise et sa cravate.

Et puis il n'allait pas tarder à comprendre que Ricky s'était servi d'encre indélébile. Ricky regretta de n'avoir pas détruit plus qu'une chemise et une cravate ce matin-là.

Le restaurant que Ricky avait choisi pour déjeuner avec la comédienne ambitieuse avait été un des préférés de sa femme. Mais il doutait que Virgil ait été capable de faire le lien. Il avait opté pour celui-ci à cause d'un détail qui avait toute son importance : la grande baie vitrée qui séparait les dîneurs du trottoir. Ricky se rappelait que l'éclairage du restaurant empêchait de voir à l'extérieur. Et l'emplacement des tables était tel qu'il était plus facile d'être vu que de voir. C'était ce qu'il voulait.

Il attendit qu'un groupe de touristes – une dizaine d'hommes et de femmes parlant allemand, avec des chemises aux couleurs criardes et des appareils photo autour du cou – s'approche du restaurant. Il suivit simplement le mouvement, exactement comme un peu plus tôt au palais de justice. Il savait qu'il est difficile de repérer un visage connu dans un groupe d'étrangers, quand on ne s'attend pas à le voir. Au moment où les touristes passaient devant la vitre du restaurant, il tourna brièvement la tête. Conformément à son attente, Virgil était là, seule, dans un coin, attendant avec impatience. Seule.

Il dépassa la baie vitrée et inspira à fond.

Il va appeler d'une seconde à l'autre, se dit Ricky. Merlin tardait, exactement comme il l'avait prévu. Il s'était nettoyé, il avait présenté ses excuses à ses confrères, qui avaient tous été choqués. Quelle explication avait-il trouvée ? Un adversaire mécontent d'avoir perdu son procès ? Les autres pouvaient comprendre cela. Il les avait persuadés qu'il serait déplacé de faire appel à la police, qu'il contacterait l'avocat de l'homme au pistolet à encre, qu'il porterait peut-être plainte. Mais il règlerait lui-même le problème. Les autres avaient sans doute hoché la tête et proposé de témoigner, y compris à la police s'il le fallait. Mais tout cela avait pris du temps – plus le temps de se nettoyer, car il savait que, quoi qu'il advienne, il devait retourner à l'audience après l'heure de suspension. Quand, enfin, il avait pu téléphoner, son premier appel avait été pour son frère aîné. La conversation avait été assez longue : il ne s'agissait pas seulement de lui raconter ce qui s'était passé, mais d'essayer d'en tirer les conclusions qui s'imposaient. Ils avaient analysé la situation et commencé à envisager les possibilités qui s'offraient à eux. Finalement, sans avoir décidé ce qu'ils devaient faire, ils avaient raccroché. Son deuxième coup de fil devait être pour Virgil. Mais Ricky avait précédé cet appel.

Un grand sourire aux lèvres, il pivota brusquement et alla droit sur la porte du restaurant. L'hôtesse qui se trouvait à l'entrée leva les yeux vers lui. Il la coupa d'un geste de la main, sans lui laisser le temps de poser la question habituelle.

— Mon rendez-vous est déjà là, fit-il avant de se diriger à grands pas vers le fond du restaurant.

Virgil était de dos. Elle se retourna en l'entendant approcher.

— Bonjour, fit Ricky. Vous vous souvenez de moi ?

La stupeur lui déforma le visage.

— Parce que moi, je ne vous ai pas oubliée, dit Ricky en s'asseyant face à elle.

Virgil ne dit rien, mais elle s'était jetée en arrière, sous l'effet de la surprise. Dans la perspective d'une rencontre avec le « producteur », elle avait posé sur la table le press-book contenant ses photos et son CV. Elle le prit lentement, d'un geste délibéré, et le fit glisser par terre.

— Je crois que je n'aurai pas besoin de ça.

Ricky décela deux choses dans cette remarque. Une certaine hésitation, et le besoin de se donner une contenance. C'est ce qu'on apprend au Conservatoire, se dit-il, et en cet instant précis c'est exactement ce qu'elle cherche à faire.

Avant qu'il ait le temps de répondre, un bourdonnement retentit dans le sac à main de Virgil. Un téléphone portable. Ricky secoua la tête.

— Ça, ce doit être votre petit frère, l'avocat, qui veut vous prévenir que j'ai fait irruption dans sa vie ce matin. Et vous aurez bientôt un autre appel, de votre frère aîné cette fois. Celui qui gagne sa vie en tuant des gens. Il voudra vous protéger, lui aussi. Ne répondez pas.

Sa main s'immobilisa.

— Sinon… ?

— Eh bien, posez-vous la question : A quel point Ricky est-il désespéré ? Puis la question qui en découle : Que pourrait-il faire ?

Virgil ignora le téléphone, qui cessa de sonner.

— Que pourrait faire Ricky ? demanda-t-elle.

Il lui sourit.

— Ricky est déjà mort une fois. Peut-être qu'il n'a plus aucune raison de vivre, maintenant. Et mourir une seconde fois serait beaucoup moins douloureux, voire bienvenu, qu'en pensez-vous ?

Il lui jeta un regard froid.

— Je pourrais faire n'importe quoi.

Virgil remua, mal à l'aise. Ricky lui parlait d'un ton glacial. Inflexible. Il se rappela que la force de sa performance, ce jour-là, résidait dans le fait qu'il était différent de l'homme qu'il était un an plus tôt, si facilement manipulé et terrifié, jusqu'au suicide. Ce qui, il le savait, n'était pas très éloigné de la vérité.

— Et puis l'imprévisibilité. L'instabilité. Une

tendance à la folie, aussi. Voilà une combinaison dangereuse, non ? Un cocktail potentiellement explosif.

— Oui, fit-elle en hochant la tête. Exact.

Elle retrouvait un peu de son sang-froid en parlant, comme Ricky s'y attendait. Virgil était une jeune femme très capable de se concentrer.

— Mais vous n'allez pas me tirer dessus ici, dans ce restaurant, devant tous ces gens. Je ne le crois pas.

Ricky haussa les épaules.

— Al Pacino l'a bien fait, lui. Dans *Le Parrain*. Je suis sûr que vous l'avez vu. Quelqu'un qui veut devenir comédien professionnel doit l'avoir vu. Il sort des toilettes des hommes, le revolver dans la poche. Il tue l'autre truand et le capitaine de police corrompu d'une balle dans le front, puis il jette le revolver et sort tranquillement. Vous vous rappelez ?

— Oui, fit-elle, mal à l'aise. Je me rappelle.

— Mais j'aime beaucoup ce restaurant. Naguère, quand je m'appelais Ricky, je venais ici avec quelqu'un que j'aimais, mais que je n'ai pas apprécié à sa juste valeur. Et pourquoi voudrais-je ruiner l'excellent repas que les autres convives ont commandé ? Mais surtout, je n'ai pas besoin de vous tuer ici, Virgil. Je peux le faire n'importe où. Parce que je sais qui vous êtes. Je connais votre nom. Votre agent. Votre adresse. Plus important encore, je sais ce que vous voulez devenir. Je connais votre ambition. Et à partir de là, je puis anticiper vos désirs. Vos besoins. Maintenant que je sais tout ce qu'il faut savoir à votre sujet, vous pensez que je ne serais pas capable de trouver ce que je voudrais savoir, à l'avenir ? Vous pourriez déménager. Vous pourriez même changer de nom. Mais vous ne pouvez pas vous changer, vous, ni changer vos désirs. Et c'est là que ça coince, n'est-ce pas ? Vous êtes piégée, exactement comme l'a été Ricky. Idem pour votre frère, Merlin, un détail dont il a eu connaissance ce matin, de manière assez salissante. Vous avez joué avec moi, autrefois, vous saviez tout ce que j'allais faire, et pourquoi. Eh bien maintenant, je vais jouer avec vous à un autre jeu.

— Lequel ?

— Un jeu qui s'appelle « Restons en vie ». C'est un jeu sur la vengeance. Je crois que vous en connaissez déjà certaines règles.

Virgil avait pâli. Elle prit son verre d'eau glacée et but une longue gorgée sans quitter Ricky des yeux.

— Il vous retrouvera, Ricky, murmura-t-elle. Il vous retrouvera, il vous tuera et me protègera... Comme il l'a toujours fait.

Ricky se pencha vers elle, comme un prêtre partageant un sombre secret, dans un confessionnal.

— Comme n'importe quel grand frère, hein ? Eh bien, il peut essayer. Mais voyez-vous, maintenant il ne sait presque rien de moi. Tous les trois, vous avez traqué M. Lazarus et vous pensiez le coincer, combien... Une fois ? Deux fois ? Trois fois, peut-être ? Vous pensiez l'avoir manqué de quelques secondes chez le seul homme qui a croisé notre chemin à tous, l'autre soir ? Mais vous savez quoi ? Pouf ! Il s'apprête à disparaître. D'un instant à l'autre, maintenant, parce qu'il a épuisé ce qui pouvait être utile dans sa vie. Mais avant de partir, peut-être dira-t-il à celui que je suis devenu tout ce que j'ai besoin de savoir sur vous et Merlin, et maintenant Monsieur R. Et tout cela mis bout à bout, Virgil, il me semble que cela fait de moi un adversaire très redoutable.

Il marqua un temps d'arrêt, puis :

— Quelle que soit mon identité aujourd'hui. Qui que je puisse être demain.

Ricky se renversa en arrière et vit l'effet de ses paroles s'inscrire sur le visage de Virgil.

— Vous vous rappelez ce que vous m'avez dit, un jour, Virgil ? A propos de votre pseudonyme ? « Tout le monde a besoin d'un guide sur le chemin de l'enfer. »

Elle but une gorgée d'eau, puis hocha la tête.

— Oui, c'est ce que je vous ai dit, répondit-elle doucement.

Ricky eut un sourire cruel.

— Je crois que vous aviez choisi les mots qu'il fallait.

Il se leva brusquement, repoussant sa chaise.

— Au revoir, Virgil, dit-il en se penchant vers elle. Je crois que vous n'aurez plus jamais envie de revoir mon visage, parce que c'est la dernière chose que vous pourriez voir…

Sans attendre sa réponse, Ricky tourna les talons et sortit vivement du restaurant. Il n'avait pas besoin de la regarder pour voir sa main trembler ou sa mâchoire frémir, il savait que c'était ce qui se passait. La peur est une chose étrange, pensa-t-il. Elle peut se manifester de nombreuses manières, mais rien n'est aussi fort que la lame qu'elle introduit dans le cœur et le ventre, ou le courant mortel qu'elle induit dans l'imagination. Pour des tas de raisons, durant la plus grande partie de sa vie, il avait eu peur de beaucoup de choses. Une suite sans fin de terreurs et de doutes. Mais c'était lui, désormais, qui délivrait la peur, et il n'était pas sûr de ne pas aimer cela. Ricky disparut dans la cohue de la pause-déjeuner, il disparut de la vue de Virgil et l'abandonna à ses réflexions, comme il l'avait fait avec son frère, en train de se demander à quel point ils se trouvaient vraiment en danger. Ricky coupa vivement à travers la foule, évitant les passants comme un patineur sur une piste encombrée. Mais ses pensées étaient ailleurs. Il essayait de se représenter l'homme qui l'avait traqué, jusqu'à la mort. Comment le psychopathe réagira-t-il quand il saura que les deux seuls êtres dont il se soucie vraiment sur cette terre ont été menacés au plus profond d'eux-mêmes ?

Ricky se dépêchait. Maintenant, se dit-il, il va vouloir agir vite. Il va vouloir résoudre le problème sans attendre. Il ne va pas essayer de préparer ni de prévoir, comme la première fois. Cette fois, il laissera sa fureur prendre le dessus sur son instinct et sur sa formation.

Mais le plus important, c'est que, cette fois, il va commettre une erreur.

34

A une époque qui lui semblait maintenant si lointaine (quand son existence s'identifiait à des modèles normaux, connus), une ou deux fois chaque été, Ricky louait les services d'un de ces vieux guides de pêche chevronnés qui chassent, au large de Cape Cod, les géants des mers et les bancs de bluefish. Non qu'il se considérât comme un pêcheur émérite. Il n'avait d'ailleurs aucun talent particulier pour les activités de plein air. Ce qu'il aimait, c'était sortir aux aurores, à bord d'un petit bateau découvert, à l'heure où la brume flotte encore sur l'océan gris-noir, sentir la fraîcheur humide que défiaient les premières traînées lumineuses jaillissant au-dessus de l'horizon et regarder le guide piloter le skiff à travers les chenaux et contourner les hauts-fonds pour faire route vers les zones de pêche. Mais ce qu'il appréciait par-dessus tout, c'était la sensation que, dans ces étendues infinies que la houle faisait changer de forme à chaque instant, le guide savait exactement où se trouvait le poisson, même lorsqu'il se dissimulait dans les eaux noires et profondes. Lâcher son appât dans cette immensité glacée en tenant compte de tant de paramètres, marées et courants, température et lumière, pour finir toujours par trouver son objectif, était une performance que Ricky, le psychanalyste, admirait et trouvait toujours fascinante.

Quand il se retrouva dans sa chambre minable, à New York, pour rassembler ses idées, il se dit qu'il s'était embarqué dans un processus comparable. L'appât était à l'eau. Il lui fallait maintenant aiguiser son hameçon. Il était persuadé qu'il n'aurait pas droit à une deuxième chance avec Rumplestiltskin.

L'idée l'avait effleuré qu'après avoir affronté la sœur et le frère cadet, il aurait pu s'enfuir. Mais il lui sembla vite évident que cela lui était interdit. Il aurait passé le restant de ses jours à sursauter au moindre bruit inhabituel dans le noir, à tressaillir au moindre souffle derrière son dos, terrifié par le moindre visage étranger pénétrant dans son champ de vision. Une vie terrifiante, passée à tenter d'échapper à quelque chose et à quelqu'un d'impossible à détecter, mais qui assurément accompagnerait chacun de ses pas.

Ricky savait (pour autant qu'il ait jamais su quelque chose avec certitude) qu'il devait l'emporter sur Rumplestiltskin dans cette phase ultime. C'était le seul moyen de retrouver vraiment un semblant de vie selon ses vœux.

Il pensait avoir une idée de la façon dont il allait s'y prendre. Les premiers éléments de son plan étaient déjà en place. Il n'avait aucun mal à imaginer la conversation qui se déroulait entre les frères et la sœur, alors même qu'il se reposait dans sa chambre sordide. Ce n'était pas au téléphone. Ils devaient se voir, pour s'assurer mutuellement qu'ils étaient sains et saufs. Il y avait des éclats de voix. Quelques larmes et une violente colère, peut-être des insultes et des reproches. Tout s'était passé sans accrocs, pour eux trois, dans l'exécution de leur vengeance meurtrière sur toutes les cibles de leur passé.

Une seule d'entre elles leur avait fait manquer leur coup, et elle était devenue la source d'une angoisse terrible. Il pouvait entendre la phrase : « C'est toi qui nous as entraînés là-dedans ! », lancée en direction de la silhouette indistincte qui était si importante pour eux, depuis tant d'années. Non sans une certaine satisfaction, Ricky se dit que ce reproche ne serait pas dénué d'une certaine panique, parce qu'il était parvenu à effilocher les liens unissant les membres du trio. Si violent que fût leur désir de vengeance, si astucieux qu'ait été le complot contre Ricky et tous les autres, il y avait un élément que Rumplestiltskin n'avait pas prévu. Malgré leur devoir de rester à ses côtés, ses jeunes frère et sœur aspiraient tout de même encore à vivre normalement. Une existence normale, pour eux, c'était respectivement une vie au tribunal et une vie sur scène, en respectant certaines règles, certaines restrictions bien définies. Rumplestiltskin voulait vivre hors de toutes limites. Mais pas les deux autres. C'est pourquoi ils étaient devenus vulnérables.

C'était cette différence que Ricky avait découverte. Et il savait que cela constituait leur plus grande faiblesse.

Ils échangeaient certainement des mots très durs. Si cruel, si meurtrier qu'ait été le jeu, un seul des trois s'était chargé de pousser, de tirer des coups de feu, de tuer. Ruiner une réputation ou vider quelques comptes bancaires n'était que basses œuvres. Cela ne faisait pas couler le sang. Il y avait eu une division du travail, et les plus horribles des crimes étaient l'apanage d'un seul.

Ils avaient échu à Monsieur R. De la même façon qu'il avait subi le plus de sévices et les pires cruautés quand ils étaient enfants, c'est à lui qu'était revenue la violence réelle. Les deux autres l'avaient simplement aidé, jouissant de la satisfaction de la vengeance accomplie. C'est toute la différence, se disait Ricky, entre celui qui laisse faire et l'exécutant. Ce n'est que maintenant que leur complicité se retourne contre eux.

Ils croyaient qu'ils seraient tranquilles, désormais. Mais ce n'était pas vrai.

Il sourit, dans son for intérieur. Il n'y a rien d'aussi déprimant que de découvrir que vous êtes peut-être devenu la proie, quand vous étiez habitué à être le chasseur. C'était précisément le piège qu'il leur avait tendu. Car même le psychopathe sauterait sur l'occasion de regagner la position de supériorité du prédateur qui lui était naturelle. Les menaces que Ricky avait proférées à l'égard de Virgil et de Merlin pousseraient Rumplestiltskin dans cette direction. Au plus profond de son univers psychopathologique, les seuls liens que Monsieur R. avait conservés étaient ceux qui l'attachaient à ses frère et sœur. Il ferait n'importe quoi pour les protéger. C'est vraiment très simple, se répétait Ricky. Faire croire au chasseur qu'il chasse, qu'il s'approche de sa proie, alors qu'en réalité, on l'attire dans une embuscade.

Une embuscade, se dit Ricky avec ironie, déterminée par l'amour.

Il trouva un morceau de papier et prit quelques minutes pour rédiger un poème. Quand il eut ce qu'il voulait, il appela le service des petites annonces du *Village Voice*. Il bavarda un peu avec l'employé, comme il l'avait déjà fait. Mais, cette fois, il s'arrangea pour lui poser certaines questions précises et lui transmettre des informations importantes :

— Si je ne suis pas en ville, est-ce que je peux tout de même appeler pour prendre les réponses ?

— Bien sûr. Il suffit de composer un code d'accès. Vous pouvez appeler de n'importe où.

— Parfait, répliqua Ricky. J'ai des affaires à traiter, à Cape Cod, ce week-end. Je dois y passer quelques jours et je veux avoir les réponses à mon annonce.

— Aucun problème.

— J'espère qu'il va faire beau. La météo annonce de la pluie. Vous connaissez Cape Cod ?

— Je suis allé à Provincetown, dit l'employé. C'est la folie, là-bas, après le week-end de la Fête nationale…

— A qui le dites-vous ! Moi, je suis à Wellfleet. Ou plutôt, j'y étais. J'ai dû vendre. A la suite d'un incendie. Je monte juste pour régler quelques affaires en retard. Après quoi, retour à New York, retour au boulot.

— Moi aussi, j'aimerais bien avoir un endroit à moi là-bas.

— Cape Cod, c'est spécial, dit Ricky prudemment en pesant chaque mot. On n'y va vraiment qu'en été, peut-être un peu à l'automne ou au printemps, mais chaque saison fait de l'effet, à sa manière. Cela devient votre foyer. Peut-être même plus que cela. Un endroit pour commencer et pour finir. A ma mort, c'est là-bas que je veux être enterré.

— Moi, je ne peux qu'espérer, fit l'employé d'un ton légèrement envieux.

— Un jour, peut-être…

Il s'éclaircit la gorge pour dicter le texte de son annonce. Il l'avait intitulé simplement : « En quête de Monsieur R. »

Ricky est ici, Ricky est par là,
Mais vous ne le trouverez pas.
Ricky est ici aujourd'hui,
Demain, il sera parti.

Ricky est très fort pour vagabonder,
Et nul ne pourra le débusquer.
Ricky a la bougeotte, Ricky va et vient,
Il aime ça et il s'y prend bien.
Un jour ici, demain plus loin,
Pour le trouver, il faudra être malin.
Monsieur R. peut bien fouiller alentour,
Il ne sait quand viendra son tour.
Ricky lui apportera la mort,
Soyez-en sûr, sans le moindre remords.

— Ça, c'est quelque chose, fit l'employé avec un sifflement admiratif, à la fin de la dictée. Vous dites que c'est un jeu ?

— Oui, répondit Ricky. Un jeu auquel peu de gens auraient envie de jouer.

L'annonce devait paraître le vendredi suivant, ce qui donnait un peu de temps à Ricky. Il savait ce qui se passerait. En fait, le journal parvenait aux kiosques la veille au soir. C'est alors que l'un des trois lirait le message. Mais, cette fois, ils ne répondraient pas via le journal. Merlin se servirait de ses intonations brusques et pressantes d'avocat et de ses manières insidieuses et menaçantes. Il appellerait le responsable des petites annonces et n'aurait aucun mal à redescendre dans la hiérarchie du journal pour trouver l'employé qui avait pris le poème au téléphone. Et il l'interrogerait très minutieusement sur l'homme qui le lui avait dicté. L'employé se rappellerait la conversation sur Cape Cod. Peut-être même se souviendrait-il de l'avoir entendu dire qu'il voulait être enterré là-bas – un vœu sans importance, d'une certaine manière, mais suffisant pour provoquer la réaction de Merlin. Dès qu'il aurait ces informations, il les transmettrait à son frère. Une manière aimable de s'en débarrasser, certainement, mais il le fallait. Puis tous les trois auraient encore une discussion. Les deux cadets seraient effrayés. Sans doute beaucoup plus effrayés qu'ils ne l'avaient jamais été depuis le jour où ils s'étaient retrouvés seuls, après le suicide de leur mère tant aimée. Ils diraient à Monsieur R. qu'ils étaient disposés à le suivre dans sa chasse et qu'ils se sentaient un peu coupables de l'obliger à s'occuper d'eux une fois de plus. Mais ils ne seraient pas sincères. De toute façon, l'aîné ne voudrait rien savoir. C'est un meurtre qu'il voudrait accomplir seul.

C'est pourquoi Ricky savait qu'il agirait seul.

Seul, et pressé d'en finir une fois pour toutes, alors qu'on lui avait fait croire que c'était réglé. Il se hâterait vers une nouvelle mort.

Il libéra la chambre sordide après l'avoir soigneusement débarrassée de toute trace de son existence. Puis, avant de quitter la ville, il effectua une autre série de démarches. Il clôtura ses comptes locaux dans les agences new-yorkaises des banques concernées. Puis il se rendit dans une banque dont le siège se trouvait aux Caraïbes. Il ouvrit un simple compte d'épargne au nom de Richard Lively. Quand les formalités furent achevées, qu'il eut déposé sur le compte une somme modeste (prise sur ce qui lui restait en liquide), il alla deux rues plus haut, sur Madison Avenue, à l'agence du Crédit suisse devant laquelle il passait si souvent, à l'époque où il était un New-Yorkais comme les autres.

Une employée fut plus que disposée à ouvrir un nouveau compte au nom de M. Lively. C'était un compte d'épargne tout à fait classique, sauf une particularité intéressante. Une fois par an, à une date déterminée, la banque devait transférer par câble quatre-vingt-dix pour cent des fonds accumulés, directement sur un compte d'une banque caraïbe dont Ricky leur avait donné le numéro. La banque devait déduire ses frais du solde. La date du transfert, bien que relevant du hasard, fut choisie avec un soin tout particulier. Tout d'abord, il avait pensé choisir son anniversaire, puis celui de sa femme. Puis il envisagea le jour où il avait mis en scène sa propre mort. Ou l'anniversaire de Richard Lively. Finalement, il avait demandé sa date de naissance à l'employée qui avait ouvert le compte – une jeune femme assez agréable qui s'était donné beaucoup de mal pour le rassurer sur la confidentialité absolue et la parfaite inviolabilité des comptes bancaires suisses. Comme il l'avait espéré, elle n'avait aucun rapport avec aucune date dont il se souvenait. Un jour de fin mars. Il aimait cela. Mars était le dernier mois d'hiver, et il annonçait l'arrivée du printemps, mais il était encore plein de fausses promesses et de vents trompeurs. Il remercia la jeune femme et lui déclara que ses transferts devaient avoir lieu ce jour-là.

Une fois ces tâches accomplies, Ricky retrouva sa voiture de location. Sans regarder une seule fois derrière lui, il se glissa dans les rues de la ville et prit Henry Hudson Parkway vers le nord. Il avait beaucoup à faire et peu de temps pour cela.

Il rendit la voiture de location et passa la journée à faire disparaître Lazarus de la circulation. Cartes de membre, cartes de crédit, comptes de ses différents téléphones, tout ce qui avait le moindre rapport avec le personnage fut dénoncé, annulé, clôturé. Il retourna même à l'armurerie où il avait appris à se servir d'un revolver. Il acheta une boîte de cartouches et passa une heure fructueuse au stand de tir à vider son chargeur sur une cible représentant une silhouette humaine – il n'eut aucun mal à s'imaginer qu'il s'agissait de l'homme qui ne tarderait pas à le rattraper. Après quoi, il bavarda un moment avec les patrons, histoire de leur faire savoir qu'il quittait la région pour quelques mois. L'homme qui se tenait derrière le comptoir haussa les épaules. Mais Ricky savait qu'il avait enregistré l'information.

Là-dessus, Frederick Lazarus disparut. Sur le papier, au moins. Ricky s'éloigna aussi des quelques relations que le personnage s'était faites. Quand il eut fini, il se dit que tout ce qui restait de l'individu qu'il avait créé, c'était sa propension au meurtre – qu'il avait reprise à son compte. C'est en tout cas ce qu'il espérait.

Pour Richard Lively, c'était un peu plus difficile, car il était un peu plus humain. Et c'est Richard Lively qui devait vivre. Il fallait aussi qu'il disparaisse de Durham, New Hampshire, sans tambour ni trompette. Il devait tout abandonner derrière lui, mais sans qu'on s'en rende compte : si quelqu'un venait un jour poser des questions, il ne faudrait pas qu'il fasse le lien avec sa disparition, ce week-end-là en particulier.

Ricky se pencha sur ce problème et décida que la meilleure solution était de disparaître tout en suggérant le contraire. Faire croire aux gens que son absence était provisoire. Il ne clôtura pas le compte en banque de Richard Lively, sur lequel il laissa le montant minimal. Il n'annula pas ses cartes de crédit, ni ses cartes de membre de bibliothèques. Il informa son superviseur, au service d'entretien de l'université, que des problèmes familiaux exigeaient qu'il aille passer quelques semaines sur la côte Ouest. Le superviseur l'informa à contrecœur qu'il ne pouvait pas lui promettre de lui garder son emploi jusqu'à son retour, mais qu'il ferait son possible pour lui trouver quelque chose. Il eut le même genre de conversation avec ses propriétaires, à qui il affirma qu'il ignorait combien de temps il serait absent. Il leur paya un mois de loyer d'avance. Elles étaient habituées à ses allées et venues et ne réagirent pas. Ricky comprit que la mère savait qu'il ne reviendrait pas, en voyant la manière dont elle l'observait et l'écoutait. C'était là une qualité que Ricky admirait, typique du New Hampshire : être capable d'accepter ce que quelqu'un vous dit tout en celant qu'on comprend parfaitement la vérité dissimulée. Pour renforcer l'illusion d'un retour prochain – même si l'on n'y croyait qu'à moitié –, Ricky laissa le maximum de ses effets personnels. Vêtements, livres, radio-réveil, tous les modestes objets qu'il avait rassemblés en reconstruisant sa vie. Il n'emporta que quelques vêtements et son arme. Il devait laisser des indices de sa présence suggérant qu'il pouvait revenir – mais rien qui puisse vraiment donner des informations sur sa véritable identité ou sur l'endroit où il pouvait être allé.

Quand il redescendit la rue, il eut un léger pincement au cœur. Même s'il était encore vivant après le week-end – en gros une chance sur deux –, il savait qu'il ne reviendrait jamais. Il avait trouvé aise et confort dans le petit monde qu'il s'était construit et il ne le quittait pas sans une certaine tristesse. Mais il détourna son émotion, la transforma en la force dont il aurait besoin pour survivre aux événements qui se préparaient.

Il prit le car de midi pour Boston et parcourut l'itinéraire si familier. A Boston, il ne s'attarda pas dans la gare. Juste le temps de se demander si le vrai Richard Lively était toujours en vie. Il se dit qu'il serait peut-être intéressant d'aller à Charlestown pour tenter de le retrouver dans un des jardins publics ou une des ruelles où il l'avait suivi avec une telle obstination. Bien entendu, Ricky savait qu'il n'avait rien à lui dire, sinon pour le remercier de lui avoir fourni la clé d'un avenir douteux. De toute façon, il n'avait pas le temps. Le car du vendredi après-midi partait pour Cape Cod. Il se glissa sur un siège, à l'arrière, soudain très excité. Ils doivent avoir lu le poème, maintenant, pensa-t-il. Et Merlin avait interrogé l'employé des petites annonces.

En ce moment, ils parlent. Ricky imaginait les mots qu'ils échangeaient. Sauf qu'il n'avait pas besoin de les entendre, car il savait déjà ce qu'ils allaient faire. Il jeta un coup d'œil à sa montre.

Il va bientôt partir. Il va rouler comme un fou, impatient de conclure une histoire qui ne s'écrit pas comme il s'y attendait.

Ricky sourit. Il disposait d'un énorme avantage. L'univers de Rumplestiltskin se fondait sur des conclusions. Celui de Ricky était à l'opposé. Un des principes de la psychanalyse est que, même si la thérapie tire à sa fin, même si les séances quotidiennes s'interrompent, le processus n'est jamais terminé. Ce que la thérapie apporte, c'est une nouvelle manière de se regarder, et elle fait en sorte que ce nouveau regard sur soi puisse influencer les décisions et les choix qui détermineront votre avenir. Au mieux, par conséquent, ces choix ne sont pas paralysés par les événements du passé. Ils sont soulagés des dettes que chacun a à l'égard de son éducation.

Il avait le sentiment d'atteindre ce genre de « fin ouverte ».

Le moment était venu de mourir ou bien de continuer.

Quelle que soit la réponse, tout se déciderait dans les heures à venir.

Ricky accepta la cruauté de cette situation et se concentra sur le paysage qui défilait derrière la vitre. Tandis que le car se dirigeait vers Cape Cod en vrombissant, il remarqua que la taille des arbres et de la végétation diminuait. Comme si la vie était un peu plus difficile dans le sol sablonneux proche de l'océan et qu'on avait plus de mal à croître quand on est battu par les vents marins de l'hiver.

A l'extérieur de Provincetown, sur le long ruban qui porte le nom de Route 6, Ricky trouva un motel qui n'avait pas encore allumé l'enseigne COMPLET, sans doute à cause de la météo incertaine. Il paya en liquide pour le week-end. Le réceptionniste encaissa son argent d'un air absent et totalement désintéressé. Il doit me prendre pour un petit homme d'affaires quinquagénaire de Boston, se dit Ricky, un homme un peu embarrassé qui s'accorde quelques fantaisies – quelques jours de sexe et de culpabilité dans la vie nocturne estivale et tapageuse de l'endroit. Il ne fit rien pour l'en dissuader. De fait, il lui demanda où se trouvaient les meilleurs clubs de la ville. Le genre d'endroit où les personnes solitaires vont chercher de la compagnie. L'homme lui donna quelques adresses et s'en tint là.

Ricky s'arrêta dans un magasin de matériel de camping, où il acheta encore de l'insecticide, une puissante lampe torche et un poncho de laine vert olive trop grand pour lui. Il acheta aussi un grand chapeau de camouflage ridicule, mais qui présentait un avantage non négligeable : il était muni d'un filet de protection contre les insectes, dont on pouvait se couvrir la tête et les épaules. Une fois de plus, les prévisions de la météo (temps lourd et orageux, ciel couvert, chaleur : un week-end malsain) favorisaient ses projets. Ricky informa l'homme qui se trouvait derrière le comptoir qu'il ferait pourtant un peu de jardinage, ce qui justifiait ses emplettes et permettrait au vendeur de ne pas l'oublier.

Il vit une ligne de nuages orageux en train de s'assembler, à l'ouest. Il tendit l'oreille aux grondements lointains du tonnerre et examina le ciel de plus en plus gris, au-dessus de sa tête, qui semblait marquer l'approche du soir. Il sentait sur sa langue le goût de la pluie qui s'annonçait et il se hâta d'aller faire ses préparatifs.

Le jour s'étirait, comme si la lumière du soleil s'attardait pour résister au mauvais temps. Quand il arriva à la route qui menait à son ancienne maison, le ciel avait pris une teinte brunâtre presque maladive. Il était descendu du car qui longeait la Route 6 à quelques kilomètres de là et il avait parcouru facilement cette distance en courant, le sac bourré de ses derniers achats et de son revolver confortablement fixé sur son dos. Ricky se rappelait avoir couru sur le même trajet, près d'un an plus tôt. Il avait failli étouffer, la panique et l'horreur de ce qu'il avait fait (et de ce qu'il avait à faire) brûlant l'air dans ses poumons. Cette course-ci était étrangement différente. Il avait un sentiment de puissance mais aussi une impression de solitude teintée de satisfaction, comme si l'endroit vers lequel il courait était moins le refuge de ses souvenirs que le lieu qui rendrait le changement possible. Chaque mètre de son trajet lui était familier, et pourtant irréel, comme s'il se trouvait dans un monde parallèle. Il accéléra, heureux d'être plus fort que la fois précédente et inquiet à l'idée qu'un de ses anciens voisins pourrait sortir à l'improviste de son allée et voir celui qu'on croyait mort courir vers les cendres de sa maison.

Ricky avait de la chance. C'était l'heure du dîner et la route était déserte. Il ralentit le pas en pénétrant dans l'allée. Il se retrouva immédiatement à l'abri d'un de ces bouquets d'arbres et de buissons qui poussent si vite à Cape Cod durant les mois d'été. Il ne savait pas exactement ce qu'il allait trouver. L'idée lui vint qu'un membre quelconque de sa famille était parvenu à s'emparer de la propriété et qu'il avait nettoyé le terrain, peut-être même entamé la construction d'une nouvelle maison. Ricky avait laissé une lettre ordonnant que le terrain soit légué à une association de protection de la nature, mais il s'attendait à ce que, le jour où ses lointains parents auraient vent de la valeur réelle du moindre lopin de terre constructible dans la région, ils fassent opposition au tribunal. Cette pensée le fit sourire. Il était frappé par l'ironie de la situation : des gens qu'il connaissait à peine se disputaient probablement son héritage, alors qu'il était mort une première fois, des mois auparavant, pour protéger l'un d'eux du bourreau qui allait essayer de le tuer cette nuit-là.

Quand il déboucha du couvert des arbres, il vit ce qu'il espérait voir : les vestiges carbonisés de sa maison. Même avec la végétation qui avait poussé, la terre était encore noircie dans un rayon de plusieurs mètres autour de la carcasse désolée de la vieille ferme.

Ricky traversa le terrain couvert de mauvaises herbes qui avait été son jardin et avança jusqu'à l'endroit où se trouvait naguère la porte d'entrée. Il marcha lentement dans les ruines de sa maison. Un an plus tard, cela sentait encore l'essence et le bois brûlé... jusqu'à ce qu'il s'aperçoive que son esprit lui jouait des tours. Il y eut un grondement de tonnerre au loin, mais il n'en tint pas compte. Il manœuvrait du mieux qu'il pouvait là où c'était possible, laissant sa mémoire retrouver les murs et les meubles, les tableaux et les tapis. Et quand elle eut reconstruit autour de lui sa vieille maison, il la laissa retrouver des moments passés avec sa femme, bien avant qu'elle ne tombe malade, avant que la maladie ne la dépossède de ses forces, de sa vitalité, et finalement de sa vie. C'était une sensation à la fois agréable et malsaine. Bizarrement, c'était à la fois un retour et un départ, et il avait l'impression d'embarquer cette nuit-là vers une destination totalement inconnue. Il pouvait dire adieu, enfin, à tout ce qui avait été le Dr Frederick Starks et se préparer à accueillir celui qui allait surgir de la nuit qui tombait rapidement – quel qu'il fût.

L'endroit qu'il cherchait l'attendait, juste à côté de la cheminée centrale, dans le salon. Un bloc de plafond et plusieurs grosses poutres s'entassaient et formaient une sorte d'abri démoli, presque une caverne. Ricky mit le poncho, déploya la moustiquaire sur sa tête et sortit la lampe torche et le revolver semi-automatique du sac à dos. Puis il rampa en arrière dans l'obscurité des décombres et se cacha pour attendre l'arrivée de la nuit, de l'orage, et d'un tueur.

Il ne put s'empêcher de trouver assez drôle la situation où il se trouvait. Qu'avait-il fait ? Il s'était conduit en psychanalyste. Il avait provoqué des émotions spectaculaires chez l'individu qu'il voulait voir. Même le psychopathe est vulnérable à ses propres désirs. Et maintenant, comme il l'avait fait durant ses années de pratique de l'analyse, Ricky attendait que son ultime patient franchisse la porte, chargé de toute la colère, de la haine et de l'acharnement qu'il dirigeait contre Ricky, le thérapeute.

Il caressa le pontet de son arme et débloqua le cran de

sûreté. Cette séance, d'une manière ou d'une autre, ne serait certainement pas anodine.

Il se renversa en arrière, mesura le moindre son et grava dans sa mémoire chacune des ombres qui s'allongeaient autour de lui. La vision allait poser un problème, cette nuit. La lune serait cachée par les nuages. La pluie qui s'annonçait affaiblirait la luminosité produite par les autres maisons et par Provincetown, au loin. Ricky voulait pouvoir utiliser à la fois la certitude et l'incertitude. L'endroit où il avait décidé d'attendre était le terrain le plus familier de sa vie, ce qui lui donnerait l'avantage. Plus important encore, il comptait sur l'incertitude de Rumplestiltskin, qui ne saurait pas exactement où il pouvait se trouver. C'était un homme habitué à contrôler l'environnement dans lequel il opère. Il allait faire face – c'est ce qu'espérait Ricky – à la situation la moins contrôlée qu'il ait jamais connue. Un univers que le tueur ne connaissait pas. L'endroit idéal pour l'attendre cette nuit-là.

Ricky était absolument certain que le tueur n'allait pas tarder à arriver, à sa recherche. Venant de New York, il saurait que sa proie ne pouvait se trouver qu'en deux endroits. La plage où le Dr Starks avait simulé la noyade et la maison qu'il avait incendiée. Il irait donc à ces deux endroits, en chasseur, parce qu'en dépit de ce qu'il aurait appris de l'employé du *Village Voice*, il ne croirait pas vraiment que Ricky était venu à Cape Cod pour y trouver la mort. Il saurait que tout le reste n'était que mensonge et que le véritable jeu résidait simplement dans le combat d'une mémoire contre une autre.

35

Il y eut de violentes averses au début de la nuit, une pluie lourde, et les grondements de tonnerre et les éclairs au-dessus de l'océan rythmèrent ses premières heures de veille. Puis la pluie diminua, se transforma en un crachin régulier et irritant. Quand l'orage passa au-dessus de lui, la température chuta de quatre ou cinq degrés, ajoutant à l'obscurité une fraîcheur qui semblait n'être là que par pur esprit de contradiction. Il y avait du vent, avec l'orage, de violentes rafales qui soulevaient les bords de son poncho et faisaient craquer les gravats et les débris noircis autour de lui, comme si eux aussi avaient un problème à régler cette nuit-là. Ricky resta dissimulé, comme un chasseur à l'affût, qui attend que sa proie paraisse à sa vue. Il pensa à toutes les heures où il était resté silencieux, assis derrière la tête de ses patients allongés sur son divan, bougeant à peine, parlant rarement, et il trouvait assez drôle que tout ce temps passé dans la contemplation l'ait finalement préparé à la veillée de cette nuit.

Il ne bougeait que rarement, juste pour s'étirer et détendre ses muscles, pour être sûr qu'il ne s'ankylosait pas et qu'il pourrait compter sur eux quand il en aurait besoin. La plupart du temps il restait penché en avant, la moustiquaire sur la tête, le poncho déployé sur les épaules, et il ressemblait plus à un tas informe qu'à un être humain. De sa cachette, surtout quand les éclairs illuminaient le ciel, il voyait l'autre extrémité du champ par où, naguère, arrivaient ses visiteurs. Sa position lui permettait d'apercevoir les faisceaux de phares filtrant à travers les bouquets d'arbres, au bord de la route, et il découvrit qu'il entendait, au plus profond de la nuit, les moteurs des voitures.

Sa seule crainte était que Rumplestiltskin soit encore plus patient que lui.

Ricky en doutait, mais il ne pouvait pas en être certain. Après tout, l'enfant avait nourri tant de haine pendant tant d'années et attendu si longtemps avant de tendre ses pièges qu'il était possible qu'aujourd'hui il hésite et décide de prendre position sous les arbres et de faire plus ou moins comme Ricky : attendre, avant de s'approcher, le moment où il décèlerait un mouvement suspect. C'était le risque que Ricky prenait ce soir-là. Mais son pari lui semblait couvert. Tout ce qu'il avait fait était conçu pour provoquer la colère et la peur de Monsieur R., et les menaces exigent des réactions. Un tueur professionnel est un homme d'action. L'analyste, pas du tout. Ricky pensa qu'il avait créé une situation où ses forces et celles de son adversaire s'équilibraient. Son entraînement s'opposait à celui du tueur. C'est lui qui fera le premier pas, se répétait-il. Tout ce que tu sais du comportement humain tend à prouver que tu as raison. Dans ce jeu de la mémoire et de la mort dans lequel les deux hommes étaient engagés, Ricky avait l'avantage. Il combattait sur le terrain qu'il connaissait.

C'était, se disait-il, le mieux qu'il pouvait faire.

A dix heures du soir, le monde s'était engouffré dans un tunnel où régnaient des ténèbres humides à l'odeur de moisi. Ses sens étaient aiguisés, son cerveau ouvert à toutes les nuances de la nuit. Il n'avait pas entendu de voiture, ni repéré de phares au loin depuis plus d'une heure, et la pluie semblait avoir poussé toutes les bêtes de la nuit dans leurs tanières : aucun bruit ne venait déchirer l'obscurité, pas même le grattement d'un opossum ou d'un putois en quête de nourriture. C'est juste à ce moment que son cœur et sa détermination l'avaient lâché, que le doute s'était glissé dans son esprit, l'idée qu'il attendait stupidement quelqu'un qui ne viendrait pas. Il repoussa cette impression. La seule chose dont il était certain, c'était que Rumplestiltskin était proche et qu'il s'approcherait encore s'il patientait. Il regrettait de n'avoir pas pensé à se munir d'une bouteille d'eau ou d'un thermos de café. Il n'est pas facile de préparer un meurtre et de penser en même temps aux besoins ordinaires.

Il agitait les doigts de temps en temps et tambourinait de l'index, en silence, sur le pontet du pistolet. Une chauve-souris piqua au-dessus de lui et le fit sursauter. Un peu plus tard, un couple de daims émergea des bois pendant une ou deux secondes. Il discerna très vaguement leurs silhouettes, jusqu'à ce qu'ils s'effraient, tournent leurs arrière-trains blancs et s'éloignent avec de petits bonds de danseuse.

Ricky attendait toujours. Le tueur était sans doute habitué à la nuit et il s'y trouvait bien. La lumière du jour est un handicap pour un assassin. Elle lui permet de voir, mais du même coup elle le rend visible. Je vous connais, Monsieur R. Vous chercherez à en finir dans le noir. Vous serez bientôt là.

Une demi-heure environ après que les feux de la précédente voiture se furent évanouis sous les arbres,

Ricky vit arriver un autre véhicule. Il avançait un peu plus lentement, comme si le conducteur hésitait.

Il ralentit près de l'allée menant à sa propriété, puis reprit de la vitesse et disparut dans un virage, un peu plus loin.

Ricky recula, s'enfonça plus profondément dans son trou.

Quelqu'un a trouvé ce qu'il cherchait, se dit-il, mais il ne veut pas qu'on le sache.

Il continua à attendre. Vingt minutes de plus s'écoulèrent dans l'obscurité complète. Il attendait toujours, lové comme un serpent. Le cadran lumineux de sa montre l'aidait à se représenter ce qui se passait, hors de son étroit champ de vision. Cinq minutes, le temps de trouver un endroit discret pour garer sa voiture. Dix minutes, le temps de revenir à l'entrée de chez Ricky. Encore cinq minutes pour se glisser en silence sous les arbres. Maintenant, il est sous la dernière ligne d'arbres. Il surveille les ruines de la maison à distance respectable. Ricky s'enfonça encore plus dans sa tanière et ramena ses pieds sous le bord du poncho.

Il luttait contre l'impatience. Il avait l'impression de sentir l'adrénaline battre au fond de ses oreilles, et son pouls accélérait comme celui d'un athlète, mais il s'efforça de retrouver son calme en se récitant mentalement des citations littéraires. Dickens : « C'était le bon temps, c'était le pire de tous. » Une phrase de Camus : « Aujourd'hui, Maman est morte. Ou peut-être hier. » Ce souvenir le fit sourire, malgré la terreur qui le hantait. Une citation appropriée, songea-t-il. Son regard erra d'avant en arrière, fouilla l'obscurité. C'était comme lorsqu'on ouvre les yeux sous l'eau. On voit des formes en mouvement sans pouvoir les identifier. Mais il attendait toujours, parce qu'il savait que sa seule chance, c'était de voir avant d'être vu.

Le crachin avait enfin cessé, laissant un monde luisant. La fraîcheur qui avait suivi l'orage disparut, et Ricky sentit une chaleur épaisse et humide s'emparer de l'univers. Il respirait lentement, craignant qu'on entende à des kilomètres de distance son souffle grinçant d'asthmatique. Levant les yeux au ciel, il vit un nuage se découper, gris sur noir, filant à toute allure comme s'il était propulsé par un rameur invisible. Un rayon de lune se glissa dans une brèche laissée par le passage du nuage et traversa la nuit comme une flèche. Ricky regarda à droite et à gauche. Il vit une forme s'écarter des arbres.

Ricky fixa la silhouette qui se découpa un instant dans la lumière pâle, forme sombre d'un noir plus absolu que l'obscurité environnante. Au même instant, il vit l'homme lever quelque chose à hauteur de ses yeux, puis pivoter lentement, comme une vigie au mât d'un navire, en quête d'un iceberg à l'horizon.

Ricky se recroquevilla encore plus et s'écrasa contre les ruines. Il se mordit violemment la lèvre. Il comprit que l'homme qui se trouvait devant lui disposait de jumelles à infrarouges.

Il se figea, conscient que son costume – poncho et voile de moustiquaire – constituait sa meilleure défense. Au milieu des poutres noircies et des gravats calcinés, il ressemblait à un monceau de débris informes. Tel le caméléon, qui change de couleur selon la branche où il est posé, Ricky resta en position, en espérant que rien ne dépassait qui pût trahir une présence humaine.

La forme se déplaça subtilement.

Ricky retint son souffle. Il ignorait s'il avait été repéré.

Il dut mobiliser toute son énergie mentale pour ne pas

bouger. La panique vint clapoter aux marges de son imagination, lui hurlant de s'enfuir tant que c'était encore possible. Mais il répondit intérieurement que sa seule chance résidait dans ce qu'il était en train de faire. Après tout ce qui était arrivé, il devait agir de sorte que l'homme qui se mouvait dans le noir s'approche à moins d'un mètre de lui. La forme sombre se déplaça en diagonale dans son champ de vision. Elle progressait prudemment, lentement – mais pas craintivement –, un peu penchée en avant. Elle présentait un profil réduit, comme un prédateur expérimenté.

Ricky relâcha lentement l'air qu'il avait dans les poumons. Il ne m'a pas vu.

La forme pénétra dans ce qui, autrefois, avait été le jardin. Ricky vit l'homme hésiter. Il avait la tête et le visage recouverts, ce qui allait bien avec ses vêtements sombres. La silhouette, moins qu'à un être humain, semblait appartenir à la nuit. Une fois de plus, il leva quelque chose devant lui, et Ricky ressentit une tension intolérable tandis que les jumelles à infrarouges balayaient les ruines de cette maison où il avait été si heureux. Mais le poncho dissimulait sa silhouette. L'homme hésita encore, l'air déçu. Ricky vit la main aux jumelles retomber sur son flanc, comme s'il renonçait à fouiller le décor.

La forme avança, plus agressive maintenant, elle se dressait dans ce qui avait été un encadrement de porte, explorant les ruines. Puis elle se rapprocha encore et trébucha légèrement. Ricky entendit un juron étouffé.

Il pense que je suis ici. Mais il a des doutes, maintenant.

Il serra les dents. Il sentit un désir de meurtre – une décharge glacée – le traverser. Tu n'es plus sûr du tout, se dit-il. Ce n'est pas ce à quoi tu t'attendais. Et maintenant, toi aussi, tu doutes. Le doute, la frustration. Et toute la colère que tu as accumulée pour n'être pas parvenu à me tuer au moment où je te facilitais la tâche. C'est un dangereux concours de circonstances, qui t'oblige à faire des choses que tu n'as pas l'habitude de faire. Tu es un peu moins prudent à chaque pas, l'incertitude s'installe en toi, et soudain, voilà que tu joues sur mon terrain. Parce que le Dr Starks te connaît maintenant et connaît tout ce que tu as dans la tête, parce que tout ce que tu ressens, toute cette indécision, cette confusion, c'est son quotidien, pas le tien. Tu es un assassin et ta cible n'est pas visible, à cause de la situation que j'ai mise en scène.

Ricky fixait toujours la silhouette. Approche, ordonna-t-il mentalement.

L'homme avança. Il trébucha légèrement sur un morceau de ce qui avait été une poutre. Il marchait dans un lieu qu'il ne connaissait pas.

Il s'arrêta, donna un coup de pied dans les détritus.

— Docteur Starks, murmura-t-il comme un acteur sur une scène, les secrets sont faits pour être partagés. Je sais que vous êtes là.

Sa voix évoquait des lames de rasoir émoussées qu'on racle dans la nuit.

— Allez, docteur, montrez-vous. Il est temps d'en finir.

Ricky ne bougea pas. Il ne répondit pas. Il sentait tous ses muscles durcis, tendus. Mais il avait passé trop d'années derrière le divan, à écouter en silence les déclarations les plus provocantes et les plus exigeantes, pour tomber dans le piège que la forme sombre lui tendait.

— Où êtes-vous, docteur ? reprit l'homme en se retournant. Vous n'étiez pas sur la plage. Alors vous devez être ici, car vous êtes un homme de parole. Vous m'avez dit que vous seriez ici.

L'homme avançait, il se déplaçait d'une ombre à l'autre. Il trébucha encore, se cogna le genou contre ce qui avait été une contremarche d'escalier. Il jura une nouvelle fois et se redressa. Ricky devina, au mouvement de ses épaules, sa confusion, sa colère et sa frustration.

L'homme se tourna encore une fois à droite, puis à gauche. Il soupira.

Il parla, d'une voix forte, résignée :

— Si vous n'êtes pas ici, docteur, où diable vous cachez-vous ?

Il haussa les épaules et tourna le dos à Ricky. Et dès qu'il pivota, Ricky sortit de sous le poncho la main qui tenait le pistolet automatique. Il le leva comme on le lui avait appris au stand de tir, dans le New Hampshire, le prenant à deux mains, braquant le canon juste dans l'axe du dos de Rumplestiltskin.

— Je suis derrière vous, dit-il d'une voix calme.

Cette fois, le temps sembla relâcher brusquement sa prise sur le monde qui entourait Ricky. Les secondes, qui d'ordinaire se seraient agglutinées en bon ordre pour former des minutes, semblaient se disperser comme des pétales de fleur emportés par un vent violent. Il demeura parfaitement immobile, son arme pointée sur le dos du tueur, le souffle saccadé et douloureux. Il sentait des vagues de courant électrique courir dans ses veines et il dut mobiliser toute son énergie pour rester calme.

Devant lui, l'homme était immobile.

— J'ai un flingue, grogna Ricky d'une voix que la tension rendait rauque. Il est pointé sur votre dos. C'est un pistolet semi-automatique .380, chargé de balles explosives, et si vous faites le moindre mouvement, je tire. J'aurai tiré deux fois, peut-être trois, avant que vous ayez le temps de vous retourner et de viser. Une balle au moins touchera sa cible, et vous aurez de fortes chances d'y passer. Mais vous savez parfaitement tout ça, bien sûr, car cette arme et ses munitions n'ont pas de secrets pour vous. Vous savez de quoi elle est capable, et vous avez déjà fait ces calculs dans votre tête, n'est-ce pas ?

— A la seconde où j'ai entendu votre voix, docteur, répliqua Rumplestiltskin.

Il parlait d'un ton calme et uni. S'il était étonné, il n'en montrait rien. Il éclata d'un rire bruyant et reprit très vite :

— Quand je pense que je me suis jeté dans la gueule du loup ! Ah, je suppose que ça devait arriver. Vous avez bien joué. Beaucoup mieux que je ne m'y attendais. Et vous avez manifesté des talents que je ne soupçonnais pas chez vous. Mais notre petit jeu approche de sa phase finale maintenant, n'est-ce pas ?

Il marqua un temps d'arrêt. Puis :

— Je crois, docteur Starks, que vous avez intérêt à me tuer sans attendre. En me tirant dans le dos. Pour l'instant, vous avez l'avantage. Mais votre position s'affaiblit à chaque seconde. Croyez-en un professionnel qui a connu toutes sortes de situations : je vous recommande fortement de ne pas gâcher l'occasion que vous vous êtes créée. Tuez-moi maintenant, docteur. Tant que vous avez une chance de le faire.

Ricky ne répondit pas.

L'homme se mit à rire.

— Allons, docteur. Canalisez votre colère. Concentrez votre rage. Vous devez rassembler tout ça dans votre tête, le ramener à un petit bloc central, alors vous pourrez appuyer sur la détente sans le moindre sentiment de culpabilité. Faites-le maintenant, docteur, car chaque seconde supplémentaire que vous m'accordez est peut-être une seconde que vous enlevez à votre propre vie.

Ricky visa droit devant lui, mais il ne tira pas.

— Levez les mains en l'air, fit-il.

Rumplestiltskin eut un autre gloussement.

— Quoi ? Vous avez vu ça à la télé ? Ou au cinéma ? Dans la vie, ça ne se passe pas du tout comme ça.

— Lâchez votre arme.

L'homme secoua la tête, lentement, d'avant en arrière.

— Non. Je ne ferai pas ça non plus. Encore un cliché. Vous voyez, si je laisse tomber mon arme, je renonce à toutes les possibilités qui me restent. Examinez la situation, docteur. De mon point de vue de professionnel, vous avez déjà gâché vos chances. Je sais ce que vous avez en tête. Je sais que si vous pouviez tirer, vous l'auriez déjà fait. Mais il est un peu plus difficile que vous ne l'imaginiez de tuer un homme, même s'il vous a donné de multiples raisons de le faire. Docteur, vous vivez dans un monde où la mort est un fantasme. Vous avez contribué à désamorcer toutes ces pulsions meurtrières que vos patients vous ont décrites pendant tant d'années, parce qu'à vos yeux elles n'existent que dans le royaume du fantasme. Mais ici, cette nuit, tout ce qui nous entoure appartient à la réalité. En cet instant précis, vous cherchez la force de tuer. Et je parie que vous avez du mal à la trouver. Moi, en revanche, j'ai beaucoup moins de chemin à parcourir pour la rassembler. Je ne m'inquiéterais pas le moins du monde, je n'aurais même pas le moindre problème moral à tirer dans le dos de quelqu'un. Ni dans la poitrine, d'ailleurs. On juge les choses à leur résultat, comme on dit, docteur. Dès lors que la cible est morte, qui s'en soucie ? Alors je ne lâcherai pas mon arme, ni maintenant ni jamais. Je la garde au contraire dans ma main droite, prêt à tout. Est-ce que je me retourne maintenant ? Je tente le tout pour le tout immédiatement ? Ou vais-je attendre encore un peu ?

Ricky resta silencieux, l'esprit bouillonnant.

— Une chose que devriez savoir, docteur, si vous voulez être un bon tueur : vous ne devez pas vous en faire pour votre minable petite vie.

Ricky écoutait les mots qui voltigeaient dans le noir. Un formidable sentiment de malaise se glissait dans son cerveau.

— Je vous connais, dit-il. Je connais votre voix.

— Oui, en effet, répondit Rumplestiltskin d'un ton légèrement moqueur. Vous l'avez entendue très souvent.

Ricky eut soudain l'impression de se trouver sur une plaque de glace glissante. Il parla, d'une voix incertaine :

— Tournez-vous.

Rumplestiltskin hésita, puis il secoua la tête négativement.

— Vous ne devriez pas me demander ça. Car dès que je me serai tourné, vous aurez perdu presque tous les avantages dont vous disposez. Je connaîtrai précisément votre position et, faites-moi confiance là-dessus, docteur… quand je saurai où vous êtes, il ne me faudra pas longtemps pour vous tuer.

— Je vous connais, murmura Ricky.

— C'est si difficile ? La voix est la même. La posture. Toutes les inflexions et les intonations, les nuances et les manies. Vous devriez les reconnaître. Après tout, nous avons été plus ou moins dans le même rapport physique, cinq fois par semaine, pendant presque un an. Et je n'avais pas le droit de me tourner vers vous. Le processus psychanalytique, c'est plus ou moins comme maintenant, non ? Le docteur avec la connaissance, le pouvoir, les armes, si j'ose dire, pointées sur le dos du pauvre patient incapable de voir ce qui se passe, qui ne dispose que de ses souvenirs dérisoires, pathétiques. Est-ce que les choses ont tellement changé, entre nous, docteur ?

Ricky avait la gorge brûlante. Mais il parvint à prononcer le nom d'une voix étranglée :

— Zimmerman ?

Rumplestiltskin se remit à rire.

— Zimmerman est bel et bien mort.

— Mais vous êtes…

— Je suis l'homme que vous connaissiez sous ce nom. Avec la mère infirme et le frère je-m'en-foutiste, et le boulot qui ne mène nulle part, et toute cette frustration qui n'a jamais pu être résolue, en dépit de tout ce caquetage qui a rempli votre cabinet en pure perte. C'est le Zimmerman que vous connaissiez, docteur Starks. Et c'est ce Zimmerman-là qui est mort.

Ricky sentait que la tête lui tournait. Il s'accrochait mentalement à des mensonges.

— Mais le métro…

— C'est bien dans le métro qu'il est mort. Le vrai Zimmerman, je veux dire, qui était vraiment suicidaire. On lui a simplement donné un coup de pouce. Une mort opportune.

— Mais je ne…

Rumplestiltskin haussa les épaules.

— Docteur, un homme se présente chez vous, il prétend s'appeler Roger Zimmerman, souffrir de ci et de ça, il est le parfait candidat à l'analyse et ses finances lui permettront de payer vos factures. Est-ce que vous avez pensé à vérifier que l'homme qui a frappé à votre porte était celui qu'il disait être ?

Ricky ne répondit pas.

— Je ne crois pas. Parce que, si vous l'aviez fait, vous auriez découvert que le vrai Zimmerman était plus ou moins comme je vous l'ai décrit. La seule différence, c'est que ce n'est pas lui qui est venu vous voir. C'était moi. Et quand est arrivé pour lui le moment de mourir, il m'avait déjà donné ce dont j'avais besoin. Je lui ai simplement emprunté sa vie et sa mort. Parce qu'il fallait que je vous connaisse, docteur. Il fallait que je vous voie, que je vous observe. Et il fallait que je le fasse le mieux possible. Ça m'a pris du temps. Mais j'ai fini par savoir ce que je voulais savoir. Lentement, c'est sûr, mais comme vous avez pu vous en rendre compte, je peux être très patient.

— Qui êtes-vous ? demanda Ricky.

— Vous ne le saurez jamais. Par ailleurs, vous le savez déjà. Vous connaissez mon passé. Vous savez comment j'ai été élevé. Vous connaissez mon frère et ma sœur. Vous en savez beaucoup à mon sujet, docteur. Mais vous ne saurez jamais qui je suis réellement.

— Pourquoi m'avez-vous fait cela ?

Rumplestiltskin secoua la tête, comme s'il était étonné de la naïveté de la question.

— Vous connaissez déjà les réponses. Est-il si déraisonnable de penser qu'un enfant qui a vu le mal qu'on a infligé à un être qu'il aimait, un être qu'on a maltraité et jeté dans un désespoir si profond qu'il a fini par se donner la mort pour trouver le salut, est-il donc si déraisonnable de penser qu'il devrait saisir sa chance quand il se trouve dans une position qui lui permet de réclamer vengeance à tous les gens qui ont manqué à leur devoir d'assistance – y compris vous-même, docteur… ?

— La vengeance n'est pas une solution, dit Ricky.

— Vous parlez comme un homme qui n'a jamais failli, grogna Rumplestiltskin. Et bien entendu, vous vous trompez, docteur. Comme cela vous arrive si souvent. La vengeance sert à purifier le cœur et l'âme. Ça existe depuis le jour où le premier homme des cavernes est descendu de son arbre et a défoncé le crâne de son frère pour je ne sais quel affront à son honneur. Mais sachant tout ce que vous savez, sur ce qui est arrivé à ma mère et à ses trois enfants, comment pouvez-vous croire que nous n'avions pas le droit de réclamer notre dû à tous ceux qui nous ont abandonnés ? Des enfants qui n'avaient rien fait de mal, mais qui ont été rejetés, abandonnés, condamnés à mourir par tant de gens qui auraient dû mieux savoir, s'ils avaient eu la moindre compassion, la moindre empathie ou, même, si leur cœur avait contenu quelques gouttes du lait de la charité humaine. Est-ce qu'on ne nous doit pas quelque chose en retour, à nous qui avons traversé ces incendies ? Vraiment, cette question est de loin la plus importante.

Il marqua un temps d'arrêt, écouta le silence de Ricky puis reprit d'un ton froid :

— Voyez-vous, docteur, la véritable question qui se pose à nous, cette nuit, n'est pas : pourquoi je vous traque pour vous tuer, mais : pourquoi ne le ferais-je pas ?

De nouveau, Ricky n'avait rien à répondre.

— Cela vous surprend, que je sois devenu un tueur ?

La réponse était non, mais Ricky ne le dit pas à voix haute.

Le silence enveloppa les deux hommes pendant un moment. Puis, exactement comme dans le sanctuaire du cabinet de l'analyste, avec son divan et sa tranquillité, l'un d'eux brisa le silence malsain avec une ultime question :

— J'ai une question à vous poser. Qu'est-ce qui vous fait penser que vous ne méritez pas de mourir ?

Ricky savait que l'homme souriait. Il le sentait. C'était un sourire glacé, mortel.

— Tout le monde mérite de mourir pour quelque chose. Personne n'est vraiment innocent, docteur. Ni vous. Ni moi. Personne.

La voix de Rumplestiltskin, à cet instant-là, semblait trembler imperceptiblement. Ricky pouvait presque voir les doigts de l'homme crispés sur la crosse de son arme.

— Je crois, docteur Starks, dit le tueur avec une froide résolution qui trahissait sa pensée, que même si cette séance est passionnante et même si vous pensez qu'il y a encore beaucoup à dire… je crois que le temps de la parole est révolu. Le moment est venu, maintenant, que quelqu'un meure. Il est très probable que ce sera vous.

Ricky visa et inspira à fond. Il était adossé aux gravats, incapable de bouger à gauche ou à droite, le chemin était bloqué derrière lui, comme la totalité de son existence, passée et future, détruite à cause d'une seule négligence perpétrée quand il était jeune et qu'il aurait dû être plus malin. Dans un monde où tout était affaire de choix, il n'avait qu'une solution. Son doigt se serra sur la détente du pistolet, il rassembla toutes ses forces et canalisa sa volonté.

— Vous oubliez quelque chose, dit-il lentement, froidement. Le Dr Starks est déjà mort.

Puis il tira.

On eût dit que l'homme avait saisi la modification de son intonation, qu'il avait compris au simple durcissement sur le premier mot et que son entraînement et son intelligence de la situation avaient pris le dessus. Il réagit en tout cas de manière radicale, immédiate, sans la moindre hésitation. A l'instant précis où Ricky appuyait sur la détente, Rumplestiltskin se laissa tomber de côté en tournant sur lui-même, de sorte que la première balle – qui visait le centre de son dos – lui pulvérisa l'omoplate. La deuxième pénétra les muscles durcis de son bras droit, dans un bruit de tissus déchirés, un son mat quand elle toucha les chairs et un craquement d'os brisés.

Ricky tira une troisième fois, mais n'importe comment. La balle disparut dans la nuit avec un hurlement de sirène.

Rumplestiltskin se tortilla et se mit à haleter sous l'effet de la douleur, mais l'adrénaline lui permit de surmonter la violence des coups qui l'avaient frappé. Il essaya de lever son arme avec son bras mutilé. Puis il l'empoigna de la main gauche, essaya de la stabiliser, dans un équilibre précaire. Figé, Ricky regarda le canon du pistolet automatique se lever comme une tête de cobra et se balancer d'avant en arrière en le fixant de son œil unique. L'homme qui le tenait vacillait, comme s'il se trouvait au bord d'une falaise escarpée, les pierres roulant sous ses pieds.

Il entendit la déflagration comme dans un rêve, comme si cela arrivait à quelqu'un d'autre – quelqu'un qui se serait trouvé très loin de là, sans aucun lien avec lui. Mais le sifflement de la balle qui déchira l'air au-dessus de sa tête était réel et cela détermina Ricky à agir de nouveau. Il y eut une seconde détonation et il sentit le déplacement d'air brûlant quand la balle traversa le poncho informe déployé sur ses épaules. Ricky inspira à fond, sentit l'odeur de la cordite et de la fumée, il leva de nouveau son arme, se rendit maître de l'agitation qui faisait trembler ses mains et aligna le canon du pistolet sur le visage de Rumplestiltskin, effondré par terre devant lui.

Le tueur eut l'air de basculer en arrière, essayant de se tenir droit, comme s'il attendait le coup final et mortel. Son arme avait glissé vers le sol, elle pendait mollement à son côté après son dernier effort, à peine tenue par ses doigts agités de mouvements convulsifs, qui ne répondaient déjà plus aux muscles lacérés et sanguinolents. Il leva sa main intacte vers son visage, comme s'il souhaitait faire dévier le coup qui allait venir.

L'adrénaline, la colère, la haine, la peur, tout ce qu'il avait traversé tout remonta au même moment en Ricky, demandant, suppliant, exigeant et hurlant des ordres. Il comprit frénétiquement qu'enfin, en cet instant précis, il était sur le point de gagner.

Puis il se figea car il s'aperçut brusquement que ce n'était pas vrai.

Rumplestiltskin avait pâli. On eût dit que la lune illuminait son visage. Du sang semblable à de l'encre noire faisait de longues traînées sur son bras et sa poitrine. Une dernière fois, faiblement, il essaya de lever son arme, mais sans plus de succès. Le coma s'emparait de lui rapidement, obscurcissait chacun de ses gestes, brouillait sa conscience des événements. Un calme presque palpable, étouffant leurs mouvements, s'était déployé sur les deux hommes.

Ricky contempla cet homme qui avait été son patient et que, pourtant, il ne connaissait pas. Il prit conscience qu'il ne lui faudrait pas longtemps pour saigner à mort. Ou bien succomber au choc. Il n'y a qu'au cinéma, se dit-il, qu'un homme peut encaisser à bout portant une balle d'un gros calibre et rester capable de danser la gigue. Les chances de Rumplestiltskin n'étaient qu'une question de minutes.

Une partie de son esprit, dont il ignorait l'existence, lui soufflait de rester là, à regarder cet homme mourir.

Il n'en fit rien. Il se remit sur pied et bondit en avant. Il fit valser d'un coup de pied le revolver de la main du tueur, puis il fourra le sien dans son sac à dos. Puis, tandis que Rumplestiltskin marmonnait quelque chose, luttant contre l'évanouissement qui précéderait la mort de près, il se pencha et saisit son adversaire par le torse. Luttant contre son poids, Ricky le souleva, rassembla toutes ses forces pour prendre son élan et le jeta sur son épaule à la manière des pompiers. Il se redressa lentement, équilibra le poids sur son dos, et puis il avança en titubant dans les ruines et sortit de chez lui l'homme qui voulait sa mort.

La sueur lui piquait les yeux et chaque pas lui demandait un effort considérable. Son fardeau lui paraissait tellement énorme qu'il avait l'impression de n'avoir jamais rien soulevé de si lourd. Il sentait que Rumplestiltskin était en train de perdre conscience, il entendait sa respiration sifflante, de plus en plus difficile, un souffle d'asthmatique signifiant l'approche de la mort. Ricky inspirait lui-même à grands traits l'air humide, chacune de ses enjambées plus difficile que la précédente, chacune représentant un défi monstrueux. Il savait que c'était la seule manière de rejoindre la liberté. Il s'arrêta au bord de la route. La nuit les enveloppa de son anonymat. Il laissa tomber Rumplestiltskin sur le sol et tâta ses poches. A son grand soulagement, il trouva ce qu'il espérait y trouver. Un téléphone portable.

Le souffle de Rumplestiltskin n'était plus qu'une suite de halètements superficiels et douloureux. Ricky se dit que sa première balle lui avait brisé l'omoplate et que les bruits qu'il entendait venaient d'un poumon déchiré. Il étancha le mieux possible le sang qui coulait des plaies de son adversaire. Puis il appela le numéro, qu'il connaissait par cœur depuis longtemps, des pompiers de Wellfleet.

— 911, urgences de Cape Cod, fit une voix sèche, efficace.

— Ecoutez attentivement. Je ne me répéterai pas, alors il faut que vous compreniez bien, fit Ricky avec une lenteur délibérée, séparant les mots, prononçant chacun d'eux à un rythme calculé. Il y a eu un accident. Avec une arme à feu. La victime se trouve sur Old Beach Road, à l'entrée de la propriété du regretté Dr Starks, la maison qui a brûlé l'été dernier. L'homme se trouve juste sur l'allée d'accès. Il a de multiples blessures par balle à l'omoplate et au bras droit, et il est en état de choc. Si vous n'êtes pas là dans les minutes qui viennent, il va mourir. Est-ce que vous comprenez ce que je viens de vous dire ?

— Qui êtes-vous ?

— Est-ce que vous avez compris ?

— Oui. J'envoie des secours tout de suite. Old Beach Road. Qui êtes-vous ?

— Vous connaissez les lieux que je viens de vous décrire ?

— Oui. Mais je dois savoir qui vous êtes.

Ricky réfléchit un instant.

— Je ne suis plus personne, maintenant.

Il coupa la communication. Il ôta les dernières balles

de son revolver et les jeta dans les bois, le plus loin possible. Puis il laissa tomber l'arme par terre à côté du blessé. Il prit sa lampe torche dans le sac à dos, l'alluma et la posa sur la poitrine du tueur inconscient. Ricky leva la tête. Il entendit une sirène retentir au loin. La caserne de pompiers se trouvait à quelques kilomètres de là, sur la Route 6. Il ne leur faudrait pas longtemps pour arriver sur les lieux. Il estima que le trajet jusqu'à l'hôpital demanderait un quart d'heure, vingt minutes. Il ne savait pas si les infirmiers présents dans l'ambulance seraient capables de garder le blessé en vie et si les urgences pourraient soigner des blessures d'une telle gravité. Il ne savait même pas si une équipe chirurgicale compétente était de garde. Il jeta un dernier regard au tueur. Parviendrait-il à survivre encore quelques heures ? Peut-être. Peut-être pas. Sûrement pour la première fois de sa vie, Ricky aimait l'incertitude.

Le bruit de l'ambulance approchait, très vite. Ricky tourna les talons et se mit à courir, lentement au début, puis il accéléra rapidement jusqu'à ce qu'il soit au maximum de sa puissance. Les pieds martelant la route selon un rythme régulier, il laissa l'obscurité de la nuit l'avaler littéralement jusqu'à ce qu'il soit définitivement invisible.

Tel un fantôme de fraîche date, Ricky disparut.

36

Un faubourg de Port-au-Prince

L'aube était levée depuis près d'une heure. Ricky contemplait un petit gecko vert-jaune qui fonçait comme une flèche sur le mur devant lui en défiant les lois de la pesanteur. Cet animal minuscule avançait par à-coups, s'arrêtait pour dérouler sa langue orange, courait sur quelques pas, s'arrêtait de nouveau, tournait la tête de tous côtés comme pour s'assurer qu'il n'y avait pas de danger. Ricky admirait et enviait la merveilleuse simplicité de son univers quotidien : trouver à manger… et éviter d'être mangé.

Au-dessus de sa tête, un vieux ventilateur marron à quatre pales qui grinçait légèrement agitait l'air chaud et humide de la petite chambre. A chaque fois que Ricky remuait les jambes, le bruit des ressorts du matelas répondait à celui du ventilateur. Il s'étira furieusement, bâilla, passa la main sur son crâne dégarni, s'empara du bermuda kaki décoloré posé au pied du lit et chercha ses lunettes. Il se leva et se versa une cuvette d'eau du broc qui se trouvait sur la table de bois branlante. Il s'aspergea le visage, laissa l'eau lui couler sur la poitrine, puis il prit un gant de toilette usé qu'il frotta sur le bout de savon piquant posé sur la table. Il trempa le gant dans l'eau et se lava tant bien que mal.

La chambre qu'il occupait était presque carrée, et plus ou moins dépourvue de décoration. Les murs de stuc, autrefois d'un blanc immaculé, brillant, avaient passé avec les années. Ils étaient maintenant de la couleur de la poussière qui flottait dans la rue. Ricky possédait peu de choses : un poste de radio qui diffusait les matchs du printemps sur les fréquences de l'armée, quelques vêtements, un calendrier récent montrant une jeune femme aux seins nus et au regard engageant, dont quelqu'un avait cerclé les yeux au stylo noir. Il pendait à un clou à moins d'un mètre d'un crucifix en bois qui avait dû appartenir à l'occupant précédent. Il ne l'avait pas ôté car il lui semblait que décrocher un symbole religieux dans un pays où la religion, sous de multiples aspects bizarres et contradictoires, était si importante pour tant de gens, pouvait porter la poisse. Or, il se disait que jusque-là, somme toute, il avait été assez verni. Il avait posé deux étagères contre un mur. Elles croulaient sous le poids de nombreux livres de médecine déchirés et défraîchis, et de quelques autres plus récents. Les titres en étaient concrets (*Les Maladies tropicales et leurs traitements*) ou plus ésotériques (*Etude de quelques formes de maladie mentale dans les pays en voie de développement*). Il avait aussi, sur le bureau, près de l'ordinateur et de l'imprimante, un épais carnet de notes en simili-cuir et quelques crayons dont il se servait pour jeter ses remarques et ses idées de traitement. Au-dessus de l'imprimante, il avait épinglé une liste manuscrite des grossistes en médicaments du sud de la Floride. Il avait aussi un petit sac de marin en toile noire, susceptible d'accueillir le nécessaire pour un voyage de deux ou trois jours, dans lequel il avait entassé quelques vêtements. Examinant sa chambre, Ricky pensa que ce n'était pas grand-chose, mais qu'elle était parfaitement adaptée à son état d'esprit et à l'idée qu'il se faisait de lui-même. Il savait qu'il aurait pu trouver facilement un meublé bien plus confortable, mais il n'était pas sûr d'en avoir envie, même après les affaires qu'il allait devoir régler pendant le restant de la semaine.

De sa fenêtre, il regarda dans la rue. Il ne se trouvait qu'à un demi-pâté de maisons de la clinique et il voyait déjà les gens qui se rassemblaient devant. En face, il y avait une petite épicerie dont les propriétaires, deux quinquagénaires d'une obésité incongrue, étaient en train d'installer des barriques et des caisses en bois pleines de fruits et légumes frais. Ils préparaient aussi du café, dont l'odeur montait vers lui. Au même instant, la femme de l'épicier se retourna et l'aperçut à sa fenêtre. Elle agita joyeusement la main en souriant et fit un geste vers le café qui frémissait au-dessus d'un feu ouvert pour l'inviter à les rejoindre. Il leva deux doigts pour montrer qu'il arrivait dans deux minutes et elle se remit au travail. La rue était déjà pleine de monde et Ricky se dit qu'une grosse journée les attendait à la clinique. On n'était qu'au début du mois de mars, et la chaleur était bizarrement élevée, se mêlant au parfum lointain des bougainvillées et aux odeurs des fruits exposés sur les étals de l'épicerie – la température montait aussi vite que le soleil du matin dans le ciel.

Il regarda les collines surplombant la ville, au loin, où alternaient le vert luxuriant et enthousiaste et le brun aride. Il se dit que Haïti était vraiment un des lieux les plus fascinants de la planète. C'était l'endroit le plus pauvre qu'il ait jamais vu, mais à certains égards c'était aussi le plus digne. Il savait, quand il descendait la rue menant à la clinique, qu'il était le seul Blanc à des kilomètres à la ronde. Autrefois, cela l'aurait peut-être perturbé, mais plus maintenant. Il se délectait d'être différent et il avait conscience qu'une sorte de mystère accompagnait ses pas.

Ce qu'il appréciait surtout, c'était qu'en dépit de ce mystère, les gens dans la rue étaient disposés à accepter sa présence, pourtant si étrange, sans poser de questions. En tout cas pas devant lui, ce qui semblait à la fois, à bien y réfléchir, un compliment et un compromis, et l'un et l'autre lui plaisaient bien.

Il descendit de sa chambre et rejoignit l'épicier et sa femme pour boire une tasse de café fort et amer, à peine adouci par du sucre non raffiné. Il avala un croûton de pain qui avait été cuit le matin même et profita de l'occasion pour examiner le furoncle infecté sur le dos de l'épicier – il l'avait percé et drainé trois jours plus tôt. La plaie semblait se cicatriser rapidement. Il lui rappela, moitié en français, moitié en anglais, qu'il devait la garder propre et changer de nouveau le pansement dans le courant de la journée.

L'épicier hocha la tête, sourit, lui parla un moment des bonnes et des mauvaises fortunes de l'équipe locale de football et supplia Ricky d'assister au match, la semaine suivante. Chaque match de cette équipe – les Aigles en Plein Vol – suscitait les passions des habitants du quartier, malgré des résultats résolument moyens et remarquablement peu propices à l'envol. L'épicier refusa que Ricky paie son frugal petit déjeuner. Entre les deux hommes, c'était devenu une routine. Ricky mettait la main à sa poche, et l'épicier faisait un geste de refus. Comme toujours, Ricky le remerciait, promettait de venir au match de football et de porter les couleurs (rouge et vert) des Aigles, et sortait prestement pour se diriger vers la clinique, la bouche encore pleine du goût du café.

Une foule s'était rassemblée devant l'entrée,

dissimulant à moitié l'écriteau où l'on pouvait lire en grandes lettres noires irrégulières, fautes d'orthographe comprises : DOCTEUR DUMONDAIS – EXCELLENTE CLINIQUE MÉDICAL. DE 7 À 19 HEURE ET SUR RENDEZ-VOUS. TÉLÉPHONE : 067-8975. Ricky traversa la foule, qui s'écarta pour le laisser passer. Plusieurs hommes levèrent leur chapeau dans sa direction. Il reconnut quelques clients réguliers qu'il salua d'un sourire. Les visages s'illuminaient en réponse, et il entendit plusieurs personnes murmurer, en français : *« Bonjour, monsieur le docteur...** » Il serra les mains d'un vieil homme, le tailleur qu'on appelait Dupont, qui lui avait fait un costume de lin ocre (beaucoup plus élégant que tout ce qu'il aurait pu espérer porter un jour) après que Ricky lui eut obtenu du Vioxx pour soigner l'arthrite qui lui paralysait les doigts. Comme prévu, le médicament avait fait des miracles.

En entrant dans la clinique, il vit l'infirmière du Dr Dumondais, une femme imposante qui semblait mesurer un mètre soixante horizontalement et verticalement. Elle possédait une force physique redoutable et une connaissance illimitée des remèdes populaires et des traitements vaudous applicables à n'importe quelle maladie tropicale.

— *Bonjour, Hélène*, dit Ricky. *Tout le monde est arrivé aujourd'hui...**

— C'est vrai, docteur, nous allons être occupés toute la journée.

Ricky secoua la tête. Il exerçait sur elle son français mâtiné de créole, et elle, en retour, pratiquait l'anglais avec lui, dans l'attente du jour tant espéré où elle aurait

* Tous les mots ou expressions suivis d'un astérisque sont en français dans le texte.

assez d'argent de côté, dans le coffre-fort qu'elle enterrait au fond de son jardin, pour se payer une place sur le vieux bateau de pêche de son cousin. Il risquerait alors la périlleuse traversée des Florida Straits et la conduirait à Miami, où elle pourrait repartir de zéro. Là-bas, des informations fiables l'en avaient convaincue, l'argent poussait sur les trottoirs.

— *Non, non, Hélène, pas « docteur ». C'est « monsieur » Lively. Je ne suis plus un médecin**...

— Oui, oui, *mister* Lively. Je le sais, car vous l'avez dit si souvent. Pardonnez-moi, car j'ai encore oublié, une fois de plus.

Elle lui fit un grand sourire, comme si elle ne comprenait pas mais qu'elle tenait tout de même à participer à la plaisanterie de Ricky, lui qui faisait bénéficier la clinique de toutes ses compétences médicales et qui ne voulait pourtant pas qu'on l'appelle docteur. Ricky se disait qu'Hélène attribuait simplement cette attitude aux étranges et mystérieuses manies des Blancs et que, comme tous les gens qui s'entassaient à la porte de la clinique, elle se fichait de la manière dont Ricky voulait qu'on l'appelle. Elle savait ce qu'elle savait.

— *Le Dr Dumondais, il est arrivé ce matin ?**

— *Ah, oui, monsieur Lively. Il est dans son... bourreau**.

— Le mot exact, c'est « *bureau** ».

— Oui, oui, j'oublie. *Bureau**. Oui. Il est là. Il vous attend...

Ricky frappa à la porte de bois et entra. Auguste Dumondais, un petit homme menu qui portait des lunettes à double foyer et avait le crâne rasé, se trouvait derrière son bureau de bois abîmé, de l'autre côté de la table d'examen. Il était en train de passer sa blouse blanche. Quand Ricky entra, il leva les yeux et lui adressa un sourire.

— Ah, Ricky, on a du travail, aujourd'hui, hein ?

— *Oui*, fit Ricky. *Bien sûr*.*

— Mais n'est-ce pas aujourd'hui que vous nous quittez ?

— Oh, simplement pour un bref aller et retour, jusqu'à chez moi. Moins d'une semaine.

Le petit docteur hocha la tête. Ricky pouvait voir le doute s'inscrire dans son regard. Quand il était arrivé à la clinique, quelque six mois plus tôt, et qu'il avait offert ses services contre un salaire modeste, Auguste Dumondais n'avait pas posé beaucoup de questions. La clinique s'était développée depuis que Ricky s'y était installé, dans un cabinet très semblable à celui où il se trouvait pour le moment, et qu'il avait convaincu le Dr Dumondais de renoncer à la pauvreté pour acheter de l'équipement et des médicaments. Un peu plus tôt, les deux hommes avaient discuté de la possibilité d'acquérir un appareil à rayons X d'occasion que Ricky avait trouvé, aux Etats-Unis. Ricky comprenait que le docteur craignait que le hasard qui l'avait amené devant sa porte ne le lui ravisse maintenant.

— Une semaine, au maximum. Je vous le promets.

Auguste Dumondais secoua la tête.

— Ne me faites pas de promesses, Ricky. Vous devez faire ce que vous avez à faire, quel que soit votre but. A votre retour, nous reprendrons notre travail.

Il sourit, comme pour montrer qu'il avait tellement de questions à poser qu'il était incapable de savoir par où commencer.

Ricky hocha la tête.

— Il y a un cas... fit lentement le docteur. Le petit

garçon que vous avez vu l'autre semaine. Je crois qu'il vous intéressait, hein ? Il a… combien, cinq ans ?

— Un peu plus, dit Ricky. Six ans. En effet, vous avez raison, Auguste. Il m'intéresse énormément. D'après sa mère, ce gamin n'a jamais prononcé un seul mot.

— C'est ce que j'ai compris, moi aussi. Fascinant, je pense, non ?

— Inhabituel. Oui, c'est tout à fait vrai.

— Et votre diagnostic ?

Ricky revit le petit garçon, sec et nerveux comme la plupart des insulaires, et légèrement sous-alimenté (ce qui était aussi typique), mais pas de façon inquiétante. Il s'était installé en face de Ricky, le regard fuyant – bien qu'il fût assis sur les genoux maternels, il avait peur. La mère avait pleuré amèrement, les larmes coulant sur ses joues brunes, quand Ricky l'avait interrogée. Elle pensait en effet que son garçon serait le plus brillant de ses sept enfants, prompt à apprendre, prompt à lire, prompt avec les chiffres… Sauf qu'il ne prononçait pas un seul mot. Un enfant spécial, disait-elle, dans tous les sens du terme. Ricky savait qu'elle jouissait d'une réputation considérable dans la communauté grâce à ses pouvoirs magiques et qu'elle gagnait un peu d'argent en vendant des potions d'amour et des amulettes réputées pour repousser le mal. Il se rendait compte que la décision d'amener son fils voir l'étrange homme blanc à la clinique avait dû lui briser le cœur et trahissait sa déception à l'égard des remèdes indigènes en même temps que son amour pour le petit garçon.

— Je ne pense pas que son problème soit d'ordre organique, dit lentement Ricky.

Auguste Dumondais fit la grimace.

— Son mutisme serait…

C'était une question.

— Une réaction hystérique.

Le petit docteur se frotta le menton. Puis il passa sa main sur son crâne luisant.

— Je me souviens vaguement d'avoir appris ça, il y a longtemps, à l'école de médecine. Peut-être. Qu'est-ce qui vous fait dire cela ?

— La mère a simplement fait allusion à une sorte de tragédie. Quand il était petit. Ils étaient sept enfants, mais ils ne sont plus que cinq. Vous connaissez l'histoire de cette famille ?

— Deux enfants sont morts, oui. Et le père, aussi. Un accident, je me rappelle, pendant une violente tempête. Oui, cet enfant était présent, je me rappelle aussi. Tout vient peut-être de là. Mais comment peut-on soigner cela ?

— Je vais faire quelques recherches et je vous proposerai un traitement. Il nous faudra convaincre la mère, bien sûr. Je ne sais pas si ce sera facile.

— Cela lui coûtera cher ?

— Non, fit Ricky.

Il réalisa que la demande d'Auguste Dumondais d'examiner l'enfant au moment où il avait prévu un voyage à l'étranger n'était pas dénuée d'arrière-pensées. C'était transparent, mais c'était une bonne intention. Ricky se dit qu'il aurait sans doute fait la même chose.

— Je pense que ça ne lui coûtera rien de me l'amener après mon retour. Mais je dois d'abord y réfléchir.

Le Dr Dumondais sourit et hocha la tête.

— Excellent, dit-il en s'accrochant un stéthoscope autour du cou et en lui tendant une blouse blanche.

La journée passa rapidement. Ricky était si occupé qu'il faillit manquer le vol pour Miami. L'homme d'affaires d'un certain âge, muni d'un passeport américain récent établi au nom de Richard Lively et ne portant que quelques visas de pays de la zone caraïbe, passa les douanes américaines sans problème. Ricky songea qu'il ne correspondait à aucun des profils criminels connus, définis avant tout pour identifier les trafiquants de drogue. Il se considérait comme un criminel unique, défiant toutes les tentatives de le faire entrer dans une catégorie précise. Il avait une réservation sur le vol Miami-La Guardia de huit heures du matin : il passa donc la nuit dans un hôtel de l'aéroport. Il prit une longue douche brûlante avec beaucoup de savon, qu'il savoura d'un point de vue à la fois hygiénique et sensuel, en se disant que c'était presque un luxe, comparé à l'existence spartiate à laquelle il s'était habitué. La climatisation qui défiait la chaleur extérieure et rafraîchissait sa chambre était un plaisir qu'il croyait avoir oublié. Il dormit pourtant par à-coups, en sursautant, et remua pendant une bonne heure avant de pouvoir fermer les yeux. Il s'éveilla deux fois : d'abord au milieu de la nuit, après avoir rêvé de l'incendie de sa maison de campagne, puis un peu plus tard, quand il rêva de Haïti et du garçon qui ne parlait pas. Allongé dans le noir, il était surpris de trouver les draps un peu trop doux et le matelas trop moelleux. Il tendait l'oreille au bourdonnement de l'appareil à glace dans le hall et aux rares bruits de pas dans le couloir, incomplètement amortis par les tapis. Dans ce silence presque total, il se remémora son dernier coup de fil à Virgil, près de neuf mois plus tôt.

Quand il retrouva enfin sa chambre minable, à l'extérieur de Provincetown, il était minuit. Il était déchiré entre deux impressions contradictoires – l'épuisement et l'énergie –, éreinté par sa longue course, mais exalté à la pensée qu'il avait survécu à la nuit où il aurait dû mourir. Il se laissa tomber sur le lit et composa le numéro de l'appartement de Virgil, à Manhattan.

Virgil décrocha à la première sonnerie et prononça un seul mot :

— Oui ?

— Ce n'est pas la voix que vous espériez entendre, fit-il.

Elle se figea instantanément.

— Votre frère, l'avocat, il est là, n'est-ce pas ? Il est assis en face de vous, il attendait ce coup de fil, comme vous.

— Oui.

— Qu'il décroche un autre poste et qu'il écoute aussi.

Quelques secondes plus tard, Merlin était en ligne.

— Ecoutez, lança-t-il d'un ton bravache, vous n'avez aucune idée…

— J'ai des tas d'idées, le coupa Ricky. Calmez-vous et écoutez-moi, parce que la vie de tout le monde, ici, en dépend.

Merlin aurait voulu répondre, mais Ricky sentit que Virgil lui avait intimé le silence.

— Votre frère, tout d'abord. Il se trouve actuellement au Mid Cape Medical Center. En fonction de leurs capacités, il y restera, ou bien on le transférera à Boston par hélicoptère, pour l'opérer. Si jamais il survit à ses blessures, la police aura beaucoup de questions à lui poser. Je crois qu'ils auront du mal à comprendre quel crime – s'il y en a un – a été commis cette nuit. Ils auront aussi des questions à vous poser, mais je pense qu'il aura besoin du soutien de sa sœur et de son frère bien-aimés, ainsi que de conseils juridiques, avant

longtemps. Alors votre première tâche sera de vous occuper de ça.

Virgil et Merlin gardèrent le silence.

— A vous de décider, bien sûr. Vous le laisserez peut-être se débrouiller seul. Peut-être pas. C'est à vous de voir. En tout cas, vous vivrez jusqu'à la fin de vos jours avec cette décision. Mais il y a deux ou trois autres problèmes à régler.

— Quel genre de problèmes ? demanda Virgil d'une voix atone, essayant de ne pas trahir la moindre émotion.

Pour Ricky, c'était encore plus révélateur.

— Le plus trivial, d'abord. L'argent que vous avez volé sur mon fonds de pension et mes autres comptes d'épargne. Vous en rembourserez le montant sur un compte au Crédit suisse. Le compte 01-00976-2. Notez le numéro. Et ne traînez pas…

— Sinon… ? demanda Merlin.

Ricky sourit.

— Je croyais qu'un vieux truisme voulait qu'un avocat ne pose jamais une question dont il ne connaisse déjà la réponse. J'en déduis que vous connaissez la réponse.

Cela fit taire Merlin.

— Quoi d'autre ? demanda Virgil.

— Notre nouveau jeu, « Restons en vie », conçu pour que nous y jouions tous ensemble, dit Ricky.

Le frère et la sœur gardèrent le silence.

— Les règles sont simples, poursuivit Ricky.

— Quelles sont-elles ? demanda doucement Virgil.

Ricky sourit, pour lui-même.

— A l'époque où j'ai pris mes dernières vacances, je facturais mes patients entre soixante-quinze et cent vingt-cinq dollars l'heure d'analyse. En moyenne, je les

voyais quatre à cinq fois par semaine, quarante-huit semaines par an. Je vous laisse faire le calcul.

— Oui, dit-elle. Nous connaissions votre vie professionnelle.

— Parfait, fit vivement Ricky. Alors, pour « Restons en vie », quiconque veut continuer à vivre entre en thérapie. Avec moi. Vous payez, vous vivez. Plus il y a de monde dans votre environnement immédiat, plus vous payez, parce que ça sert aussi à acheter leur sécurité.

— Comment cela, « plus il y a de monde » ? demanda Virgil.

— Je vous laisse y réfléchir, dit Ricky d'un ton glacé.

— Et si nous ne faisons pas ce que vous demandez ? s'enquit sèchement Merlin.

Ricky répondit d'une voix dure, sans expression :

— Dès que l'argent cessera d'arriver, j'en conclurai que votre frère s'est remis de ses blessures et qu'il est reparti à ma recherche. Et je serai forcé de vous pourchasser...

Il attendit une seconde, avant d'ajouter :

— ... vous ou quelqu'un qui vous est proche. Une épouse. Un enfant. Une maîtresse. Un associé. Quelqu'un qui empêche votre existence d'être banale.

Une fois de plus, ils se turent.

— A quel point désirez-vous mener une vie normale ?

Ils ne répondirent pas. Mais il savait déjà ce qu'ils diraient.

— C'est plus ou moins le choix que vous m'avez laissé, autrefois. Seulement, maintenant, il est question d'équilibre. Vous pouvez maintenir l'équilibre entre vous et moi. Et vous pouvez le faire de la manière la plus simple et, vraiment, la plus dénuée de signification : en

me donnant de l'argent. Alors, posez-vous la question suivante : combien vaut la vie que j'ai envie de vivre ?

Ricky toussota pour leur laisser le temps de réfléchir.

— D'une certaine manière, reprit-il, c'est la question que je poserais à quiconque viendrait me demander de le prendre en traitement.

Puis il raccrocha.

Au-dessus de New York, le temps était clair. Quand son avion survola la ville en approchant de La Guardia, il aperçut par le hublot la statue de la Liberté et Central Park. Bizarrement, il avait moins l'impression de rentrer chez lui que d'aller visiter un endroit rêvé mais depuis longtemps oublié – comme lorsqu'on revoit le camp de montagne où, forcé par ses parents, on a passé l'été le plus malheureux et le plus solitaire de son enfance.

Ricky devait agir vite. Il avait réservé son retour à Miami sur le dernier vol du soir et il n'avait pas beaucoup de temps. Il y avait une file d'attente au bureau de location. Il fallut un moment pour obtenir la voiture réservée au nom de M. Lively. Il utilisa son permis de conduire du New Hampshire, qui devait expirer six mois plus tard. Il pensa qu'il avait peut-être intérêt à se faire domicilier fictivement à Miami avant de regagner les îles.

Comme il y avait peu de circulation, il lui fallut une heure et demie pour atteindre Greenwich, dans le Connecticut. Il constata que les instructions pour l'itinéraire, qu'il avait trouvées sur Internet, étaient précises à deux cents mètres près. Cela l'amusa : la vie n'est jamais aussi précise, se dit-il.

Il s'arrêta dans le centre-ville et acheta dans une épicerie de luxe une bouteille d'un vin coûteux. Puis il se mit en quête d'une certaine maison, dans une rue relativement modeste – au regard des standards exagérément élevés d'un des quartiers les plus opulents du pays. La richesse des maisons y était ostentatoire, pas obscène. Pour trouver celles de cette dernière catégorie, il fallait aller quelques rues plus loin.

Il se gara au bout de l'allée menant à une villa en faux style Tudor. Il y avait une piscine à l'arrière et un grand chêne, devant, qui devait encore fleurir. Le soleil de mars n'était pas assez insistant, même si les rayons qui filtraient entre les branches étaient prometteurs. Une période de l'année étrangement incertaine, songea-t-il.

La bouteille de vin à la main, il sonna à la porte.

Quelques secondes plus tard, une femme d'une trentaine d'années vint lui ouvrir. Elle portait un blue-jean et un pull à col roulé noir, avait des cheveux blonds ramenés en arrière, et la fatigue lui laissait des marques au coin des yeux et aux commissures des lèvres. Mais elle avait une voix douce et cordiale. Elle ouvrit la porte en grand. Sans lui laisser le temps de placer un mot, elle lui dit, chuchotant :

— Doucement, s'il vous plaît. Je viens de mettre les jumeaux au lit, pour la sieste.

Ricky lui rendit son sourire.

— J'imagine qu'ils ne vous laissent pas une minute de répit, répondit-il d'un ton plaisant.

— Vous ne croyez pas si bien dire, assura la jeune femme, qui s'efforçait toujours de parler bas. Eh bien, que puis-je pour vous ?

Ricky lui tendit la bouteille de vin.

— Vous ne vous souvenez pas de moi ? fit-il.

Il mentait, bien sûr. Ils ne s'étaient jamais vus.

— A ce cocktail, avec les associés de votre mari, il y a près de six mois ?

Elle le regarda attentivement. Il savait qu'elle aurait

dû lui dire : « Non, je ne me souviens pas. » Mais elle était beaucoup mieux élevée que son mari. Elle répondit donc :

— Oh oui, bien sûr, monsieur…

— Docteur. Mais vous pouvez m'appeler Ricky.

Il lui serra la main, puis il lui tendit la bouteille de vin.

— Je devais ça à votre mari, dit Ricky. Nous avons été en relations, il y a un an environ. Je voulais simplement le remercier et lui rappeler l'heureuse issue de notre affaire.

Elle prit la bouteille, un peu déroutée.

— Eh bien, merci, euh… docteur…

— Ricky, dit-il. Il se rappellera.

Il tourna les talons avec un petit geste insouciant et gagna sa voiture au bout de l'allée. Il avait vu ce qu'il voulait voir et il savait ce qu'il voulait savoir. Merlin permettait aux siens de mener une vie agréable, une existence qui promettait de s'améliorer encore à l'avenir. Mais, ce soir-là, il aurait du mal à s'endormir après avoir débouché la bouteille de vin, dont Ricky savait qu'il aurait un goût amer. La peur provoque ce genre d'effets.

Il se demanda s'il rendrait également visite à Virgil. Il se contenta de lui faire livrer une douzaine de lis blancs sur le plateau de tournage où elle travaillait. Elle avait été engagée par une grosse production hollywoodienne. Elle avait un petit rôle, important néanmoins, qui pourrait lui valoir, si elle s'y prenait bien, des rôles encore plus importants et plus intéressants. Evidemment, il doutait qu'on lui confie jamais un personnage aussi intéressant que celui de Virgil. Les lis blancs étaient parfaits. D'habitude, on les envoyait aux enterrements, avec un message de condoléances. Virgil devait le savoir. Il les fit attacher avec un ruban de satin noir et y joignit une carte qui disait simplement :

Je ne vous oublie pas.
Dr S.

Il se dit qu'il était devenu un homme de peu de mots. De très peu de mots.

Vengeance à domicile

(Pocket n° 10828)

Gary Soneji, un dangereux psychopathe, vient juste de s'évader de prison. Atteint du sida, il sait qu'il va bientôt mourir. Mais avant de tirer sa révérence, il est fermement décidé à se venger d'Alex Cross, le flic qui a causé son arrestation. Désormais rien ne peut plus l'en empêcher. C'est lui qui mène le jeu et tous ceux qui seront sur son passage vont payer ! De son côté, Alex Cross a beaucoup à faire avec un autre meurtrier, un certain M. Smith, tueur fou dont le terrain de chasse s'étend jusqu'en Europe…

Il y a toujours un Pocket à découvrir

Petits meurtres en famille

(Pocket n° 12197)

Drame pour le milliardaire Darwin Bishop : sur la petite île de Nantucket, au cœur de sa résidence de rêve, on retrouve Brook, l'une de ses jumelles, étouffée par du mastic… Et si c'était Billy, son fils adoptif, un adolescent perturbé, qui avait froidement assassiné le bébé ? Mais le chef de la police locale ne croit pas à ce coupable idéal et fait appel à son ami psychiatre, Franck Clevenger. Celui-ci s'aperçoit vite que sous la coupe de Bishop toute la famille vit dans une atmosphère de névrose étouffante et que chacun ferait un suspect idéal...

Il y a toujours un Pocket à découvrir

Impression réalisée sur Presse Offset par

45361 – La Flèche (Sarthe), le 01-02-2008
Dépôt légal : janvier 2007
Suite du premier tirage : février 2008

POCKET – 12, avenue d'Italie - 75627 Paris cedex 13

Imprimé en France